INTERROS des LYCÉES

Collection dirigée
par Éric MAURETTE

Physique Chimie 1re S

Cyriaque CHOLET

Nathan

Cet ouvrage est conforme au programme de Physique-Chimie en vigueur en classe de 1re S à la rentrée 2009.

La présente édition, revue et corrigée, bénéficie d'une nouvelle maquette permettant une lecture encore plus aisée et efficace.

Dans chaque chapitre, on trouvera :

- Un rappel de cours, qui s'appuie sur la résolution pratique d'un exercice type, et qui donne de manière concise tout ce que l'on doit retenir du chapitre étudié.

- Des QCM ou des exercices de type vrai-faux permettant de tester de manière rapide la connaissance du cours et sa réelle assimilation et de préparer au mieux les épreuves similaires figurant dans les sujets de baccalauréat et dans les concours post-bac.

- Des exercices qui correspondent aux différents types d'exercices que l'on pourra rencontrer en classe de 1re S, et qui ont tous été réellement posés en lycée. Certains sont des applications immédiates du cours, d'autres nécessitent une réflexion plus approfondie et constituent un bon entraînement pour les études supérieures.

- Enfin les solutions des QCM et des exercices. Certaines sont parfois beaucoup plus détaillées que ce qui est normalement demandé à un élève de Terminale S pour un devoir en classe. Ceci est intentionnel, dans le but d'aider l'élève à garder les idées claires sur les notions fondamentales utilisées.
  Les corrigés comportent de nombreux points-méthode qui mettent clairement en évidence des démarchent qu'il convient de maîtriser.

Rappelons notre recommandation traditionnelle : cet ouvrage n'est pas un manuel de cours. L'auteur souhaite que la lecture de ce livre ne se substitue pas au travail de classe mais qu'elle soit l'occasion d'un dialogue avec le professeur de mathématiques.

L'auteur

Remerciements

L'auteur et l'équipe de Prepamath éditions tiennent à remercier Sébastien Mengin
pour l'aide précieuse qu'il a apportée à cet ouvrage.

Illustrations : Patrick Doan

Coordination éditoriale : François Déliac

Conception couverture : Marc & Yvette

✳✳✳

Table des matières

Tous les conseils qui suivent sont ceux utilisés par un grand nombre de majors (sortis premiers) de Polytechnique ou de l'Éna, par des professionnels de l'organisation et sont également recommandés par de nombreux professeurs. Pour en savoir plus sur le sujet, nous vous conseillons le livre « Comment travailler plus efficacement », par F. Déliac, U. Hadrien, E. Matrullo et E. Maurette, aux Éditions Prepamath.

Faire des « feed-back »

Le « feed-back » est le conseil le plus important et le plus utilisé par ceux qui réussissent brillamment leurs études. Il consiste à contrôler systématiquement, sans s'aider de notes, ce que l'on vient d'apprendre (exercices et cours). Ce contrôle peut se faire mentalement, oralement ou par écrit.

- Dans les transports, essayez de vous rappeler mentalement, et sans vous aider de vos notes, le cours et les exercices vus le matin en classe (feed-back mental).

- Après avoir relu votre cours le soir, essayez de retrouver par écrit les principaux paragraphes et démonstrations sans regarder votre leçon (feed-back écrit).

- Après avoir résolu un problème, prenez 5 minutes pour contrôler par écrit que vous vous rappelez clairement l'énoncé ainsi que la démarche de résolution (feed-back écrit).

- Expliquez à des amis la leçon que vous venez d'apprendre ou l'exercice que vous venez de résoudre : c'est un excellent feed-back oral. Choisissez le type de « feed-back » qui vous convient le mieux et faites-en le plus régulièrement possible (après chaque cours et chaque série d'exercices). Pour être efficace, un « feed-back » doit se faire sans l'aide de vos notes. Ainsi, faire des fiches de résumés de cours à partir de vos cahiers ouverts ne constitue nullement un « feed-back ».

Miser sur la qualité

De nombreux témoignages démontrent que pour obtenir de bons résultats, il est préférable de faire un nombre limité d'exercices, mais plus approfondis, que d'en survoler une grande quantité de piètre qualité. Une tendance très répandue consiste à abattre une grande quantité d'exercices, à la chaîne, mais superficiellement, en espérant que le jour du contrôle, l'on aura déjà vu ce type de problème et que l'on saura s'en souvenir. Cette méthode est absolument inefficace car la seule manière de se souvenir d'un exercice de mathématiques ou de physique, c'est de l'avoir parfaitement compris et assimilé. Ainsi :

- À la fin d'un problème, prenez 5 à 10 minutes pour essayer de trouver un moyen de le généraliser ou de le compliquer (c'est ce que font souvent les professeurs pour concevoir leurs contrôles écrits) ; trouvez ce que cela pourrait changer dans la solution.

- Prenez également l'habitude, après chaque exercice, de faire un « feed-back » en faisant ressortir la démarche générale et en tissant des liens avec le cours. Bref, il ne faut pas vous contenter de résoudre l'exercice, mais il vous faut lui apporter de la valeur ajoutée et vous interroger sur son contenu.

- Idem pour le cours. Ne vous contentez pas de le parcourir de manière passive. Il vous faut avoir la rigueur d'effacer toutes les zones d'ombre. Pour chaque théorème, il faut vous demander quels types d'exercices son utilisation permettra de résoudre.

Travailler par « couches successives »

Cette méthode, très utile pour les étudiants préparant des examens ou des révisions, peut également être utilisée dès le lycée.

On observe que pour apprendre un gros volume de cours, rien n'est plus inefficace que de l'attaquer de front, de manière linéaire. La bonne manière consiste à d'abord survoler l'ensemble, en ne retenant que la structure, c'est-à-dire les grands titres, ainsi que les noms des paragraphes (première couche, étape devant durer 5 minutes). Dans l'étape suivante (deuxième couche, d'une durée de 10 minutes), on reprend son cours du début en retenant cette fois également les théorèmes et résultats importants. Après cette deuxième couche, on a déjà une idée claire de la structure de l'ensemble du cours. On peut alors aborder la dernière étape (troisième couche) : on reprend son cours au début pour, cette fois-ci, l'étudier en profondeur en apprenant le détail des démonstrations.

Il est à noter que cette méthode peut être également appliquée avec succès à des matières littéraires, ainsi qu'aux révisions du bac de français. Par exemple :

- Pour la préparation d'un contrôle, on commencera par passer en revue rapidement l'ensemble du cours et des exercices du chapitre précédemment étudiés, avant de les réviser en détail. Ainsi aura-t-on développé une compréhension synthétique et claire.

- De même, avant d'aborder un problème volumineux (tel qu'un contrôle écrit), il est préférable de survoler l'ensemble du problème avant de l'attaquer.

Travailler sa rapidité

Pour acquérir de la rapidité, 3 voies sont possibles :

- Prenez l'habitude, en travaillant chez vous, de vous concentrer sur une seule chose à la fois, c'est-à-dire ne pas attaquer un problème ou une dissertation, en rêvassant à ce que vous pourriez trouver à manger dans le réfrigérateur ou en écoutant de la musique.

- Prenez l'habitude de travailler chez vous dans les mêmes conditions qu'en devoirs surveillés. Le minutage de chacun des exercices de ce livre est fait en ce sens. Cependant, cela ne devrait pas, une fois la résolution faite, vous empêcher d'y réfléchir plus calmement afin de vérifier la bonne assimilation du problème. Si les seuls moments où vous vous pressez sont les contrôles écrits, vous ne deviendrez jamais rapide.

- Essayez de contenir tout votre travail à la maison dans une plage horaire serrée. Engagez-vous, par exemple, à travailler chez vous tous les jours entre 18 h et 20 h et efforcez-vous de ne jamais déborder (quelle que soit votre charge de travail). En effet, si l'on ne se donne pas de limite de temps pour accomplir un travail, l'on a naturellement tendance à le laisser traîner en longueur et à rêvasser. L'étroitesse de la plage horaire vous obligera à ne pas vous endormir et à devenir efficace.

Interactions fondamentales

Exercice type

Lycée Charles de Gaulle, Rosny-sous-Bois

On considère un atome de cuivre ($Z = 29$, $A = 84$). Les électrons périphériques de cet atome sont situés à environ $d = 0,12$ nm du noyau.

1 Déterminer l'interaction électrique entre un noyau de cuivre et un électron périphérique.

2 Déterminer l'interaction gravitationnelle entre le noyau et l'électron périphérique. Conclusion ?

3 Quelle serait la distance entre l'électron et le noyau pour que l'interaction gravitationnelle soit divisée par 100 ?

4 Est-il plus facile d'arracher un électron périphérique ou un électron proche du noyau ? Justifier.

5 Déterminer le nombre des deux sortes de nucléons existant dans le noyau. Qu'est-ce qui maintient leur cohésion ?

Données numériques :

- charge élémentaire : $e = 1,6.10^{-19}$ C ;
- masse d'un nucléon : $m_n = 1,67.10^{-27}$ kg ;
- masse d'un électron : $m_e = 9,1.10^{-31}$ kg ;
- constante gravitationnelle : $G = 6,67.10^{-11}$ SI ;
- constante électrostatique : $k = 9.10^9$ SI.

Voir corrigé page 4

1 Les constituants de la matière

La matière est composée d'atomes dans lesquels on distingue :

- un noyau composé de A nucléons (Z **protons** et $A - Z$ **neutrons**).

nucléons	nombre	masse (kg)	charge (C)
protons	Z	$m_p \simeq 1,67.10^{-27}$	$q_p = +e = 1,6.10^{-19}$
neutrons	$A - Z$	$m_n \simeq 1,67.10^{-27}$	$q_n = 0$

- des **électrons**, qui gravitent autour du noyau, de masse $m_e \simeq 9,1.10^{-31}$ kg et de charge électrique négative $q_e = -e = -1,6.10^{-19}$ C.

La composition d'un élément est indiquée, de manière générale, sous la forme :

Dans cette notation, on distingue :

- le symbole de l'élément (H pour l'hydrogène, He pour l'hélium, ...) ;
- le **numéro atomique** Z (qui représente le nombre de protons) ;
- le **nombre de masse** A (qui donne le nombre de nucléons) ;
- la charge éventuelle de l'ion, lorsque le nombre d'électrons est différent de Z.

! Attention :

Le numéro atomique Z est caractéristique de chaque élément, ce qui signifie que le nombre de protons est immuable pour un élément donné. Seuls peuvent changer les nombres de neutrons (des **isotopes** sont alors constitués) ou d'électrons (des **ions** sont alors formés).

Les seuls transferts de charge observés mettent en œuvre des électrons de charge $q_e = -e$; cette charge étant indivisible, les corps chargés contiennent nécessairement un nombre entier (positif ou négatif) de charge élémentaire $e = 1,6.10^{-19}$ C.

2 Interactions fondamentales

Les interactions entre points matériels se manifestent par l'apparition de **forces**, que l'on représentera par des flèches, orientées dans le sens où s'exercent les interactions.

2.1 La masse et l'interaction gravitationnelle

Deux points matériels, séparés d'une distance d, exercent l'un sur l'autre une force attractive de gravitation. Les caractéristiques de cette force sont :

- sa direction, donnée par la droite passant par les deux points ;
- son sens : cette force étant toujours attractive, elle est orientée vers le point qui l'exerce ;
- son intensité : proportionnelle aux masses m_1, m_2, et inversement proportionnelle à d^2 :

$$F = G \times \frac{m_1 \times m_2}{d^2}$$

où les masses m_1 et m_2 sont exprimées en kilogramme (kg), la distance d est exprimée en mètre (m), la force F est exprimée en newton (N) et la **constante de gravitation universelle** vaut :

$$G = 6,67.10^{-11} \, \text{m}^3 \cdot \text{kg}^{-1} \cdot \text{s}^{-2}$$

Remarque : pour simplifier, on remplace fréquemment cette unité par SI, ce qui signifie que G est exprimé dans le système international d'unités.

À la surface d'un astre, de masse M et de rayon R, la force de gravitation qui s'exerce sur un point de masse m s'appelle son **poids** P :

$$P = G \times \frac{mM}{R^2} = mg$$

où $g = \dfrac{GM}{R^2}$ est **l'intensité de la pesanteur** au point considéré (par exemple, en France, $g \simeq 9,81 \, \text{N} \cdot \text{kg}^{-1}$).

2.2 Les charges et l'interaction électrique

Deux particules chargées (de charges q et q') exercent l'une sur l'autre une force électrostatique. Lorsque q et q' sont de même signe, la force est répulsive, tandis que des charges de signe opposé s'attirent. L'intensité de cette force suit la **loi de Coulomb** :

$$F = k \times \frac{|q| \times |q'|}{d^2}$$

où q et q' s'expriment en coulomb (C), la distance entre les charges s'exprime en mètre (m), F est donné en newton (N) et k est la constante de la loi de Coulomb :

$$k = 9.10^9 \, \text{kg} \cdot \text{m}^3 \cdot \text{s}^{-4} \cdot \text{A}^{-2} \quad \text{(SI)}$$

Les porteurs de charge sont essentiellement de deux types :

- les électrons, de charge individuelle $q_e \simeq -1,6.10^{-19}$ C, susceptibles de se déplacer facilement dans les métaux, mais très difficilement dans les matériaux isolants ;
- les ions (responsables de la conductivité électrique des solutions aqueuses).

Un conducteur de l'électricité permet aux charges des déplacements sur de grandes distances, tandis que dans un isolant, les charges ne sont pas libres de se déplacer sur des distances supérieures aux distances atomiques.

Des charges peuvent également être mues par **électrisation** :

- **Par contact** : les charges portées par un corps se transmettent rapidement à un autre corps par simple contact ; ce phénomène se produit aussi bien avec des matériaux conducteurs qu'avec des matériaux isolants.

- Par **influence** : à l'approche d'un corps chargé électriquement, un objet métallique est est le siège d'une redistribution de ses charges, facilement mobiles.

2.3 Les nucléons et l'interaction forte

On distingue, dans la nature :

- **l'interaction gravitationnelle**, de longue portée, à l'origine de la cohésion des édifices macroscopiques. C'est à l'échelle astronomique (système solaire, galaxies, ...) que cette interaction devient prépondérante.

- **l'interaction électromagnétique**, dont la force électrostatique est une des manifestations. Elle opère de l'échelle atomique à l'échelle humaine : d'elle dépendent non seulement le maintien des électrons dans l'atome, mais également la plupart des phénomènes observés à l'échelle humaine (états solides et liquides de la matière, contraction des muscles, ...).

- **l'interaction forte**, de courte portée, permet le confinement des protons dans le noyau en dépit de leur charge de même signe qui provoque leur répulsion électrostatique. L'interaction forte est beaucoup plus intense que l'interaction électrostatique mais sa portée est aussi beaucoup plus courte.

Solution de l'exercice type

1 Le noyau comporte $Z = 29$ protons, chacun de charge $q_p = +e$. Par suite, le noyau porte la charge $q_{\text{noyau}} = Z \times q_p = 29\,e$, tandis que l'électron porte la charge $q_e = -e$. L'interaction électrique entre les charges du noyau et l'électron se traduit par une force d'intensité :

$$F_{\text{élec.}} = k\,\frac{|q_{\text{noyau}} \times q_e|}{d^2} = 9.10^9 \times \frac{29 \times (1,6.10^{-19})^2}{(0,12.10^{-9})^2}$$

$$\Rightarrow \quad F_{\text{élec.}} = 4,6.10^{-7}\,\text{N}$$

COURS

2 Chacun des $A = 84$ nucléons a une masse m_n. Donc la masse du noyau vaut $m_{noyau} = 84 \times m_n$ tandis que celle de l'électron vaut m_e. Ainsi, l'interaction gravitationnelle entre le noyau et un électron périphérique se manifeste par une force d'intensité :

$$F_{\text{grav.}} = G \frac{m_{\text{noyau}} \times m_e}{d^2}$$

$$= 6,67.10^{-11} \times \frac{(84 \times 1,67.10^{-27}) \times 9,1.10^{-31}}{(0,12.10^{-9})^2}$$

$$\Rightarrow F_{\text{grav.}} = 5,9.10^{-46} \text{ N}$$

Étant donné que $F_{\text{élec}}$ est très supérieur à $F_{\text{grav.}}$, on peut conclure que la cohésion des électrons dans l'atome est d'origine électrique et non gravitationnelle.

3 Lorsque l'électron périphérique se trouve aux distances $d = 0,12$ nm ou d' du noyau, il est soumis aux forces gravitationnelles respectives :

$$F_{\text{grav.}} = \frac{Gm_{\text{noyau}} m_e}{d^2} \quad \text{ou} \quad F'_{\text{grav.}} = \frac{Gm_{\text{noyau}} m_e}{d'^2}$$

Aussi, la condition $F'_{\text{grav.}} = \dfrac{1}{100} F_{\text{grav.}}$ se traduit-elle par :

$$\frac{Gm_{\text{noyau}} m_e}{d'^2} = \frac{Gm_{\text{noyau}} m_e}{100 \, d^2} \quad \Rightarrow \quad d'^2 = 100 \, d^2 \Rightarrow d' = 10 \times d$$

$$\Rightarrow \quad d' = 1,2 \text{ nm}$$

4 La force électrique : $F_{\text{élec.}} = k \dfrac{|q_{\text{noyau}} \times q_e|}{d^2}$ qui lie l'électron au noyau est d'autant plus faible que la distance d est plus grande. C'est pourquoi un électron périphérique sera plus facile à « arracher » qu'un électron plus proche du noyau.

5 Le noyau est composé de $A = 84$ nucléons, dont $Z = 29$ sont des protons. Il comporte donc $84 - 29 = 55$ neutrons.
L'interaction électrique ne peut justifier la cohésion des nucléons dans le noyau : les protons se repoussent tandis que les neutrons sont insensibles à cette interaction. Seule l'interaction forte permet le confinement des nucléons dans le noyau.

ÉNONCÉS

CORRIGÉS

1 L'interaction électrique

5 min. | *p. 14*

1 La force d'interaction électrique entre deux charges de 10 μC, situées à 10 cm l'une de l'autre, a pour intensité :

  a 9.10^6 N **b** 90 N **c** 9.10^{-6} N

2 La force d'interaction électrique entre un noyau de charge $8 \times e$ et un électron situé à 150 pm a pour intensité :

  a $8, 2.10^{-8}$ N **b** $8, 2.10^8$ N **c** $8, 2$ N

Données :

- constante électrostatique : $k = 9.10^{-9}$ SI ;
- charge élémentaire : $e = 1, 6.10^{-19}$ C.

2 Électrisation

15 min. | *p. 14*

On frotte une baguette de verre avec un chiffon de laine. Elle se charge positivement. Sa charge vaut $Q = 0, 1$ nC.

1 Expliquer comment cette charge positive apparaît sur le verre.

  a Des protons (chargés positivement) sont passés de la laine au verre.

  b Des protons (chargés positivement) sont passés du verre à la laine.

  c Des électrons (chargés négativement) sont passés de la laine au verre.

  d Des électrons (chargés négativement) sont passés du verre à la laine.

2 Ces charges :

  a sont localisées sur le verre ;

  b ne sont pas localisées sur la laine ;

  c sont appelées « charges mobiles »

3 Quelle est la valeur de la charge portée par le chiffon de laine, au niveau de la surface de contact avec le verre, juste après le frottement ?

  a $Q_{laine} = 0, 1.10^{-9}$ C **b** $Q_{laine} = -0, 1.10^{-9}$ C

  c $Q_{laine} = 0, 1.10^{12}$ C **d** $Q_{laine} = -0, 1.10^{-12}$ C

4 Combien de charges élémentaires ont été « arrachées » au verre pendant cette électrisation ? quelle est la nature de ces charges ?

- **a** $n = 6,25.10^5$ électrons ;
- **b** $n = 6,25.10^5$ protons ;
- **c** $n = 6,25.10^8$ électrons ;
- **d** $n = 6,25.10^8$ protons.

5 On rapproche cette même baguette de verre, chargée positivement, d'une sphère métallique neutre.

- **a** La répartition des charges ne change pas sur la sphère.
- **b** La sphère est chargée négativement.
- **c** La sphère est chargée positivement.
- **d** Ce phénomène est appelé « électrisation par influence ».

6 On relie la boule à la Terre par un fil conducteur.

- **a** La charge finale de la sphère est négative.
- **b** La charge finale de la sphère est positive.
- **c** La sphère devient électriquement neutre.

QCM 3 L'interaction gravitationnelle $\qquad$ *15 min.* | *p. 15*

1 L'interaction gravitationnelle, entre deux masses ponctuelles, est :

- **a** divisée par deux quand leur distance est multipliée par deux ;
- **b** divisée par deux quand leur distance est multipliée par quatre ;
- **c** divisée par quatre quand leur distance est multipliée par deux ;
- **d** divisée par quatre quand leur distance est divisée par quatre.

2 L'interaction électrique entre deux charges électriques est :

- **a** toujours répulsive ;
- **b** toujours attractive ;
- **c** répulsive si les charges sont différentes ;
- **d** répulsive si les charges ont le même signe.

3   On mesure le poids P et la masse m d'un même objet sur la Terre et sur la Lune.

    a P et m sont les mêmes sur la Terre et sur la Lune.

    b P et m sont différents sur la Terre et sur la Lune.

    c   Seul P est le même sur la Terre et sur la Lune.

    d   Seul m est le même sur la Terre et sur la Lune.

4   La cohésion du noyau est assurée par :

    a   l'interaction forte ;

    b   l'interaction gravitationnelle ;

    c   l'interaction électrique ;

    d   l'instinct grégaire des nucléons.

4   Les constituants de la matière   ★ ■ ■   *5 min.* | *p. 16* |

Lycée Périer, Toulouse

1   Quelle est la composition du noyau de l'atome de carbone $^{14}_{6}C$?

2   Quelle est la masse de ce noyau ?

3   Quelle est la charge du noyau ?

Données :

- masse d'un nucléon : $m_n = 1,67.10^{-27}$ kg ;

- masse d'un électron : $m_e = 9,11.10^{-31}$ kg ;

- chargé élémentaire : $e = 1,6.10^{-19}$ C.

5   Électrisation   ★ ■ ■   *5 min.* | *p. 16* |

Lycée Guist'Hau, Nantes

Un électroscope permet de déceler la présence de charges. Il est constitué d'un plateau métallique relié à une tige verticale métallique sur laquelle est fixée une aiguille métallique, mobile autour d'un axe horizontal et qui peut donc s'écarter de la tige. L'ensemble plateau-tige-aiguille est isolé.

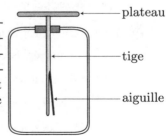

1   On touche le plateau avec un bâton de PVC chargé négativement. L'aiguille s'écarte de la tige. Interpréter.

2   Après avoir touché avec la main le plateau de l'électroscope, on approche un bâton de PVC du plateau, sans le toucher. L'aiguille s'écarte à nouveau de la tige. Interpréter.

Que se passe-t-il si on éloigne le bâton ?

3   Pourquoi l'ensemble plateau-tige-aiguille est-il isolé ?

---

6 Électrisation   ★ ■ ■ *5 min.* | *p. 17* |

Lycée Jeanne d'Albret, Saint-Germaine-en-Laye

Par contact avec une règle en plastique, on transfert à une boule métallique une charge électrique $q = 10, 0 \ \mu C$.

1   Quelles sont les charges élémentaires qui sont transférées ? Quel est leur nombre ?

2   Un fil d'aluminium, relié à la terre, est mis en contact avec la boule. Décrire le phénomène qui se produit. Quelle est la charge finale de la boule ?

Donnée : charge élémentaire : $e = 1, 6.10^{-19}$ C.

---

7 Électrisation   ★ ■ ■ *5 min.* | *p. 17* |

Lycée Charles de Gaulle, Rosny-sous-Bois

On réalise l'expérience suivante :

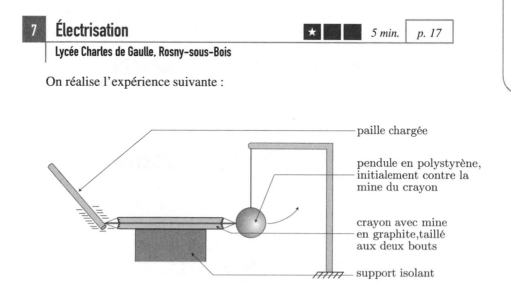

paille chargée

pendule en polystyrène, initialement contre la mine du crayon

crayon avec mine en graphite, taillé aux deux bouts

support isolant

La paille, chargée négativement, touche l'extrémité du crayon. Le pendule en polystyrène s'écarte.

1 Que montre cette expérience ?

2 Analyser l'expérience en utilisant les mots ou expressions suivants : électrisation par frottement, par contact, déplacement d'électrons, conducteur, isolant, électrisation locale, répulsion.

---

8 Interaction gravitationnelle ★ ■ ■ *5 min.* | *p. 18* |

Lycée Lakanal, Sceaux

Saturne est, après Jupiter, la plus grosse planète du système solaire. Sa masse est $m_s = 5,69.10^{26}$ kg et son rayon $r_s = 60500$ km. La trajectoire de son centre, autour du Soleil, est assimilée à un cercle de rayon $r = 1350.10^6$ km. La masse du Soleil est $M_S = 1,99.10^{30}$ kg.

1 Calculer la valeur de la force F que le Soleil exerce sur Saturne. Représenter le Soleil, Saturne et F.

2 Calculer la valeur de la force F' que Saturne exerce sur un objet de petites dimensions situé à sa surface, de masse $m = 1$ kg.

Donnée : constante de gravitation : $G = 6,67.10^{-11}$ SI.

---

9 Les constituants de la matière ★ ■ ■ *5 min* | *p. 19* |

Lycée La tour des Dames, Rozay-en-Brie

1 Compléter le tableau ci-dessous :

Atome	Aluminium	Soufre	Soufre
Symbole	$^{27}_{13}\text{Al}$	$^{32}_{16}\text{S}$	
Nombre de protons			
Nombre de neutrons			18
Nombre d'électrons			

2 Comment appelle-t-on les deux atomes de soufre ?

10 Les constituants de la matière ★ ■ ■ *10 min.* *p. 19*

Lycée Honoré de Balzac, Mitry–Mory

En 1919, E. RUTHERFORD réussit la première transmutation : en bombardant des noyaux d'azote avec des noyaux d'hélium, il obtint des noyaux isotopes de l'oxygène et des noyaux d'hydrogène. Le bilan de la transmutation réussie par RUTHERFORD est noté :

$$^{14}_{7}\text{N} + {}^{4}_{2}\text{He} \rightarrow {}^{17}_{8}\text{O} + {}^{1}_{1}\text{H}$$

1 Quelle est la composition du noyau d'oxygène ?

2 Quelle est la représentation de l'isotope de l'oxygène le plus répandu sur Terre ?

3 D'après le bilan, combien de protons sont présents avant la transmutation ? après la transmutation ? Mêmes questions pour les neutrons.

4 Les observations précédentes sont valables dans toutes les transmutations. Quelle règle peut-on énoncer pour les nucléons au cours d'une transmutation ?

11 Interaction gravitationnelle ★ ■ ■ *10 min.* *p. 20*

Lycée Voltaire, Ferney–Voltaire

Mars est une planète de masse $M = 6,43.10^{23}$ kg et de rayon $R = 3400$ km.

1 Quelle est l'intensité de la force gravitationnelle exercée par cette planète sur un objet de masse m posé à sa surface ?

2 En déduire l'intensité de la « pesanteur martienne », notée g_{Mars}.

3 Le plus haut sommet de cette planète est le volcan *Olympus Mars* qui culmine à 26 km d'altitude. Pourquoi ne rencontre-t-on pas de sommet aussi élevé sur la Terre ?

4 Calculer l'intensité de la force gravitationnelle exercée par Mars sur un objet de 1 kg au sommet de l'*Olympus Mars*.

Données :

- constante gravitationnelle : $G = 6,67.10^{-11}$ SI ;
- intensité de la pesanteur terrestre : $g = 9,81$ N $\cdot$ kg^{-1}.

12 Interactions fondamentales ★ ★ ■ *20 min.* | *p. 20*

Lycée Voltaire, Ferney–Voltaire

Deux pendules identiques sont constitués d'une petite bille métallisée de masse $m = 1, 0$ g, suspendue à un fil de longueur ℓ attaché à un support. Les deux billes ont été électrisées et portent la même charge q. On approche les deux pendules l'un de l'autre et l'on constate que les deux billes se repoussent. Un équilibre s'établit dans les conditions suivantes :

- les deux fils des pendules font un angle $\alpha = 10°$ avec la verticale ;
- la distance entre les centres des billes est $= 5, 0$ cm.

Données :

- intensité de la pesanteur : $g = 9, 81$ N $\cdot$ kg^{-1} ;
- constante électrostatique : $k = 9.10^9$ SI.

1 Calculer l'intensité de l'interaction gravitationnelle existant entre la Terre et chacune des billes. Comment cette force est-elle communément appelée ?

2 Dans la situation d'équilibre, l'intensité d'interaction électrostatique vaut la moitié de celle de l'interaction gravitationnelle avec la Terre. Calculer alors la charge q portée par chaque bille.

13 Interactions électriques ★ ★ ■ *20 min.* | *p. 21*

Lycée Lakanal, Sceaux

Deux charges, $q_A = +20$ nC et $q_B = +30$ nC sont distantes de $AB = 4$ cm.

Une charge $q = -2, 0$ nC est placée en un point M situé à $2, 0$ cm de A, entre A et B.

1 Calculer les forces $F_{A/M}$ et $F_{B/M}$ qu'exercent respectivement les charges q_A et q_B sur q.

2 Calculer la force résultante F subie par q.

3 Représenter F (pas nécessairement à l'échelle).

Donnée : constante électrostatique : $k = 8, 99.10^9$ SI.

14 | Interactions électriques ★ ★ ★ *30 min.* | *p. 22*

Lycée Jeanne d'Albret, Saint-Germain-en-Laye

Un cristal d'argent peut être considéré comme constitué par un empilement régulier d'ions Ag^+ entre lesquels circulent des « électrons libres ». Ils sont disposés aux sommets d'un cube et au centre des faces (maille élémentaire). Le cristal est constitué par la juxtaposition de mailles élémentaires.

1 Dessiner une des faces du cube et placer les ions Ag^+.

En déduire la valeur de l'arête a du cube en fonction du rayon R de l'ion. Calculer a.

2 Caractériser les forces d'interaction entre deux ions les plus proches et calculer leur valeur.

Données :

- constante de la force de Coulomb : $k = 9,0.10^9$ SI ;
- charge élémentaire : $e = 1,6.10^{-19}$ C .
- $R = 113$ pm.

1 ## L'interaction électrique ⠀⠀⠀⠀⠀⠀⠀⠀⠀⠀⠀ *5 min.* │ p. 6

1 Soient deux charges $q_1 = q_2 = 10\ \mu C = 10.10^{-6} = 10^{-5}$ C, espacées d'une distance $d = 10$ cm $= 0, 1$ m. La loi de Coulomb fournit l'intensité de la force électrique qui s'exerce entre ces charges :

$$F_e = k \times \frac{|q_1| \times |q_2|}{d^2} = 9.10^9 \times \frac{(10^{-5})^2}{(0, 1)^2}$$

$$= 90 \text{ N (réponse b).}$$

2 Entre un noyau de charge $q_{\text{noyau}} = 8\,e$ et un électron de charge $q_e = -e$, situé à $d = 150$ pm $= 150.10^{-12}$ m, s'exerce une force dont l'intensité est aussi donnée par la loi de Coulomb :

$$F_e = k \times \frac{|q_{\text{noyau}}| \times |q_e|}{d^2} = k \times \frac{8e^2}{d^2} = 9.10^9 \times \frac{8 \times (1, 6.10^{-19})^2}{(150.10^{-12})^2}$$

$$\Rightarrow \quad F_e = 8, 2.10^{-8} \text{ N (réponse a).}$$

2 ## Électrisation ⠀⠀⠀⠀⠀⠀⠀⠀⠀⠀⠀⠀⠀⠀⠀⠀⠀ *15 min.* │ p. 6

1 Seules les charges négatives peuvent être échangées, par déplacement des électrons. C'est pourquoi une charge positive apparaît sur le verre. Ce sont donc les électrons qui se sont déplacés du verre à la laine (réponse d).

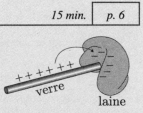

2 Étant donné que le verre et la laine ne sont pas conducteurs de l'électricité, les électrons ne sont pas libres de s'y déplacer ; les charges sont localisées sur le verre (réponse a).

3 Initialement, le verre et la laine sont électriquement neutres : $Q_{\text{ini}} = 0$. Pour préserver cette neutralité, les charges portées par le verre et la laine doivent vérifier :

$$Q_{\text{laine}} + Q_{\text{verre}} = 0 \text{ avec } Q_{\text{verre}} = 0, 1 \text{ nC} = 0, 1.10^{-9} \text{ C}$$

$$\Rightarrow \quad Q_{\text{laine}} = -Q_{verre} = -0, 1.10^{-9} \text{ C (réponse b).}$$

4 La charge portée par la laine est celle des n électrons qui ont été arrachés au verre, lesquels électrons possèdent une charge individuelle $q_e = -e$. C'est pourquoi :

$$Q_{\text{laine}} = n \times q_e = -n \times e \quad \Rightarrow \quad n = -\frac{Q_{\text{laine}}}{e} = \frac{0, 1.10^{-9}}{1, 6.10^{-19}}$$

$$\Rightarrow \quad n = 6, 25.10^8 \text{ électrons (réponse c).}$$

5 Dans la sphère métallique, les électrons peuvent se déplacer (et par conséquent les charges négatives aussi). Donc, à l'approche de la baguette chargée positivement, les électrons de la sphère vont se déplacer sous l'action de la force électrostatique attractive, bien que la charge totale nulle de la sphère ne soit pas modifiée. Ce phénomène est appelé « électrisation par influence » (réponse d).

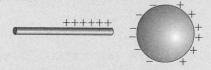

6 Un fil conducteur relié à la Terre permet aux électrons de cette dernière de rejoindre la sphère, sous l'influence attractive des charges positives évoquées précédemment. Puisque la sphère était initialement neutre, la charge finale de la sphère devient négative (réponse a).

3 L'interaction gravitationnelle *15 min.* | *p. 7*

1 Soient deux points de masses m_1 et m_2, séparés d'une distance d, qui exercent mutuellement la force gravitationnelle $F_g = \dfrac{Gm_1 m_2}{d^2}$. Quand leur distance est multipliée par deux (elle vaut alors $d' = 2d$), l'interaction gravitationnelle a pour intensité :

$$F'_g = \frac{Gm_1 m_2}{d'^2} = \frac{Gm_1 m_2}{4d^2} = \frac{F_g}{4}$$

Donc l'interaction gravitationnelle est divisée par quatre (réponse c).

2 L'interaction électrique entre deux points n'est répulsive que si les charges portées par ces points sont de signe opposé (réponse d).

3 La masse d'un corps ne dépend que des caractéristiques de ce corps ; cette masse est la même sur la Terre, sur la Lune ou partout ailleurs. C'est en revanche son poids qui dépend de l'environnement du corps (réponse d).

4 Dans un noyau coexistent des protons de charge identique (qui se repoussent sous l'influence de l'interaction électrique) et des neutrons, de charge nulle (dont insensibles à cette interaction). Quant à l'interaction gravitationnelle, sont intensité est trop faible pour compenser la répulsion électrique des protons. Par conséquent, c'est l'interaction forte qui assure la cohésion du noyau (réponse a).

4 Les constituants de la matière ★ ■ ■ 5 min. p. 8

Lycée Périer, Toulouse

1 Le noyau de l'atome de carbone $^{14}_{6}$C contient $Z = 6$ protons et $A - Z = 14 - 6 = 8$ neutrons.

2 Puisque ce noyau comporte $A = 14$ nucléons, sa masse vaut :

$$m = A \times m_n = 14 \times 1,67.10^{-27} \Rightarrow m = 2,34.10^{-26} \text{ kg}$$

3 La charge du noyau est portée par les Z protons qui le composent et vaut donc :

$$q = Z \times e = 6 \times 1,6.10^{-19} \Rightarrow q = 9,6.10^{-19} \text{ C}$$

5 Électrisation ★ ■ ■ 5 min. p. 8

Lycée Guist'Hau, Nantes

1 Lorsque le bâton de PVC touche le plateau, les charges négatives qui s'y trouvent se répartissent sur toutes les parties métalliques conductrices de l'électricité et notamment la tige et l'aiguille. Ces dernières, portant alors des charges de même signe, elles se repoussent.

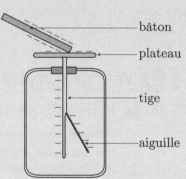

2 Toucher l'électroscope avec la main, c'est la relier à la Terre et donc le décharger. Lorsque le bâton chargé est alors approché du plateau (électriquement neutre car possédant autant de charges positives que de charges négatives), les électrons contenus par le plateau sont repoussés vers la tige et l'aiguille, qui se repoussent pour les mêmes raisons que précédemment.

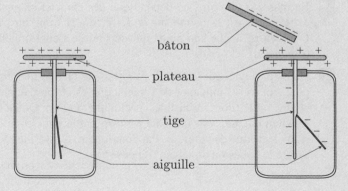

Si on éloigne le bâton, l'électrisation par influence disparaît car les électrons reprennent leur position initiale.

3 Si l'ensemble plateau-tige-aiguille n'était pas isolé, des charges électriques migreraient entre la Terre et l'électroscope, de manière à maintenir celui-ci neutre ; l'aiguille et la tige ne se repousseraient plus.

6 Électrisation

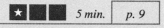 *5 min.* p. 9

Lycée Jeanne d'Albret, Saint-Germaine-en-Laye

1 Seuls les électrons, chargés négativement, peuvent se déplacer dans un matériau solide. Donc la charge positive $q = 10\ \mu C$ portée par la boule provient de la migration de n électrons de la boule vers la règle :

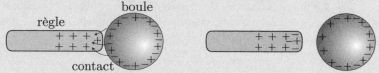

Chaque électron portant une charge $-e$, ce transfert correspond à une charge transférée $q_{\text{transférée}} = -n \times e$ à l'origine de la charge q restant sur la boule :

$$q = |q_{\text{transférée}}| = ne \Rightarrow n = \frac{q}{e} = \frac{10.10^{-6}}{1,6.10^{-19}} \Rightarrow n = 6,25.10^{13} \text{ électrons}$$

2 Un fil, relié à la terre, permet de rétablir la neutralité électrique de la sphère : des électrons peuvent passer de la Terre vers la boule.

7 Électrisation

★ ■ ■ *5 min.* p. 9

Lycée Charles de Gaulle, Rosny-sous-Bois

1 Cette expérience montre que la mine de graphite du crayon est conductrice de l'électricité car, électrisée à l'une de ses extrémités, elle produit une répulsion à son autre extrémité.

2 *L'électrisation par frottement* a permis de déposer des électrons (chargés négativement) sur la paille. *Par contact* avec la mine de crayon, au demeurant bon *conducteur* de l'électricité, ces charges peuvent circuler jusqu'à l'autre extrémité de la mine ; ce *déplacement d'électrons* transmet des charges négatives à la boule en polystyrène, dont le caractère *isolant* ne permet qu'une *électrisation locale*. La présence de charges de même signe sur la mine et sur la boule de polystyrène provoque la *répulsion* de la boule, qui s'écarte ainsi de la verticale.

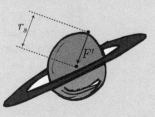

charges négatives

8 Interaction gravitationnelle ★ ■ ■ *5 min.* | *p. 10*

Lycée Lakanal, Sceaux

1 Le Soleil et Saturne, de masses M_S et m_s, sont séparés d'une distance r. Le Soleil exerce donc une force gravitationnelle attractive donnée par la loi :

$$
\begin{aligned}
F &= G \times \frac{m_s \, M_S}{r^2} \\
&= 6,67.10^{-11} \times \frac{5,69.10^{26} \times 1,99.10^{30}}{\left(1350.10^9\right)^2} \\
\Rightarrow \quad F &= 4,14.10^{22} \, \text{N}
\end{aligned}
$$

Saturne
Soleil
F
r

Attention

Il est nécessaire d'exprimer les grandeurs m_s, M_S et r dans le système international d'unités, qui préconise notamment l'emploi du mètre pour les longueurs :

$$ r = 1350.10^6 \, \text{km} = 1350.10^9 \, \text{m} $$

---

2 Un objet, de masse m, situé à la surface de Saturne (et donc à la distance r_s du centre de Saturne) est soumis à une force gravitationnelle F' :

$$
\begin{aligned}
F' &= G \times \frac{m \, m_s}{r_s^2} \\
&= 6,67.10^{-11} \times \frac{1 \times 5,69.10^{26}}{\left(60500.10^3\right)^2} \\
\Rightarrow \quad F' &= 10,37 \, \text{N}
\end{aligned}
$$

r_s

F'

9 **Les constituants de la matière** 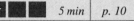 *5 min* | p. 10

Lycée La tour des Dames, Rozay-en-Brie

1 La notation $^{Z}_{A}$X indique le symbole X d'un élément, le nombre $n_p = Z$ de protons que son noyau contient et le nombre $n_n = A - Z$ de neutrons également contenus dans son noyau. Par exemple :

- le noyau de $^{27}_{13}$Al contient $n_p = 13$ protons et $n_n = 27 - 13 = 14$ neutrons ;
- le noyau de $^{32}_{16}$S contient $n_p = 16$ protons et $n_n = 32 - 16 = 16$ neutrons ;
- le noyau de soufre contient donc toujours $n_p = 16$ protons et s'il contient aussi $n_p = 18$ protons, alors son nombre de masse vaut $A = n_p + n_n = 16 + 18 = 34$.

En outre, un élément neutre contient autant d'électrons que de protons. C'est ainsi que le tableau ci-dessous décrit la composition des trois atomes :

Atomes	Aluminium	Soufre	Soufre
Symbole	$^{27}_{13}$Al	$^{32}_{16}$S	$^{34}_{16}$S
Nombre de protons	13	16	16
Nombre de neutrons	14	16	18
Nombre d'électrons	13	16	16

2 Les deux atomes de soufre, dont les noyaux ne contiennent pas les mêmes nombres de neutrons, sont des isotopes du soufre.

10 **Les constituants de la matière** 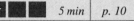 *10 min.* | p. 11

Lycée Honoré de Balzac, Mitry-Mory

1 Dans le noyau d'oxygène $^{17}_{8}$O se trouvent $Z = 8$ protons et $A - Z = 17 - 8 = 9$ neutrons.

2 Dans la nature, l'isotope de l'oxygène le plus répandu est celui qui contient autant de neutrons que de protons, c'est-à-dire $^{16}_{8}$O.

3 Le bilan des nucléons :

$$^{14}_{7}\text{N} \quad + \quad ^{4}_{2}\text{He} \quad \rightarrow \quad ^{17}_{8}\text{O} \quad + \quad ^{1}_{1}\text{H}$$

nombre de protons	7	2	8	1
nombre de neutrons	7	2	9	0

montre qu'avant et après la transmutation, se retrouvent 9 protons et 9 neutrons.

4 D'une manière générale, au cours d'une transmutation, le nombre et la nature des nucléons sont conservés.

COURS

ÉNONCÉS

CORRIGÉS

11 Interaction gravitationnelle ★ ■ ■ ■ *10 min.* | *p. 11*
Lycée Voltaire, Ferney-Voltaire

1 Un objet de masse $m = 1$ kg, placé à la surface de Mars, est situé à une distance $R = 3400$ km $= 3400.10^3$ m du centre de Mars. Il subit donc une force gravitationnelle d'intensité :

$$P = G \times \frac{mM}{R^2} = 6,67.10^{-11} \times \frac{1 \times 6,43.10^{23}}{\left(3400.10^3\right)^2} \Rightarrow P = 3,71 \text{ N}$$

2 Cette force, appelée poids, est proportionnelle à la masse m :

$$P = mg_{\text{Mars}} \Rightarrow g_{\text{Mars}} = \frac{P}{m} = \frac{3,71}{1} \Rightarrow g_{\text{Mars}} = 3,71 \text{ N} \cdot \text{kg}^{-1}$$

3 Le rapport des intensités g_{Mars} et g (à la surface de la Terre) :

$$\frac{g}{g_{\text{Mars}}} = \frac{9,81}{3,71} = 2,64$$

montre que la pesanteur terrestre est plus de deux fois et demi plus forte que la « pesanteur martienne » ; l'intensité de la gravité terrestre justifie l'absence, sur Terre, de sommet aussi élevé que sur Mars.

4 Un objet, de masse $m = 1$ kg, situé à l'altitude $h = 26$ km (sommet de l'*Olympus Mars*) est situé à une distance :

$$d = R + h = 3400 + 26 = 3426 \text{ km} = 3426.10^3 \text{ m}$$

du centre de Mars, qui produit donc une force gravitationnelle d'intensité :

$$F = G \times \frac{Mm}{d^2} = 6,67.10^{-11} \times \frac{6,43.10^{23} \times 1}{\left(3426.10^3\right)^2}$$
$$\Rightarrow F = 3,65 \text{ N}$$

12 Interactions fondamentales ★ ★ ■ ■ *20 min.* | *p. 12*
Lycée Voltaire, Ferney-Voltaire

1 L'interaction gravitationnelle que la Terre exerce sur un point de masse $m = 1$ g (c'est-à-dire $m = 10^{-3}$ kg), situé à sa surface, est appelé **poids** P. Ce poids est proportionnel à m :

$$P = mg = 10^{-3} \times 9,81 \Rightarrow P = 9,81.10^{-3} \text{ N}$$

2 Les charges q_1 et q_2 étant distantes de $d = 5$ cm $= 5.10^{-2}$ m, elles exercent mutuellement une interaction électrostatique d'intensité :

$$F_{\text{élec}} = k \times \frac{q_1 \, q_2}{d^2}$$

où l'énoncé précise que $F_{\text{élec}} = \dfrac{P}{2}$:

$$k \times \frac{q_1 \, q_2}{d^2} = \frac{P}{2} \Rightarrow q_1 \, q_2 = \frac{Pd^2}{2k}$$

Enfin, puisque chaque bille porte la même charge q, il s'ensuit que :

$$q_1 = q_2 = q \Rightarrow q^2 = \frac{Pd^2}{2k} \Rightarrow \quad q = \sqrt{\frac{Pd^2}{2k}}$$

$$= \sqrt{\frac{9,81.10^{-3} \times \left(5.10^{-2}\right)^2}{2 \times 9.10^9}}$$

$$\Rightarrow \quad q = 3,69.10^{-8} \, \text{C}$$

13 Interactions électriques
★ ★ ▮ *20 min.* | *p. 12*

Lycée Lakanal, Sceaux

1 Puisque le point M est chargé négativement ($q = -2 \, \text{nC} = -2.10^{-9} \, \text{C}$), il subit des forces attractives de la part des charges $q_A = +20 \, \text{nC} = 20.10^{-9} \, \text{nC}$ et $q_B = +30 \, \text{nC} = 30.10^{-9} \, \text{C}$; soient $F_{A/M}$ et $F_{B/M}$ ces forces.

L'intensité de ces forces est alors donnée par la loi de Coulomb :

$$F_{A/M} = k \times \frac{|q \, q_A|}{AM^2}$$

$$= 8,99.10^9 \times \frac{2.10^{-9} \times 20.10^{-9}}{\left(2.10^{-2}\right)^2} \Rightarrow F_{A/M} = 8,99.10^{-4} \, \text{N}$$

et :

$$F_{B/M} = k \times \frac{|q \, q_B|}{BM^2}$$

$$= 8,99.10^9 \times \frac{2.10^{-9} \times 30.10^{-9}}{\left(10^{-2}\right)^2} \Rightarrow F_{B/M} = 5,39.10^{-3} \, \text{N}$$

2 Ces deux forces étant opposées, leur résultante vaut :

$$F = F_{B/M} - F_{A/M} = 5,39.10^{-3} - 8,99.10^{-4} \Rightarrow F = 4,49.10^{-3} \, \text{N}$$

3 L'inégalité : $F_{B/M} > F_{A/M}$ montre que la charge située en B exerce une force d'attraction supérieure à celle exercée par la charge située en A. La résultante F est donc dirigée vers B.

14 Interactions électriques ★ ★ ★ *30 min.* | *p. 13*

Lycée Jeanne d'Albret, Saint-Germain-en-Laye

1 Compte tenu de la description que l'énoncé fait de la maille élémentaire, les centres des sphères qui représentent des ions Ag^+ se situent sur la face d'une maille :

- aux points A, B, C et D qui forment un carré de côté a ;

- au centre O du carré (A, B, C, D).

Ainsi, les sphères de centres A, O et C sont tangentes selon la diagonale AC, de sorte que :

$$AC = R + 2R + R = 4R$$

En outre, le théorème de Pythagore permet aussi d'exprimer cette diagonale :

$$AC^2 = AB^2 + BC^2 = 2a^2 \Rightarrow AC = a\sqrt{2}$$

Par conséquent :

$$a\sqrt{2} = 4R \quad \Rightarrow \quad a = \frac{4R}{\sqrt{2}} = 2R\sqrt{2} = 2 \times 113.10^{-12} \times \sqrt{2}$$

$$\Rightarrow \quad a = 320.10^{-12}\,\text{m} = 320\,\text{pm}$$

2 Deux ions les plus proches sont représentés par des sphères tangentes ; par exemple, les ions de centres A et O, tels que $AO = 2R$. Tous les ions Ag^+ portant une charge $q = +e$, de même signe, la force F_A entre deux ions de centres O et A est répulsive. Quant à son intensité, elle est donnée par la loi de Coulomb :

$$F = k \times \frac{q \times q}{OA^2} = k \times \frac{e^2}{(2R)^2} = 9.10^9 \times \frac{\left(1,6.10^{-19}\right)^2}{\left(2 \times 113.10^{-12}\right)^2}$$

$$\Rightarrow \quad F_A = 4,5.10^{-9}\,\text{N}$$

Mouvement, vitesse

Plan du chapitre

1. Vitesse d'un point
2. Mouvement d'un solide

Exercice type

Institut Notre Dame, Meudon

Sur une table horizontale, un mobile autoporteur à coussin d'air est relié à un point fixe O par un fil inextensible.

On lance le mobile et on enregistre, à intervalles de temps égaux $\tau = 20$ ms, les positions successives M_i du point M situé au centre de la semelle du mobile.

La première partie du mouvement s'effectue à fil tendu, puis celui-ci casse. Un peu plus tard, la turbine qui éjecte l'air sous le mobile s'arrête ; l'enregistrement obtenu est représenté sur la figure suivante, à l'échelle $\dfrac{1}{2}$.

$\dot{M}_8$

$\dot{M}_6$ $\dot{M}_{10}$

$\dot{M}_{12}$

$\bullet M_4$

$\bullet O$ $\dot{M}_{14}$

$\dot{M}_{16}$

$\bullet M_2$ $\dot{M}_{18}$ $\dot{M}_{20}$

 M_0

1 On constate, en étudiant l'enregistrement, que le mouvement du point M peut se décomposer en trois phases distinctes. Donner, sous la forme $M_i M_j$, les trois parties de l'enregistrement correspondant à ces trois phases. Pour chacune d'entre elles, donner la nature du mouvement et préciser si le vecteur vitesse du point M est constant.

2 Calculer la valeur de la vitesse au point M_4 et construire le vecteur vitesse correspondant.

Échelle de vitesse : 1 cm $\leftrightarrow$ 0,5 m·s^{-1}.

Voir corrigé page 28

1 Vitesse d'un point

1.1 Vecteur vitesse

Définition 1

Soit un point matériel $\mathcal{P}$ qui occupe les positions M_1, M_2 et M_3 en des dates t_1, t_2 et t_3 très voisines. Le **vecteur vitesse** de $\mathcal{P}$, à la date t_2, est défini par :

$$\vec{v}(t_2) = \frac{\overrightarrow{M_1 M_3}}{t_3 - t_1}$$

échelle : $1\,\text{cm} \leftrightarrow 1\,\text{m.s}^{-1}$

La norme du vecteur vitesse : $v(t_2) = \|\vec{v}(t_2)\| = \dfrac{M_1 M_3}{t_3 - t_1}$, aussi appelée **vitesse instantanée à la date** t_2, s'exprime en $\text{m} \cdot \text{s}^{-1}$ dans le système international d'unités. Cependant, lorsque $M_1 M_3$ est exprimée en kilomètre et $t_3 - t_1$ en heure, v s'exprimer en $\text{km} \cdot \text{h}^{-1}$, avec la conversion :

$$1\,\text{m} \cdot \text{s}^{-1} = 3,6\,\text{km} \cdot \text{h}^{-1} \Leftrightarrow 1\,\text{km} \cdot \text{h}^{-1} = \frac{1}{3,6}\,\text{m} \cdot \text{s}^{-1}$$

Lorsque la *vitesse instantanée* de $\mathcal{P}$ est constante, ce point décrit un **mouvement uniforme**. En revanche, un **mouvement rectiligne** (la trajectoire est une droite) est caractérisé par un *vecteur vitesse* constant.

1.2 Vitesse moyenne

Soit un point matériel $\mathcal{P}$ qui occupe les positions A et B aux dates respectives t_A et t_B éventuellement très différentes.

Définition 2

Si $\widehat{AB}$ désigne la **distance curviligne** entre A et B (c'est la distance obtenue en suivant la trajectoire $(\mathcal{T})$ et non la ligne droite joignant A et B), la **vitesse moyenne** de $(\mathcal{P})$ est définie par le rapport :

$$v_{AB} = \frac{\widehat{AB}}{t_B - t_A}$$

Par exemple, si la trajectoire $(\mathcal{T})$ est un arc de cercle de rayon R et d'angle α (exprimé en radian), la distance curviligne vaut :

$$\widehat{AB} = R \times \alpha > d_{AB}$$

1.3 Vitesse angulaire

Considérons un point matériel $(\mathcal{P})$ en rotation autour d'un point fixe O. La trajectoire décrite par $(\mathcal{P})$ et un arc de cercle, de rayon R et de centre O ; il s'agit d'un **mouvement circulaire**.

Définition 3

Si les positions A et B, occupées par $(\mathcal{P})$ à des dates respectives t_A et t_B, sont repérées par des angles θ_A et θ_B, on définit la **vitesse angulaire** ω de $(\mathcal{P})$ par :

$$\omega = \frac{\theta_B - \theta_A}{t_B - t_A} \text{ (en rad} \cdot \text{s}^{-1})$$

où les angles sont exprimés en radian (rad) et le temps en seconde (s).

Les vitesses angulaires sont parfois exprimées en tour par seconde, avec la conversion :

$$1 \text{ tour} = 2\pi \text{ rad} \Rightarrow 1 \text{ tour/s} = 6,28 \text{ rad} \cdot \text{s}^{-1}$$

Exemple : En vitesse de croisière, un moteur d'avion tourne à 2500 tour/min. Sachant que :

$$2500 \text{ tour} = 2500 \times 2\pi = 15700 \text{ rad}$$

et que 1 min = 60 s, dans le système international d'unités, sa vitesse angulaire de rotation vaut :

$$\omega = \frac{15700}{60} = 261,7 \text{ rad} \cdot \text{s}^{-1}$$

Remarque : Un mouvement peut être **circulaire uniforme** (trajectoire circulaire décrite à vitesse instantanée constante), mais en aucun cas le vecteur vitesse ne peut être constant au cours d'un mouvement circulaire : la direction de $\vec{v}$ varie dans le temps.

1.4 Période et fréquence

La durée T d'un tour complet au cours d'un mouvement circulaire uniforme s'appelle la **période de rotation** et vaut :

$$T = \frac{2\pi}{\omega} \text{ (en seconde, avec } \omega \text{ en rad} \cdot \text{s}^{-1})$$

À cette période est associée une fréquence :

$$f = \frac{1}{T} \text{ (en hertz : Hz, avec } T \text{ en s)}$$

2 Mouvement d'un solide

2.1 Centre d'inertie

Définition 4

Un solide (indéformable) est un système de points situés les uns des autres à des distances qui ne varient pas.

Le mouvement d'un solide (S) se compose d'une rotation autour d'un point P, lequel point est aussi animé de son propre mouvement. Lorsque (S) se déplace sans interaction extérieure, P est le **centre d'inertie** de (S).

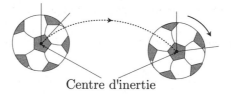

Centre d'inertie

2.2 Mouvement de translation

Définition 5

Un solide réalise un **mouvement de translation** lorsque les trajectoires de chacun de ses points M_i se déduisent les unes des autres par translation.

On distingue ainsi :

• les mouvements de **translation rectiligne** au cours desquels les trajectoires des points M_i sont des droites ;

• les mouvements de **translation circulaire**, au cours desquels les trajectoires des points M_i sont des cercles (qui n'ont pas nécessairement le même centre).

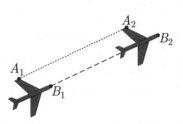

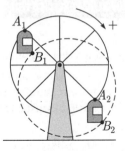

Translation rectiligne

Translation circulaire

2.3 Mouvement de rotation

Définition 6

Un solide effectue un mouvement de rotation lorsque tous ses points M_i décrivent des trajectoires circulaires autour d'un même axe Δ ; l'angle de rotation présente la même valeur α pour tous les points du solide.

 Attention :

Tous les points M_i d'un solide en rotation ont la même vitesse angulaire mais pas nécessairement la même vitesse instantanée (par conséquent pas nécessairement le même vecteur vitesse).

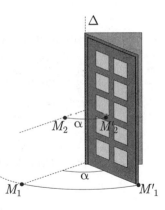

Solution de l'exercice type

1 Au cours de l'enregistrement, trois phases peuvent être observées :

- de M_0 à M_9, le mouvement est circulaire et uniforme (l'action du fil tendu se manifeste par la trajectoire circulaire) ; la norme du vecteur vitesse est constante, mais pas le vecteur lui-même car sa direction varie ;

- de M_9 à M_{15}, le mouvement est rectiligne et uniforme ; le vecteur vitesse est constant (en direction et en norme) ;

- de M_{15} à M_{20}, le mouvement est rectiligne et ralenti (sous l'influence des forces de frottement) ; le vecteur vitesse n'est pas constant car sa norme varie (mais pas sa direction).

2 Au point M_4 la vitesse instantanée vaut :

$$v(t_4) = \frac{M_3 M_5}{2\tau}$$

L'enregistrement indique que la distance séparant M_3 de M_5 vaut $1,6$ cm, à l'échelle $\dfrac{1}{2}$ (1 cm sur le schéma correspond alors à 2 cm dans la réalité). C'est pourquoi :

$$\begin{cases} M_3 M_5 = 3,2 \text{ cm} = 3,2.10^{-2} \text{ m} \\ \tau = 20 \text{ ms} = 20.10^{-3} \text{ s} \end{cases} \Rightarrow v(t_4) = \frac{3,2.10^{-2}}{2 \times 20.10^{-3}}$$

$$\Rightarrow v(t_4) = 0,8 \text{ m} \cdot \text{s}^{-1}$$

En adoptant l'échelle 1 cm $\leftrightarrow$ $0,5$ m $\cdot$ s^{-1} un vecteur vitesse de $0,8$ m $\cdot$ s^{-1} est représenté par une flèche de $\dfrac{0,8}{0,5} = 1,6$ cm de long :

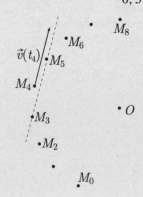

1 Vecteur vitesse ★ ★ ▮ *15 min.* | *p. 35*

Institut Notre Dame, Meudon

Trois enfants Chloé, Bastien et Arthur sont installés chacun sur un cheval de bois d'un manège de centre O. Une fois démarré, le manège effectue trois tours par minute.

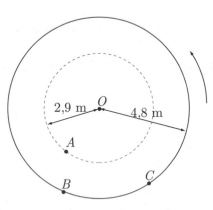

Arthur choisit un cheval situé à 2, 9 m de l'axe de rotation du manège, Bastien et Chloé montent sur deux chevaux situés à 4, 8 m de l'axe de rotation.

1 Calculer la vitesse angulaire ω de chacun des enfants.

2 Déterminer les vitesses linéaires de chacun des enfants.

3 Représenter les trois vecteurs vitesse correspondants (échelle : 2 cm pour $1 \text{ m} \cdot \text{s}^{-1}$).

4 Chloé dit « nous allons tous à la même vitesse ». A-t-elle raison ?

5 Chloé et Bastien sont séparés de 1, 2 m (il s'agit de la valeur de l'arc $\overset{\frown}{BC}$. La mère, assise devant le manège, regarde ses enfants. Quelle est la durée séparant le passage de Bastien et le passage de Chloé devant leur mère ?

2 Vecteur vitesse ★ ★ ★ *20 min.* | *p. 36*

Institut des Chartreux, Lyon

Un tapis roulant, de 1 m de largeur et suffisamment long, a une vitesse uniforme par rapport au sol $V_1 = 0, 5 \text{ m} \cdot \text{s}^{-1}$. En A on pose sur le tapis une voiture électrique dont la vitesse uniforme par rapport au tapis est $V_2 = 1, 5 \text{ m} \cdot \text{s}^{-1}$. Elle se déplace sur une trajectoire rectiligne qui fait un angle de 45° par rapport à l'axe du tapis roulant, dans le sens de déplacement du tapis.

Sens de déplacement du tapis $\longrightarrow$

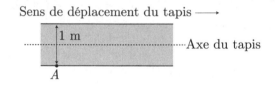

1 m

Axe du tapis

A

1   Déterminer graphiquement les caractéristiques du vecteur vitesse $\vec{V}$ de la voiture par rapport à la Terre.

2   Combien de temps faudra-t-il à la voiture pour traverser la largeur du tapis ?

---

3   Vitesse instantanée   ★ ■ ■   *5 min.* | *p. 37* |

Lycée Charlie Chaplin, Décimes

Une voiture se déplace sur une route horizontale rectiligne. Elle est soumise à différentes actions extérieures. On étudie le mouvement de la voiture pendant la phase de démarrage. On photographie les positions successives de la voiture toutes les secondes ($\tau = 1$ s).

| 0 | 10 | 20 | 30 | 40 | 50 | x (m) |

Le départ des photographies est synchronisé avec celui de la voiture. À $t = 0$, l'avant de la voiture coïncide avec la position à l'origine $x = 0$.

1   Quelle est la nature du mouvement du véhicule ?

2   Calculer la vitesse (en m · s^{-1}) du véhicule pour $t_3 = 3$ s et $t_5 = 5$ s.

3   En supposant que ce véhicule parcourt $d = 64$ km en $t = 1$ h 10 min, déterminer la vitesse moyenne pendant ce trajet.

---

4   Vitesse instantanée   ★ ★ ★   *30 min.* | *p. 38* |

Lycée Van Gogh, Ernont

Une automobile de longueur $\ell = 5$ m, roulant à la vitesse $v_A = 90$ km · h^{-1}, arrive derrière un camion de longueur $L = 10$ m, roulant à la vitesse $v_C = 72$ km · h^{-1}. Les deux véhicules conservent des vitesses constantes. L'automobile va donc doubler le camion. En admettant que le dépassement commence quand l'avant de l'automobile est à la distance $d_1 = 20$ m de l'arrière du camion et se termine quand l'arrière de l'automobile est à la distance $d_2 = 30$ m de l'avant du camion, calculer :

1. la durée du dépassement ;

2. la distance parcourue sur la route par la voiture pendant le dépassement.

---

5 Vitesse moyenne
 5 min | p. 38

Lycée Montesquieu, Herblay

La vitesse moyenne d'écoulement du sang dans une artère est $v_s = 20$ cm $\cdot$ s^{-1}.

1. Calculer le chemin parcouru par un globule rouge pendant une durée de 4 s.

2. En supposant cette vitesse d'écoulement indépendante de la grosseur des artères, quelle est la durée du parcours d'un globule rouge partant du cœur et arrivant au pied d'un individu, après un parcours de $1,50$ m ?

3. Toujours à cette même vitesse, quelle est la distance parcourue en un jour par un globule rouge qui effectue ce cycle sanguin ?

---

6 Vitesse moyenne
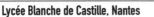 10 min. | p. 39

Lycée Saint-Martin, Rennes

Une course d'automobiles se déroule sur un circuit de $12,5$ km pendant 40 tours. Le vainqueur a effectué cette course à la vitesse moyenne de 160 km $\cdot$ h^{-1} avec un tour d'avance sur le second.

Calculer la vitesse moyenne de ce dernier.

---

7 Vitesse moyenne
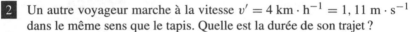 15 min. | p. 39

Lycée Blanche de Castille, Nantes

On considère un tapis roulant du métro, dont la longueur est $\ell = 50$ m et qui avance à la vitesse :

$$v_t = 4,5 \text{ km} \cdot \text{h}^{-1} = 1,25 \text{ m} \cdot \text{s}^{-1}$$

1. Un voyageur utilise le tapis roulant en restant immobile par rapport au tapis. Quel temps mettra-t-il pour effectuer le trajet ?

2. Un autre voyageur marche à la vitesse $v' = 4$ km $\cdot$ h$^{-1} = 1,11$ m $\cdot$ s^{-1} dans le même sens que le tapis. Quelle est la durée de son trajet ?

3. À quelle vitesse doit-il se déplacer, par rapport au tapis, pour effectuer un trajet de 50 s ?

8 | Vitesse moyenne ★ ★ ★ 30 min. | p. 40
Lycée Saint–Michel de Picpus

Un automobiliste A quitte Toulouse à 10 h 30 min et se dirige vers Narbonne par l'autoroute. Un automobiliste B quitte Narbonne à 10 h 45 min et se dirige vers Toulouse par la même autoroute.

Leurs vitesses respectives, que l'on suppose constantes, sont :
$$v_A = 100 \, \text{km} \cdot \text{h}^{-1} \text{ et } v_B = 130 \, \text{km} \cdot \text{h}^{-1}$$
La distance Toulouse-Narbonne, par l'autoroute, est égale à $D = 151$ km.

1. En prenant comme origine du temps l'instant de départ de l'automobiliste A, écrire les équations horaires des mouvements de A et B en précisant le repère spatial choisi.

2. À quelle distance de Toulouse et à quelle heure les deux automobilistes se croisent-ils ?

3. Vérifier les résultats à l'aide des représentations graphiques des deux équations horaires.

9 | Vitesse angulaire, fréquence ★ ■ ■ 5 min. | p. 42
Lycée Bouchardon, Chaumont

À la centrale électrique de Saint-Alban-du-Rhône, dans l'Isère, un alternateur de 80 m de long, pesant 1200 tonnes, est muni d'un rotor de 1, 2 m de diamètre tournant à 25 tours par seconde.

1. Quelle est la vitesse angulaire en $\text{rad} \cdot \text{s}^{-1}$?

2. Déterminer la période T et la fréquence f de ce mouvement.

3. Calculer la vitesse d'un point de la périphérie du rotor.

10 | Vitesse angulaire ★ ★ ■ 10 min. | p. 43
Lycée d'Ancerville

Le graphique de la figure ci-après représente la vitesse angulaire, en fonction du temps, d'un solide mobile autour d'un axe fixe.

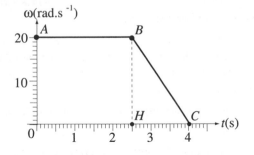

1 De $t = 0$ s à $t = 2, 5$ s quel est le mouvement du solide ?

Entre ces dates, combien de tours effectue-t-il ?

Remarquer que ce résultat est la mesure d'une aire ; laquelle ?

2 De $t = 2, 5$ s à $t = 4$ s, quel est le mouvement du solide ?

Graphiquement, évaluer le nombre de tours qu'il effectue.

11 **Vitesse angulaire**   ★ ★ ■ *10 min.* | *p. 43* |

Lycée Saint–Louis, Lorient

Un tourne-disque est posé sur une table. On le met sous tension ; le plateau de 30 cm de diamètre tourne à 33 tr $\cdot$ min^{-1}.

1 Quel est le mouvement d'un point du plateau dans un référentiel ter-restre ? dans le référentiel du plateau ?

2 **(a)** Dans un référentiel terrestre, quelle est la vitesse de rotation du plateau en rad $\cdot$ s^{-1} ?

(b) Quelle est la vitesse instantanée d'un point de la périphérie du pla-teau, dans un référentiel terrestre ?

3 **(a)** Quelle est la distance parcourue par un point de la périphérie en 20 minutes, dans un référentiel terrestre ?

(b) Quelle est alors la valeur de l'angle balayé par un rayon du plateau, pendant la même durée, dans un référentiel terrestre ?

12 Vitesse angulaire

Lycée Charles de Gaulle, Rosny-sous-Bois

Un losange $(ABCD)$, dont le côtés mesurent 80 cm, tourne uniformément autour de sa plus grande diagonale passant par A et C, la vitesse de rotation ω étant de 35 tr $\cdot$ s^{-1}. L'angle $\alpha = \widehat{BAD}$ vaut 60°.

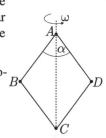

1. Déterminer la vitesse angulaire ω de rotation de ce solide, en rad. $\cdot$ s^{-1}.

2. Décrire la trajectoire du point D (centre et rayon).

3. Calculer la vitesse V_D du point D.

4. Peut-on dire qu'à chaque instant les sommets B et D ont même vecteur vitesse ? Pourquoi ?

5. **(a)** Calculer la distance parcourue par le point D en 10 ms.

   (b) En déduire l'angle θ parcouru par D pendant cette durée Δt. On exprimera θ en radian.

   (c) Vérifier que l'on retrouve la relation : $\theta = \omega \times \Delta t$.

1 Vecteur vitesse 15 min. | p. 29

Institut Notre Dame, Meudon

1 Étant donné que les trois enfants tournent simultanément du même angle $\Delta\theta = 3 \times 2\pi = 6\pi$ (correspondant à 3 tours) pendant la même durée $\Delta t = 1$ min ($\Delta t = 60$ s), leur vitesse angulaire est commune et vaut :

$$\omega = \frac{\Delta\theta}{\Delta t} = \frac{6\pi}{60} = 0,314 \,\text{rad} \cdot \text{s}^{-1}$$

2 Arthur se trouve à la distance $R_A = 2,9$ m de l'axe de rotation ; sa vitesse linéaire vaut :

$$v_A = R_A \times \omega = 2,9 \times 0,314 = 0,9 \,\text{m} \cdot \text{s}^{-1}$$

tandis que Chloé et Bastien se trouvent à la même distance $R_B = R_C = 4,8$ m du même axe, auquel cas leurs vitesses v_C et v_B sont identiques et valent :

$$v_B = v_C = R_B \times \omega = 4,8 \times 0,314 = 1,5 \,\text{m} \cdot \text{s}^{-1}$$

3 Sur un schéma où une vitesse de $1 \,\text{m} \cdot \text{s}^{-1}$ est représentée par un vecteur de 2 cm, les vecteurs $\vec{v}_A$, $\vec{v}_B$ et $\vec{v}_C$ ont pour longueur :

$$\begin{cases} 2 \times 0,9 = 1,8 \text{ cm pour } v_A \\ 2 \times 1,5 = 3 \text{ cm pour } v_B = v_C \end{cases}$$

En outre, $\vec{v}_A$, $\vec{v}_B$ et $\vec{v}_C$ sont tangents aux trajectoires circulaires de A, B et C respectivement, ce qui conduit à la représentation suivante des vecteurs vitesse :

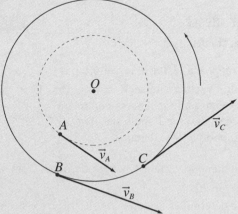

4 Étant donné que $v_A \neq v_B$ et $v_A \neq v_C$, Chloé se trompe en affirmant que les trois enfants vont à la même vitesse ; seuls Bastien et Chloé présentent la même vitesse instantanée (ou linéaire). Cependant, les trois enfants possédant la même vitesse angulaire, Chloé n'a pas tout à fait tort mais elle aurait alors dû affirmer : « nous tournons tous à la même vitesse ».

5 | Astuce

> Pour répondre à cette question, il est nécessaire de réaliser un schéma. N'hésitez pas à en abuser (au moins sur vos brouillons) ; ils vous permettront de mieux comprendre les situations physiques inédites.

Considérons que Chloé passe devant sa mère (figurée par le point M) à la date t_C et que Bastien passe aussi devant sa mère, mais à la date t_B :

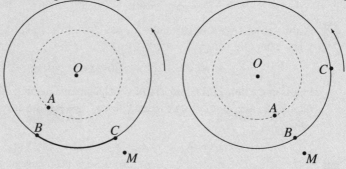

à la date t_C à la date t_B

Pendant l'intervalle de temps $\Delta t = t_B - t_C$, B a dû parcourir la distance $\widehat{BC} = 1,2$ m alors qu'il possède une vitesse v_B définie par :

$$v_B = \frac{\widehat{BC}}{\Delta t} \Rightarrow \Delta t = \frac{\widehat{BC}}{v_B} = \frac{1,2}{1,5} = 0,8 \text{ s}$$

---

2 | **Vecteur vitesse**   ★ ★ ★ *20 min.* | *p. 29*

Institut des Chartreux, Lyon

1 Par rapport à la Terre, la voiture possède un vecteur vitesse $\vec{V} = \vec{V_1} + \vec{V_2}$ représenté sur le schéma ci-contre, où $\alpha = 45°$ désigne l'angle que fait $\vec{V_2}$ par rapport à l'axe du tapis.

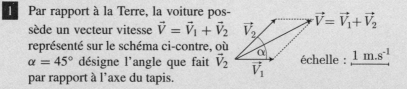

échelle : $\underset{\longmapsto}{1 \text{ m.s}^{-1}}$

Graphiquement, le vecteur $\vec{V}$ a pour norme $2,2$ cm, ce qui correspond à une vitesse de $2,2$ m $\cdot$ s^{-1}.

2 Pour déterminer la durée Δt de traversée de la voiture, plaçons-nous dans le référentiel du tapis, où la vitesse de la voiture est connue et vaut $V_2 = 1,5$ m $\cdot$ s^{-1}.

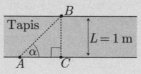

Notons B le point d'arrivée de la voiture et C le projeté orthogonal de B sur le côté du tapis qui contient le point A. La définition de V_2 repose sur la connaissance de la distance AB parcourue par la voiture pendant la durée Δt :

$$V_2 = \frac{AB}{\Delta t} \Rightarrow \Delta t = \frac{AB}{V_2}$$

Or, le triangle (ABC) étant rectangle en C, il s'ensuit que :

$$\sin \alpha = \frac{BC}{AB} = \frac{L}{AB} \Rightarrow AB = \frac{L}{\sin \alpha}$$

Par conséquent :

$$\Delta t = \frac{L}{V_2 \sin \alpha} = \frac{1}{1,5 \times \sin(45°)} \Rightarrow \Delta t = 0,94 \text{ s}$$

3 **Vitesse instantanée** ★ ■ ■ ■ *5 min.* p. 30

Lycée Charlie Chaplin, Décimes

1 La voiture se déplaçant en ligne droite, son mouvement est rectiligne. D'autre part, pendant des intervalles de temps identiques ($\tau = 1$ s), elle parcourt des distances de plus en plus grandes, ce qui signifie que son mouvement est rectiligne accéléré.

2 Reprenons le schéma de l'énoncé en y explicitant les abscisses x_i de l'avant de la voiture aux dates t_i (en secondes) :

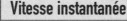

$$
\begin{array}{llllll}
x_0 = 0 & x_2 = 8 & x_3 = 15 & x_4 = 25 & x_5 = 35 & x_6 = 48 \\
t_0 = 0 & t_2 = 2 & t_3 = 3 & t_4 = 4 & t_5 = 5 & t_6 = 6 \\
\quad x_1 = 3 \\
\quad t_1 = 1
\end{array}
$$

À la date $t_3 = 3$ s, la vitesse de la voiture est définie par :

$$v_3 = \frac{x_4 - x_2}{t_4 - t_2} = \frac{25 - 8}{4 - 2} = 8,5 \text{ m} \cdot \text{s}^{-1}$$

de même qu'à la date $t_5 = 5$ s :

$$v_5 = \frac{x_6 - x_4}{t_6 - t_4} = \frac{48 - 25}{6 - 4} = 11,5 \text{ s}$$

3 Pendant une durée :

$$t = 1 \text{ h } 10 \text{ min} = 3600 + 10 \times 60 = 4200 \text{ s}$$

la voiture parcourt la distance $d = 64$ km $= 64000$ m, en conséquence de quoi sa vitesse moyenne vaut :

$$v = \frac{d}{t} = \frac{64000}{4200} = 15,2 \text{ m} \cdot \text{s}^{-1}$$

4 Vitesse instantanée

★ ★ ★ *30 min.* | *p. 30*

Lycée Van Gogh, Ernont

1 Au préalable, déterminons les vitesses v_A et v_C de l'automobile et du camion par rapport à la route, dans le système international d'unités :

$$v_A = \frac{90}{3,6} = 25 \text{ m} \cdot \text{s}^{-1} \text{ et } v_C = \frac{72}{3,6} = 20 \text{ m} \cdot \text{s}^{-1}$$

Étudions maintenant le dépassement dans le référentiel du camion : celui-ci paraît immobile tandis que la voiture semble posséder la vitesse :

$$v_{A/C} = v_A - v_C = 25 - 20 = 5 \text{ m} \cdot \text{s}^{-1}$$

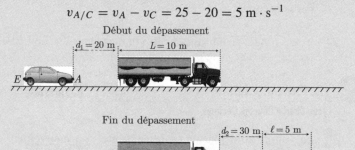

Dans ce référentiel, l'avant de la voiture (point A) parcourt la distance :

$$D_{A/C} = d_1 + L + d_2 + \ell = 20 + 10 + 30 + 5 = 65 \text{ m}$$

La durée Δt du dépassement vérifie donc, dans ce référentiel :

$$v_{A/C} = \frac{D_{A/C}}{\Delta t} \Rightarrow \Delta t = \frac{D_{A/C}}{v_{A/C}} = \frac{65}{5} = 13 \text{ s}$$

2 Dans le référentiel lié à la route, l'automobile se déplace à une vitesse $v_A = 25 \text{ m} \cdot \text{s}^{-1}$. Ainsi, pendant la durée Δt du dépassement, elle parcourt la distance $D_{A/\text{route}}$ qui vérifie :

$$v_A = \frac{D_{A/\text{route}}}{\Delta t} \Rightarrow D_{A/\text{route}} = v_A \times \Delta t = 25 \times 13 = 325 \text{ m}$$

5 Vitesse moyenne

★ ■ ■ | *5 min* | *p. 31*

Lycée Montesquieu, Herblay

1 Astuce

Lorsqu'un exercice introduit la vitesse v d'un point, écrivez (sur votre brouillon) qu'il s'agit du rapport de la distance d parcourue pendant le temps Δt :

$$v = \frac{d}{\Delta t}$$

Isolez les termes que vous connaissez (ici v et Δt), vous en déduirez immédiatement la troisième grandeur (ici d).

Si le globule rouge parcourt la distance d (en mètres) pendant la durée Δt (en secondes), sa vitesse (en $m \cdot s^{-1}$) est définie par :

$$v_s = \frac{d}{\Delta t} \Rightarrow d = v_s \times \Delta t \text{ avec } \Delta t = 4 \text{ s et } v = 0,2 \text{ m} \cdot \text{s}^{-1}$$

c'est-à-dire :

$$d = 0,2 \times 4 = 0,8 \text{ m} = 80 \text{ cm}$$

2 Pour parcourir la distance d à la vitesse v_s, le globule rouge met un temps :

$$\Delta t = \frac{d}{v_s} = \frac{1,5}{0,2} = 7,5 \text{ s}$$

3 Une journée comporte 24 heures qui, chacune, est composée de 3600 secondes. Aussi, une journée représente une durée $\Delta t = 24 \times 3600 = 86400$ s. Donc, pendant cette durée, le globule rouge parcourt une distance :

$$d = v_S \times \Delta t = 0,2 \times 86400 = 17280 \text{ m} \simeq 17 \text{ km}$$

6 **Vitesse moyenne**   ★ ★ ☐ 10 *min.*   *p. 31*

Lycée Saint–Martin, Rennes

Le vainqueur de la course a effectué 40 tours, chacun de longueur $L_0 = 12,5$ km pendant une durée Δt (durée de la course). Sa vitesse moyenne est donc définie par :

$$v_1 = \frac{40 \times L_0}{\Delta t} \Rightarrow \frac{L_0}{\Delta t} = \frac{v_1}{40}$$

Pendant le même temps Δt, le second automobiliste n'a effectué que 39 tours (et a donc parcouru une distance $39 \times L_0$), auquel cas sa vitesse moyenne vaut :

$$v_2 = \frac{39 \times L_0}{\Delta t} = \frac{39}{40} \times v_1 = \frac{39}{40} \times 160 = 156 \text{ km} \cdot \text{h}^{-1}$$

7 **Vitesse moyenne**   ★ ★ ★ 15 *min.*   *p. 31*

Lycée Blanche de Castille, Nantes

1 Le voyageur étant immobile par rapport au tapis roulant, sa vitesse par rapport au sol est la même que celle du tapis :

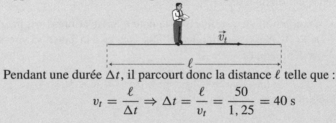

Pendant une durée Δt, il parcourt donc la distance ℓ telle que :

$$v_t = \frac{\ell}{\Delta t} \Rightarrow \Delta t = \frac{\ell}{v_t} = \frac{50}{1,25} = 40 \text{ s}$$

COURS

ÉNONCÉS

CORRIGÉS

2 Un voyageur se déplaçant à la vitesse v' sur le tapis roulant, dans le même sens que celui-ci, présente une vitesse v_1, dans le référentiel terrestre, telle que :

$$v_1 = v_t + v' = 1,25 + 1,11 = 2,36 \text{ m} \cdot \text{s}^{-1}$$

Pour parcourir la distance ℓ, il lui faut donc un temps :

$$\Delta t_1 = \frac{\ell}{v_1} = \frac{50}{2,36} = 21 \text{ s}$$

3 Si le voyageur parcourt la distance ℓ en $\Delta t_2 = 50$ s, cela signifie également qu'il marche en sens inverse par rapport au déplacement du tapis, sans quoi, d'après la première question, il ne lui aurait fallu que 40 s.

Sa vitesse v_2 par rapport au sol vaut donc :

$$v_2 = v_t - v'' \Rightarrow v'' = v_t - v_2$$

et elle est définie par : $v_2 = \dfrac{\ell}{\Delta t_2}$.

Par conséquent, sa vitesse v'' par rapport au tapis est donnée par :

$$v'' = v_t - \frac{\ell}{\Delta t_2} = 1,25 - \frac{50}{50} = 0,25 \text{ m} \cdot \text{s}^{-1}$$

---

8 **Vitesse moyenne** ★ ★ ★ *30 min.* | *p. 32*

Lycée Saint-Michel de Picpus

1 On choisit, comme repère spatial, l'axe TN de l'autoroute reliant Toulouse à Narbone, d'origine T. On note alors x_A et x_B les abscisses des points A et B dans ce repère :

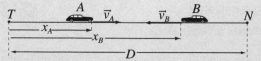

Rechercher les *équations horaires* de A et B signifie exprimer x_A et x_B en fonction du temps t.

- L'automobiliste A quitte T à la date t_0 prise comme origine des temps ($t_0 = 0$). Aussi, en atteignant l'abscisse x_A à la date t, sa vitesse moyenne est définie par :

$$
\begin{aligned}
v_A &= \frac{TA}{t - t_0} = \frac{x_A}{t} \text{ car } t_0 = 0 \\
&\Rightarrow x_A = v_A \times t \Rightarrow x_A = 100 \times t
\end{aligned}
$$

à condition que les distances soient exprimées en kilomètre et les temps t en heure.

- L'automobiliste B quitte N à une date t_N et atteint l'abscisse x_B à la date t, telle que :

$$v_B = \frac{BN}{t - t_B} \Rightarrow BN = v_B\,(t - t_B)$$

où :

$$TN = TB + BN \;\Rightarrow\; D = x_B + BN \Rightarrow BN = D - x_B$$
$$\Rightarrow\; D - x_B = v_B\,(t - t_B) = v_B t - v_B t_B$$
$$\Rightarrow\; x_B = D + v_B t_B - v_B t$$

Enfin, en choisissant $t_0 = 0$ comme origine des dates (à 10 h 30 min), B quitte Narbonne à la date $t_B = 15\ \text{min} = \dfrac{15}{60} = 0,25\ \text{h}$. C'est pourquoi :

$$D + v_B t_B = 151 + 130 \times 0,25 = 183,5\ \text{km} \Rightarrow x_B = 183,5 - 130 \times t$$

2 Lorsque les deux automobilistes se rencontrent, à la date t_r, leurs abscisses x_A et x_B deviennent égales :

$$\begin{cases} x_A = 100 \times t_r \\ x_B = 183,5 - 130 \times t_r \end{cases} \;\Rightarrow\; 100 \times t_r = 183,5 - 130 \times t_r$$
$$\Rightarrow\; 230 \times t_r = 183,5$$
$$\Rightarrow\; t_r = \frac{183,5}{230} = 0,8\ \text{h}$$

À cette date, ils se trouvent donc à une distance $d = x_A$ de Toulouse telle que :

$$x_A = 100 \times t_r = 100 \times 0,8 \Rightarrow d = 80\ \text{km}$$

Cette rencontre se produit, en outre, à la date $t_r = 0,8$ heure, c'est-à-dire à une heure :

$$\begin{aligned} H &= 10\ \text{h}\ 30\ \text{min} + 0,8\ \text{h} = 10,5\ \text{h} + 0,8\ \text{h} \\ &= 11,3\ \text{h} = 11\ \text{h} + 0,3 \times 60\ \text{min} = 11\ \text{h}\ 18\ \text{min} \end{aligned}$$

3 L'équation horaire $x_A = 100 \times t$ correspond à une droite dans un diagramme $x(t)$. En outre cette droite passe par les points $O(0,\,0)$ et $C(1\ \text{h}\,;\,100\ \text{km})$. De même, l'équation horaire $x_B = 183,5 - 130 \times t$ est représentée par une droite qui passe par les points $D(0,25\ \text{h}\,;\,151\ \text{km})$ et $E(1\ \text{h}\,;\,53,5\ \text{km})$:

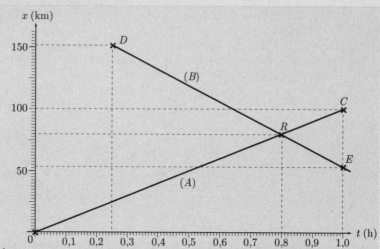

Étant donné que le croisement de A et B se réalise lorsque $x_A = x_B$, pour une même date t_r, il s'agit également du point d'intersection R des deux courbes précédentes ; le graphe ci-dessus confirme que ce croisement se produit à la date $t_r = 0,8$ h et à une distance $x_A = 80$ km de Toulouse.

---

9 Vitesse angulaire, fréquence ★ ■ ■ *5 min.* | *p. 32*

Lycée Bouchardon, Chaumont

1. Le rotor effectue 25 tours pendant une durée $\Delta t = 1$ s. Puisque chaque tour correspond à un angle de 2π rad, cela signifie aussi que le rotor décrit un angle $\Delta\theta = 25 \times 2\pi = 50\,\pi$ rad par seconde. Sa vitesse angulaire est alors définie par :

$$\omega = \frac{\Delta\theta}{\Delta t} = \frac{50 \times \pi}{1} = 157 \text{ rad} \cdot \text{s}^{-1}$$

2. Par définition, la période T vaut :

$$T = \frac{2\pi}{\omega} = \frac{2\pi}{50\pi} = \frac{1}{25} = 0,04 \text{ s}$$

et la fréquence :

$$f = \frac{1}{T} = 25 \text{ Hz}$$

3. Le rotor est une pièce cylindrique dont le diamètre $D = 1,2$ m vaut le double de son rayon R :

$$D = 2 \times R \Rightarrow R = \frac{D}{2} = 0,6 \text{ m}$$

Par conséquent, un point de sa périphérie est animé d'une vitesse :

$$v = R \times \omega = 0,6 \times 157 = 94,2 \text{ m} \cdot \text{s}^{-1}$$

10 Vitesse angulaire ★ ★ ▮ *10 min.* | *p. 32*
Lycée d'Ancerville

1 Pour t compris entre 0 et 2, 5 s la vitesse angulaire est constante, en conséquence de quoi le mouvement est circulaire uniforme. Pendant l'intervalle de temps Δt, le solide tourne d'un angle $\Delta \theta = \omega \times \Delta t$ (en radians). Or, un tour étant équivalent à un angle de 2π rad, chaque radian correspond à $\frac{1}{2\pi}$ tour, et c'est pourquoi pendant Δt le solide effectue :

$$n = \frac{\Delta \theta}{2\pi} = \frac{\omega \, \Delta t}{2\pi} \text{ tours} = \frac{20 \times 2, 5}{2 \times \pi} \simeq 8 \text{ tours}$$

On remarque qu'entre le segment $[AB]$ et l'axe des abscisses, un rectangle se dessine, ayant pour aire :

$$\mathcal{A} = OA \times AB = 20 \times 2, 5 = 50 \text{ rad}$$

c'est-à-dire : $\frac{50}{2\pi} \simeq 7, 96$ tours. Il s'ensuit que : $\mathcal{A} = n$.

2 De $t = 2, 5$ s à $t = 4$ s le solide est animé d'un mouvement de rotation décéléré, jusqu'à devenir immobile à $t = 4$ s.

En admettant que la remarque de la question précédente soit généralisable, de $t = 2, 5$ s à $t = 4$ s, le mobile tourne d'un angle $\Delta \theta'$ identifiable à l'aire $\mathcal{A}'$ du triangle (HBC) :

$$\Delta \theta' = \mathcal{A}' = \frac{1}{2} \times HB \times HC = \frac{1}{2} \times 20 \times (4 - 2, 5) = 15 \text{ rad}$$

À cet angle correspondent alors :

$$n' = \frac{\Delta \theta'}{2\pi} \text{ tours} = 2, 4 \text{ tours}$$

11 Vitesse angulaire ★ ★ ▮ *10 min.* | *p. 33*
Lycée Saint-Louis, Lorient

1 Dans le référentiel terrestre, tous les points du plateau (excepté son centre) sont animés d'un mouvement circulaire uniforme autour de l'axe de rotation, tandis que dans le référentiel du plateau, tous les points du plateau (sans exception) sont immobiles.

2 **(a)** Dans le référentiel terrestre, le plateau effectue 33 tours en une minute, c'est-à-dire tourne d'un angle $\Delta \theta = 33 \times 2\pi$ rad pendant $\Delta t = 60$ s. La vitesse angulaire ω du plateau est alors définie par :

$$\omega = \frac{\Delta \theta}{\Delta t} = \frac{33 \times 2\pi}{60} = 3, 45 \text{ rad} \cdot \text{s}^{-1}$$

(b) Un point B situé à la périphérie du plateau, de diamètre $D = 30$ cm, décrit des cercles de rayon $R = \frac{D}{2} = 15$ cm $= 0, 15$ m. Un tel point

COURS

ÉNONCÉS

CORRIGÉS

présente donc, dans un référentiel terrestre, une vitesse instantanée :

$$v = R \times \omega = 0,15 \times 3,45 = 0,52 \, \text{m} \cdot \text{s}^{-1}$$

3 **(a)** Dans un référentiel terrestre, la distance $\Delta\ell$ parcourue par ce point périphérique, pendant la durée $\Delta t_1 = 20 \, \text{min} = 20 \times 60 \, \text{s}$, est à l'origine de la définition de sa vitesse v :

$$v = \frac{\Delta\ell}{\Delta t_1} \Rightarrow \Delta\ell = v \times \Delta t_1 = 0,52 \times 60 \times 20 = 624 \, \text{m}$$

(b) La vitesse angulaire $\omega = 3,45 \, \text{rad} \cdot \text{s}^{-1}$ est définie à partir de l'angle $\Delta\theta_1$ balayé par un rayon du plateau pendant la durée $\Delta t_1 = 20 \, \text{min} = 1200 \, \text{s}$:

$$\omega = \frac{\Delta\theta_1}{\Delta t_1} \Rightarrow \Delta\theta_1 = \omega \times \Delta t_1 = 3,45 \times 1200 = 4140 \, \text{rad}$$

12 Vitesse angulaire ★ ★ ■ 30 min. | p. 34

Lycée Charles de Gaulle, Rosny-sous-Bois

1 Étant donné qu'un tour correspond à une rotation d'un angle de 2π rad, la vitesse angulaire du solide vaut :

$$\omega = 35 \times 2\pi \simeq 220 \, \text{rad} \cdot \text{s}^{-1}$$

2 Le point D décrit un cercle autour de l'axe (AC). Le centre de ce cercle coïncide avec la projection O de D sur (AC) tandis que son rayon $R = OD$ vérifie la définition trigonométrique :

$$\sin\left(\frac{\alpha}{2}\right) = \frac{OD}{AD} = \frac{R}{AD} \Rightarrow R = AD \times \sin\left(\frac{\alpha}{2}\right)$$
$$= 0,8 \times \sin(30°) \simeq 0,40 \, \text{m}$$

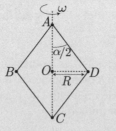
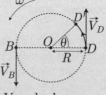

Vue de dessus

3 La vitesse instantanée du point D est donnée par la relation :

$$V_D = R \times \omega = 0,4 \times 220 \Rightarrow V_D \simeq 88 \, \text{m} \cdot \text{s}^{-1}$$

Attention

Pour obtenir V_D en $\text{m} \cdot \text{s}^{-1}$, on veiller à exprimer R en mètre et ω en $\text{rad} \cdot \text{s}^{-1}$.

4. La vue de dessus du schéma précédent montre que les vecteurs vitesse $\vec{V}_B$ et $\vec{V}_D$ des points B et D ont des sens opposés ; ces vecteurs vitesse ne peuvent pas être égaux ($\vec{V}_B = -\vec{V}_D$).

5. **(a)** Pendant une durée $\Delta t = 10 \text{ ms} = 10.10^{-3}$ s, le point D parcourt un arc de cercle de longueur $\widehat{DD'}$ telle que :

$$V_D = \frac{\widehat{DD'}}{\Delta t} \Rightarrow \widehat{DD'} = V_D \times \Delta t$$

$$= 88 \times 10^{-2} \Rightarrow \widehat{DD'} \simeq 0,88 \text{ m} = 88 \text{ cm}$$

(b) L'arc $\widehat{DD'}$ est associé à un angle θ tel que :

$$\widehat{DD'} = R \times \theta \Rightarrow \theta = \frac{\widehat{DD'}}{R} = \frac{0,88}{0,4} \Rightarrow \theta = 2,20 \text{ rad}$$

(c) Le produit $\omega \times \Delta t = 220 \times 10^{-2} = 2,20$ rad confirme finalement la relation :

$$\theta = \omega \times \Delta t$$

Forces et équilibres

Exercice type

Lycée Argouges, Grenoble

Un solide, de masse $m = 250$ g, repose sans frottements sur un plan incliné faisant un angle α avec l'horizontale. On le maintient en équilibre grâce à un ressort dont la raideur est $k = 19 \, \text{N} \cdot \text{m}^{-1}$ et dont la longueur à vide est $\ell_0 = 20$ cm.

1 Trouver la relation donnant la longueur ℓ du ressort en fonction de α.

2 Calculer ℓ dans les cas suivants : $\alpha = 0°$, $\alpha = 30°$, $\alpha = 60°$ et $\alpha = 90°$.

3 Pour $\alpha = 0°$ et $\alpha = 90°$, on décrira la configuration particulière du dispositif et on vérifiera la cohérence des résultats trouvés.

Donnée : intensité de la pesanteur : $g = 10 \, \text{N} \cdot \text{kg}^{-1}$.

Voir corrigé page 51

1 Quelques exemples de forces

L'interaction entre deux corps est représentée par un vecteur force $\vec{F}$, caractérisé par :

- son point d'application (point d'où démarre le vecteur $\vec{F}$) ;
- sa valeur : $F = \left\| \vec{F} \right\|$ en Newton (N) ;
- sa direction : la droite (Δ) qui supporte $\vec{F}$ (par exemple : la verticale, l'horizontale, ...) ;
- son sens : l'extrémité de (Δ) vers laquelle est orienté $\vec{F}$ (par exemple : la droite, la gauche, ...)

Un ensemble de forces $\vec{F}_1$, $\vec{F}_2$, ... qui s'exercent sur un corps équivaut à une force résultante $\vec{F}$, somme vectorielle et de $\vec{F}_1$, $\vec{F}_2$, ...

1.1 Le poids

Il s'agit de l'attraction qu'un astre (par exemple la Terre) exerce sur un corps ($\mathcal{C}$) de masse M. Le poids $\vec{P}$ est caractérisé par :

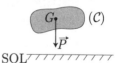

* son point d'application : le **centre de gravité** G de ($\mathcal{C}$) ;
* sa valeur : $P = Mg$, où M est exprimé en kilogramme (kg), P en newton (N) et où g est **l'intensité de la pesanteur** ($g \simeq 9,8\,\text{N} \cdot \text{kg}^{-1}$ en France) ;
* sa direction : la verticale du sol passant par G ;
* son sens : vers le centre de l'astre attracteur.

1.2 La tension d'un ressort

Un ressort est caractérisé par sa longueur ℓ, sa **longueur vide** ℓ_v (longueur du ressort lorsqu'il est ni étiré, ni comprimé)) et sa **raideur** k.

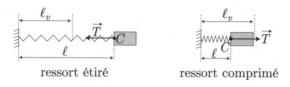

ressort étiré	ressort comprimé

La tension exercée par un ressort sur un corps est représentée par un vecteur $\vec{T}$ dont :

* le point d'application est le point de contact C du ressort avec le corps ;
* la valeur est donnée par :

$$T = \left\| \vec{T} \right\| = k \times |\ell - \ell_v|$$

où ℓ et ℓ_v sont exprimés en mètre et k en $\text{N} \cdot \text{m}^{-1}$;
* la direction est celle de l'axe du ressort ;
* le sens dépend de l'état du ressort : vers le ressort, si celui-ci est étiré ($\ell > \ell_v$) et dans le sens opposé, si le ressort est comprimé ($\ell < \ell_v$).

1.3 Forces de contact avec un support

Lorsqu'ils existent, les frottements entre un corps et un support sont modélisés par une force $\vec{F}_f$ caractérisée par :

* son point d'application : un des points de la surface de contact du corps avec son support ;
* sa valeur, qui dépend de chaque situation physique (frottements solides, fluides, statiques, dynamiques, ...) ;
* sa direction : tangente au support ;

frottements

• son sens : en général, opposé au mouvement.

1.4 Réaction du support

Même en l'absence de frottements, un corps en contact avec un support subit une force de réaction $\vec{R}$:

• qui s'applique en un point de la surface de contact ;

• dont la valeur dépend de chaque situation physique ;

• de direction perpendiculaire au support ;

• orientée du support vers le corps.

réaction

1.5 Poussée d'Archimède

Tout corps plongé dans un fluide (liquide, air, ...) est soumis à une force exercée par ce fluide, appelée **poussée d'Archimède** $\vec{A}$ et caractérisée par :

• son point d'application : le centre de gravité G_i de la partie du corps immergée dans le fluide ;

• sa valeur :

$$A = \left\| \vec{A} \right\| = V_{\text{imm}} \times \rho_{\text{fluide}} \times g$$

volume immergé V_{imm}

fluide (ρ_{fl})

où

V_{imm} est le volume de la partie immergée du corps (en m^3), ρ_{fluide} est la masse volumique du fluide et g est l'intensité de la pesanteur ($g \simeq 9,8 \text{ N} \cdot \text{kg}^{-1}$).

• sa direction : perpendiculaire à la surface libre du fluide ;

• son sens : du fluide vers le corps immergé.

Remarque : De manière générale, la poussée d'Archimède de l'air est assez faible pour être négligée, sauf dans le cas d'un aerostat : mongolfière, ballon dirigeable, ...

2 Équilibre d'un solide

2.1 Représentation d'un vecteur force

Dans un repère orthonormé (Ox, Oy), un vecteur force $\vec{F} \begin{pmatrix} F_x \\ F_y \end{pmatrix}$ est décrit par ses composantes F_x et F_y qui désignent respectivement la projection de $\vec{F}$ sur les axes (Ox) et (Oy). Les composantes F_x e F_y se déduisent de la norme $F = \left\| \vec{F} \right\|$ à l'aide des définitions trigonométriques :

$$\begin{cases} \cos\alpha = \dfrac{F_x}{\left\|\vec{F}\right\|} \\[2ex] \sin\alpha = \dfrac{F_y}{\left\|\vec{F}\right\|} \end{cases} \Rightarrow \begin{cases} F_x = \left\|\vec{F}\right\| \cos\alpha = F\cos\alpha \\[1ex] F_y = \left\|\vec{F}\right\| \sin\alpha = F\sin\alpha \end{cases}$$

$$\Rightarrow \quad \vec{F} = \begin{pmatrix} F_x \\ F_y \end{pmatrix} = \begin{pmatrix} F\cos\alpha \\ F\sin\alpha \end{pmatrix}$$

→ **À retenir :**

Le choix du repère dans lequel les vecteurs force seront exprimés est souvent laissé à l'initiative de l'élève. Il est judicieux, dans ce cas, d'orienter ce repère de manière à ce que les axes aient, le plus possible, la même direction que celle des vecteurs forces.

Par exemple, pour l'équilibre d'un corps sur un plan incliné :

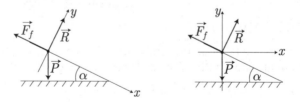

Le premier repère est préférable au second car la réaction $\vec{R}\begin{pmatrix} 0 \\ R \end{pmatrix}$ et la force de frottement $\vec{F}_f\begin{pmatrix} -F_f \\ 0 \end{pmatrix}$ s'y expriment facilement. Dans le deuxième repère, seul le poids $\vec{P}\begin{pmatrix} 0 \\ -P \end{pmatrix}$ s'exprime aisément.

2.2 Condition d'équilibre

Soit un solide $\mathcal{S}$ soumis à des forces $\vec{F}_1, \vec{F}_2, \ldots$ L'équilibre de $(\mathcal{S})$ impose nécessairement que :

$$\vec{F}_1 + \vec{F}_2 + \cdots = \vec{0}$$

→ À retenir :

Pour exploiter judicieusement la condition d'équilibre d'un solide $(\mathcal{S})$, il faut :

- recenser les forces $\vec{F}_1$, $\vec{F}_2$, ... qui s'exercent sur $(\mathcal{S})$. Il s'agit du **bilan des forces** ;

- représenter, sur un schéma clair, les vecteurs $\vec{F}_1$, $\vec{F}_2$, ...

- déduire de ce schéma les composantes de $\vec{F}_1 \begin{pmatrix} F_{1x} \\ F_{1y} \end{pmatrix}$, $\vec{F}_2 \begin{pmatrix} F_{2x} \\ F_{2y} \end{pmatrix}$, ...

- exprimer la condition d'équilibre :

$$\vec{F}_1 + \vec{F}_2 + \cdots = \vec{0} \Rightarrow \begin{pmatrix} F_{1x} + F_{2x} + \cdots \\ F_{1y} + F_{2y} + \cdots \end{pmatrix} = \begin{pmatrix} 0 \\ 0 \end{pmatrix}$$

- résoudre les équations qui en découlent :

$$\begin{cases} F_{1x} + F_{2x} + \cdots = 0 \\ F_{1y} + F_{2y} + \cdots = 0 \end{cases}$$

Solution de l'exercice type

1 Il convient, dans un premier temps, de recenser les forces qui s'exercent sur le solide :

- son poids $\vec{P}$, de norme $P = mg$:
- la réaction $\vec{R}$ du support, de norme R ;
- la tension $\vec{T}$ du ressort, telle que : $T = \left\| \vec{T} \right\| = k \times |\ell - \ell_0|$.

Dans un repère (Ox, Oy) tel que l'axe (Ox) soit tangent au support oblique, ces vecteurs ont pour composantes :

$$\vec{R} = \begin{pmatrix} 0 \\ R \end{pmatrix} \qquad \vec{T} = \begin{pmatrix} T \\ 0 \end{pmatrix} \qquad \vec{P} = \begin{pmatrix} -P\sin\alpha \\ -P\cos\alpha \end{pmatrix} \text{ car } \begin{cases} \cos\alpha = -\dfrac{P_y}{P} \\ \sin\alpha = -\dfrac{P_x}{P} \end{cases}$$

Solution de l'exercice type (suite)

Par conséquent, l'équilibre du solide impose :

$$\vec{R} + \vec{T} + \vec{P} = \vec{0} \quad \Rightarrow \quad \begin{pmatrix} 0 + T - P \sin\alpha \\ R + 0 - P \cos\alpha \end{pmatrix} = \begin{pmatrix} 0 \\ 0 \end{pmatrix}$$

$$\Rightarrow \quad \begin{cases} T = P \sin\alpha \\ R = P \cos\alpha \end{cases} \Rightarrow \begin{cases} k \times |\ell - \ell_0| = mg \sin\alpha \\ R = mg \sin\alpha \end{cases}$$

Étant donné que le ressort est étiré : $|\ell - \ell_0| = \ell - \ell_0 > 0$, de sorte que la première équation donne finalement :

$$\ell - \ell_0 = \frac{mg}{k} \times \sin\alpha \Rightarrow \ell = \ell_0 + \frac{mg}{k} \times \sin\alpha$$

2 En prenant $\ell_0 = 20\,\text{cm} = 0,20\,\text{m}$, $m = 250\,\text{g} = 0,250\,\text{kg}$, $g = 10\,\text{N} \cdot \text{kg}^{-1}$ et $k = 19\,\text{N} \cdot \text{m}^{-1}$, on obtient ainsi :

α	0°	30°	60°	90°
ℓ (en m)	0, 20	0, 27	0, 31	0, 33

3 Lorsque $\alpha = 0°$, le support est horizontal, si bien que le ressort est horizontal (ni étiré ni allongé) ; sa longueur vaut $\ell_0 = 0,20\,\text{m}$. En revanche lorsque $\alpha = 90°$, le support plan ne soutient plus le solide ; le ressort est alors étiré au maximum.

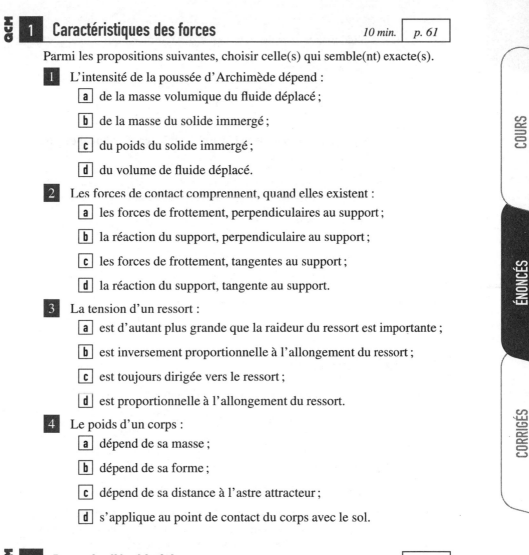

QCM

1 Caractéristiques des forces

10 min. | *p. 61*

Parmi les propositions suivantes, choisir celle(s) qui semble(nt) exacte(s).

1 L'intensité de la poussée d'Archimède dépend :

a de la masse volumique du fluide déplacé ;

b de la masse du solide immergé ;

c du poids du solide immergé ;

d du volume de fluide déplacé.

2 Les forces de contact comprennent, quand elles existent :

a les forces de frottement, perpendiculaires au support ;

b la réaction du support, perpendiculaire au support ;

c les forces de frottement, tangentes au support ;

d la réaction du support, tangente au support.

3 La tension d'un ressort :

a est d'autant plus grande que la raideur du ressort est importante ;

b est inversement proportionnelle à l'allongement du ressort ;

c est toujours dirigée vers le ressort ;

d est proportionnelle à l'allongement du ressort.

4 Le poids d'un corps :

a dépend de sa masse ;

b dépend de sa forme ;

c dépend de sa distance à l'astre attracteur ;

d s'applique au point de contact du corps avec le sol.

QCM

2 Poussée d'Archimède

20 min. | *p. 62*

1 Une bille métallique, de masse $m = 80$ g et de volume $V = 20$ cm^3, est suspendue en équilibre à un dynamomètre.

Calculer la valeur de la tension T exercée par le dynamomètre sur la bille.

a $T = 800$ N

b $T = 8$ N

c $T = 0,8$ N

2 La bille, toujours suspendue au dynamomètre, est alors totalement immergée dans l'eau contenue dans un bécher.

(a) Calculer la valeur de la poussée d'Archimède qui s'exerce sur la bille.

  a $A = 0,2\,\text{N}$

  b $A = 200\,\text{N}$

  c $A = 2\,\text{N}$

(b) En déduire la valeur de la tension T' qu'exerce le dynamomètre sur la bille.

  a $T' = 6\,\text{N}$

  b $T' = 0,6\,\text{N}$

  c $T' = 600\,\text{N}$

Données numériques :

- intensité de la pesanteur : $g = 10\,\text{N} \cdot \text{kg}^{-1}$;
- masse volumique de l'eau : $\rho_0 = 1000\,\text{kg} \cdot \text{m}^{-3}$.

QCM 3 Poussée d'Archimède

20 min. | *p. 62*

Quatre récipients contiennent les liquides suivants :

- de l'eau, de masse volumique $\rho_e = 1,0\,\text{g} \cdot \text{cm}^{-3}$;
- de l'alcool, de masse volumique $\rho_a = 0,8\,\text{g} \cdot \text{cm}^{-3}$;
- de l'eau salée, de masse volumique $\rho_s = 1,2\,\text{g} \cdot \text{cm}^{-3}$;
- de l'huile, de masse volumique $\rho_h = 0,9\,\text{g} \cdot \text{cm}^{-3}$.

Les étiquettes des récipients se sont décollées. On réalise alors les expériences présentées sur les schémas ci-dessous, avec le même objet plongé dans les liquides inconnus, suspendu à un dynamomètre.

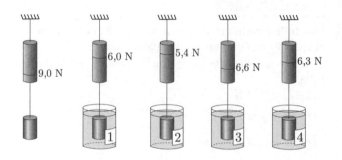

Parmi les propositions suivantes, choisir celle(s)qui semble(nt) correcte(s).

COURS

ÉNONCÉS

CORRIGÉS

$\boxed{a}$ Les récipients 1 et 2 sont les seuls à contenir de l'eau.

$\boxed{b}$ Le récipient 4 contient de l'alcool.

$\boxed{c}$ L'huile se trouve dans le récipient 1 ou dans le récipient 3.

$\boxed{d}$ Le récipient 2 ne contient pas d'huile.

$\boxed{e}$ Le récipient 3 contient du sel.

4 Tension d'un ressort   ★ ■ ■ *20 min.* | *p. 63* |

Lycée Jehan de Chelles, Chelles

On considère un ressort à réponse linéaire, de longueur à vide $\ell_0 = 30$ cm, dont on veut déterminer expérimentalement la constante de raideur k en utilisant le dispositif ci-dessous :

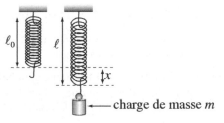

charge de masse m

1 Faire l'inventaire des forces extérieures qui s'exercent sur la charge.

2 Montrer la relation : $mg = kx$.

3 On obtient expérimentalement le graphe ci-dessous :

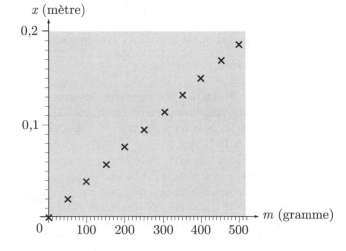

(a) Déterminer le coefficient directeur a du graphe (on indiquera clairement le ou les points choisis pour cette détermination).

(b) En déduire la valeur de la constante de raideur k.

4 Déterminer la valeur de la masse m que possède une charge provoquant un allongement $x = 37$ cm du ressort.

Donnée : intensité de la pesanteur : $g = 9,8 \text{ N} \cdot \text{kg}^{-1}$.

5 | Équilibre d'un solide ★■■■ *15 min* | p. 64

Lycée Voltaire, Fernay–Voltaire

Un objet ancien, en étain, de volume $V = 1$ L, repose au fond de l'océan dans une épave. L'eau peut s'écouler sous l'objet.

1 Faire le bilan des forces qui s'exercent sur l'objet.

2 Déterminer, par le calcul, l'intensité R de la réaction que l'épave exerce sur l'objet lorsqu'il est posé sur le fond.

3 Pour faire remonter l'objet, on l'accroche à un ballon rempli d'air. Quel doit être le volume du ballon pour que l'objet demeure en équilibre après avoir décollé du fond ? On négligera le poids du ballon.

Données :

- masse volumique de l'eau : $\mu_{\text{eau}} = 10^3 \text{ kg} \cdot \text{m}^{-3}$;
- masse volumique de l'étain : $\mu_{\text{étain}} = 5,75.10^3 \text{ kg} \cdot \text{m}^{-3}$;
- intensité de la pesanteur : $g \simeq 10 \text{ N} \cdot \text{kg}^{-1}$.

6 | Équilibre d'un solide ★■■■ *20 min.* | p. 65

Lycée M. De Marsillac, Paris

Pour construire les pyramides, les Égyptiens ont sans doute utilisé la technique du plan incliné. Justifions l'intérêt de ce procédé.
On prendra pour inclinaison du plan : $\alpha = 10°$ et pour valeur de l'intensité de la pesanteur : $g = 10 \text{ N} \cdot \text{kg}^{-1}$.

1 Un bloc de pierre cubique, de 1 m de côté, a une masse $m = 2400$ kg. Calculer son poids. Combien d'hommes, exerçant chacun une force $F_0 = 800$ N, seraient nécessaires pour le soulever ? Est-ce possible ?

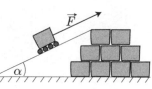

COURS

2 Des rouleaux de bois, intercalés entre le bloc de pierre et le sol incliné, rendent les frottements négligeables. Pour maintenir le bloc en équilibre, on exerce une force $\vec{F}$ parallèle au sol, suivant la ligne de plus grande pente.

(a) Représenter les différentes forces exercées par le bloc.

(b) Projeter le poids suivant la ligne de plus grande pente. Quelle est la valeur de cette composante ?

(c) Quelle doit être la valeur minimale de la force $\vec{F}$ pour que le bloc monte le long du plan incliné ? Quel est le nombre d'hommes nécessaires pour cela ?

Pour calculer la projection du poids, on pourra utiliser une relation trigonométrique dans un triangle rectangle.

ÉNONCÉS

7 **Équilibre d'un solide** ★ ★ ■ *20 min.* | *p. 67* |

Lycée La Tour des Dames, Rosay-en-Brie

Une bille électrisée, suspendue à un ressort, est attirée par un bâton d'ébonite chargé électriquement. Lorsque la bille atteint sa position d'équilibre, l'axe du ressort fait un angle $\alpha = 15°$ par rapport à la verticale.

1 Calculer la valeur de la force électrostatique exercée par le bâton sur la bille.

2 Calculer la tension du ressort et son allongement.

Données :
- masse de la bille : $m = 50\,\text{g}$;
- intensité de la pesanteur : $g = 10\,\text{N} \cdot \text{kg}^{-1}$;
- constante de raideur du ressort : $k = 10\,\text{N} \cdot \text{m}^{-1}$.

CORRIGÉS

8 **Équilibre d'un solide** ★ ★ ■ *20 min.* | *p. 68* |

Lycée Lakanal, Sceaux

Un disque (D), homogène et de poids P, est maintenu en équilibre vertical entre une planche verticale et une planche inclinée. Soient A et B les points de contact. On note α l'angle $(OA,\ OB)$. Les planches sont lisses.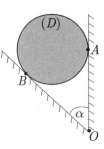

1 Représenter les forces qui s'exercent sur (D).

2 Montrer que l'angle entre les supports des forces est égal à α.

3 Déterminer les valeurs des forces qui s'exercent sur (D) en A et B.

Données : $P = 20\,\text{N}$ et $\alpha = 60°$.

9 Équilibre d'un solide

★ ★ ▨ *30 min.* | *p. 69*

Lycée Bellevue, Toulouse

On considère le système de la figure ci-contre, constitué d'un solide ponctuel attaché en A par trois fils.
Le premier fil (f_1) est vertical et soutient un corps de poids $P = 3$ N.
Le deuxième fil (f_2) est horizontal et est attaché à un dynamomètre dont l'indication est 2 N
Le troisième fil (f_3) est oblique et est attaché à un support fixe.

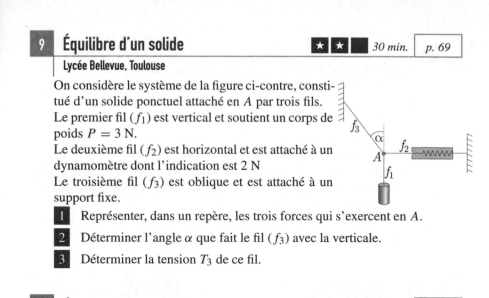

1. Représenter, dans un repère, les trois forces qui s'exercent en A.

2. Déterminer l'angle α que fait le fil (f_3) avec la verticale.

3. Déterminer la tension T_3 de ce fil.

10 Équilibre d'un système

★ ★ ▨ *20 min.* | *p. 70*

Lycée Pierre d'Aragon

Deux petites sphères A et B de masse $m = 15$ g sont accrochées à l'extrémité de deux fils de même longueur $\ell = 20$ cm. Les autres extrémités des fils sont reliées à un même point fixe O. Elles portent la même charge électrique q et, à l'équilibre, les deux fils forment un angle de 10°.

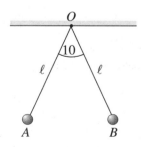

1. Faire le bilan des forces qui s'exercent sur une sphère. Donner leurs caractéristiques et les représenter sur un schéma.

2. Écrire la condition d'équilibre pour une sphère supposée ponctuelle.

3. Calculer la force de Coulomb qui s'exerce sur la sphère B.

4. Caculer la valeur de la charge portée par une sphère.

Données :
- intensité de la pesanteur : $g = 9, 8$ N $\cdot$ kg^{-1}
- constante de la loi de Coulomb : $k = 9.10^9$ *S.I.*

11 Équilibre d'un système ★ ★ ★ *20 min.* | *p. 71*

Lycée Saint-Exupéry, Mantes-la-Jolie

Trois charges électriques q_1, q_2, q_3 sont placées aux sommets A, B, C d'un triangle rectangle isocèle.

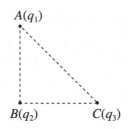

Calculer l'intensité de la force $\vec{F}_A$ à laquelle est soumise la charge q_1.

Données :

- $q_1 = q_2 = q_3 = 1,7.10^{-8}$ C
- AB=BC=10 cm
- constante de la loi de Coulomb : $k = 9.10^9$ *S.I.*

12 Équilibre avec trois forces ★ ★ ★ *30 min.* | *p. 72*

Lycée Jeanne d'Albret, Saint-Germain-en-Laye

Un alpiniste, de masse totale $M = 90$ kg est en équilibre sur deux plaques planes verglacées A et B ; le contact est sans frottements. Les inclinaisons de ces plaques par rapport à l'horizontale sont respectivement α et β. La valeur de la force exercée par la plaque B sur l'alpiniste est $R_B = 791$ N et l'angle $\beta = 40°$.

COURS

ÉNONCÉS

CORRIGÉS

1 Faire le bilan des forces qui agissent sur l'alpiniste et représenter-les sur un schéma.

2 Choisir un système d'axes, (Ox) étant l'horizontale, et représenter les vecteurs force ; l'alpiniste sera représenté par son centre d'inertie et placé en O. Indiquer les angles α et β. Exprimer les composantes des vecteurs force.

3 Énoncer la condition d'équilibre.

4 Exprimer littéralement la valeur de la force $\vec{R}_A$ exercée par la plaque A sur l'alpiniste, en fonction des données : R_B, β, m et l'intensité de la pesanteur : $g = 10\,\mathrm{N \cdot kg^{-1}}$.
Calculer numériquement R_A.

13 Équilibre d'un objet ★★★ 35 min. | p. 74

Institut Notre–Dame

Une caisse cubique, d'arête $a = 50\,\mathrm{cm}$, supposée homogène et de masse $m = 300\,\mathrm{kg}$, est en équilibre. Au centre A de sa face supérieure sont fixés deux câbles de longueurs égales et de masses négligeables, leurs secondes extrémités étant reliées à deux supports verticaux en I et J. Les câbles forment avec leurs supports verticaux des angles : $\alpha = 45°$ et $\beta = 30°$.

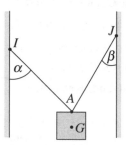

1 Faire le bilan des forces qui s'exercent sur la caisse. Peut-on négliger la poussée d'Archimède due à l'air ?

2 Représenter les forces que l'on ne peut pas négliger, en respectant leur direction, leur sens et leur point d'application.

3 Donner les expressions littérales et les valeurs de ces forces.

4 Donner les caractéristiques de la force exercée par le mur sur le câble au point I. Justifier.

• masse volumique de l'air : $\rho_{\mathrm{air}} = 1,3\,\mathrm{kg \cdot m^{-3}}$
• intensité de la pesanteur : $g = 10\,\mathrm{N \cdot kg^{-1}}$

QCM

1 Caractéristiques des forces

10 min. | *p. 53* |

1 Si V_i désigne le volume du corps immergé dans un fluide de masse volumique μ_{fluide}, ce fluide exerce une poussée d'Archimède d'intensité $A = \mu_{\text{fluide}} \times V_i \times g$ où g désigne l'intensité locale de la pesanteur. Or, l'immersion d'un volume V_i du corps se traduit également par le déplacement d'un volume V_i de fluide. C'est pourquoi l'intensité de la poussée d'Archimède dépend de la masse volumique μ_{fluide} du fluide déplacé et du volume de fluide V_i déplacé (réponses *a* et *d*).

2 Les forces de frottement sont toujours tangentes au déplacement d'un corps, à la surface d'un support, tandis que le support exerce une réaction perpendiculaire à cette surface. Ce faisant, les forces de contact comprennent :

- la réaction du support, perpendiculaire au support (réponse *b*) ;
- les forces de frottement, tangentes au support (réponse *c*).

3 La tension d'un ressort de longueur ℓ et de longueur à vide ℓ_v, a pour intensité : $T = k \times |\ell - \ell_v|$, où k est une constante caractéristique de la raideur du ressort. Puisque cette relation décrit la proportionnalité entre T et $|\ell - \ell_v|$, il s'ensuit que la tension T d'un ressort est :

- d'autant plus grande que la raideur k du ressort est importante (réponse *a*) ;
- proportionnelle à l'allongement $|\ell - \ell_v|$ du ressort (réponse *d*).

Si T était inversement proportionnel à l'allongement du ressort, il vérifierait une loi du type : $T = \dfrac{k}{|\ell - \ell_v|}$. En outre, un ressort exerce une force attractive ou répulsive selon qu'il est étiré ou comprimé.

> **Attention**
>
> Il ne faut pas confondre *longueur* ℓ d'un ressort et son *allongement* $\ell - \ell_v$.

4 Un corps $(\mathcal{C})$ de masse M, plongé dans un champ de gravitation, est soumis à un poids $P = M \times g$, où l'intensité g de la pesanteur dépend autant de la masse de l'astre attracteur que de sa distance à $(\mathcal{C})$. Par conséquent, le poids d'un corps :

- dépend de sa masse M (réponse *a*) ;
- dépend de sa distance à l'astre attracteur par l'intermédiaire de g (réponse *c*).

Il convient de rappeler que le poids d'un corps a pour point d'application le centre de gravité de ce corps.

COURS

ÉNONCÉS

CORRIGÉS

2 **Poussée d'Archimède** *20 min.* $\boxed{p.\ 53}$

1 La bille est soumise à son poids $\vec{P}\begin{pmatrix}0\\-P\end{pmatrix}$ et à la tension $\vec{T}\begin{pmatrix}0\\T\end{pmatrix}$ du dynamomètre, avec :

$$P = mg = 80.10^{-3} \times 10 = 0,8 \text{ N}$$

Or, l'équilibre de la bille est conditionné par l'équation :

$$\vec{P} + \vec{T} = \vec{0} \Rightarrow \begin{pmatrix}0\\-P\end{pmatrix} + \begin{pmatrix}0\\T\end{pmatrix} = \begin{pmatrix}0\\0\end{pmatrix} \Rightarrow -P + T = 0 \Rightarrow T = P$$

Par conséquent : $T = 0,8$ N (réponse *c*).

2 **(a)** Lorsque la bille est dans l'eau, son volume immergé vaut :

$$V = 20 \text{ cm}^3 = 20 \times \left(10^{-2}\right)^3 = 2.10^{-5} \text{ m}^3$$

Par conséquent, la poussée d'Archimède exercée par l'eau vaut :

$$A = \rho_0 V g = 1000 \times 2.10^{-5} \times 10 = 0,2 \text{ N (réponse } a\text{)}.$$

(b) La bille est soumise à son poids $\vec{P}\begin{pmatrix}0\\-P\end{pmatrix}$ (qui n'a pas changé depuis l'expérience précédente), à la tension $\vec{T'}\begin{pmatrix}0\\T'\end{pmatrix}$ du dynamomètre et à la poussée d'Archimède $\vec{A}\begin{pmatrix}0\\A\end{pmatrix}$.

Par conséquent, l'équilibre de la bille impose :

$$\vec{P} + \vec{T'} + \vec{A} = \vec{0} \quad \Rightarrow \quad \begin{pmatrix}0\\-P\end{pmatrix} + \begin{pmatrix}0\\T'\end{pmatrix} + \begin{pmatrix}0\\A\end{pmatrix} = \begin{pmatrix}0\\0\end{pmatrix}$$

$$\Rightarrow \quad -P + T' + A = 0$$

$$\Rightarrow \quad T' = P - A = 0,8 - 0,2$$

soit encore :

$$T' = 0,6 \text{ N (réponse } b\text{)}.$$

3 **Poussée d'Archimède** *20 min.* $\boxed{p.\ 54}$

Dans la première expérience, l'objet est soumis à son poids $\vec{P}$ et à la tension $\vec{T}$ du dynamomètre, telle que $T = \left\|\vec{T}\right\| = 9,0$ N. L'équilibre de cet objet assure alors l'identité :

$$\vec{P} + \vec{T} = \vec{0} \Rightarrow -P + T = 0 \Rightarrow P = T = 9,0 \text{ N}$$

Dans un récipient (i) rempli d'un liquide de masse volumique ρ_i, l'objet est en revanche soumis à :

- son poids $\vec{P}$, de valeur $P = 9,0$ N ;

- la tension $\vec{T}_i$ du dynamomètre, qui en indique l'intensité T_i ;

- la poussée d'Archimède $\vec{A}_i$ d'intensité $A_i = \rho_i V g$, où V_i désigne le volume de l'objet (totalement immergé d'après les schémas) et g est l'intensité de la pesanteur.

L'équilibre de l'objet est, dans ce cas, conditionné par l'équation :

$$\vec{A}_i + \vec{T}_i + \vec{P} = \vec{0} \Rightarrow A_i + T_i - P = 0 \Rightarrow A_i = P - T_i = 9 - T_i$$

ce qui donne, pour les récipients (1) (2), (3) et (4) :

$$A_1 = 9 - 6 = 3\text{N} \qquad\qquad A_2 = 9 - 5,4 = 3,6\,\text{N}$$
$$A_3 = 9 - 6,6 = 2,4\,\text{N} \qquad\qquad A_4 = 9 - 6,3 = 2,7\,\text{N}$$

Or, la relation : $A_i = \rho_i V g$ indique que que A_i est d'autant plus grand que ρ_i l'est aussi. C'est pourquoi on peut classer les valeurs numériques de A_i et de ρ_i par ordre croissant :

$A_3 = 2,4$ N	$A_4 = 2,7$ N	$A_1 = 3,0$ N	$A_2 = 3,6$ N
$\rho_a = 0,8\,\text{g}\cdot\text{cm}^{-3}$	$\rho_h = 0,9\,\text{g}\cdot\text{cm}^{-3}$	$\rho_e = 1,0\,\text{g}\cdot\text{cm}^{-3}$	$\rho_s = 1,2\,\text{g}\cdot\text{cm}^{-3}$
alcool	huile	eau	eau salée
récipient 3	récipient 4	récipient 1	récipient 2

d'où il découle que :

- les récipients 1 et 2 sont les seuls à contenir de l'eau (réponse a) ;

- le récipient 2 ne contient pas d'huile (réponse e).

4 Tension d'un ressort ★ ■ ■ ■ 20 min. p. 55

Lycée Jehan de Chelles, Chelles

1 La charge est soumise à :

- son poids $\vec{P}$, dirigé selon la verticale descendante et d'intensité $P = mg$;

- la tension $\vec{T}$ du ressort, dirigée selon la verticale ascendante, d'intensité $T = kx$.

2 L'équilibre de la charge est conditionné par l'identité :

$$\vec{P} + \vec{T} = \vec{0} \Rightarrow \vec{P} = -\vec{T} \;\Rightarrow\; \left\|\vec{P}\right\| = \left\|-\vec{T}\right\|$$
$$\Rightarrow\; P = T \Rightarrow mg = kx \qquad (1)$$

3 **(a)** Le graphe décrit une portion de droite d'équation $x = a \times m$, où le coefficient directeur a s'obtient aisément à partir de la connaissance d'un des points appartenant à cette droite.

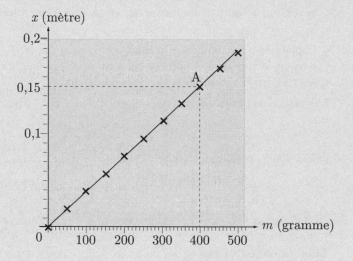

Par exemple : $A(m_A = 400.10^{-3}\,\text{kg}\,; x_A = 0,15\,\text{m})$. Il s'ensuit alors que :

$$x_A = a \times m_A \Rightarrow a = \frac{x_A}{m_A} = \frac{0,15}{400.10^{-3}} = 0,37\,\text{m}\cdot\text{kg}^{-1}$$

(b) La relation (1) établie dans la question 2. conduit à :

$$kx = mg \Rightarrow x = \frac{g}{k} \times m$$

que l'on identifie à $x = a \times m$ afin d'en déduire que :

$$a = \frac{g}{k} \Rightarrow k = \frac{g}{a} = \frac{9,8}{0,37} = 26,5\,\text{N}\cdot\text{m}^{-1}$$

4 Un allongement $x = 37$ cm sera alors provoqué par une charge de masse m telle que :

$$x = a \times m \Rightarrow m = \frac{x}{a} = \frac{37.10^{-2}}{0,37} \Rightarrow m = 1\,\text{kg}$$

5 ## Équilibre d'un solide ★ ■ ■ ■ *15 min* p. 56

Lycée Voltaire, Fernay–Voltaire

1 Lorsque l'objet repose sur le sol, il est soumis à :

- son poids $\vec{P}$, dirigé selon la verticale descendante et qui s'applique au centre de gravité G de l'objet, lequel objet, de volume $V = 1\,L = 10^{-3}\,m^3$, a une masse $m = \mu_{\text{étain}} \times V$. Par conséquent :

$$P = \left\| \vec{P} \right\| = mg = \mu_{\text{étain}} V g$$
$$\Rightarrow \quad P = 5,75.10^3 \times 10^{-3} \times 10 = 57,5\,N$$

- la poussée d'Archimède $\vec{A}_o$, dirigée selon la verticale ascendante ; elle s'applique également en G et a pour intensité :

$$A_o = \mu_{\text{eau}} V g = 10^3 \times 10^{-3} \times 10 = 10\,N$$

- la réaction $\vec{R}$ exercée par le sol, dirigée selon la verticale ascendante, sur un point de la surface de contact de l'objet avec le sol.

2 L'équilibre de l'objet sur le sol est conditionné par l'équation :

$$\vec{P} + \vec{A}_o + \vec{R} = \vec{0} \quad \Rightarrow \quad -P + A_o + R = 0 \Rightarrow R = P - A_o$$
$$\Rightarrow \quad R = 57,5 - 10 = 47,5\,N$$

3 L'objet est soumis à son poids $\vec{P}$, à la poussée d'Archimède $\vec{A}_o$ et à la tension $\vec{T}$ du câble qui le relie au ballon. Celle-ci, d'intensité T, est dirigée selon la verticale ascendante et vérifie l'équation :

$$\vec{T} + \vec{A}_o + \vec{P} = \vec{0} \Rightarrow T + A_o - P = 0 \Rightarrow T - P - A_o - 57,5 - 10 - 47,5\,N$$

Quant au ballon, de volume V_{ballon}, il est soumis à :

- la poussée d'Archimède $\vec{A}_b$, dirigée selon la verticale ascendante et d'intensité :

$$A_b = \mu_{\text{eau}} \times V_{\text{ballon}} \times g$$
$$= 10^3 \times V_{\text{ballon}} \times 10 = 10^4 \times V_{\text{ballon}}$$

- la tension $\vec{T}'$ du câble fixé à l'objet, dirigée selon la verticale descendante et de même intensité T' que T (si la masse du câble est négligeable). L'équilibre du ballon est caractérisé par l'équation :

$$\vec{A}_b + \vec{T}' = \vec{0} \quad \Rightarrow \quad A_b - T' = 0 \Rightarrow A_b = T' = T$$
$$\Rightarrow \quad 10^4 \times V_{\text{ballon}} = 47,5$$
$$\Rightarrow \quad V_{\text{ballon}} = \frac{47,5}{10^4} = 4,75.10^{-3}\,m^3 = 4,75\,L$$

6 Équilibre d'un solide
★ ■ ■   *20 min.*   p. 56

Lycée M. De Marsillac, Paris

1 Un bloc de pierre, de masse $m = 2400\,kg$ a un poids :

$$P = m \times g = 2400 \times 10 = 24.10^3\,N$$

Pour soulever ce bloc, N_1 hommes doivent exercer une force totale :

$$F_1 = N_1 \times 800 \, \text{N}$$

au moins égale à P :

$$N_1 \times 800 = 24.10^3 \Rightarrow N_1 = \frac{24.10^3}{800} = 30 \, \text{hommes.}$$

Il est cependant difficile de concevoir que 30 hommes puissent se réunir autour d'un cube dont les côtés font 1 m !

2 **(a)** Soit (Gx) l'axe de plus grande pente parallèle au plan incliné, qui passe par le centre de gravité G du bloc de pierre, soumis à :

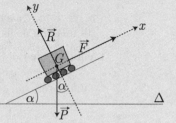

- la force $\vec{F}$, dirigée selon (Gx) et d'intensité F ;

- la réaction $\vec{R}$ exercée par le plan incliné (par l'intermédiaire des rouleaux de bois). Cette force est perpendiculaire au plan incliné ;

- le poids $\vec{P}$, d'intensité $P = 24.10^3$ N, dirigé selon la verticale descendante. Cette force s'applique au point G. Si (Gy) désigne l'axe passant par G, perpendiculairement au plan incliné, le poids $\vec{P}$ fait un angle α avec cet axe. En effet, $\vec{P}$ est perpendiculaire à l'horizontale Δ, avec :

$$\begin{cases} \vec{P} \perp \Delta \\ (Gy) \perp (Gx) \end{cases} \Rightarrow \alpha = (\Delta, \, Gx) = \left(Gy, \, \vec{P}\right)$$

(b) Notons G et A les extrémités du vecteur $\vec{P} = \overrightarrow{GA}$, tandis que la projection orthogonale de A sur (Gx) est notée B.

Les droites (AB) et (Gy) sont parallèles, car perpendiculaires à une même droite (Gx). Par conséquent, la droite (AG), qui fait un angle α avec (Gy), fait aussi un angle α avec la droite (AB). De plus, le triangle (AGB) étant rectangle en G, il s'ensuit que :

$$\sin \alpha = \frac{BG}{AG} = \frac{BG}{P} \Rightarrow BG = P \times \sin \alpha$$

Ce faisant, la composante de $\vec{P}$ sur l'axe (Gx) a pour valeur :

$$P_x = -BG = -P \sin \alpha = -24.10^3 \times \sin(10°) = -4168 \, \text{N}$$

(c) Pour que le bloc monte la pente, il faut alors que :

$$F = |P_x| = 4168 \, \text{N}$$

Or, un nombre N_2 d'hommes (exerçant chacun une force $F_0 = 800$ N) doit alors exercer une force totale :

$$F = N_2\,F_0 = N_2 \times 800 \Rightarrow 4168 = N_2 \times 800$$
$$\Rightarrow N_2 = \frac{4168}{800} = 6 \text{ hommes.}$$

Remarque : Le calcul du rapport $\dfrac{4168}{800}$ donne environ $5,2$, ce qui montre que cinq homme ne peuvent parvenir au résultat souhaité ; il manque $0,2$ homme que l'on doit, dans la pratique, remplacer par un homme entier !

7 Équilibre d'un solide ★ ★ ■ *20 min.* | *p. 57*

Lycée La Tour des Dames, Rosay-en-Brie

1 Lorsque la bille est en équilibre, dans le repère d'axes (Ox), (Oy) horizontal et vertical, elle est soumise à :

- son poids $\vec{P} = \begin{pmatrix} 0 \\ -P \end{pmatrix}$ d'intensité $P = mg$;

- la force électrique $\vec{F} = \begin{pmatrix} F \\ 0 \end{pmatrix}$ d'intensité F ;

- la tension $\vec{T} = \begin{pmatrix} -T_x \\ T_y \end{pmatrix}$ exercée par le ressort,

d'intensité T et dont les composantes vérifient :

$$\begin{cases} \cos\alpha = \dfrac{T_y}{T} \\ \sin\alpha = \dfrac{T_x}{T} \end{cases} \Rightarrow \begin{cases} T_y = T\cos\alpha \\ T_x = T\sin\alpha \end{cases} \Rightarrow \vec{T} = \begin{pmatrix} -T\sin\alpha \\ T\cos\alpha \end{pmatrix}$$

L'équilibre de la bille impose :

$$\vec{P} + \vec{F} + \vec{T} = \vec{0} \Rightarrow \begin{pmatrix} 0 \\ -mg \end{pmatrix} + \begin{pmatrix} F \\ 0 \end{pmatrix} + \begin{pmatrix} -T\sin\alpha \\ T\cos\alpha \end{pmatrix} = \begin{pmatrix} 0 \\ 0 \end{pmatrix}$$

$$\Rightarrow \begin{cases} F - T\sin\alpha = 0 \\ -mg + T\cos\alpha = 0 \end{cases} \Rightarrow \begin{cases} F = T\sin\alpha \\ mg = T\cos\alpha \end{cases}$$

La deuxième équation du système précédent montre que :

$$T = \frac{mg}{\cos\alpha} \qquad (2)$$

de sorte que la première équation fournit :

$$F = T\sin\alpha = \frac{mg\sin\alpha}{\cos\alpha} = mg\tan\alpha = 50.10^{-3} \times 10 \times \tan(15°)$$
$$\Rightarrow F = 0,13 \text{ N}$$

2 La relation (2) donne directement la tension du ressort :

$$T = \frac{mg}{\cos\alpha} = \frac{50.10^{-3} \times 10}{\cos(15°)} \Rightarrow T = 0,52 \text{ N}$$

Cette tension est à l'origine de l'allongement du ressort (il s'agit de la différence $\ell - \ell_v$ entre la longueur du ressort et sa longueur vide) :

$$T = k \times \Delta\ell \Rightarrow \Delta\ell = \frac{T}{k} = \frac{0,52}{10} \Rightarrow \Delta\ell = 0,052 \text{ m} = 5,2 \text{ cm}$$

8 **Équilibre d'un solide** ★ ★ ■ *20 min.* | *p. 57*

Lycée Lakanal, Sceaux

1 Le disque (D) est soumis :

- à son poids $\vec{P}$, vertical descendant, de norme $P = 20$ N et qui s'applique au centre de gravité G de (D) ;

- à la réaction $\vec{R}_A$ de la planche verticale, telle que $R_A = \left\| \vec{R}_A \right\|$. Cette force s'applique au point de contact A et elle est dirigée vers (D) perpendiculairement à la planche verticale ;

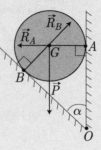

- à la réaction $\vec{R}_B$ de la planche oblique, qui s'applique en B, perpendiculairement à la planche oblique. Cette force est dirigée vers (D) et a pour intensité $R_B = \left\| \vec{R}_B \right\|$.

Remarque : L'énoncé indique que les planches sont lisses, ce qui justifie l'absence de frottements dans le bilan des forces.

2 Étant donné que $\vec{R}_A \perp \overrightarrow{OA}$ et que $\vec{R}_B \perp \overrightarrow{OB}$, l'angle entre les directions de $\vec{R}_A$ et de $\vec{R}_B$ est le même que celui entre $\overrightarrow{OA}$ et $\overrightarrow{OB}$, c'est-à-dire α. Par conséquent : $\left(\vec{R}_A, \vec{R}_B \right) = \alpha$.

3 Dans un repère Gxy, dont les axes (Gx) et (Gy) sont respectivement horizontal et vertical, les vecteurs force ont pour composantes :

$$\vec{R}_A = \begin{pmatrix} -R_A \\ 0 \end{pmatrix} \quad \vec{P} = \begin{pmatrix} 0 \\ -P \end{pmatrix} \quad \vec{R}_B = \begin{pmatrix} R_{Bx} \\ R_{By} \end{pmatrix}$$

où :

$$\cos\alpha = \frac{R_{Bx}}{R_B} \text{ et } \sin\alpha = \frac{R_{By}}{R_B}$$

permettent d'écrire :

$$\begin{cases} R_{Bx} = R_B \cos\alpha \\ R_{By} = R_B \sin\alpha \end{cases} \Rightarrow \vec{R}_B = \begin{pmatrix} R_B \cos\alpha \\ R_B \sin\alpha \end{pmatrix}$$

L'équilibre de (D) impose alors :

$$\vec{R}_A + \vec{P} + \vec{R}_B = \vec{0} \quad \Rightarrow \quad \begin{pmatrix} -R_A \\ 0 \end{pmatrix} + \begin{pmatrix} 0 \\ -P \end{pmatrix} + \begin{pmatrix} R_B \cos\alpha \\ R_B \sin\alpha \end{pmatrix} = \begin{pmatrix} 0 \\ 0 \end{pmatrix}$$

$$\Rightarrow \quad \begin{cases} -R_A + R_B \cos\alpha = 0 \\ -P + R_B \sin\alpha = 0 \end{cases}$$

La deuxième de ces équations fournit :

$$R_B \sin\alpha = P \Rightarrow R_B = \frac{P}{\sin\alpha} = \frac{20}{\sin(60°)} \Rightarrow R_B = 23,1 \text{ N}$$

tandis que la première devient :

$$R_A = R_B \cos\alpha = 23,1 \times \cos(60°) \Rightarrow R_A = 11,5 \text{ N}$$

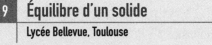

9 **Équilibre d'un solide** ★ ★ ▮ *30 min.* | *p. 58* |

Lycée Bellevue, Toulouse

1 Le point A est soumis

- à la tension $\vec{T}_2$ du dynamomètre, telle que $T_2 = \left\| \vec{T}_2 \right\| = 2$ N ; cette force est horizontale, dirigée vers le dynamomètre ;

- au poids $\vec{P}$, vertical descendant, d'intensité $P = 3$ N ;

- à la tension $\vec{T}_3$ du fil (f_3), de valeur $T_3 = \left\| \vec{T}_3 \right\|$ et dirigée selon (f_3).

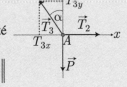

2 Dans le repère (Axy), dont les axes (Ax) et (Ay) sont respectivement horizontal et vertical, les vecteurs $\vec{T}_2$, $\vec{P}$ et $\vec{T}_3$ ont pour composantes :

$$\vec{T}_2 = \begin{pmatrix} T_2 \\ 0 \end{pmatrix} \qquad \vec{P} = \begin{pmatrix} 0 \\ -P \end{pmatrix} \qquad \vec{T}_3 = \begin{pmatrix} T_{3x} \\ T_{3y} \end{pmatrix}$$

avec :

$$\begin{cases} \sin\alpha = -\dfrac{T_{3x}}{T_3} \\ \cos\alpha = \dfrac{T_{3y}}{T_3} \end{cases} \Rightarrow \begin{cases} T_{3x} = -T_3 \sin\alpha \\ T_{3y} = T_3 \cos\alpha \end{cases} \Rightarrow \vec{T}_3 = \begin{pmatrix} -T_3 \sin\alpha \\ T_3 \cos\alpha \end{pmatrix}$$

L'équilibre du point A est, du reste, conditionné par l'équation :

$$\vec{T}_2 + \vec{P} + \vec{T}_3 = \vec{0} \quad \Rightarrow \quad \begin{pmatrix} T_2 \\ 0 \end{pmatrix} + \begin{pmatrix} 0 \\ -P \end{pmatrix} + \begin{pmatrix} -T_3 \sin\alpha \\ T_3 \cos\alpha \end{pmatrix} = \begin{pmatrix} 0 \\ 0 \end{pmatrix}$$

$$\Rightarrow \quad \begin{cases} T_2 - T_3 \sin\alpha = 0 \\ -P + T_3 \cos\alpha = 0 \end{cases} \Rightarrow \begin{cases} T_2 = T_3 \sin\alpha \\ P = T_3 \cos\alpha \end{cases}$$

COURS

ÉNONCÉS

CORRIGÉS

De l'équation : $P = T_3 \cos\alpha$, il ressort que $T_3 = \dfrac{P}{\cos\alpha}$, de sorte que :

$$T_2 = T_3 \sin\alpha \quad = \quad P \times \dfrac{\sin\alpha}{\cos\alpha} = P \times \tan\alpha \Rightarrow \tan\alpha = \dfrac{T_2}{P}$$

$$\Rightarrow \quad \tan\alpha = \dfrac{2}{3} \Rightarrow \alpha \simeq 33,7°$$

3 La relation : $P = T_3 \cos\alpha$ fournit immédiatement :

$$T_3 = \dfrac{P}{\cos\alpha} = \dfrac{3}{\cos(33,7°)} = 3,6\ \text{N}$$

---

10 ## Équilibre d'un système   ★ ★ ■   *20 min.* | *p. 58* |

Lycée Pierre d'Aragon

1 Sur la sphère B s'exercent trois forces :

- la tension $\vec{T}$ du fil, orientée selon $\overrightarrow{BO}$ (donc inclinée d'un angle $\alpha = 5°$ par rapport à la verticale), d'intensité T ;

- le poids $\vec{P}$ de la sphère, dirigé selon la verticale descendante et d'intensité $P = mg$;

- la force $\vec{F}$ de répulsion électrique que A, situé à une distance d de B, exerce sur B. Cette force est orientée selon $\overrightarrow{AB}$ et a pour intensité : $F = k\dfrac{q^2}{d^2}$.

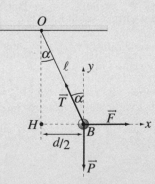

2 L'équilibre de B est assuré lorsque : $\vec{F} + \vec{P} + \vec{T} = \vec{0}$, les vecteurs ayant pour composantes dans le repère $(Ox,\ Oy)$:

$$\begin{pmatrix} F \\ F_x = F \end{pmatrix} F_y = 0\ ;\ \begin{pmatrix} P \\ P_x = 0 \end{pmatrix} P_y = -mg\ ;\ \begin{pmatrix} T \\ T_x = -T\ \sin\alpha \end{pmatrix} T_y = T\ \cos\alpha$$

3 La condition précédente d'équilibre conduit à :

$$\begin{cases} F - T\ \sin\alpha = 0 \\ -mg + T\ \cos\alpha = 0 \end{cases} \Rightarrow \begin{cases} F = T\ \sin\alpha \\ T = \dfrac{mg}{\cos\alpha} \end{cases} \Rightarrow F = mg\ \tan\alpha$$

soit encore :

$$F = 15.10^{-3} \times 9,8 \times \tan(5°) = 1,3.10^{-2} \text{ N}$$

4 La loi de Coulomb stipule que :

$$F = k \times \frac{q^2}{d^2} \Rightarrow q = d \times \sqrt{\frac{F}{k}}$$

Or, dans le triangle rectangle (OHB) :

$$\sin\alpha = \frac{HB}{OB} = \frac{d}{2\ell} \Rightarrow d = 2\ell \sin\alpha \Rightarrow q = 2\ell \sin\alpha \sqrt{\frac{F}{k}}$$

$$q = 2 \times 20.10^{-2} \times \sin(5°) \times \sqrt{\frac{1,3.10^{-2}}{9.10^9}} q = 4,2.10^{-8} \text{ C}$$

11 **Équilibre d'un système** ★ ★ ★ *20 min.* | *p. 59*

Lycée Saint-Exupéry, Mantes-la-Jolie

La charge q_1 est soumise à deux forces :

- La force $\vec{F}_{B/A}$ (répulsive) que q_2 exerce sur q_1 et dont l'intensité suit la loi de Coulomb :

$$F_{B/A} = k \times \frac{q_1 \times q_2}{(AB)^2} = 26.10^{-5} \text{ N}$$

Cette force est dirigée selon l'axe AB : $\begin{pmatrix} \vec{F}_{B/A} \\ 0 \\ F_{B/A} \end{pmatrix}$.

- La force $\vec{F}_{C/A}$ (répulsive) que q_3 exerce sur q_1, d'intensité : $F_{CA} = k \dfrac{q_1 q_3}{(AC)^2}$, où le théorème de pythagore indique que :

$$AC^2 = AB^2 + BC^2 = 2AB^2 \Rightarrow F_{C/A} = k \frac{q_1 \times q_3}{2AB^2}$$
$$\Rightarrow F_{C/A} = \frac{F_{B/A}}{2} \text{ car } q_3 = q_2$$

Cette force est dirigée selon $\overrightarrow{CA}$:

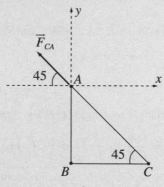

Les composantes de ce vecteur sont donc :

$$\begin{pmatrix} \vec{F}_{C/A} \\ -F_{C/A}\cos(45°) \\ F_{C/A}\sin(45°) \end{pmatrix} = \begin{pmatrix} -\dfrac{F_{B/A}}{2}\cos(45°) \\ \dfrac{F_{B/A}}{2}\sin(45°) \end{pmatrix} \text{ avec } \cos(45°) = \sin(45°) = \dfrac{\sqrt{2}}{2}$$

La résultante de ces forces s'écrit ainsi :

$$\vec{F}_A = \begin{pmatrix} \vec{F}_{B/A} \\ 0 \\ F_{B/A} \end{pmatrix} + \begin{pmatrix} \vec{F}_{CA} \\ -\dfrac{F_{B/A}}{2}\times\dfrac{\sqrt{2}}{2} \\ \dfrac{F_{B/A}}{2}\times\dfrac{\sqrt{2}}{2} \end{pmatrix} = F_{B/A} \times \begin{pmatrix} -\dfrac{\sqrt{2}}{4} \\ \left(1+\dfrac{\sqrt{2}}{4}\right) \end{pmatrix}$$

C'est pourquoi l'intensité de la force $\vec{F}_A$ vaut :

$$F_A = \left\|\vec{F}_A\right\| = F_{B/A}\sqrt{\left(-\dfrac{\sqrt{2}}{4}\right)^2 + \left(1+\dfrac{\sqrt{2}}{4}\right)^2} \Rightarrow F_A = 36,4.10^{-5}\text{ N}$$

---

12 Équilibre avec trois forces ★ ★ ★ *30 min.* | p. 59 |

Lycée Jeanne d'Albret, Saint-Germain-en-Laye

1 L'alpiniste est soumis à trois forces : son poids $\vec{P}$ (dirigé selon la verticale descendante et d'intensité $P = Mg$) et les réaction $\vec{R}_A$, $\vec{R}_B$ exercées par les plaques (perpendiculaires aux plaques et dirigées vers les pieds de l'alpiniste ; leurs intensités respectives sont R_A et R_B) :

2 Dans un système d'axes orthogonaux, centrés sur O :

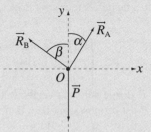

les vecteurs force ont pour composantes :

$$\begin{pmatrix} & P \\ P_x = 0 & P_y = -Mg \end{pmatrix} ; \begin{pmatrix} & \vec{R}_A \\ R_{A_x} = R_A \sin\alpha \\ R_{A_y} = R_A \cos\alpha \end{pmatrix} ; \begin{pmatrix} & \vec{R}_B \\ R_{B_x} = -R_B \sin\beta \\ R_{B_y} = R_B \cos\beta \end{pmatrix}$$

3 L'équilibre de l'alpiniste est conditionné par l'identité :

$$\vec{P} + \vec{R}_A + \vec{R}_B = \vec{0}$$

4 Cette loi s'écrit aussi :

$$\begin{cases} 0 + R_A \sin\alpha - R_B \sin\beta = 0 \\ -Mg + R_A \cos\alpha + R_B \cos\beta = 0 \end{cases} \Rightarrow \begin{cases} R_A \sin\alpha = R_B \sin\beta \\ R_A \cos\alpha = Mg - R_B \cos\beta \end{cases}$$

$$\Rightarrow \begin{cases} R_A^2 \sin^2\alpha = (R_B \sin\beta)^2 \\ R_A^2 \cos^2\alpha = (Mg - R_B \cos\beta)^2 \end{cases}$$

L'addition de ces deux identités fournit alors :

$$R_A^2 \times \underbrace{(\sin^2\alpha + \cos^2\alpha)}_{=1} = (R_B \sin\beta)^2 + (Mg - R_B \cos\beta)^2$$

$$\Rightarrow R_A = \sqrt{(R_B \sin\beta)^2 + (Mg - R_B \cos\beta)^2}$$

soit encore :

$$R_A = \sqrt{[791 \times \sin(40°)]^2 + [90 \times 10 - 791 \times \cos(40°)]^2} \Rightarrow R_A = 587 \text{ N}$$

13 Équilibre d'un objet

Institut Notre–Dame

1 La caisse est soumise à quatre forces :

- la poussée d'Archimède $\vec{\Pi}$ s'exerce verticalement, vers le haut, depuis le centre de gravité G (puisque la caisse est totalement immergée dans l'air). Son intensité Π équivaut au poids $m_{air} \times g$ qu'aurait le cube s'il était composé d'air dont la masse volumique ρ_{air} est le rapport de la masse m_{air} contenue dans le volume $V = a^3$ du cube d'arête a :

$$\rho_{air} = \frac{m_{air}}{a^3} \Rightarrow m_{air} = \rho_{air} \times a^3$$
$$\Rightarrow \Pi = g\,m_{air} = 10 \times 1,3 \times (50.10^{-2})^3$$
$$\Rightarrow \Pi = 1,6\,\text{N}$$

- son poids $\vec{P}$ dirigé selon la verticale descendante, qui s'exerce sur G. Sa valeur P est proportionnelle à la masse m du cube :

$$P = m \times g = 300 \times 10 = 3000\,\text{N}$$

- la tension $\vec{T_1}$ du câble fixé en I et A. D'intensité T_1, cette tension est orientée comme le vecteur $\overrightarrow{AI}$ et s'exerce en A.

- la tension $\vec{T_2}$ du câble fixé en J et A, orienté selon $\overrightarrow{AJ}$, d'origine A et d'intensité T_2

S'il est anticipé, ici, de comparer T_1 et T_2, on peut en revanche constater que $\Pi = 1,6\,\text{N}$ est très inférieur à $P = 3000\,\text{N}$. C'est pourquoi, dans la suite, on négligera la poussée d'Archimède.

2 Les forces décrites précédemment peuvent dès lors être représentées :

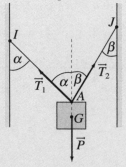

3 Reportons les vecteurs $\vec{P}$, $\vec{T_1}$ et $\vec{T_2}$ dans un repère orthonormé, d'axe (Gx) horizontal et d'axe (Gy) vertical :

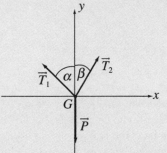

Dans ce repère, ces vecteurs ont pour composantes :

$$\begin{pmatrix} P \\ P_x = 0 \end{pmatrix} P_y = -P \ ; \ \begin{pmatrix} \vec{T_1} \\ T_{1_x} = -T_1 \sin \alpha \\ T_{1_y} = T_1 \cos \alpha \end{pmatrix} \ ; \ \begin{pmatrix} \vec{T_2} \\ T_{2_x} = T_2 \sin \beta \\ T_{2_y} = T_2 \cos \beta \end{pmatrix}$$

L'équilibre de la caisse est conditionné par :

$$\vec{P} + \vec{T_1} + \vec{T_2} = \vec{0} \ \Rightarrow \ \begin{cases} -T_1 \sin \alpha + T_2 \sin \beta = 0 \\ -P + T_1 \cos \alpha + T_2 \cos \beta = 0 \end{cases}$$

$$\Rightarrow \ \begin{cases} T_1 \sin \alpha = T_2 \sin \beta \\ T_1 \cos \alpha + T_2 \cos \beta = P \end{cases}$$

La première équation fournit : $T_1 = T_2 \times \dfrac{\sin \beta}{\sin \alpha}$, que l'on peut substituer dans la seconde équation :

$$T_2 \frac{\sin \beta}{\sin \alpha} \cos \alpha + T_2 \cos \beta = P \ \Rightarrow \ T_2 \times (\sin \beta \cos \alpha + \sin \alpha \cos \beta)$$
$$= P \sin \alpha$$
$$\Rightarrow \ T_2 = \frac{P \sin \alpha}{\sin \beta \cos \alpha + \sin \alpha \cos \beta}$$

De plus :

$$T_1 = T_2 \times \frac{\sin \beta}{\sin \alpha} \Rightarrow T_1 = \frac{P \sin \beta}{\sin \beta \cos \alpha + \sin \alpha \cos \beta}$$

Ainsi :

$$T_2 = \frac{3000 \times \sin(45°)}{\sin(30°) \cos(45°) + \sin(45°) \cos(30°)} 2196 \, \text{N}$$

et :

$$T_1 = \frac{3000 \times \sin(30°)}{\sin(30°) \cos(45°) + \sin(45°) \cos(30°)} 1553 \, \text{N}$$

Modification du mouvement d'un solide

Exercice type

Un mobile, attaché à un fil élastique, dont l'autre extrémité est liée à un point fixe O, est lancé sur une table horizontale à coussins d'air.

Les positions du centre d'inertie G du mobile sont enregistrées à intervalles de temps successifs égaux à 50 ms. Sur l'enregistrement est reportée la direction du fil tendu lorsque le centre d'inertie G occupe la position A_6.

1. Calculer la valeur de la vitesse de G en A_5 et A_7.

2. Représenter, à l'échelle : 1 cm pour pour 5.10^{-2} m $\cdot$ s^{-1}, les vitesses $\vec{v}_5$ et $\vec{v}_7$ en A_5 et A_7.

3. Représenter le vecteur variation de vitesse $\Delta\vec{v}_6 = \vec{v}_7 - \vec{v}_5$ du vecteur vitesse du centre d'inertie du mobile.

4. Comparer $\Delta\vec{v}_6$ à la résultant $\vec{F}$ des forces appliquées au mobile, lorsque G se trouve en A_6. Le résultat de cette étude est-il conforme à la deuxième loi de Newton ?

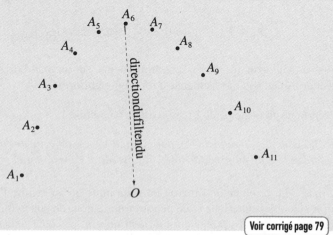

Voir corrigé page 79

① Système isolé ou pseudo-isolé

Définition 1

Un système est dit **isolé** lorsqu'aucune force ne s'exerce sur lui.

D'après cette définition, aucun corps situé à proximité de la Terre ne peut être isolé : il est au moins soumis à son poids (force d'attraction produite par la Terre).

Définition 2

Un corps soumis à des forces $\vec{F}_1$, $\vec{F}_2$, ... est dit **pseudo-isolé** si la résultante vectorielle des forces s'annule :

$$\vec{F}_1 + \vec{F}_2 + \cdots = \vec{0} \Leftrightarrow \text{système pseudo-isolé.}$$

Exemple : Un objet immobile posé sur le sol horizontal est pseudo-isolé car son poids $\vec{P}$ est compensé par la réaction $\vec{R}$ du sol :

$$\vec{P} + \vec{R} = \vec{0}$$

② Lois de Newton

2.1 Première loi de Newton

Encore appelée **principe de l'inertie**, cette loi s'énonce de la manière suivante :

*Il existe un référentiel, alors qualifié de **galiléen**, dans lequel le vecteur vitesse $\vec{V}_G$ du centre d'inertie d'un solide ne varie pas, si ce solide est isolé ou pseudo-isolé :*

$$\vec{F}_1 + \vec{F}_2 + \cdots = \vec{0} \Leftrightarrow \vec{V}_G = \overrightarrow{\text{cte}} \text{ dans } \mathcal{R}_{\text{galiléen}}$$

Exemple : un glaçon qui glisse, sans frottements, sur un plan horizontal verglacé est pseudo-isolé : son mouvement est rectiligne uniforme.

La réciproque du principe de l'inertie est aussi admise :

S'il existe un référentiel $(\mathcal{R})$, dans lequel $\vec{V}_G$ est un vecteur constant, le solide est isolé ou pseudo-isolé. $(\mathcal{R})$ est alors un référentiel galiléen.

Remarque : Le principe de l'inertie ne s'applique qu'au centre d'inertie G. Par exemple, un objet sphérique isolé peut tourner autour de son centre d'inertie G : les vecteurs vitesse des points qui tournent ne sont pas constants (leur direction varie).

2.2 Deuxième loi de Newton

Il existe un référentiel, alors appelé galiléen, dans lequel le vecteur vitesse du centre d'inertie d'un corps non isolé présente une variation $\Delta \vec{V}_G$ de même sens et de même direction que la résultante des forces qui s'exercent sur ce corps :

$$\Delta \vec{V}_G = k \times \left(\vec{F}_1 + \vec{F}_2 + \cdots \right), k \in \mathbb{R}^+ \text{ dans } \mathcal{R}_{\text{galiléen}}$$

2.3 Troisième loi de Newton

Cette loi, aussi appelée **principe des actions réciproques**, stipule que :

si un corps A exerce sur un corps B une force $\vec{F}_{A/B}$, alors le corps B exerce aussi, sur le corps A, une force $\vec{F}_{B/A}$ telle que :

$$\vec{F}_{B/A} = -\vec{F}_{A/B}$$

Exemple : La Terre exerce sur un cosmonaute un poids $\vec{P}$, en conséquence de quoi le cosmonaute exerce aussi sur la Terre une force $\vec{F}$ telle que :

$$\vec{F} = -\vec{P} \Rightarrow \left\| \vec{F} \right\| = \left\| \vec{P} \right\|$$

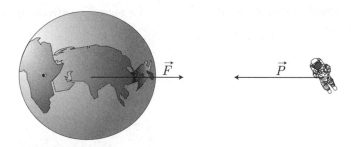

Solution de l'exercice type

1. Si $\tau = 50\,\text{ms} = 0,05\,\text{s}$ désigne le temps séparant l'enregistrement de deux positions successives, les vitesses en A_5 et A_7 sont définies par :

$$v_5 = \frac{A_4 A_6}{2\tau} \text{ et } v_7 = \frac{A_6 A_8}{2\tau}$$

où $A_4 A_6$ et $A_6 A_8$ valent $1,5\,\text{cm} = 1,5.10^{-2}\,\text{m}$. C'est pourquoi :

$$v_5 = v_7 = \frac{1,5.10^{-2}}{2 \times 0,05} = 0,15\,\text{m} \cdot \text{s}^{-1}$$

Solution de l'exercice type (suite)

2 À l'échelle 1 cm ↔ 5.10^{-2} m·s^{-1}, une vitesse de 1 m·s^{-1} sera représenté par un vecteur de $\dfrac{1}{5.10^{-2}} = 20$ cm. C'est pourquoi les vecteurs
$\vec{v}_5$ et $\vec{v}_7$ sont figurés par des flèches de longueur $0,15 \times 20 = 3$ cm.
Non seulement ces vecteurs s'appliquent aux points A_5 (pour $\vec{v}_5$) et A_7
(pour $\vec{v}_7$) mais de plus, ils sont orientés comme les vecteurs $\overrightarrow{A_4A_6}$ et
$\overrightarrow{A_6A_8}$ respectivement :

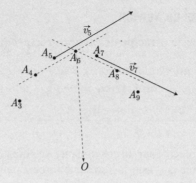

3 Le vecteur $\Delta\vec{v}_6 = \vec{v}_7 - \vec{v}_5 = \vec{v}_7 + (-\vec{v}_5)$ s'obtient en effectuant la somme
vectorielle de $-\vec{v}_5$ et de $\vec{v}_7$:

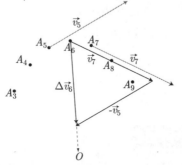

4 Le mobile est soumis à son poids $\vec{P}$, à la réaction $\vec{R}$ de la table et à la tension
$\vec{T}$ du fil. Or, le mouvement s'effectuant dans le plan de la table, $\vec{R} + \vec{P} = \vec{0}$,
de sorte que le mobile est soumis à une force résultante :

$$\vec{F} = \vec{P} + \vec{R} + \vec{T} = \vec{T}$$

Par conséquent en A_6, $\vec{F}$ est colinéaire à $\vec{T}$ et donc à $\overrightarrow{A_6O}$. La construction
géométrique ci-dessus montre du reste que $\Delta\vec{v}_6$ est aussi colinéaire à $\vec{F}$, ce
qui confirme la deuxième loi de Newton : $\Delta\vec{v}_6$ et $\vec{F}$ ont même direction et
même sens.

QCM **1** **Première loi de Newton** *10 min* | *p. 87*

Les schémas ci-dessous montrent différents montages réalisés avec un mobile autoporteur.

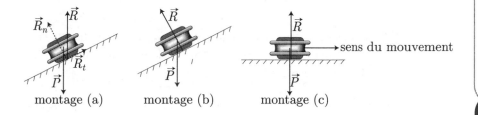

montage (a)   montage (b)   montage (c)

sens du mouvement

Parmi les propositions suivantes, choisir celles qui conviennent (une seule bonne réponse par proposition) :

1 Le mobile est :

    a isolé dans le seul montage (c) ;

    b isolé dans les montages (b) et (c) ;

    c isolé dans le montage (a) et pseudo-isolé dans le montage (c).

    d Aucune proposition ne convient.

2 Le contact entre le sol et le mobile se fait sans frottements :

    a dans les montages (a) et (c) ;

    b dans les montages (b) et c) ;

    c dans le seul montage (c).

    d Aucune proposition ne convient.

3 Le vecteur vitesse du mobile est constant :

    a dans le montage (a) ;

    b dans le montage (b) ;

    c dans le montage (c).

    d Aucune proposition ne convient.

QCM 2 · Première et troisième lois de Newton

10 min. | *p. 87*

Un voyageur tire une valise de masse 8 kg sur un sol horizontal à l'aide d'une lanière. La direction de la lanière fait un angle $\alpha = 30°$ avec l'horizontale. La valise glisse d'un mouvement de translation rectiligne uniforme. La tension de la lanière a pour valeur $T = 0, 8$ N.

1 Calculer la valeur de la force de frottement.

    a $f = 7$ N   **b** $f = 4$ N

    c $f = 5$ N   **d** $f = 8$ N

2 Calculer la valeur de la réaction normale (c'est-à-dire perpendiculaire) $\vec{R}_N$ du sol.

    a $R_N = 78, 9$ N   **b** $R_N = 85, 2$ N

    c $R_N = 76, 5$ N   **d** $R_N = 73, 5$ N

3 Quelle est la valeur de la force exercée par la valise sur le sol ?

    a $f = 70, 0$ N   **b** $f = 41, 2$ N

    c $f = 52, 1$ N   **d** $f = 76, 8$ N

QCM 3 · Lois de Newton

10 min. | *p. 88*

Un attelage tire un traîneau dans la neige fraîche, en ligne droite (on ne tient pas compte des forces exercées par l'air) et à l'horizontale.

1 Dans le cas où le mouvement de l'ensemble est une translation uniforme :

    a la force exercée par l'attelage sur le traîneau est supérieure à celle exercée par le traîneau sur l'attelage ;

    b la force exercée par l'attelage sur le traîneau est égale à la force exercée par la piste sur le traîneau ;

    c la force exercée par l'attelage sur le traîneau est inférieure à celle exercée par la piste sur le traîneau.

2 L'ensemble ralentit :

    a la force exercée par l'attelage sur le traîneau est supérieure à celle exercée par le traîneau sur l'attelage ;

    b la force exercée par l'attelage sur le traîneau est égale à la force exercée par la piste sur le traîneau ;

    c la force exercée par l'attelage sur le traîneau est inférieure à celle exercée par la piste sur le traîneau.

3 L'ensemble accélère.

[a] la force exercée par l'attelage sur le traîneau est égale à celle exercée par le traîneau sur l'attelage.

[b] la force exercée par l'attelage sur le traîneau est égale à la force exercée par la piste sur le traîneau.

[c] la force exercée par l'attelage sur le traîneau est inférieure à celle exercée par la piste sur le traîneau.

QCM

4 Lois de Newton

10 min. | *p. 89*

1 La première loi de Newton :

[a] s'applique dans tous les référentiels ;

[b] définit les référentiels galiléens ;

[c] ne s'applique que dans les référentiels terrestres.

2 Dans le référentiel terrestre, supposé galiléen, un objet tombe avec un vecteur vitesse constant ;
[a] cette situation est impossible

[b] l'objet n'est soumis qu'à son poids ;

[c] l'objet est au moins soumis à deux forces.

3 Une planète décrit une trajectoire elliptique autour du Soleil ;
[a] son vecteur vitesse $\vec{v}_G$ est toujours dirigé vers le Soleil ;

[b] la variation de son vecteur vitesse $\Delta\vec{v}_G$ est nulle ;

[c] la variation de son vecteur vitesse $\Delta\vec{v}_G$ est toujours dirigée vers le Soleil ;

[d] la norme $\|\vec{v}_G\|$ de son vecteur vitesse est constante.

4 Un objet est immobile dans un référentiel ;
[a] l'objet peut être soumis à deux forces, dans un référentiel galiléen ;

[b] l'objet n'est soumis qu'à une force, si le référentiel est galiléen ;

[c] l'objet est au moins soumis à deux forces, si le référentiel est non galiléen.

5 Un objet est soumis à un ensemble de forces dont la somme vectorielle est nulle.

a Cet objet est nécessairement immobile dans un référentiel galiléen.

b Cet objet peut être animé d'un mouvement rectiligne et uniforme dans un référentiel galiléen.

c Cet objet est immobile dans tout référentiel.

d Cet objet peut être animé d'un mouvement rectiligne uniforme dans un référentiel non galiléen.

5 Première loi de Newton ★ ★ ■ 10 min. p. 90
Lycée Saint-Esprit, Beauvais

Un véhicule, de masse $m = 1300$ kg, roule à la vitesse constante $V = 90 \, \text{km} \cdot \text{h}^{-1}$ sur une route rectiligne et horizontale. L'ensemble des forces s'opposant à l'avancement est équivalent à une force unique opposée au vecteur vitesse, de valeur $f = 800$ N.

1 Déterminer la valeur de la force motrice développée par le moteur.

2 Le véhicule aborde à présent une côte formant un angle $\alpha = 14°$ avec l'horizontale. Quelle doit être la nouvelle valeur de la force motrice si le conducteur maintient la même vitesse et que l'ensemble s'opposant à l'avancement est toujours équivalent à une force unique $\vec{f}$, opposée au vecteur vitesse, de valeur $f = 800$ N ?

Donnée : intensité de la pesanteur : $10 \, \text{N} \cdot \text{kg}^{-1}$.

6 Deuxième loi de Newton ★ ★ ■ 20 min. p. 91
Lycée pierre d'Aragon, Muret

Une luge de masse $m = 8,0$ kg est lâchée sans vitesse initiale en haut d'une piste verglacée faisant un angle $\alpha = 12°$ avec l'horizontale. Elle décrit alors un mouvement de translation rectiligne accéléré suivant la ligne de plus grande pente. La résistance de l'air est négligée.

1 Faire l'inventaire des forces agissant sur la luge, donner leurs caractéristiques et les représenter.

2 Quelle est la variation et le sens du vecteur $\Delta \vec{v}_G$, variation du vecteur vitesse du centre d'inertie pendant une petite durée ?

3 En déduire la direction et le sens de la somme des forces agissant sur la luge.

4 Calculer la valeur de la réaction de la piste.

Donnée : intensité de la pesanteur : $g = 10 \, \text{N} \cdot \text{kg}^{-1}$.

7 Deuxième loi de Newton ★ ★ ☐ *30 min.* | *p. 92*

Lycée Marie Curie, Échyrolles

Le schéma ci-contre montre la trajec-
toire du centre d'inertie de la comète de
Halley dans son mouvement autour du
Soleil :

G_1 au 01/10/1985
G_2 au 01/11/1985
G_3 au 01/12/1985
G_4 au 01/01/1986
⋮

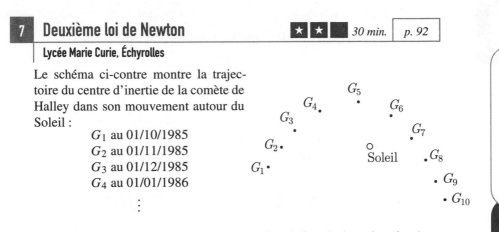

L'échelle du schéma est inconnue. Seule l'évolution de la trajectoire étant
intéressante, on fera comme si l'échelle valait 1.

1 Déterminer en G_3 et G_7 les variations de vitesse $\Delta \vec{v}_3 = \vec{v}_4 - \vec{v}_2$ et
$\Delta \vec{v}_7 = \vec{v}_8 - \vec{v}_6$.

2 La comète est soumise uniquement à l'attraction gravitationnelle du Soleil. La trajectoire est-elle conforme à ce qu'implique la deuxième loi de
Newton ?

8 Deuxième loi de Newton ★ ★ ★ *40 min.* | *p. 93*

Lycée Périer, Marseille

On étudie ici le choc d'une balle de tennis avec un sol horizontal.

Dans cet exercice, on négligera l'influence du poids de la balle au cours du
choc.

1 **Premier cas (figure 1)**

Juste avant le choc, le centre d'inertie C de la balle a une vitesse $\vec{V}_c$ de
valeur $V_c = 80 \text{ km} \cdot \text{h}^{-1}$, dont la direction fait un angle $\alpha = 45°$ avec le
sol. Juste après le choc, le vecteur vitesse $\vec{V}'_c$ a la même valeur et fait
aussi un angle $\alpha = 45°$ avec le sol.

Quelle est la direction et le sens de la force exercée par le sol sur la balle
au cours du choc ?

2 **Deuxième cas (figure 2)**

On étudie ici la balle *liftée* : après le choc, le vecteur vitesse $\vec{V}'_c$ fait
un angle $\beta = 30°$ avec le sol et sa valeur est égale à 1, 1 fois la valeur
$V_c = \left\| \vec{V}_c \right\|$ de la balle avant le choc.

(a) Montrer que la force $\vec{F}$ exercée par le sol sur la balle, lors du choc,
possède une coordonnée non nulle suivant l'axe horizontal.

(b) Calculer l'angle γ que fait $\vec{F}$ par rapport à la verticale.

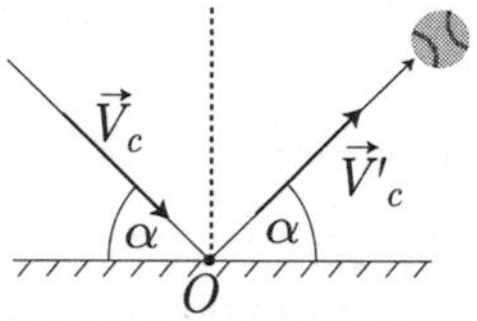

Figure 1

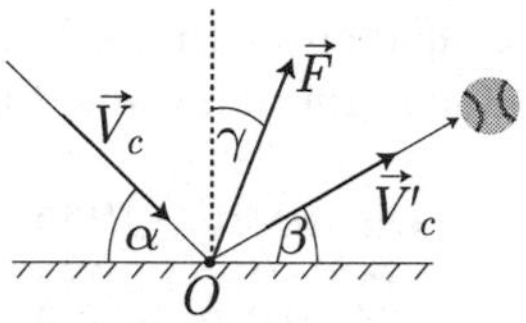

Figure 2

1 Première loi de Newton
10 min   p. 81

1 Un corps est isolé s'il n'est soumis à aucune force ; ce n'est pas le cas des montages proposés (où deux forces : $\vec{R}$ et $\vec{P}$ s'exercent). C'est pourquoi aucune proposition ne convient (réponse *d*).

Remarque : Dans le montage (c), le mobile est pseudo-isolé car la résultante des forces qui s'y exercent est nulle : $\vec{P} + \vec{R} = \vec{0}$.

2 Une force de frottement est tangente au support en contact avec le mobile. C'est le cas de $\vec{R}_t$, seule force du montage (a) tangente au sol oblique. Donc, l'absence de frottements est observée dans les montages (b) et (c) (réponse *b*).

3 En vertu du principe de l'inertie, le mobile ne conserve un vecteur vitesse constant que s'il est isolé ou pseudo-isolé. À l'aide de la question 1, il apparaît alors que le vecteur vitesse est constant dans le montage (c) (réponse *c*).

2 Première et troisième lois de Newton
10 min.   p. 82

1 Effectuons, au préalable, un bilan des forces qui s'exercent sur la valise.

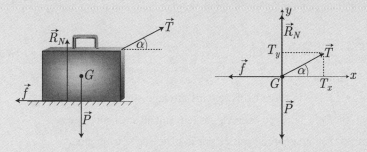

- La tension $\vec{T}$, de norme $T = \left\| \vec{T} \right\|$, a pour composantes T_x et T_y telles que :

$$\begin{cases} \cos \alpha = \dfrac{T_x}{T} \\ \sin \alpha = \dfrac{T_y}{T} \end{cases} \Rightarrow \begin{cases} T_x = T \cos \alpha \\ T_y = T \sin \alpha \end{cases} \Rightarrow \vec{T} = \begin{pmatrix} T_x \\ T_y \end{pmatrix} = \begin{pmatrix} T \cos \alpha \\ T \sin \alpha \end{pmatrix}$$

- Le poids $\vec{P} \begin{pmatrix} 0 \\ -P \end{pmatrix}$, dont la valeur P vaut mg : $\vec{P} = \begin{pmatrix} 0 \\ -mg \end{pmatrix}$.

- La réaction du sol qui possède une composante normale $\vec{R}_N = \begin{pmatrix} 0 \\ R_N \end{pmatrix}$ et une composante tangente au sol (la force de frottement) : $\vec{f} = \begin{pmatrix} -f \\ 0 \end{pmatrix}$.

La valise étant animée d'un mouvement de translation uniforme, le principe de l'inertie s'y applique :

$$\vec{T}+\vec{P}+\vec{R}_N+\vec{f} = \vec{0} \Rightarrow \begin{pmatrix} T\cos\alpha \\ T\sin\alpha \end{pmatrix} + \begin{pmatrix} 0 \\ -mg \end{pmatrix} + \begin{pmatrix} 0 \\ R_N \end{pmatrix} + \begin{pmatrix} -f \\ 0 \end{pmatrix} = \begin{pmatrix} 0 \\ 0 \end{pmatrix}$$

$$\Rightarrow \begin{cases} T\cos\alpha - f = 0 \\ T\sin\alpha - mg + R_N = 0 \end{cases} \Rightarrow \begin{cases} f = T\cos\alpha \\ R_N = mg - T\sin\alpha \end{cases} \quad (3)$$

La première équation du système (3) donne directement :

$$f = T\cos\alpha = 8 \times \cos(30°) = 7\,\text{N (réponse } a).$$

2 Quant à la deuxième identité du système (3), elle fournit :

$$R_N = mg - T\sin\alpha = 8 \times 10 - 7\sin(30°) = 76,5\,\text{N (réponse } c).$$

3 Le sol exerce sur la valise une force totale :

$$\vec{F} = \vec{R}_N + \vec{f} = \begin{pmatrix} 0 \\ R_N \end{pmatrix} + \begin{pmatrix} -f \\ 0 \end{pmatrix} = \begin{pmatrix} -f \\ R_N \end{pmatrix}$$

dont l'intensité vaut :

$$F = \left\|\vec{F}\right\| = \sqrt{(-f)^2 + R_N^2} = \sqrt{(7)^2 + (76,5)^2} = 76,8\,\text{N}$$

Or, le principe des actions réciproques précise que la valise exerce une force $\vec{F}' = -\vec{F}$, donc de valeur :

$$\left\|\vec{F}'\right\| = \left\|\vec{F}\right\| = F = 76,8\,\text{N (réponse } d).$$

QCM **3** **Lois de Newton** *10 min.* | *p. 82*

Soient :

- $\vec{F}_{A/T}$ la force exercée par l'attelage sur le traîneau ;
- $\vec{F}_{T/A}$ la force exercée par le traîneau sur l'attelage ;
- $\vec{F}_{P/T}$ la force exercée par la piste sur le traîneau.

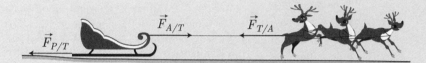

1 Le principe des actions réciproques stipule que $F_{A/T} = F_{T/A}$ tandis que la translation uniforme suggère (d'après le principe de l'inertie) que :

$$\vec{F}_{P/T} + \vec{F}_{A/T} = \vec{0} \Rightarrow -F_{P/T} + F_{A/T} = 0 \Rightarrow F_{P/T} = F_{A/T}$$

ce qui signifie encore que la force exercée par l'attelage sur le traîneau est égale à la force exercée par la piste sur le traîneau (réponse b).

COURS

ÉNONCÉS

CORRIGÉS

$\boxed{2}$ Le ralentissement du traîneau provient (d'après la deuxième loi de Newton) de l'inégalité :

$$F_{A/T} - F_{P/T} < 0 \Rightarrow F_{A/T} < F_{P/T}$$

c'est-à-dire que la force exercée par l'attelage sur le traîneau est inférieure à celle exercée par la piste sur le traîneau (réponse c).

$\boxed{3}$ Quant à l'accélération du traîneau, elle se traduit par l'inégalité :

$$F_{A/T} > F_{P/T}$$

toujours en vertu de la deuxième loi de Newton. En outre, le principe des actions réciproques demeure vérifié :

$$F_{A/T} = F_{T/A}$$

Par conséquent, la force exercée par l'attelage sur le traîneau est égale à celle exercée par le traîneau sur l'attelage (réponse a).

QCM

$\boxed{4}$ **Lois de Newton**   *10 min.* | p. 83

$\boxed{1}$ La première loi de Newton définit un référentiel galiléen (réponse b) à partir du mouvement rectiligne et uniforme qu'un point isolé ou pseudo-isolé peut y présenter.

$\boxed{2}$ La réciproque du principe de l'inertie stipule que le mouvement à vitesse constante de l'objet, dans le référentiel galiléen, suggère que cet objet est isolé ou pseudo-isolé. Or, puisque ce corps est au moins soumis à son poids $\vec{P}$, c'est qu'il est pseudo-isolé : il existe donc au moins une autre force $\vec{F}$ qui s'y exerce, telle que $\vec{P} + \vec{F} = \vec{0}$ (réponse c).

$\boxed{3}$ La force de gravitation $\vec{F_g}$ que le Soleil exerce sur la planète $\mathcal{P}$ est responsable de la rotation de $\mathcal{P}$. D'après la deuxième loi de Newton, $\Delta\vec{v_G}$ est dirigé comme $\vec{F_g}$, c'est-à-dire vers le Soleil (réponse c). En revanche, au cours de son mouvement elliptique autour du Soleil, la planète $\mathcal{P}$ ne peut pas conserver un vecteur vitesse $\vec{v_G}$ constant.

$\boxed{4}$ Le principe de l'inertie stipule qu'un objet immobile dans un référentiel $\mathcal{R}_g$ définit la nature galiléenne de $\mathcal{R}_g$ à condition que cet objet soit isolé ou pseudo-isolé. Dans ce dernier cas, l'objet est au moins soumis à deux forces $\vec{F_1}$ et $\vec{F_2}$ dont la résultante vectorielle s'annule (réponse a). Si l'objet n'était soumis qu'à une seule force $\vec{F_1} \neq \vec{0}$, il ne serait ni isolé ni pseudo-isolé (donc pas immobile dans un référentiel galiléen).

$\boxed{5}$ Un objet soumis à des forces de résultante nulle est isolé ou pseudo-isolé ; le principe de l'inertie précise alors que le vecteur vitesse $\vec{v_G}$ de cet objet demeure constant dans un référentiel galiléen. Son mouvement est donc rectiligne et uniforme (réponse b). Ainsi, le principe de l'inertie n'impose pas l'immobilité à un objet pseudo-isolé (mais seulement la conservation de son vecteur vitesse).

5 Première loi de Newton ★ ★ ■ *10 min.* | *p. 84*

Lycée Saint-Esprit, Beauvais

1 Le véhicule est soumis à quatre forces : son poids $\vec{P}$ (d'intensité $P = mg$, soit $P = 13000$ N, la réaction $\vec{R}$ de la route, la force motrice $\vec{F}$ dirigée dans le même sens que le vecteur vitesse $\vec{v}$, et les forces de frottement $\vec{f}$ opposées à $\vec{v}$:

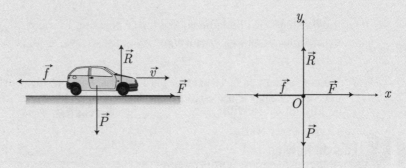

Ces vecteurs ont pour composantes :

$$\vec{R}\begin{pmatrix} R_x = 0 \\ R_y = R \end{pmatrix} \quad \vec{P}\begin{pmatrix} P_x = 0 \\ P_y = -P \end{pmatrix} \quad \vec{f}\begin{pmatrix} f_x = -f \\ f_y = 0 \end{pmatrix} \quad \vec{F}\begin{pmatrix} F_x = F \\ F_y = 0 \end{pmatrix}$$

Le véhicule roule à vitesse constante, dans une direction constante, de sorte que $\vec{v}$ ne varie pas. En vertu du principe de l'inertie une telle situation requiert l'annulation de la résultante des quatre forces précédentes :

$$\vec{R} + \vec{P} + \vec{f} + \vec{F} = \vec{0} \Rightarrow \begin{cases} -f + F = 0 \\ R - P = 0 \end{cases}$$

La première de ces équations révèle alors que :

$$F = f = 800 \text{ N}$$

2 Le véhicule aborde désormais une côte :

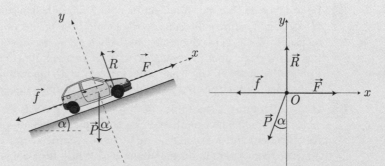

Pour exprimer simplement les composantes des quatre forces qui s'exercent sur le véhicule, il convient d'utiliser un système d'axes $(Ox, \ Oy)$ contenant le *maximum* de vecteurs force. C'est pourquoi on choisit ici (Ox)

parallèlement à la route et (Oy) perpendiculairement. Les composantes s'y écrivent alors :

$$\vec{R}\begin{pmatrix} R_x = 0 \\ R_y = R \end{pmatrix} \quad \vec{P}\begin{pmatrix} P_x = -P \sin\alpha \\ P_y = -P \cos\alpha \end{pmatrix} \quad \vec{f}\begin{pmatrix} f_x = -f \\ f_y = 0 \end{pmatrix} \quad \vec{F}\begin{pmatrix} F_x = F \\ F_y = 0 \end{pmatrix}$$

À nouveau le principe de l'inertie prévaut ici (car $\vec{v}$ est constant) :

$$\vec{R} + \vec{P} + \vec{f} + \vec{F} = \vec{0} \Rightarrow \begin{cases} -P \sin\alpha - f + F = 0 \\ R - P \cos\alpha = 0 \end{cases}$$

d'où l'on obtient finalement :

$$F = P \sin\alpha + f = 13000 \times \sin(14°) + 800 = 3945\,\text{N}$$

6 ## Deuxième loi de Newton ★ ★ ▪ *20 min.* | *p. 84*
Lycée pierre d'Aragon, Muret

1 La luge est soumise à trois forces :

- son poids $\vec{P}$ dirigé selon la verticale descendante, s'appliquant sur le centre de gravité G de la luge, et d'intensité :

$$P = m \times g = 8 \times 10 = 80\,\text{N}$$

- la réaction $\vec{R}$ de la piste, perpendiculaire à la piste, s'appliquant sur un point de la surface de contact de la luge avec la piste ; son intensité est notée R.

- la force de frottement $\vec{f}$ que la piste exerce sur la luge, parallèlement à la piste et dirigée vers le haut de la pente. Cette force, d'intensité f, s'applique sur la surface de contact entre la piste et la luge.

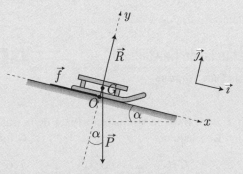

2 La luge ne peut qu'accélérer dans la direction d'un vecteur unitaire $\vec{\imath}$ colinéaire à la piste. C'est pourquoi la variation du vecteur vitesse est colinéaire à $\vec{\imath}$:

$$\Delta \vec{v}_G = \Delta v_G \times \vec{\imath} \text{ avec } \Delta v_G > 0$$

3 En vertu de la deuxième loi de Newton, la résultante des forces : $\vec{F} = \vec{f} + \vec{R} + \vec{P}$ est orientée comme $\Delta\vec{v}_G$. C'est pourquoi, dans une base $(0, \vec{\imath}, \vec{\jmath})$, les composantes F_x et F_y de $\vec{F}$ sont telles que :

$$F_y = 0 \Rightarrow \vec{F} = F_x \times \vec{\imath}$$

4 Dans la base $(0, \vec{\imath}, \vec{\jmath})$:

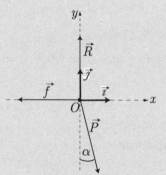

les vecteurs force ont pour composantes :

$$\vec{f}\begin{pmatrix} -f \\ 0 \end{pmatrix} \qquad \vec{R}\begin{pmatrix} 0 \\ R \end{pmatrix} \qquad \vec{P}\begin{pmatrix} P_x = P\,\sin\alpha \\ P_y = -P\,\cos\alpha \end{pmatrix}$$

de sorte que la résultante s'écrit :

$$\vec{F} = \vec{f} + \vec{R} + \vec{P} \Rightarrow \begin{cases} F_x = -f + P\,\sin\alpha \\ F_y = R - P\,\cos\alpha \end{cases}$$

Or, la question précédente a permis d'établir que :

$$F_y = 0 \Rightarrow R - P\,\cos\alpha = 0 \Rightarrow R = P\,\cos\alpha = 80 \times \cos(12°) = 78,2 \text{ N}$$

---

7 | **Deuxième loi de Newton** ★ ★ ▮ *30 min.* | p. 85

Lycée Marie Curie, Échyrolles

1 Soit $T = 1$ mois le temps qui sépare deux positions G_i, G_{i+1}, sur la figure. Les vecteurs vitesse $\vec{v}_2$, $\vec{v}_4$, $\vec{v}_6$ et $\vec{v}_8$, définis par :

$$\vec{v}_2 = \frac{\overrightarrow{G_1G_3}}{T} \qquad \vec{v}_4 = \frac{\overrightarrow{G_3G_5}}{T} \qquad \vec{v}_6 = \frac{\overrightarrow{G_5G_7}}{T} \qquad \vec{v}_8 = \frac{\overrightarrow{G_7G_9}}{T}$$

sont donc colinéaires (et de norme proportionnelle) aux vecteurs $\overrightarrow{G_1G_3}$, $\overrightarrow{G_3G_5}$, $\overrightarrow{G_5G_7}$ et $\overrightarrow{G_7G_9}$ respectivement. Ces vecteurs ont, du reste, leurs points d'application en G_2, G_4, G_6 et G_8 :

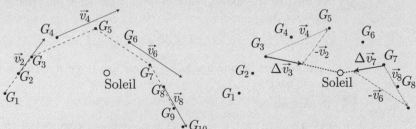

Les vecteurs $\Delta\vec{v}_3 = \vec{v}_4 - \vec{v}_2$ et $\Delta\vec{v}_7 = \vec{v}_8 - \vec{v}_6$ s'obtiennent alors en effectuant les sommes vectorielles :

$$\Delta\vec{v}_3 = \vec{v}_4 - (-\vec{v}_2) \text{ et } \Delta\vec{v}_7 = \vec{v}_8 + (-\vec{v}_6)$$

Enfin, les vecteurs $\Delta\vec{v}_3$ et $\Delta\vec{v}_7$ ont leurs points de départ en G_3 et G_7.

2 Les vecteurs variation de vitesse $\Delta\vec{v}_3$ et $\Delta\vec{v}_7$ sont dirigés vers le Soleil. Il en va de même des vecteurs force de gravitation $\vec{F}_3$ et $\vec{F}_7$ que le Soleil exerce sur la comète, aux points G_3 et G_7. Par conséquent, la deuxième loi de Newton est vérifiée ici : le vecteur $\Delta\vec{v}_G$, variation de vitesse du centre d'inertie d'un solide, a même sens et même direction, dans un référentiel galiléen, que la résultante des forces qui s'y exercent.

8 **Deuxième loi de Newton** ★ ★ ★ 40 min. | p. 85

Lycée Périer, Marseille

1 **Premier cas**

Dans un repère $(Ox,\ Oy)$, les vecteurs vitesse $\vec{V}_c$ et $\vec{V}'_c$ ont pour composantes :

$$\vec{V}_c = \begin{pmatrix} V_c \cos\alpha \\ -V_c \sin\alpha \end{pmatrix} \text{ et } \vec{V}'_c = \begin{pmatrix} V'_c \cos\alpha \\ V'_c \sin\alpha \end{pmatrix}$$

avec :

$$V'_c = V_c = 80\,\text{km} \cdot \text{h}^{-1} \Rightarrow V_c = V'_c = \frac{80.10^3}{3600} = 22,2\,\text{m} \cdot \text{s}^{-1}$$

Ainsi, pendant le choc, le vecteur vitesse varie de la quantité :

$$\Delta\vec{V}_c = \vec{V}'_c - \vec{V}_c = \begin{pmatrix} V_c \cos\alpha \\ V_c \sin\alpha \end{pmatrix} - \begin{pmatrix} V_c \cos\alpha \\ -V_c \sin\alpha \end{pmatrix} = \begin{pmatrix} 0 \\ 2V_c \sin\alpha \end{pmatrix}$$

$$\Rightarrow \Delta\vec{V}_c = \begin{pmatrix} 0 \\ 2 \times 22,2 \times \sin(45°) \end{pmatrix} = \begin{pmatrix} 0 \\ 31,4\,\text{m} \cdot \text{s}^{-1} \end{pmatrix}$$

Conformément à la deuxième loi de Newton, si l'on néglige le poids de la balle au cours du choc, cette dernière est soumise uniquement à la réaction $\vec{R}$ du support, laquelle force a la même direction et le même sens que $\Delta\vec{V_c}$:

$$\vec{R} \parallel \Delta\vec{V_c} = \begin{pmatrix} 0 \\ 31,4 \end{pmatrix}$$

Cette relation montre que le sol exerce une force $\vec{R}$ verticale et dirigée vers le haut

2 **Deuxième cas**

(a) Dans ce cas, les vecteurs vitesse ont pour composantes :

$$\vec{V_c} = \begin{pmatrix} V_c\cos\alpha \\ -V_c\sin\alpha \end{pmatrix} \text{ et } \vec{V'}_c = \begin{pmatrix} V'_c\cos\beta \\ V'_c\sin\beta \end{pmatrix}$$

avec $V_c = 80\,\text{km}\cdot\text{h}^{-1} = 22,2\,\text{m}\cdot\text{s}^{-1}$ et $V'_c = 1,1 \times V_c = 24,4\,\text{m}\cdot\text{s}^{-1}$. Par conséquent, au cours du choc, le vecteur vitesse de la balle varie de la quantité :

$$\Delta\vec{V_c} = \vec{V'}_c - \vec{V_c} = \begin{pmatrix} V'_c\cos\beta \\ V'_c\sin\beta \end{pmatrix} - \begin{pmatrix} V_c\cos\alpha \\ -V_c\sin\alpha \end{pmatrix}$$

$$= \begin{pmatrix} 24,4 \times \cos(30°) - 22,2 \times \cos(45°) \\ 24,4 \times \sin(30°) + 22,2 \times \sin(45°) \end{pmatrix} = \begin{pmatrix} 5,4 \\ 27,9 \end{pmatrix}$$

En vertu de la deuxième loi de Newton, la force $\vec{F}$ que le sol exerce sur la balle doit avoir la même direction et le même sens que $\Delta\vec{V_c}$ qui comporte une composante non nulle ($5,4\,\text{m}\cdot\text{s}^{-1}$) selon l'axe (Ox). Il en va donc de même pour $\vec{F}$.

(b) Soient F_x et F_y les composantes du vecteur $\vec{F}$, colinéaire à $\Delta\vec{V_c}$. Cette colinéarité suggère l'existence d'un réel k tel que :

$$\vec{F} = k \times \Delta\vec{V_c} \implies \begin{pmatrix} F_x \\ F_y \end{pmatrix} = k \times \begin{pmatrix} 5,4 \\ 27,9 \end{pmatrix}$$

$$\implies \begin{cases} F_x = k \times 5,4 \\ F_y = k \times 27,9 \end{cases}$$

Ce faisant, $\vec{F}$ fait avec la verticale un angle γ dont la tangente vérifie la définition :

$$\tan\gamma = \frac{F_x}{F_y} = \frac{k \times 5,4}{k \times 27,9} = \frac{5,4}{27,9} \implies \gamma \simeq 11°$$

Travail mécanique et énergie

Exercice type

Lycée Utrillo, Stains

Une luge de masse $m = 8,0$ kg est lâchée sans vitesse initiale en haut d'une piste verglacée faisant un angle $\alpha = 12°$ avec l'horizontale.
Pour l'intensité de la pesanteur, on prend $g = 9,8$ N · kg^{-1} et on néglige tous les frottements.

1 Quelle est la nature du mouvement de la luge ?

2 Calculer la valeur de la réaction de la piste.

3 La longueur de la piste est $L = 200$ m. Calculer l'énergie cinétique de la luge en bas de la piste.

4 Que peut-on dire de la valeur de sa vitesse si elle poursuit son chemin sur une piste horizontale ?

5 Cette piste horizontale n'est pas verglacée et la luge s'arrête au bout de 30 m. Calculer la valeur de la force de frottement du sol, supposée constante (on néglige toujours les frottements de l'air).

Voir corrigé page 100

1 Travail et puissance mécaniques

1.1 Travail mécanique

Définition 1

Si un point matériel, qui se déplace de A à B, est soumis à une force constante $\vec{F}$, on appelle **travail** de $\vec{F}$ le long du déplacement $\overrightarrow{AB}$ le produit scalaire :

$$W_{AB}\left(\vec{F}\right) = \vec{F} \cdot \overrightarrow{AB} = F \times AB \times \cos\alpha$$

Lorsque $F = \left\| \vec{F} \right\|$ est exprimé en newton, $AB = \left\| \overrightarrow{AB} \right\|$ en mètre, alors $W_{AB}\left(\vec{F}\right)$ s'exprime en joule (J).

Remarque : Le travail $W_{AB}\left(\vec{F}\right)$ d'une force constante ne dépend pas du chemin suivi entre A et B :

$$W_{AB}^{(2)}\left(\vec{F}\right) = W_{AB}^{(1)}\left(\vec{F}\right)$$

Définition 2

Lorsque $W_{AB}\left(\vec{F}\right) > 0$, le travail est dit **moteur**, tandis qu'il est **résistant** lorsque $W_{AB}\left(\vec{F}\right) < 0$.

Par exemple, la force de frottement $\vec{F}$ qu'exerce le sol sur un point matériel qui se déplace de A à B vaut :

$$W_{AB}\left(\vec{F}\right) = \vec{F} \cdot \overrightarrow{AB} = F \times AB \times \underbrace{\cos(180°)}_{=-1} = -F \times AB$$

en conséquence de quoi ce travail est résistant.
Une force qui demeure perpendiculaire au déplacement exerce un travail nul :

$$W_{AB}\left(\vec{F}\right) = \vec{F} \cdot \overrightarrow{AB} = F \times AB \times \underbrace{\cos(90°)}_{=0}$$

Cette remarque s'applique évidemment à la composante normale $\vec{R}$ de la réaction exercée par un support sur un point.
Si plusieurs forces $\vec{F}_1$, $\vec{F}_2$, ... s'exercent sur un point matériel qui se déplace de A vers B, le travail de la résultante $\vec{F} = \vec{F}_1 + \vec{F}_2 + \cdots$ vaut la somme des travaux de chacune des forces :

$$W_{AB}\left(\vec{F}_1 + \vec{F}_2 + \dots\right) = W_{AB}\left(\vec{F}_1\right) + W_{AB}\left(\vec{F}_2\right) + \dots$$

1.2 Travail du poids

Soit un point matériel G, de masse m, qui se déplace d'un point A à un point B, d'altitudes respectives z_A et z_B ; le travail du poids de G au cours de ce déplacement vaut :

$$W_{AB}\left(\vec{P}\right) = mg\,(z_A - z_B)$$

où g désigne l'intensité de la pesanteur.

Remarque : Le travail du poids est toujours résistant au cours de l'ascension d'un point ($z_B > z_A$) et moteur au cours de sa descente $z_B < z_A$.

1.3 Puissance mécanique

Soit un point matériel, qui se trouve en A et en B aux dates t_A et t_B, soumis à une force $\vec{F}$ qui exerce un travail $W_{AB}\left(\vec{F}\right)$. La **puissance** de $\vec{F}$ est alors définie par le rapport :

$$\mathcal{P} = \frac{W_{AB}\left(\vec{F}\right)}{t_B - t_A}$$

$\mathcal{P}$ s'exprime en watt (W) si $W_{AB}\left(\vec{F}\right)$ est exprimé en joule (J) et $t_B - t_A$ en seconde (s).

2 Travail et énergie mécanique

2.1 Énergie cinétique

Définition 3

Un solide de masse m (en kg), en translation à une vitesse V_G (en m $\cdot$ s^{-1}) possède une **énergie cinétique** :

$$E_c = \frac{1}{2}\,mV_G^2 \text{ (en joule)}.$$

! Attention :

Cette définition ne prévaut que si le solide est en translation ; elle devient fausse dans le cas d'un mouvement de rotation.

Théorème 1 (théorème de l'énergie cinétique)

L'énergie cinétique d'un solide en translation (éventuellement circulaire), soumis à une force résultante $\vec{F}$, varie d'une quantité $\Delta\mathcal{E}_c = \mathcal{E}_c(B) - \mathcal{E}_c(A)$ qui s'identifie au travail de $\vec{F}$ au cours du déplacement :

$$\Delta\mathcal{E}_c = W_{AB}\left(\vec{F}\right) \Leftrightarrow \frac{1}{2}\,mV_B^2 - \frac{1}{2}\,mV_A^2 = W_{AB}\left(\vec{F}\right)$$

Exemple : Le théorème de l'énergie cinétique confirme le principe de l'inertie : la résultante $\vec{F}$ des forces qui s'exercent sur un solide isolé ou pseudo-isolé étant nulle : $W_{AB}\left(\vec{F}\right) = 0$, de sorte que :

$$\frac{1}{2}\,mV_B^2 - \frac{1}{2}\,mV_A^2 = 0 \Rightarrow \frac{1}{2}\,mV_A^2 = \frac{1}{2}\,mV_B^2 \Rightarrow V_A = V_B$$

La vitesse d'un tel solide ne varie donc pas.

COURS

ÉNONCÉS

CORRIGÉS

2.2 Énergie potentielle de pesanteur

Un point, de masse m (en kg), qui se trouve à une altitude z, possède une **énergie potentielle de pesanteur** (en joule) :

$$\mathcal{E}_{pp} = mgz + \text{cte}$$

où g représente l'intensité de la pesanteur.

Cette énergie n'est connue qu'à une constante près.

Remarque : L'altitude d'un point est définie par rapport à une référence, choisie comme altitude nulle. Cette référence peut être le sol, le centre de la Terre, une position d'équilibre, ou toute autre altitude de votre choix. Bien que ce choix soit libre, il est quand même recommandé de définir l'altitude nulle à un niveau plus bas que celui généralement accessible au système. De ce fait, les altitudes repérées seront positives ou nulles.

2.3 Énergie mécanique

Définition 4

Un solide qui possède une énergie cinétique $\mathcal{E}_c$ et une énergie potentielle $\mathcal{E}_p$, présente une **énergie mécanique** définie par la somme :

$$\mathcal{E}_m = \mathcal{E}_c + \mathcal{E}_p$$

L'énergie mécanique d'un solide soumis seulement à son poids est constante.

Exemple : Un solide en chute libre voit décroître son altitude z. Donc, pour que son énergie mécanique :

$$\mathcal{E}_m = \mathcal{E}_c + \mathcal{E}_p = \frac{1}{2} mV^2 + mgz$$

demeure constante, il faut que sa vitesse V augmente, ce qui explique l'accélération d'un corps en chute libre.

D'une manière plus générale, on pourra retenir que l'énergie mécanique est constante en l'absence de force de frottement.

3 Transfert d'énergie et énergie interne

3.1 Énergie interne

Définition 5

L'énergie interne U d'un système $(\mathcal{S})$ est la somme de l'énergie cinétique moyenne microscopique (celle des particules qui constituent $(\mathcal{S})$) et de l'énergie potentielle d'interaction entre ces particules.

La variation de l'énergie interne d'un système de masse m (en kg) peut se traduire par :

- des déformations de ce système ;
- une variation $\Delta\theta$ de sa température θ (en $U\,temp$) :

$$\Delta U = m \times c \times \Delta\theta = C \times \Delta\theta$$

où c est la **capacité thermique massique** du système (en $\mathrm{J \cdot kg^{-1} \cdot {}^{\circ-1}}$) et C sa **capacité thermique** (en $\mathrm{J \cdot {}^{\circ}C^{-1}}$).

- un changement de son état physique :

$$\Delta U = m \times \ell$$

où ℓ est la **chaleur latente massique** (en $\mathrm{J \cdot kg^{-1}}$) ; cette grandeur est positive lors de la **fusion**, de la **vaporisation** ou la **sublimation** du système.

Soit $W\left(\vec{F}\right)$ le travail des forces, autres que le poids, qui s'exercent sur un corps dont l'énergie interne varie de ΔU, son énergie potentielle de pesanteur varie de $\Delta\mathcal{E}_{pp}$ et son énergie cinétique de $\Delta\mathcal{E}_c$. Un transfert d'énergie peut-être observé selon la loi :

$$\Delta U + \Delta\mathcal{E}_c + \Delta\mathcal{E}_{pp} = W\left(F\right)$$

3.2 Transfert thermique

Chauffer un corps revient à lui apporter de l'énergie thermique, ou **chaleur**, Q (en joule), qui généralise la relation précédente :

$$\Delta U + \Delta\mathcal{E}_c + \Delta\mathcal{E}_{pp} = W\left(\vec{F}\right) + Q \tag{4}$$

→ À retenir :

Le signe de Q indique le sens dans lequel s'opère le transfert thermique : si $Q > 0$, le corps reçoit de la chaleur alors que $Q < 0$ signifie qu'il en cède.

En l'absence de tout autre phénomène, le transfert thermique s'effectue toujours spontanément du corps le plus chaud vers le corps le plus froid.

Si le corps reste immobile, sans se déformer, $\Delta \mathcal{E}_c = 0$, $\Delta \mathcal{E}_{pp} = 0$ et $W\left(\vec{F}\right) = 0$ conduisent à $\Delta U = Q$. Dans ce cas :

- l'apport de chaleur Q peut servir à modifier la température d'un corps :

$$Q = m \times c \times \Delta\theta = C \times \Delta\theta$$

- ou peut servir à modifier son état physique :

$$Q = m \times \ell$$

Les transferts thermiques peuvent se faire selon plusieurs modes : par **contact** (la glace fond au contact de l'eau chaude), par **convection** (la circulation d'air chaud permet la cuisson des aliments dans un four) ou par **rayonnement** (le Soleil émet de l'énergie récupérable sur Terre).

Solution de l'exercice type

1 Au cours de sa descente, en l'absence de force de frottement, la luge n'est soumise qu'à son poids $\vec{P}$ et à la réaction $\vec{R}$ de la piste.

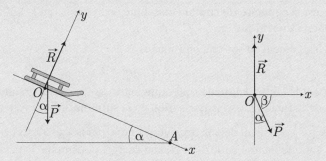

Or, les vecteurs $\vec{R}$ et $\vec{P}$ n'étant pas colinéaires, la résultante $\vec{F} = \vec{R} + \vec{P}$ ne peut être nulle. Donc, la luge a un mouvement rectiligne accéléré.

2 La résultante $\vec{F}$ est définie par :

$$\vec{F} = \vec{R} + \vec{P} \Rightarrow \begin{pmatrix} F_x \\ F_y \end{pmatrix} = \begin{pmatrix} 0 \\ R \end{pmatrix} + \begin{pmatrix} mg\,\sin\alpha \\ -mg\,\cos\alpha \end{pmatrix} \Rightarrow \left\{ \begin{array}{l} F_x = mg\,\sin\alpha \\ F_y = R - mg\,\cos\alpha \end{array} \right.$$

La luge n'étant pas accélérée dans la direction de l'axe Oy, il s'ensuit que F_y est nul :

$$F_y = 0 \Rightarrow R = mg\,\cos\alpha = 8 \times 9,8 \times \cos(12°) \Rightarrow R = 77\,\text{N}$$

3 Soient O et A le point de départ de la luge et le point d'arrivée en bas de la piste. Au cours du déplacement $\overrightarrow{OA}$, la résultante $\vec{F}$ exerce sur la luge un travail :

$$\begin{aligned} W_{OA}\left(\vec{F}\right) &= W_{OA}\left(\vec{R}\right) + W_{OA}\left(\vec{P}\right) \text{ où } \vec{R} \perp \overrightarrow{OA} \Rightarrow W_{OA}\left(\vec{R}\right) = 0 \\ &= W_{OA}\left(\vec{P}\right) = \left\|\vec{P}\right\| \times OA \times \cos\beta \text{ avec } OA = L = 200\,\text{m} \end{aligned}$$

où l'angle β entre $\vec{P}$ et $\overrightarrow{OA}$ vérifie :

$$\alpha + \beta = 90° \Rightarrow 12° + \beta = 90° \Rightarrow \beta = 78°$$

En O, la vitesse de la luge étant nulle, son énergie cinétique est nulle également. Donc, l'énergie cinétique $\mathcal{E}_c(A)$ vérifie la loi :

$$\mathcal{E}_c(A) - \mathcal{E}_c(O) = W_{OA}\left(\vec{F}\right) \Rightarrow \mathcal{E}_c(A) = mg \times OA \times \cos\beta$$
$$\Rightarrow \mathcal{E}_c(A) = 8 \times 9,8 \times 200 \times \cos(78°)$$
$$\Rightarrow \mathcal{E}_c(A) = 3260\,\text{J}$$

4 En tout point M de la piste horizontale, qui commence en A, la luge possède une énergie cinétique $\mathcal{E}_c(M)$ qui vérifie la loi :

$$\mathcal{E}_c(M) - \mathcal{E}_c(A) = W\left(\vec{F}\right) = W_{AM}\left(\vec{R}\right) + W_{AM}\left(\vec{P}\right) = 0$$

car $\vec{R} \perp \overrightarrow{AM}$ et $\vec{P} \perp \overrightarrow{AM}$. Aussi, en notant V_A et V_M la vitesse de la luge en A et M :

$$\mathcal{E}_c(M) = \mathcal{E}_c(A) \Rightarrow \frac{1}{2}mV_M^2 = \frac{1}{2}mV_A^2 \Rightarrow V_M = V_A$$

qui signifie que la luge poursuit son mouvement avec une vitesse constante (égale à V_A).

5 Soit B le point de la piste horizontale où la luge s'arrête.

Au cours du déplacement $\overrightarrow{AB}$, la force de frottement $\vec{f}$ est la seule à exercer un travail non nul ($\vec{R}$ et $\vec{P}$ sont perpendiculaires à $\overrightarrow{AB}$) :

$$W_{AB}\left(\vec{f}\right) = \left\|\vec{f}\right\| \times AB \times \cos(180°) = -\left\|\vec{f}\right\| \times AB$$

Étant donné que la luge s'arrête en B, sa vitesse est nulle, de même que son énergie cinétique $\mathcal{E}_c(B)$. Par conséquent, le théorème de l'énergie cinétique s'écrit :

$$W_{AB}\left(\vec{f}\right) = \underbrace{\mathcal{E}_c(B}_{0} - \mathcal{E}_c(A) \Rightarrow -\left\|\vec{f}\right\| \times AB = -\mathcal{E}_c(A)$$
$$\Rightarrow \left\|\vec{f}\right\| = \frac{\mathcal{E}_c(A)}{AB} = \frac{3260}{30} \Rightarrow \left\|\vec{f}\right\| = 109\,\text{N}$$

1 Travail des forces

30 min. | p. 113

Deux forces constantes, $\vec{F}_1$ et $\vec{F}_2$, de même valeur 15 N sont telles que :

- $\vec{F}_1$ forme un angle de 30° avec l'horizontale et est orienté vers la droite ;

- $\vec{F}_2$ est symétrique de $\vec{F}_1$ par rapport à l'horizontale.

Le point d'application des forces $\vec{F}_1$ et $\vec{F}_2$ peut se déplacer de A vers C selon deux côtés d'un carré, de longueur $L = 40$ cm. Choisir, parmi les propositions suivantes, celles qui vous semblent correctes :

1. Au cours du déplacement $A \to C$, la résultante $\vec{F} = \vec{F}_1 + \vec{F}_2$ exerce un travail :

   a $W_{AC}\left(\vec{F}\right) = 1,0$ J

   b $W_{AC}\left(\vec{F}\right) = 10,4 text J$

   c $W_{AC}\left(\vec{F}\right) = -10,4$ J

2. Le travail $W_{AC}\left(\vec{F}\right)$ est :

   a moteur   **b** résistant

3. La force $\vec{F}_1$ exerce, au cours des déplacements AB et BC, les travaux :

   a $W_{AB}\left(\vec{F}_1\right) = 5,2$ J et $W_{BC}\left(\vec{F}_1\right) = 3$ J.

   b $W_{AB}\left(\vec{F}_1 = 0,5 \text{ J}\right)$ et $W_{BC}\left(\vec{F}_1\right) = -0,3$ F

   c $W_{AB}\left(\vec{F}_1\right) = 5,2$ J et $W_{BC}\left(\vec{F}_1\right) = -3$ J

4. La force $\vec{F}_2$ exerce, au cours des déplacements AB et BC, les travaux :

   a $W_{AB}\left(\vec{F}_2\right) = 5,2$ J et $W_{BC}\left(\vec{F}_2\right) = 3$ J

   b $W_{AB}\left(\vec{F}_2\right) = 0,5$ J et $W_{BC}\left(\vec{F}_2\right) = -0,3$ J

   c $W_{AB}\left(\vec{F}_2\right) = 5,2$ J et $W_{BC}\left(\vec{F}_2\right) = -3$ J

2 Transferts thermiques

10 min. | p. 114

Parmi les propositions suivantes, choisir celles qui vous semblent correctes :

1. Entre deux corps A et B, le transfert thermique :

   a s'effectue spontanément de A vers B ou de B vers A indifféremment ;

   b n'est possible que si A et B sont en contact mutuel ;

   c peut traverser l'espace éventuellement vide séparant A et B.

2 Au cours d'une chute libre dans le référentiel terrestre,

    a l'énergie cinétique d'un corps peut demeurer constante ;

    b l'énergie interne d'un corps peut demeurer constante ;

    c l'énergie potentielle de pesanteur d'un corps peut demeurer constante.

3 Un corps, de capacité thermique C, est abandonné sans vitesse initiale à une hauteur h du sol ; il tombe et arrive au sol en s'immobilisant.

    a Sa température θ augmente toujours.

    b Sa température demeure toujours constante.

    c La variation de sa température dépend de la quantité de chaleur qu'il échange.

4 Un corps immobile reçoit une quantité de chaleur $Q > 0$;

    a son énergie interne augmente ;

    b sa température augmente ;

    c sa température reste constante.

5 Au cours de la chute libre d'un corps thermiquement isolé, sans frottements, les énergies cinétique, potentielle et mécanique ont été relevées et représentées sur un graphe :

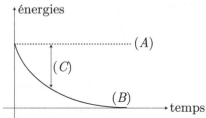

    a (A) est l'énergie cinétique, (B) l'énergie mécanique et (C) l'énergie potentielle de pesanteur ;

    b (A) est l'énergie mécanique, (B) l'énergie potentielle de pesanteur et (C) l'énergie cinétique ;

    c (A) est l'énergie mécanique, (B) l'énergie cinétique et (C) l'énergie potentielle de pesanteur.

QCM 3 | **Transferts d'énergie**   *10 min* | *p. 115*

On donne deux diagrammes énergétiques représentant l'énergie initiale et l'énergie finale d'un système sur lequel la seule force qui s'exerce est le poids :

E_{pp} : énergie potentielle de pesanteur
E_c : énergie cinétique
U : énergie interne

système (1)

état initial — état final

système (2)

état initial — état final

Parmi les propositions suivantes, choisissez celles qui vous semblent exactes.

1 **(a)** L'énergie interne varie :

    a pour le système (1) **b** pour le système (2)   **c** autre solution

(b) L'énergie potentielle varie :

    a pour le système (1)   **b** pour le système (2)   **c** autre solution

(c) L'énergie mécanique varie :

    a dans le système (1)   **b** dans le système (2)   **c** autre solution

2 Dans le cas où l'énergie interne varie, cette variation est due :

    a à une transformation de l'énergie potentielle ;

    b à une transformation de l'énergie cinétique ;

    c à un transfert thermique.

3 **(a)** Le système (1) :

    a subit une chute à vitesse constante ;

    b peut être une casserole sur une plaque chauffante ;

    c subit une chute libre.

(b) Le système (2) :

    a subit une chute à vitesse constante ;

    b peut être une casserole sur une plaque chauffante ;

    c subit une chute libre.

4 | Travail mécanique ★ ■ ■   *10 min.* | *p. 116*
Lycée Montesquieu, Herblay

André tire un chariot sur un plan horizontal à l'aide d'une corde faisant un angle $\alpha = 60°$ avec le plan horizontal. La force $\vec{F}$ exercée par André a une intensité de 10 N.

 1 Quel est le travail fourni par André au cours d'un déplacement horizontal de 3 m ?

2 Pierre fournit le même travail qu'André pour le même déplacement avec une force $\vec{F_1}$ qui fait un angle $\beta = 30°$ avec l'horizontale. Quelle est l'intensité de $\vec{F_1}$?

5 | Travail et puissance mécaniques ★ ■ ■   *10 min.* | *p. 117*
Lycée champollion, Grenoble

Un tracteur, sur la berge, remorque une péniche à la vitesse de 9 km · h^{-1}, pendant 1 h 30 min. Le câble exerce sur la péniche une force de 14000 N. La direction du câble fait un angle de 10° avec la trajectoire rectiligne de la péniche.

1 Calculer le travail de la force exercée par le câble au bout de 1 h 30 min.

2 Quelle est la puissance moyenne de cette force ?

6 | Énergie cinétique ★ ■ ■   *5 min.* | *p. 117*
Lycée Évariste Galois, Sartrouville

L'énergie cinétique d'une balle de masse $m = 7,13$ g à la sortie d'un canon de fusil vaut $E_{c_0} = 5,04$ kJ. Après un parcours horizontal de 100 m, son énergie cinétique vaut $E_{c_{100}} 3,45$ kJ.

 1 Calculer la variation d'énergie cinétique de la balle entre 0 et 100 m.

2 Calculer la vitesse de la balle à la sortie du canon.

7 Théorème de l'énergie cinétique

 ★ ▮▮ *5 min.* | *p. 118*

Lycée Blanche de Castille, Nantes

Une pierre, de masse $m = 0,25$ kg et tombant en chute libre, possède une énergie cinétique de 12, 5 J.

1   Quelle est sa vitesse ?

2   De quelle hauteur est-elle tombée sachant que sa vitesse initiale était nulle ?

Donnée : intensité de la pesanteur : $g = 10 \, \text{N} \cdot \text{kg}^{-1}$.

8 Théorème de l'énergie cinétique

★ ▮▮ *5 min* | *p. 118*

Lycée Montesquieu, Herblay

Selon la Sécurité Routière, l'énergie libérée lors d'un choc par un véhicule roulant à la vitesse $V = 60 \, \text{km} \cdot \text{h}^{-1}$ est équivalente à celle du véhicule tombant d'une hauteur $h = 14$ m (soit la hauteur d'un immeuble de quatre étages).

1   Vérifier cette affirmation.

2   Déterminer la hauteur h' de chute du véhicule lors d'un choc à une vitesse $V' = 120 \, \text{km} \cdot \text{h}^{-1}$.

Donnée : intensité de la pesanteur : $g = 10 \, \text{N} \cdot \text{kg}^{-1}$.

9 Théorème de l'énergie cinétique

★ ▮▮ *10 min.* | *p. 119*

Lycée Saint-Martin, Rennes

Un pendule est constitué par une bille métallique de masse $m = 250$ g et de dimension négligeable, attachée à l'extrémité d'un fil de longueur $\ell = 1,00$ m. L'autre extrémité du fil est attachée à un point fixe O.

Le pendule étant dans sa position d'équilibre, on l'écarte, fil tendu, d'un angle $\theta_0 = 60°$ et on lâche sans vitesse.

1   Dresser un bilan des forces s'appliquant sur la bille du pendule en mouvement. Représenter ces forces sur un schéma.

2   Calculer le travail de ces forces entre la position initiale du pendule et le premier passage à la position d'équilibre E.

3   En déduire la vitesse v_E de la bille lors de son passage en E.

Donnée : intensité de la pesanteur : $g = 9,8 \, \text{N} \cdot \text{kg}^{-1}$.

10 ## Théorème de l'énergie cinétique ★ ★ ▮ *10 min.* │ *p. 120*

Lycée Montesquieu, Herblay

Un wagonnet des « montagnes russes » d'une fête foraine démarre, avec ses occupants, sans vitesse initiale au sommet A du circuit, à une hauteur h_A de 12 m au-dessus du sol. Le premier creux B du circuit est situé à une hauteur $h_B = 1,2$ m au-dessus du sol. La masse m du wagonnet et de ses occupants est égale à 0,70 tonne. Les frottements et la résistance de l'air sont considérés comme négligeables.

1 Calculer la vitesse du wagonnet en B.

2 Quelle doit être, par rapport au sol, la cote maximale du prochain sommet C pour que le wagonnet le franchisse ?

Donnée : intensité de la pesanteur : $g = 9,8\,\text{N} \cdot \text{kg}^{-1}$.

11 ## Théorème de l'énergie cinétique ★ ★ ▮ *15 min.* │ *p. 121*

Lycée Charles de Gaulle, Rosny-sous-Bois

Un TGV, de masse $m = 500$ tonnes, roule à $300\,\text{km} \cdot \text{h}^{-1}$ sur une voie rectiligne et horizontale. Subissant un arrêt d'urgence, il bloque ses roues et s'arrête au bout de 3300 m, en 8 secondes.

En supposant que la force de freinage soit constante, calculer la puissance qu'elle développe, puis sa valeur.

 12 ## Théorème de l'énergie cinétique ★ ★ ▮ *20 min.* │ *p. 122*

Lycée Montesquieu, Herblay

Un skieur de masse $m = 90$ kg est tiré, à vitesse constante, par un téléski jusqu'au sommet d'une piste. La dénivellation entre le pied du téléski et le haut de la piste est $h = 200$ m.

Arrivé en haut de la piste, le skieur se laisse simplement glisser, sans faire aucun effort, et parvient au pied du téléski avec une vitesse $v_O = 45\,\text{km} \cdot \text{h}^{-1}$.

1 Quel est le travail des forces de frottement pendant la descente ?

2 En admettant que les travaux des différents frottements sont les mêmes à la montée et à la descente, déterminer le travail fourni au skieur par la perche du téléski.

Donnée : intensité de la pesanteur : $g = 10\,\text{N} \cdot \text{kg}^{-1}$.

13 | Théorème de l'énergie cinétique ★ ★ ★ *30 min.* | *p. 123*

Lycée Colbert, Vannes

1 On suppose la résistance de l'air négligeable.

Une balle de golf, de masse $m = 46$ g, est lâchée d'une hauteur $h_0 = 2,00$ m au-dessus d'un sol carrelé. Elle rebondit à une hauteur $h_1 = 1,52$ m.

Calculer le travail des forces de frottement dues à la déformation de la balle lors du premier rebond. On suppose désormais que ce travail est constant quel que soit le rebond.

2 Calculer la hauteur à laquelle la balle va s'élever après le troisième rebond.

Donnée : intensité de la pesanteur : $g = 10$ N $\cdot$ kg^{-1}.

14 | Énergie mécanique ★ ■ ■ *10 min.* | *p. 125*

Lycée Jacques Monod, Clamart

Un logiciel donne les courbes représentatives des énergies potentielle et cinétique d'une balle de masse $m = 100$ g, considérée comme un point matériel et lancée verticalement vers le haut à l'instant $t = 0$. Le sol est pris comme niveau de référence.

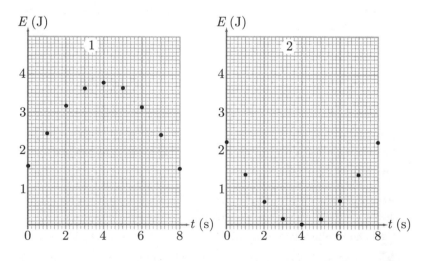

1 Parmi les graphes représentés, quel est celui qui correspond à la courbe représentative de l'énergie cinétique de la balle ? justifier la réponse.

2 Même question pour la courbe représentative de l'énergie potentielle de pesanteur.

3 Déterminer la vitesse de la balle lorsqu'elle est au sommet de sa trajectoire.

4 D'après les graphes :

(a) Quel est le temps mis par la balle pour atteindre le point le plus haut de sa trajectoire ?

(b) Quelle est alors son altitude par rapport au sol ?

(c) La balle a-t-elle été lancée à partir du sol ?

Donnée : intensité de la pesanteur : $g = 10\ \text{N} \cdot \text{kg}^{-1}$.

---

15 **Énergie mécanique** ★■■■ *10 min.* | *p. 126*

Lycée Guist'hau, Nantes

Un skieur, de masse $m = 60$ kg, descend une piste enneigée $ABCDE$.
L'enregistrement du mouvement, de A à E, permet de tracer les courbes
d'évolution des énergies cinétique, potentielle et mécanique pour le skieur,
en fonction du temps. On obtient les courbes (1), (2) et (3).

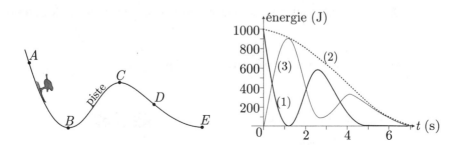

1 Identifier chacune des courbes en justifiant la réponse.

2 Comment évolue l'énergie mécanique totale du système au cours du trajet ? Que peut-on en conclure ?

3 Déterminer la vitesse maximale du skieur lors de son mouvement. Indiquer en quel point il se trouve.

4 Déterminer sa vitesse minimale. En quel point de sa trajectoire se trouve-t-il ?

Donnée : intensité de la pesanteur : $g = 10\ \text{N} \cdot \text{kg}^{-1}$.

16 Énergie mécanique

★ ★ ★ *20 min* | *p. 127*

Institut Notre Dame, Meudon

Un petit cube, de masse $m = 25$ g peut glisser sans frottements dans une cuvette hémisphérique de rayon $R = 50$ cm. Sa trajectoire, lorsqu'il est en contact avec la cuvette, est un arc de cercle situé dans un plan vertical.

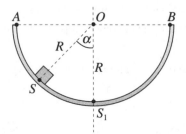

1 Exprimer l'énergie potentielle de pesanteur E_{pp} du cube en fonction de l'angle α que fait (OS) avec la verticale. On prendra l'énergie potentielle nulle en O.

2 Le cube est abandonné sans vitesse initiale en S_0 tel que (OS_0) fait un angle $\alpha = 60°$ avec la verticale. Calculer l'énergie potentielle du cube au point S_0.

3 Avec quelle vitesse V_1 le cube passe-t-il au point le plus bas de sa trajectoire ?

Donnée : intensité de la pesanteur : $g = 10$ N $\cdot$ kg^{-1}.

17 Transferts thermiques

★ ■ ■ *15 min.* | *p. 127*

Lycée Argouges, Grenoble

Un calorimètre contient une masse m_1 d'eau de température θ_1. On y verse une masse m_2 d'eau à la température θ_2.

1 Quelle serait la température de l'eau si on négligeait la capacité thermique du calorimètre ?

2 En fait, la température finale est θ_f. Calculer la capacité thermique du calorimètre.

Données :

- masses : $m_1 = 100$ g et $m_2 = 150$ g ;
- températures : $\theta_1 = 15°$C, $\theta_2 = 25°$C et $\theta_f = 20,4°$;
- capacité thermique massique de l'eau : $c_e = 4180$ J $\cdot$ kg$^{-1} \cdot$ °C^{-1}.

18 Transferts thermiques

★ ★ ▮ *30 min.* | *p. 128*

Lycée Jeanne d'Albret, Saint-Germain-en-Laye

Un appareil à distillation produit 5, 0 L d'eau distillée à l'heure.
La vapeur d'eau, sous la pression 1, 01 bar, entre dans le serpentin du condenseur à la température $\theta_1 = 100°C$. L'eau distillée en sort à la température $\theta_2 = 15°C$.
Le condenseur est refroidi par un courant d'eau ayant un débit de 90 L par heure.
La température d'entrée de l'eau de refroidissement est $\theta_e = 15°C$.

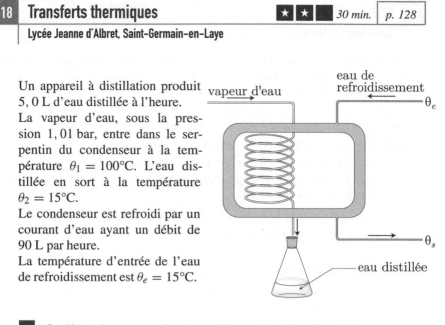

1 Quelle est la masse m de vapeur d'eau entrant dans le condenseur en une heure ?

Quelle masse m' d'eau circule dans le circuit de refroidissement en une heure ?

2 (a) Sur le schéma, représenter à l'aide de flèches, la partie du système qui cède de la chaleur et celle qui en reçoit.

(b) Indiquer les transformations physiques ayant lieu entre l'état initial et l'état final dans le condenseur et dans le circuit de refroidissement.

3 Exprimer littéralement, puis calculer numériquement, la quantité de chaleur Q_1 transférée au condenseur par la vapeur d'eau.

4 Exprimer littéralement la quantité de chaleur Q_2 que doit évacuer le circuit de refroidissement, puis exprimer la température finale θ_s de sortie de l'eau de refroidissement. Calculer numériquement cette température.

Données :

- capacité thermique massique de l'eau : $c_e = 4, 2 \text{ kJ} \cdot \text{kg}^{-1} \cdot °\text{C}^{-1}$;

- chaleur latente massique de vaporisation de l'eau : $\ell_{\text{vap}} = 2, 3.10^6 \text{ J} \cdot \text{kg}^{-1}$;

- masse volumique de l'eau : $\rho_{\text{eau}} = 1 \text{ kg} \cdot \text{L}^{-1}$.

19 Transferts thermiques ★ ★ ★ *30 min.* | *p. 130*

Lycée Rabelais, Chinon

On néglige toutes les pertes énergétiques ainsi que la capacité thermique des récipients. La chaleur latente de fusion de l'eau (glace) est $\ell_f = 335\ \text{kJ} \cdot \text{kg}^{-1}$. Les capacités thermiques de l'eau aromatisée et de la glace sont respectivement $c_e = 4,18\ \text{kJ} \cdot \text{kg} \cdot {}^\circ\text{C}^{-1}$ et $c_g = 2,09\ \text{kJ} \cdot \text{kg}^{-1} \cdot {}^\circ\text{C}^{-1}$. La masse volumique de l'eau aromatisée vaut $\rho_e = 10^3\ \text{kg} \cdot \text{m}^{-3}$.

1 Un verre contient 200 mL d'eau aromatisée à 25°C. On ajoute un morceau de glace (eau solide) de masse $14,5$ g, pris à la température de $0,0$°C. Après réalisation de l'équilibre thermique, calculer la température θ_f de la boisson.

2 On veut refroidir la boisson à la même température θ_f, en utilisant de l'eau à $0,0$°C. Calculer la masse d'eau nécessaire.

3 Que dire du goût des boissons obtenues en utilisant chacune des deux méthodes de refroidissement ?

QCM 1 Travail des forces   *30 min.* | *p. 102*

1 Dans un repère Ox, Oy, les forces $\vec{F_1}$ et $\vec{F_2}$ ont pour composantes :

$$\vec{F_1} = \begin{pmatrix} F_1 \cos(30°) \\ F_1 \sin(30°) \end{pmatrix} \text{ et } \vec{F_2} = \begin{pmatrix} F_2 \cos(30°) \\ -F_2 \sin(30°) \end{pmatrix}$$

avec $F_1 = F_2 = 15$ N. Par conséquent, la résultante $\vec{F}$ s'écrit :

$$\vec{F} = \vec{F_1} + \vec{F_2} = \begin{pmatrix} F_1 \cos(30°) \\ F_1 \sin(30°) \end{pmatrix} + \begin{pmatrix} F_1 \cos(30°) \\ -F_1 \sin(30°) \end{pmatrix}$$

$$= \begin{pmatrix} 2F_1 \cos(30°) \\ 0 \end{pmatrix} = \begin{pmatrix} 2 \times 15 \times \cos(30°) \\ 0 \end{pmatrix} = \begin{pmatrix} 26 \text{ N} \\ 0 \end{pmatrix}$$

Pour calculer $W_{AC}\left(\vec{F}\right)$, on pourrait déterminer les caractéristiques du vecteur $\overrightarrow{AC}$ puis calculer le produit scalaire $\vec{F} \cdot \overrightarrow{AC}$. Il existe cependant une méthode beaucoup plus rapide qui repose sur l'indépendance de $W_{AC}\left(\vec{F}\right)$ à l'égard du chemin suivi pour passer de A à C ; le travail $W_{AC}\left(\vec{F}\right)$ peut aussi être calculé sur le parcours $A \to B$ puis $B \to C$, avec :

$$W_{AB}\left(\vec{F}\right) = \vec{F} \cdot \overrightarrow{AB} = \left\|\vec{F}\right\| \times \left\|\overrightarrow{AB}\right\| \times \cos(0°)$$
$$= 26 \times 0,4 \times 1 = 10,4 \text{ J}$$

et :

$$W_{BC}\left(\vec{F}\right) = \vec{F} \cdot \overrightarrow{BC} = \left\|\vec{F}\right\| \times \left\|\overrightarrow{BC}\right\| \times \cos(90°)$$
$$= 26 \times 0,4 \times 0 = 0 \text{ J}$$

Aussi, puisque $W_{AC}\left(\vec{F}\right) = W_{AB}\left(\vec{F}\right) + W_{BC}\left(\vec{F}\right)$, il s'ensuit que :

$$W_{AC}\left(\vec{F}\right) = 10,4 \text{ J (réponse } b).$$

2 Le signe positif de $W_{AC}\left(\vec{F}\right)$ montre que $\vec{F}$ exerce un travail moteur (réponse a).

3 Le vecteur $\vec{F_1}$ fait, avec les déplacements $\overrightarrow{AB}$ et $\overrightarrow{BC}$, des angles :

$$\left(\vec{F_1},\ \overrightarrow{AB}\right) = 30° \text{ et } \left(\vec{F_1},\ \overrightarrow{BC}\right) = 90+30 = 120°$$

C'est pourquoi le travail de $\vec{F_1}$ au cours des déplacements $\overrightarrow{AB}$ et $\overrightarrow{BC}$ vaut :

$$W_{AB}\left(\vec{F_1}\right) = \left\|\vec{F_1}\right\| \times \left\|\overrightarrow{AB}\right\| \times \cos(30°) = 15 \times 0,4 \times \cos(30°) = 5,2 \text{ J}$$

et :

$$W_{BC}\left(\vec{F_1}\right) = \left\|\vec{F_1}\right\| \times \left\|\overrightarrow{BC}\right\| \times \cos(120°) = 15 \times 0,4 \times \cos(120°) = -3 \text{ J}$$

COURS

ÉNONCÉS

CORRIGÉS

c'est-à-dire :

$$W_{AB}\left(\vec{F_1}\right) = 5,2 \text{ J et } W_{BC}\left(\vec{F_1}\right) = -3 \text{ J (réponse } c).$$

4 Quant au vecteur $\vec{F_2}$, il fait avec les déplacements $\overrightarrow{AB}$ et $\overrightarrow{BC}$ des angles :

$$\left(\vec{F_2}, \overrightarrow{AB}\right) = 30° \text{ et } \left(\vec{F_2}, \overrightarrow{BC}\right) = 90 - 30 = 60°$$

en conséquence de quoi :

$$\begin{aligned} W_{AB}\left(\vec{F_2}\right) &= \left\|\vec{F_2}\right\| \times \left\|\overrightarrow{AB}\right\| \times \cos(30°) \\ &= 15 \times 0,4 \times \cos 60° = 5,2 \text{ J} \end{aligned}$$

et :

$$W_{BC}\left(\vec{F_2}\right) = \left\|\vec{F_2}\right\| \times \left\|\overrightarrow{BC}\right\| \times \cos(60°) = 15 \times 0,4 \times \cos(60°) = 3 \text{ J}$$

soit encore :

$$W_{AB}\left(\vec{F_2}\right) = 5,2 \text{ J et } W_{BC}\left(\vec{F_2}\right) = 3 \text{ J (réponse } a).$$

Remarque : Les questions précédentes permettent de s'assurer que :

$$W_{AC}\left(\vec{F}\right) = W_{AC}\left(\vec{F_1}\right) + W_{AC}\left(\vec{F_2}\right) = (5,2-3) + (5,2+3) = 10,4 \text{ J}$$

QCM 2 Transferts thermiques

10 min. | *p. 102*

1 Un transfert thermique peut se produire entre deux corps A et B éventuellement séparés par du vide (réponse c) ; il s'agit d'un transfert par rayonnement. Un contact physique entre A et B n'est donc pas requis. Quant au transfert thermique, il ne peut s'effectuer spontanément que du corps le plus chaud vers le plus froid.

2 Un corps est en chute libre s'il n'est soumis qu'à son poids ; conformément à la deuxième loi de Newton, ce corps est accéléré. L'énergie cinétique de son centre d'inertie ($\frac{1}{2} m V_G^2$) ne peut donc pas être constante. Quant à l'énergie potentielle de pesanteur, elle dépend de l'altitude z du corps ($\mathcal{E}_{pp} = mgz + \text{cte}$), laquelle altitude diminue au cours d'une chute. Donc l'énergie potentielle de pesanteur ne peut pas être constante. En revanche, l'énergie interne d'un corps ne dépend pas de son état de mouvement ; elle peut demeurer constante au cours de la chute (réponse b).

3 Le corps C part d'un point A et s'arrête en un point B, tel que $AB = h$. Puisque les vitesses V_A et V_B sont nulles, l'énergie cinétique de C varie de la quantité :

$$\Delta\mathcal{E}_c = \mathcal{E}_c(B) - \mathcal{E}_c(A) = \frac{1}{2} m V_B^2 - \frac{1}{2} m V_A^2 = 0$$

tandis que son énergie potentielle de pesanteur varie de la quantité :

$$\Delta\mathcal{E}_{pp} = -mgh$$

Au cours de la chute, la variation d'énergie interne ΔU de $\mathcal{C}$ vérifie la relation :

$$\Delta U + \Delta\mathcal{E}_c + \Delta\mathcal{E}_{pp} = Q \Rightarrow \Delta U - mgh = Q \qquad (5)$$

où Q désigne la quantité de chaleur reçue par $\mathcal{C}$. Ainsi la variation de température $\Delta\theta$ de $(\mathcal{C})$ dépend de Q (réponse c) conformément à la relation (5) :

$$C\,\Delta\theta \quad mgh = Q \Rightarrow \Delta\theta = \frac{mgh + Q}{C}$$

4 Lorsqu'un corps est immobile, son énergie cinétique $\mathcal{E}_c$ est nulle, son énergie potentielle de pesanteur ne varie pas ($\Delta\mathcal{E}_{pp} = 0$) et aucune force n'exerce de travail ($W\left(\vec{F} = 0\right)$). Dans ce cas la loi (4) de la page 99 devient :

$$\Delta U + \Delta\mathcal{E}_c + \Delta\mathcal{E}_{pp} = W\left(\vec{F}\right) + Q \Rightarrow \Delta U = Q > 0$$

ce qui montre que son énergie interne augmente (réponse a). Cette augmentation peut se manifester par une augmentation de température, un changement de structure, ...

5 Au cours d'une chute libre, l'altitude z d'un corps décroît, de même que son énergie potentielle de pesanteur $\mathcal{E}_{pp} = mgz + \text{cte}$. La courbe (B), qui décroît dans le temps représente donc l'énergie potentielle $\mathcal{E}_{pp}$.

En outre, la courbe (A) est la somme de (B) et de (C) :

$$(A) = (B) + (C) = \mathcal{E}_{pp} + (C)$$

Par analogie avec la définition de l'énergie mécanique

$$\mathcal{E}_m = \mathcal{E}_{pp} + \mathcal{E}_c$$

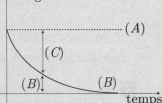

on déduit que (A) représente l'énergie mécanique et (C) l'énergie cinétique (réponse b).

QCM **3** **Transferts d'énergie**   *10 min* | *p. 103*

1 **(a)** Le diagramme correspondant au système (2) montre que son énergie interne U ne varie pas. En revanche, l'énergie interne varie pour le système (1) (réponse a).

(b) Le diagramme du système (1) montre que son énergie potentielle E_{pp} ne varie pas, tandis que celle du système (2) diminue. Par conséquent, l'énergie potentielle varie pour le système (2) (réponse b).

(c) L'énergie mécanique des systèmes (1) et (2) est définie par : $E_m = E_c + E_{pp}$. Le diagramme correspondant au système (1) montre que son énergie potentielle E_{pp} est constante tandis que $E_c = 0$. Donc $E_m = E_{pp}$ ne varie pas dans le système (1). Quant au diagramme relatif au système (2), il révèle que la somme $E_c + E_{pp}$, c'est-à-dire E_m, demeure constante. C'est pourquoi seule une autre solution (réponse *c*) conviendrait.

2 En l'absence de force autre que le poids, le bilan énergétique du système (1) s'écrit :

$$\Delta U + \Delta E_c + \Delta E_{pp} = Q \Rightarrow \Delta U = Q \text{ car } \Delta E_c = 0 \text{ et } \Delta E_{pp} = 0$$

C'est pourquoi la variation d'énergie interne est due à un transfert thermique (réponse *c*).

3 **(a)** Puisque $E_c = 0$, le système (1) demeure immobile, ce qui est confirmé par l'absence de variation de E_{pp}. En revanche, d'après la question précédente, le système (1) reçoit une quantité de chaleur $Q = \Delta U > 0$. Ce système peut donc être une casserole sur une plaque chauffante (réponse *b*).

(b) La vitesse V du système (2) augmente puisque $E_c = \dfrac{1}{2}\, m V^2$ augmente. Dans le même temps, $E_{pp} = mgz + $ cte diminue, ce qui signifie que l'altitude z du système (2) diminue. Ce système subit donc une chute au cours de laquelle il accélère, c'est-à-dire une chute libre (réponse *c*).

---

4 ## Travail mécanique ★ ■ ■ ■ *10 min.* | p. 105 |

Lycée Montesquieu, Herblay

1 La force $\vec{F}$ fait un angle α par rapport au vecteur déplacement du chariot $\overrightarrow{AB}$, horizontal :

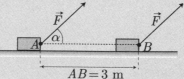

$$AB = 3 \text{ m}$$

en conséquence de quoi le travail fourni par André suit la définition :

$$W_{AB}(\vec{F}) = \vec{F} \cdot \overrightarrow{AB} = F \times AB \times \cos\alpha = 10 \times 3 \times \cos(60°) = 15 \text{ J}$$

2 En revanche, sur le même parcours, Pierre exerce une force $\vec{F_1}$, d'intensité F_1, qui fait un angle $\beta = 30°$ par rapport à l'horizontale (donc par rapport à $\overrightarrow{AB}$). Le travail de la force $\vec{F_1}$ est alors défini par :

$$W_{AB}(\vec{F_1}) = \vec{F_1} \cdot \overrightarrow{AB} = F_1 \times AB \times \cos\beta$$

En outre, l'énoncé précise que Pierre fournit le même travail qu'André, ce qui signifie que :

$$W_{AB}\left(\vec{F}_1\right) = W_{AB}\left(\vec{F}\right) \Rightarrow F_1 \times AB \times \cos\beta$$
$$= F \times AB \times \cos\alpha$$
$$\Rightarrow F_1 = F \times \frac{\cos\alpha}{\cos\beta}$$
$$= 10 \times \frac{\cos(60°)}{\cos(30°)} = 5, 8 \text{ N}$$

5 Travail et puissance mécaniques   ★ ■ ■ ■ *10 min.* | *p. 105* |

Lycée champollion, Grenoble

 La péniche se déplace à une vitesse :

$$V = 9 \text{ km} \cdot \text{h}^{-1} = \frac{9}{3,6} = 2, 5 \text{ m} \cdot \text{s}^{-1}$$

pendant :

$$\Delta t = 1 \text{ h } 30 \text{ min} = 90 \text{ min} = 5400 \text{ s}$$

Elle se déplace donc sur une longueur :

$$AB = V \times \Delta t = 2, 5 \times 5400 = 13500 \text{ m}$$

La tension $\vec{T}$ du câble exerce donc un travail :

$$W_{AB}\left(\vec{T}\right) = \vec{T} \cdot \overrightarrow{AB} = \left\|\vec{T}\right\| \times \left\|\overrightarrow{AB}\right\| \times \cos(10°)$$
$$= 14000 \times 13500 \times \cos(10°) = 1, 9.10^8 \text{ J}$$

2 Ce travail étant fourni pendant $\Delta t = 5400$ s, il correspond à une puissance :

$$\mathcal{P} = \frac{W_{AB}\left(\vec{T}\right)}{\Delta t} = \frac{1, 9.10^8}{5400} = 3, 5.10^4 \text{ W}$$

6 Énergie cinétique   ★ ■ ■ ■ *5 min.* | *p. 105* |

Lycée Évariste Galois, Sartrouville

1 Entre 0 et 100 m, l'énergie cinétique passe de E_{c_0} à $E_{c_{100}}$ ce qui représente une variation :

$$\Delta E_c = E_{c_{100}} - E_{c_0} = 3, 45 - 5, 04 = -1, 59 \text{ kJ}$$

2 À la sortie du canon, la balle possède une vitesse v_0 à partir de laquelle est définie son énergie cinétique :

$$E_{c_0} = \frac{1}{2}mv_0^2 \Rightarrow v_0 = \sqrt{\frac{2E_{c_0}}{m}} = \sqrt{\frac{2 \times 5, 04 \times 10^3}{7, 13 \times 10^{-3}}} = 1189 \text{ m} \cdot \text{s}^{-1}$$

7 Théorème de l'énergie cinétique ★■■ 5 min. p. 106

Lycée Blanche de Castille, Nantes

1. Dans la suite, nous adopterons les notations suivantes :

	altitude	vitesse
point de départ : A	$h_A > 0$	$v_A = 0$
point de chute : B	$h_B = 0$	$v_B \neq 0$

Arrivée en B, la pierre possède l'énergie cinétique $E_c(B)$ définie par :

$$E_c(B) = \frac{1}{2} m v_B^2 \Rightarrow v_B = \sqrt{\frac{2\,E_c(B)}{m}} = \sqrt{\frac{2 \times 12,5}{0,25}} = 10\,\text{m} \cdot \text{s}^{-1}$$

2. Au cours de la chute de A en B, le poids $\vec{P}$ exerce sur la pierre un travail :

$$W_{AB}(\vec{P}) = mg \times (h_A - h_B) = mgh_A$$

La variation d'énergie cinétique qui accompagne cette chute s'identifie au travail de $\vec{P}$:

$$\Delta E_c = W_{AB}(\vec{P}) \Rightarrow E_c(B) - E_c(A) = W_{AB}(\vec{P})$$

avec :

$$E_c(A) = \frac{1}{2} m v_A^2 = 0 \quad \Rightarrow \quad E_c(B) = mgh_A$$

$$\Rightarrow \quad h_A = \frac{E_c(B)}{mg} = \frac{12,5}{0,25 \times 10} = 5\,\text{m}$$

8 Théorème de l'énergie cinétique ★■■ 5 min p. 106

Lycée Montesquieu, Herblay

1. Lorsqu'un véhicule de masse m tombe d'une hauteur $h = 14$ m, le poids $\vec{P}$ fournit un travail $W_h(\vec{P}) = mgh$.

En revanche, lorsque ce véhicule roule à une vitesse V, il possède une énergie cinétique $E_c = \frac{1}{2} m V^2$ susceptible d'être libérée lors d'un choc, à l'issue duquel le véhicule s'arrêterait. Ainsi :

$$\frac{W_h(\vec{P})}{E_c} = \frac{2gh}{V^2} \text{ avec } V = 60\,\text{km} \cdot \text{h}^{-1} = 60 \times \frac{10^3}{3600} \simeq 16,7\,\text{m} \cdot \text{s}^{-1}$$

$$= \frac{2 \times 10 \times 14}{(16,7)^2} = 1 \Rightarrow W_h(\vec{P}) = E_c$$

Cette égalité suffit à confirmer la comparaison de la Sécurité Routière.

2. De même, lors d'une chute d'une hauteur h', le poids fournit un travail $W_{h'}(\vec{P}) = mgh'$ équivalent à l'énergie cinétique $E'_c = \frac{1}{2} m V'^2$ qui pourrait être libérée lors d'un choc à la vitesse $V' = 120\,\text{km} \cdot \text{h}^{-1} = 33,3\,\text{m} \cdot \text{s}^{-1}$.

Par conséquent :

$$W_{h'}(\vec{P}) = E_c' \Rightarrow mgh' = \frac{1}{2}mV'^2$$

c'est-à-dire :

$$h' = \frac{V'^2}{2g} = \frac{(33,3)^2}{2 \times 10} = 55,5 \text{ m}$$

ce qui correspondrait à une chute du haut d'un immeuble de 16 étages !

9 ### Théorème de l'énergie cinétique   ★ ■ ■ ■   *10 min.*   p. 106

Lycée Saint-Martin, Rennes

1 Au cours de son mouvement, la bille est soumise à deux forces :

- la tension $\vec{T}$ du fil, d'intensité T, dirigée selon le fil vers le point O, et donc toujours perpendiculaire à la trajectoire circulaire de la bille.

- son poids $\vec{P}$, d'intensité $P = m \times g$ et dirigé selon la verticale descendante.

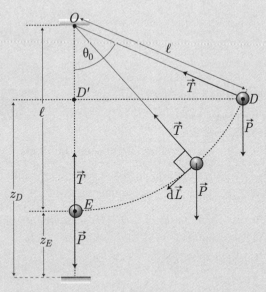

2 Puisque $\vec{T}$ est en permanence perpendiculaire à la trajectoire, pour tout déplacement infinitésimal $d\vec{L}$ de la bille, le travail de $\vec{T}$ vaut :

$$W_{dL}(\vec{T}) = \vec{T} \cdot d\vec{L} = 0 \text{ car } \vec{T} \perp d\vec{L}$$

C'est pourquoi, entre la position de départ D et celle d'équilibre E :

$$W_{DE}(\vec{T}) = 0 \text{ J}$$

En revanche, la bille passe d'une altitude z_D à une altitude z_E, en conséquence de quoi le travail du poids est donné par :

$$W_{DE}(\vec{P}) = mg \times (z_D - z_E) = mg \times D'E$$

où D' est la projection de D sur l'axe vertical (OE). Quant au calcul de $D'E$, il se mène en remarquant que $D'E = OE - OD'$ avec $OE = \ell$ (le fil est tendu avec une longueur ℓ) et, dans le triangle ODD' :

$$\cos\theta_0 = \frac{OD'}{OD} = \frac{OD'}{\ell} \Rightarrow OD' = \ell \cos\theta_0$$
$$\Rightarrow \quad D'E = \ell - \ell\cos\theta_0 = \ell\,(1 - \cos\theta_0)$$
$$\Rightarrow \quad W_{DE}(\vec{P}) = mg\ell\,(1 - \cos\theta_0)$$
$$\Rightarrow \quad W_{DE}(\vec{P}) = 0,25 \times 9,8 \times 1 \times [1 - \cos(60°)] = 1,225\ \text{J}$$

3 De D à E, l'énergie cinétique de la bille varie de la quantité :

$$\Delta E_c = \frac{1}{2}mv_E^2 - \frac{1}{2}mv_D^2 = \frac{1}{2}mv_E^2 \text{ car } v_D = 0$$

liée aux travaux des forces $\vec{T}$ et $\vec{P}$:

$$\Delta E_c = W_{DE}(\vec{T}) + W_{DE}(\vec{P}) \Rightarrow \frac{1}{2}mv_E^2 = mg\ell\,(1 - \cos\theta_0)$$
$$\Rightarrow \quad v_E = \sqrt{2g\ell\,(1 - \cos\theta_0)}$$
$$\Rightarrow \quad v_E = \sqrt{2 \times 9,8 \times 1 \times [1 - \cos(60°)]} = 3,1\ \text{m}$$

---

10 **Théorème de l'énergie cinétique** ★ ★ ▮ *10 min.* | p. 107 |

Lycée Montesquieu, Herblay

1 En A, la vitesse nulle du wagonnet lui confère une énergie cinétique $E_c(A)$ nulle tandis qu'en B son énergie cinétique vaut $E_c(B) = \frac{1}{2}mv_B^2$. Entre A et B, l'énergie cinétique varie de :

$$\Delta E_c = E_c(B) - E_c(A) = \frac{1}{2}mv_B^2$$

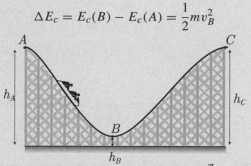

Cette variation provient du travail du poids : $W_{AB}(\vec{P}) = mg\,(h_A - h_B)$ et du travail de la réaction $\vec{R}$ que les rails exercent sur le wagonnet ; $\vec{R}$

est toujours perpendiculaire au déplacement, en conséquence de quoi $W_{AB}(\vec{R}) = 0$. Aussi :

$$\Delta E_c = W_{AB}(\vec{P}) + \underbrace{W_{AB}(\vec{R})}_{=0} \Rightarrow \frac{1}{2}mv_B^2 = mg\,(h_A - h_B)$$

$$\Rightarrow v_B = \sqrt{2g\,(h_A - h_B)}$$

$$\Rightarrow v_B = \sqrt{2 \times 9,8 \times (12 - 1,2)} = 14,5\ \text{m} \cdot \text{s}^{-1}$$

2 De même, la variation d'énergie cinétique entre A et un point C de cote h_C provient du travail du poids :

$$\Delta E_c = W_{AC}(\vec{P}) \Rightarrow \frac{1}{2}mv_C^2 = mg\,(h_A - h_C)$$

Or, $\frac{1}{2}mv_C^2$ étant positif ou nul, il s'ensuit que :

$$mg\,(h_A - h_C) \geqslant 0 \Rightarrow h_C \leqslant h_A$$

Cette inégalité montre que l'altitude maximale que peut atteindre le wagonnet vaut :

$$h_C^{\max} = h_A = 12\ \text{m}$$

---

11 ## Théorème de l'énergie cinétique ★ ★ ■ *15 min.* | p. 107

Lycée Charles de Gaulle, Rosny-sous-Bois

Considérons le point A où commence le freinage (le train y possède une vitesse $V_A = 300\ \text{km} \cdot \text{h}^{-1} = 83,3\ \text{m} \cdot \text{s}^{-1}$) et le point B où le train s'arrête (sa vitesse vaut $V_B = 0\ \text{m} \cdot \text{s}^{-1}$).

Au cours du déplacement $\overrightarrow{AB}$, le train est soumis :

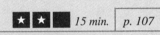

- à son poids $\vec{P}$ et à la réaction $\vec{R}$ des rails ; ces forces étant perpendiculaires à $\overrightarrow{AB}$, leur travail vaut :

$$W_{AB}\left(\vec{P}\right) = \left\|\vec{P}\right\| \times AB \times \underbrace{\cos(90°)}_{=0}$$

$$= 0\ \text{J et } W_{AB}\left(\vec{R}\right)$$

$$= \left\|\vec{R}\right\| \times AB \times \underbrace{\cos(90°)}_{=0}$$

$$= 0\ \text{J}$$

- à la force de frottement $\vec{f}$, qui fait un angle de 180° avec $\overrightarrow{AB}$; son travail vaut :

$$W_{AB}\left(\vec{f}\right) = \left\|\vec{f}\right\| \times AB \times \cos(180°) = -\left\|\vec{f}\right\| \times AB \tag{6}$$

La force résultante : $\vec{F} = \vec{f} + \vec{P} + \vec{R}$ exerce donc, sur le train, un travail :

$$W_{AB}\left(\vec{F}\right) = W_{AB}\left(\vec{f}\right) + \underbrace{W_{AB}\left(\vec{P}\right) + W_{AB}\left(\vec{R}\right)}_{=0} = W_{AB}\left(\vec{f}\right)$$

En outre, le théorème de l'énergie cinétique indique que :

$$\frac{1}{2}mV_B^2 - \frac{1}{2}mV_A^2 = W_{AB}\left(\vec{F}\right) = W_{AB}\left(\vec{f}\right) \text{ où } m = 500.10^3 \text{ kg}$$

$$\Rightarrow W_{AB}\left(\vec{f}\right) = 0 - \frac{1}{2} \times 500.10^3 \times (83,3)^3 = 1,735.10^9 \text{ J}$$

Puisque le freinage dure : $\Delta t = 8 \text{ min} = 8 \times 60 = 480 \text{ s}$, la force $\vec{f}$ développe une puissance :

$$\mathcal{P} = \frac{\left|W_{AB}\left(\vec{f}\right)\right|}{\Delta t} = \frac{1,735.10^9}{480} = 3,6.10^6 \text{ W}$$

La valeur de $W_{AB}\left(\vec{f}\right)$ étant connue, la relation (6) permet de retrouver l'intensité $\left\|\vec{f}\right\|$ de la force de freinage :

$$\left\|\vec{f}\right\| \times AB = -W_{AB}\left(\vec{f}\right) \Rightarrow \left\|\vec{f}\right\| = -\frac{W_{AB}\left(\vec{f}\right)}{AB} = \frac{1,735.10^9}{\|3300\|} = 5,3.10^5 \text{ N}$$

12 Théorème de l'énergie cinétique ★ ★ ■ 20 min. | p. 107

Lycée Montesquieu, Herblay

1 Au cours de sa descente, ce skieur est soumis à trois forces :

• son poids $\vec{P}$, dont le travail entre les points A et O ne dépend que des altitudes $h_A = 200$ m et $h_0 = 0$ m (en prenant arbitrairement l'origine des altitudes au pied des pistes) de ces points :

$$W_{AO}(\vec{P}) = mg \times (h_A - h_0) = mgh_A$$

• la réaction $\vec{R}$ de la piste sur le skieur, dont le travail est défini par :

$$W_{AO}(\vec{R}) = \vec{R} \cdot \overrightarrow{AO} = 0 \text{ car } \vec{R} \perp \overrightarrow{AO}$$

• les forces de frottement, dont le travail est noté W_{frott}.

En passant du point A au point O, le skieur présente une vitesse qui est passée de $v_A = 0$ à :

$$v_O = 45 \text{ km} \cdot \text{h}^{-1} = \frac{45 \times 1000}{3600} = 12,5 \text{ m} \cdot \text{s}^{-1}$$

La variation concomitante d'énergie cinétique s'identifie alors à la somme des travaux des forces :

$$\Delta E_c = \sum W \quad \Rightarrow \quad \frac{1}{2}mv_O^2 - \underbrace{\frac{1}{2}mv_A^2}_{=0} = \underbrace{W_{AO}(\vec{P})}_{=mgh_A} + \underbrace{W_{AO}(\vec{R})}_{=0} + W_{\text{frott}}$$

$$\Rightarrow \quad W_{\text{frott}} = m \times \left(\frac{v_O^2}{2} - gh_A\right)$$

d'où :

$$W_{\text{frott}} = 90 \times \left[\frac{(12,5)^2}{2} - 10 \times 200\right] = -173 \times 10^3 \text{ J}$$

2 Au cours de sa montée, le skieur est soumis à quatre forces :

- son poids $\vec{P}$, dont le travail vaut :

$$W_{OA}(\vec{P}) = mg \times (h_O - h_A) = -mgh_A$$

- la réaction $\vec{R}$, dont le travail est défini par :

$$W_{OA}(\vec{R}) = \vec{R} \cdot \overrightarrow{OA} = 0 \text{ car } \vec{R} \perp \overrightarrow{OA}$$

$h = 200$ m

$h_0 = 0$

- la force de frottement $\vec{F}$, dont le travail est le même qu'à la descente :

$$W_{\text{frott}} = -173 \times 10^3 \text{ J}$$

- la tension $\vec{T}$ de la perche du téléski, qui exerce un travail $W_{OA}(\vec{T})$.

En outre, le skieur parcourt la distance OA à une vitesse constante, ce qui signifie que son énergie cinétique $E_c = \frac{1}{2}mv^2$ est aussi constante ; sa variation est nulle :

$$\Delta E_c = 0$$

Il s'ensuit que :

$$\sum W = \Delta E_c \quad \Rightarrow \quad W_{OA}(\vec{P}) + W_{OA}(\vec{R}) + W_{\text{frott}} + W_{OA}(\vec{T}) = 0$$

$$\Rightarrow \quad -mgh_A + W_{\text{frott}} + W_{OA}(\vec{T}) = 0$$

$$\Rightarrow \quad W_{OA}(\vec{T}) = mgh_A - W_{\text{frott}}$$

Soit encore :

$$W_{OA}(\vec{T}) = 90 \times 10 \times 200 + 173 \times 10^3 = 353 \times 10^3 \text{ J}$$

---

13 **Théorème de l'énergie cinétique** ★ ★ ★ *30 min.* | *p. 108* |

Lycée Colbert, Vannes

1 Décomposons le premier rebond en trois étapes :

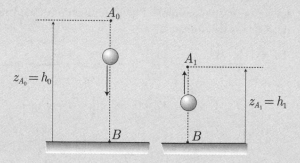

- Au cours de sa chute $A_0 \rightarrow B$, la balle est soumise à son poids $\vec{P}$ qui exerce un travail moteur : $W_{A_0 B}(\vec{P}) = mgz_{A_0} = mgh_0$.

- En B, des forces de frottement déforment la balle en lui communiquant un travail $W_B\left(\vec{f}\right)$.

- Au cours de sa montée, la balle est soumise à son poids $\vec{P}$, qui exerce un travail résistant : $W_{BA_1}(\vec{P}) = -mgz_{A_1} = -mgh_1$.

La variation d'énergie cinétique ΔE_c entre les points A_0 et A_1 provient exclusivement du travail de ces trois forces :

$$\Delta E_c = W_{A_0 B}(\vec{P}) + W_B\left(\vec{f}\right) + W_{BA_1}(\vec{P}) = W_B\left(\vec{f}\right) + mg\left(h_0 - h_1\right)$$

Or, en A_1 et A_0, la vitesse prend une valeur nulle, de sorte que $E_c(A_0) = 0$ et $E_c(A_1) = 0$. Il s'ensuit que :

$$W_B\left(\vec{f}\right) + mg\left(h_0 - h_1\right) = 0 \Rightarrow W_B\left(\vec{f}\right) = mg\left(h_1 - h_0\right) \quad (7)$$

c'est-à-dire :

$$W_B\left(\vec{f}\right) = 46 \times 10^{-3} \times 10 \times (1,52 - 2) \simeq -0,221 \text{ J}$$

2 À l'issue du troisième rebond, la balle atteint un point A_3 situé à une altitude h_3.

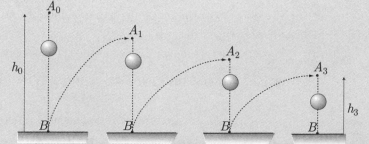

Entre l'instant initial (la balle est en A_0) et le moment où la balle atteint A_3, le poids $\vec{P}$ fournit un travail qui ne dépend que des altitudes de A_0 et A_3 :

$$W_{A_0 A_3}(\vec{P}) = mg\left(z_{A_0} - z_{A_3}\right) = mg\left(h_0 - h_3\right)$$

Quant aux forces de frottement, elles s'exercent à chaque fois que la balle atteint le point B (c'est-à-dire trois fois). Par conséquent, elles exercent un travail total : $3\,W_B\left(\vec{f}\right)$.

La variation d'énergie cinétique ΔE_c entre les points A_0 et A_3 provient exclusivement du travail du poids et de celui des forces de frottement :

$$\Delta E_c = W_{A_0 A_3}(\vec{P}) + 3\,W_B\left(\vec{f}\right) = mg\,(h_0 - h_3) + 3\,W_B\left(\vec{f}\right)$$

Or, d'une part, la balle prend une même vitesse nulle aux points A_0 et A_3 (de sorte que $E_c(A_0) = E_c(A_3) \Rightarrow \Delta E_c = 0$) et d'autre part $W_B\left(\vec{f}\right)$ est fourni par le résultat (7) :

$$
\begin{aligned}
0 &= mg\,(h_0 - h_3) + 3mg\,(h_1 - h_0) \\
&\Rightarrow h_3 - h_0 = 3\,(h_1 - h_0) \Rightarrow h_3 = 3h_1 - 2h_0 \\
&\Rightarrow h_3 = 3 \times 1,52 - 2 \times 2 = 0,56\,\text{m} = 56\,\text{cm}
\end{aligned}
$$

14 Énergie mécanique ★ ■ ■ *10 min.* | p. 108

Lycée Jacques Monod, Clamart

1 C'est lorsque la balle est lancée qu'elle possède sa vitesse v la plus grande, puis v diminue jusqu'à ce que la balle atteigne son altitude maximale. L'énergie cinétique $E_c = \dfrac{1}{2}mv^2$ présente donc la même tendance et c'est pourquoi le graphe (2) correspond à l'énergie cinétique.

2 Au cours de son mouvement, la balle monte puis descend. Or, l'énergie potentielle de pesanteur E_{pp} est proportionnelle à l'altitude z de la balle, de sorte que E_{pp} augmente puis diminue. Par conséquent, le graphe (1) correspond à l'énergie potentielle.

3 Au sommet de sa trajectoire, la balle s'immobilise avant de retomber au sol. Par suite, en ce sommet : $v = 0$ (ce résultat est confirmé par le graphe (2) à la date $t = 4$ s).

4 **(a)** Compte tenu du résultat précédent, lorsque la balle se trouve en son point culminant :

$$E_c = \frac{1}{2}mv^2 = 0 \text{ car } v = 0$$

Or, le graphe (2) montre que cet événement se produit à la date $t = 4$ s.

(b) Le graphe (1) révèle qu'à la date $t = 4$ s, $E_{pp} = 3,8$ J. Ainsi :

$$E_{pp} = mgz \Rightarrow z = \frac{E_{pp}}{mg} = \frac{3,8}{0,1 \times 10} = 3,8\,\text{m}$$

(c) De même, le graphe (1) montre qu'initialement, la balle a été lancée depuis une altitude z_0 lui conférant une énergie potentielle de pesanteur de $1,6$ J :

$$E_{pp}(z_0) = mg \times z_0 \Rightarrow z_0 = \frac{E_{pp}(z_0)}{mg} = \frac{1,6}{0,1 \times 10} = 1,6 \text{ m}$$

---

15 **Énergie mécanique** ★ ▪ ▪ *10 min.* | *p. 109* |

Lycée Guist'hau, Nantes

1 En choisissant le niveau des points B et E comme origine des altitudes z, l'énergie potentielle de pesanteur du skieur s'écrit : $E_{pp} = mgz$. La courbe qui décrit E_{pp} est donc celle qui ressemble à la piste ; il s'agit de la courbe (1).

La vitesse du skieur (et donc son énergie cinétique) est maximale lorsque le skieur se trouve en B. C'est pourquoi la courbe (3) représente son énergie cinétique.

Enfin, on remarque sur le graphe que la somme des courbes (1) et (3) coïncide avec la courbe (2). Étant donné qu'il en va de même pour $E_m = E_{pp} + E_c$, on en déduit que la courbe (2) représente l'énergie mécanique du skieur.

2 La courbe (2) décroît dans le temps, ce qui signifie que l'énergie mécanique du skieur diminue au cours du mouvement. Cette diminution met en évidence l'existence de forces de frottement (car en l'absence de frottements, l'énergie mécanique du skieur serait constante).

3 L'énergie cinétique du skieur dépend de sa vitesse V, selon la loi : $E_c = \frac{1}{2} m V^2$. Aussi, la vitesse est maximale lorsque E_c, c'est-à-dire la courbe (3), passe par son maximum, à savoir $E_{c_{max}} = 900$ J. Par suite :

$$\frac{1}{2} m V_{max}^2 = E_{c_{max}} \quad \Rightarrow \quad V_{max} = \sqrt{\frac{2 E_{c_{max}}}{m}} = \sqrt{\frac{2 \times 900}{60}}$$

$$\Rightarrow \quad V_{max} = 5,5 \text{ m} \cdot \text{s}^{-1}$$

Le skieur se trouve au point (B) lorsqu'il atteint cette vitesse.

4 De même, la valeur minimale de l'énergie cinétique, lue sur la courbe (3), vaut : $E_{c_{min}} = 0$ J. La vitesse du skieur prend alors la vitesse V_{min} telle que :

$$\frac{1}{2} m V_{min}^2 = E_{c_{min}} = 0 \Rightarrow V_{min} = 0$$

Les deux schémas de l'énoncé révèlent que le skieur se trouve en A.

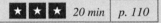

16 **Énergie mécanique** ★ ★ ★ 20 min | p. 110

Institut Notre Dame, Meudon

 Soit H le projeté orthogonal du point S sur OS_1 et z la cote (négative, car comptée depuis O) de H : $z = -OH$:

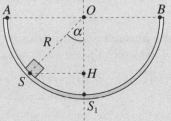

En choisissant l'origine des énergies potentielles en O, on impose à l'énergie potentielle l'expression : $E_{pp} = mgz$. Or, le triangle rectangle (OHS) définit :
$$\cos\alpha = \frac{OH}{OS} = -\frac{z}{R} \Rightarrow z = -R\cos\alpha \Rightarrow E_{pp} = -mgR\cos\alpha$$

2 Au point S_0, l'angle α prend la valeur $\alpha_0 = 60°$, de sorte que :
$$E_{pp}(S_0) = -mgR\cos\alpha_0 = -25 \times 10^{-3} \times 10 \times 50 \times 10^{-2} \times \cos(60°)$$
$$\Rightarrow E_{pp}(S_0) = -0,06\,\text{J}$$

3 Lorsque le cube possède une vitesse V, son énergie cinétique vaut $E_c(S) = \frac{1}{2}mV^2$. Or, en S_0, il est abandonné sans vitesse initiale, ce qui signifie aussi que $E_c(S_0) = 0$. De plus, l'énergie mécanique $E_c(S) + E_{pp}(S)$ devant demeurer constante :
$$E_c(S_1) + E_{pp}(S_1) = E_c(S_0) + E_{pp}(S_0)$$
$$\Rightarrow \frac{1}{2}mV_1^2 - mgR\cos\alpha_1 = -mgR\cos\alpha_0$$
$$\Rightarrow \frac{1}{2}V_1^2 = gR[\cos\alpha_1 - \cos\alpha_0]$$
$$\Rightarrow V_1 = \sqrt{2gR[\cos\alpha_1 - \cos\alpha_0]}$$

où $\alpha_1 = 0°$ correspond au passage du cube au point S_1 le plus bas de sa trajectoire. Ainsi :
$$V_1 = \sqrt{2 \times 10 \times 50 \times 10^{-2} \times [\cos(0°) - \cos(60°)]} = 2,2\,\text{m·s}^{-1}$$

17 **Transferts thermiques** ★ ■ ■ 15 min. | p. 110

Lycée Argouges, Grenoble

1 La masse m_1 d'eau, qui s'échauffe de la température θ_1 à θ_f, reçoit la quantité de chaleur :
$$Q_1 = m_1 c_e \times (\theta_f - \theta_1) = m_1 c_e \theta_f - m_1 c_e \theta_1$$

Quant à la masse m_2 d'eau, qui se refroidit de la température θ_2 à θ_f, elle reçoit la quantité de chaleur :

$$Q_2 = m_2 c_e \times (\theta_f - \theta_2) < 0 \text{ car } \theta_2 > \theta_f$$

Par conséquent, elle cède la quantité de chaleur :

$$Q'_2 = -Q_2 = m_2 c_e \times (\theta_2 - \theta_f) = m_2 c_e \theta_2 - m_2 c_e \theta_f$$

En l'absence d'autre transfert thermique, toute la chaleur cédée par la masse m_2 d'eau est récupérée par la masse m_1 d'eau :

$$Q_1 = Q'_2 \; \Rightarrow \; m_1 c_e \theta_f - m_1 c_e \theta_1 = m_2 c_e \theta_2 - m_2 c_e \theta_f$$
$$\Rightarrow \; m_1 c_e \theta_f + m_2 c_e \theta_f = m_2 c_e \theta_2 + m_1 c_e \theta_1$$
$$\Rightarrow \; c_e (m_1 + m_2) \times \theta_f = c_e \times (m_2 \theta_2 + m_1 \theta_1)$$
$$\Rightarrow \; \theta_f = \frac{m_2 \theta_2 + m_1 \theta_1}{m_1 + m_2}$$

ce qui donne :

$$\theta_f = \frac{0,15 \times 25 + 0,1 \times 15}{0,1 + 0,15} \Rightarrow \theta_f = 21°C$$

2 Si l'on tient compte, maintenant, de l'influence du calorimètre de capacité thermique $C_{\text{cal.}}$, dont la température passe de $\theta_1 = 15°C$ à $\theta_f = 20,4°C$, ce dernier reçoit la quantité de chaleur :

$$Q_3 = C_{\text{cal}} \times (\theta_f - \theta_1) > 0 \text{ car } \theta_f > \theta_1$$

Par conséquent, la chaleur Q'_2 cédée par la masse m_2 d'eau est récupérée par la masse m_1 d'eau et par le calorimètre :

$$Q_3 + Q_1 = Q'_2 \; \Rightarrow \; C_{\text{cal}} \times (\theta_f - \theta_1) + m_1 c_e (\theta_f - \theta_1) = m_2 c_e (\theta_2 - \theta_f)$$
$$\Rightarrow \; C_{\text{cal}} = c_e \times \frac{m_2 (\theta_2 - \theta_f) - m_1 (\theta_f - \theta_1)}{\theta_f - \theta_1}$$
$$\Rightarrow \; C_{\text{cal}} = 4180 \times \frac{0,15 \times (25 - 20,4) - 0,1 \times (20,4 - 15)}{20,4 - 15}$$
$$\Rightarrow \; C_{\text{cal}} = 116 \, \text{J} \cdot °\text{C}^{-1}$$

18 Transferts thermiques

★ ★ ■ *30 min.* p. 111

Lycée Jeanne d'Albret, Saint-Germain-en-Laye

1 Pendant une heure la masse m de vapeur d'eau est totalement transformée en eau distillée. Or, cette eau présente un volume $V = 5$ L, c'est-à-dire une masse :

$$m = \rho_{\text{eau}} \times V = 1 \times 5 \Rightarrow m = 5 \, \text{kg par heure.}$$

De même, pendant une heure, un volume $V' = 90$ L d'eau de refroidissement entre dans condenseur, ce qui représente une masse :

$$m' = \rho_{\text{eau}} \times V' = 1 \times 90 \Rightarrow m' = 90 \, \text{kg par heure.}$$

2 **(a)** La vapeur d'eau, en se liquéfiant, puis en refroidissant, cède au condenseur la quantité de chaleur Q_1.

Quant à l'eau de refroidissement, elle récupère une quantité de chaleur Q_2.

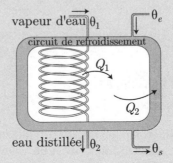

(b) Dans le condenseur, la masse $m = 5$ kg de vapeur d'eau subit :

- une liquéfaction à la température $\theta_1 = 100°C$, au cours de laquelle elle reçoit une quantité de chaleur :

$$Q'_1 = m \times \ell_{liq} = -m \times \ell_{vap}$$

car la chaleur latente de liquéfaction ℓ_{liq} vaut $-\ell_{vap}$.

- un refroidissement qui fait passer la température de l'eau liquide produite de la valeur θ_1 à la valeur $\theta_2 = 15°C$. Au cours de cette transformation, la masse m d'eau reçoit la quantité de chaleur :

$$Q''_1 = mc_e \times (\theta_2 - \theta_1)$$

Quant à l'eau de refroidissement, elle reçoit une quantité de chaleur Q_2 qui fait passer sa température de $\theta_e = 15°C$ à la valeur θ_s.

3 Compte tenu de ce qui précède, la vapeur d'eau reçoit la quantité de chaleur $Q'_1 + Q''_1$, ce qui signifie qu'elle cède au condenseur la quantité de chaleur :

$$
\begin{aligned}
Q_1 &= -(Q'_1 + Q''_1) \Rightarrow Q_1 = m \times \left[\ell_{vap} + c_e\,(\theta_1 - \theta_2)\right] \\
&\Rightarrow Q_1 = 5 \times \left[2,3.10^6 + 4,2.10^3 \times (100 - 15)\right] \\
&\Rightarrow Q_1 = 1,329.10^7 \text{ J}
\end{aligned}
$$

4 L'eau de refroidissement reçoit la quantité de chaleur :

$$Q_2 = m'c_e \times (\theta_s - \theta_e)$$

Pour que le condenseur demeure à une température constante, il faut que l'eau de refroidissement évacue la même quantité de chaleur que celle cédée par la vapeur d'eau :

$$Q_2 = Q_1 \quad \Rightarrow \quad m'c_e \times (\theta_s - \theta_e) = Q_1 \Rightarrow \theta_s - \theta_e = \frac{Q_1}{m'c_e}$$

$$\Rightarrow \quad \theta_s = \theta_e + \frac{Q_1}{m'c_e} = 15 + \frac{1,329.10^7}{90 \times 4,2.10^3}$$

$$\Rightarrow \quad \theta_s = 50°C$$

19 Transferts thermiques

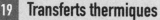 ★ ★ ★ 30 min. p. 112

Lycée Rabelais, Chinon

1 La masse volumique de l'eau aromatisée étant $\rho_e = 10^3$ kg · m^{-3}, le verre contient initialement un volume $V_e = 200$ mL $= 0,2$ L $= 0,2.10^{-3}$ m^3 d'eau aromatisée, c'est-à-dire une masse :

$$m_{e1} = \rho_e V_e = 10^3 \times 0,2.10^{-3} = 0,2 \text{ kg d'eau aromatisée.}$$

Au cours de l'expérience, la température de cette eau passe de la valeur $\theta_{e1} = 25°C$ à la valeur θ_f alors qu'elle reçoit la quantité de chaleur :

$$Q_{e1} = m_{e1}c_e \times (\theta_f - \theta_{e1})$$

Or, puisque la température diminue, cette eau cède en fait la quantité de chaleur :

$$Q'_{e1} = -Q_{e1} = m_{e1}c_e \times (\theta_{e1} - \theta_f) = m_{e1}c_e\theta_{e1} - m_{e1}c_e\theta_f$$

Quant au glaçon de masse $m_g = 14,5.10^{-3}$ kg, qui reçoit une quantité de chaleur Q_g, il subit deux transformations :

• sa fusion, qui requiert une quantité de chaleur : $Q_{g1} = m_g \times \ell_f$;

• l'augmentation de la température de la masse m_g d'eau ainsi produite, qui passe de $\theta_0 = 0°C$ à θ_f. Au cours de cet échauffement, cette eau reçoit la quantité de chaleur :

$$Q_{g2} = m_g c_e \times (\theta_f - \theta_0) = m_g c_e \theta_f$$

Par conséquent, l'eau contenue dans le glaçon reçoit la quantité totale de chaleur :

$$Q_g = Q_{g1} + Q_{g2} = m_g \ell_f + m_g c_e \theta_f$$

Or, en l'absence de pertes énergétiques, la quantité de chaleur reçue par l'eau du glaçon provient de celle cédée par l'eau aromatisée, ce qui se traduit par l'équation :

$$Q_g = Q'_{e1} \quad \Rightarrow \quad m'_g \ell_f + m_g c_e \theta_f = m_{e1}c_e\theta_{e1} - m_{e1}c_e\theta_f$$

$$\Rightarrow \quad m_g c_e \theta_f + m_{e1}c_e\theta_f = m_{e1}c_{e1}\theta_{e1} - m_g\ell_f$$

$$\Rightarrow \quad (c_e\,m_g + m_{e1})\,\theta_f = m_{e1}c_e\theta_{e1} - m_g\ell_f$$

$$\Rightarrow \quad \theta_f = \frac{m_{e1}c_e\theta_{e1} - m_g\ell_f}{c_e\,(m_g + m_{e1})}$$

d'où se déduit la valeur numérique de θ_f :

$$\theta_f = \frac{0,2 \times 4,18.10^3 \times 25 - 14,5.10^{-3} \times 335.10^3}{4,18.10^3 \times (14,5.10^{-3} + 0,2)} \Rightarrow \theta_f \simeq 18°\text{C}$$

2 En revanche, si l'on remplace le glaçon par une masse m_{e2} d'eau à la température $\theta_0 = 0°\text{C}$, la température de celle-ci monte à θ_f sous l'effet de la chaleur Q_{e2} qu'elle reçoit :

$$Q_{e2} = m_{e2}c_e (\theta_f - \theta_0) = m_{e2}c_e\theta_f$$

Cette quantité de chaleur provient de l'énergie thermique Q'_{e1} cédée par l'eau aromatisée, ce qui signifie que :

$$\begin{aligned} Q_{e2} = Q'_{e1} &\Rightarrow m_{e2}c_e\theta_f = m_{e1}c_e (\theta_{e1} - \theta_f) \\ &\Rightarrow m_{e2} = m_{e1} \times \frac{\theta_{e1} - \theta_f}{\theta_f} = 0,2 \times \frac{25 - 18}{18} \\ &\Rightarrow m_{e2} \simeq 7,8.10^{-2} \text{ kg} = 78 \text{ g d'eau.} \end{aligned}$$

3 Lorsque le glaçon aura totalement fondu, la boisson aura subi un apport de $m_g = 14,5$ g d'eau. Cette dilution est cependant moins importante que celle imposée par la deuxième méthode : l'introduction de 78 g d'eau rendra la boisson beaucoup moins parfumée. Cet exemple illustre l'utilisation privilégié des glaçons en vue de rafraîchir les boissons aromatisées.

COURS

ÉNONCÉS

CORRIGÉS

Circuits électriques en courant continu

Plan du chapitre

1. Dipôles en série et en parallèle
2. Récepteurs électriques

Exercice type

Lycée Jeanne d'Albret, Saint-Germain-en-Laye

Le moteur électrique d'un treuil est alimenté par une batterie d'accumulateurs. Cette dernière est considérée comme un générateur de force électromotrice $E = 144$ V et de résistance interne $r = 0,1\ \Omega$.

1 **(a)** Calculer l'énergie électrique transférée par la batterie au moteur du treuil si ce dernier est traversé par un courant de 35 A durant 3 s.

   (b) En déduire le rendement de la batterie.

2 Le treuil soulève, à vitesse constante, un bloc de béton de masse 630 kg sur une hauteur de $1,7$ m en 3 s. L'intensité du courant électrique qui traverse le moteur est alors 35 A.

   (a) Calculer la valeur de l'énergie convertie par le moteur en énergie mécanique.

   (b) Quel est le rendement du moteur ?

   (c) Calculer sa force électromotrice E'.

   (d) La résistance interne du moteur est $r' = 1,15\ \Omega$. Calculer l'énergie dissipée par effet Joule.

   (e) Le principe de conservation de l'énergie est-il vérifié au niveau du moteur ? Interpréter ce résultat.

Donnée : intensité de la pesanteur : $g = 9,8\ \text{N} \cdot \text{kg}^{-1}$.

Voir corrigé page 138

1 Dipôles en série et en parallèle

Définition 1

Deux dipôles (D_1) et (D_2) sont montés **en série** si le courant qui circule dans l'un est égal au courant qui circule dans l'autre.

Définition 2

Deux dipôles (D_3) et (D_4) sont montés **en parallèle** si leurs bornes sont reliées deux à deux par un fil électrique.

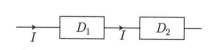
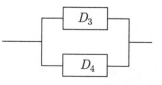

Dipôles en série   Dipôles en parallèle

Définition 3

La **tension** U_{AB} entre les bornes A et B d'un dipôle désigne la différence des potentiels V_A et V_B :

$$U_{AB} = V_A - V_B$$

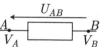

La **loi des nœuds** précise que :
la somme des intensités des courants I_{a1}, I_{a2}, ... qui arrivent à un nœuds N est égale à la somme des intensités I_{s1}, I_{s2}, ... qui en sortent :

$$I_{a1} + I_{a2} + \cdots = I_{s1} + I_{s2} + \cdots$$

Soient D_1 et D_2 deux dipôles, de bornes A, B et C, soumis à des tensions $U_{AB} = V_A - V_B$ et $U_{BC} = V_B - V_C$. L'ensemble constitue un dipôle de bornes A et C, soumis à une tension :

$$U_{AC} = U_{AB} + U_{BC}$$

Soient D_3 et D_4 deux dipôles montés en parallèle ; à leurs bornes règnent les tensions respectives U_3 et U_4 telles que :

$$U_3 = U_4$$

COURS

ÉNONCÉS

CORRIGÉS

2 Récepteurs électriques

2.1 Conducteur ohmique

2.1.1 Relation courant-tension

Soit U_{AB} la tension aux bornes d'un conducteur ohmique traversé par un courant d'intensité I. La **loi d'Ohm** précise que U_{AB} et I sont proportionnels :

$$U_{AB} = R \times I$$

où R est la **résistance** du conducteur (en ohm : Ω), U_{AB} est exprimé en volt (V) et I en ampère (A).

Remarque : Les conducteurs ohmiques sont souvent appelés, par abus de langage, *résistances* ; c'est aussi le vocable qui sera utilisé par la suite.

> **! Attention :**
>
> La loi d'Ohm $U_{AB} = R \times I$ ne s'applique que si les flèches correspondant à U_{AB} et à I sont de sens opposé. Dans le cas contraire, il faudrait écrire : $U_{AB} = -R \times I$.

La **caractéristique courant-tension** désigne la représentation graphique de U_{AB} en fonction de I (ou I en fonction de U_{AB}). Dans le cas d'un conducteur ohmique, la loi linéaire : $U_{AB} = R \times I$ montre que cette caractéristique est une droite, de pente R, qui passe par l'origine.

2.1.2 Associations de résistances

Deux résistances R_1 et R_2 montées en série sont équivalentes à une seule résistance de valeur :

$$R_{\text{série}} = R_1 + R_2$$

De même, deux résistances R_1 et R_2 montées en parallèle équivalent à une seule résistance $R_{\parallel}$ telle que :

$$\frac{1}{R_{\parallel}} = \frac{1}{R_1} + \frac{1}{R_2}$$

2.1.3 Effet Joule

Une résistance R, parcourue par un courant d'intensité I et aux bornes de laquelle règne une tension U_{AB}, dissipe sous forme de chaleur une puissance thermique :

$$\mathcal{P}_{\text{Joule}} = U_{AB} \times I = R I^2 = \frac{U_{AB}^2}{R}$$

où $\mathcal{P}_{\text{Joule}}$ est exprimé en watt (W) si U_{AB} et I sont respectivement exprimés en volt (V) et en ampère (A).

L'énergie $\mathcal{E}_{\text{Joule}}$ dissipée par **effet Joule** pendant Δt vaut alors :

$$\mathcal{E}_{\text{Joule}} = \mathcal{P}_{\text{Joule}} \times \Delta t$$

où $\mathcal{E}_{\text{Joule}}$, $\mathcal{P}_{\text{Joule}}$ et Δt sont respectivement exprimés en joule, en watt et en seconde.

2.2 Moteurs et électrolyseurs

2.2.1 Relations courant–tension

Ces récepteurs sont caractérisés par leur **force contre-électromotrice** E et leur **résistance interne** r. Traversés par un courant I, ils font apparaître une tension U_{AB} entre leur bornes, qui vérifie la loi :

$$U_{AB} = E + r \times I \tag{8}$$

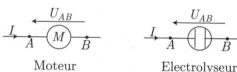

Moteur   Electrolyseur

 Attention :

La loi (8) n'est valable qu'à condition que U_{AB} et I soient représentés par des flèches de sens opposé.

2.2.2 Bilan énergétique

Un moteur ou un électrolyseur est un dipôle qui transforme une partie de la puissance électrique qu'il reçoit en puissance mécanique ou chimique (puissance **utile**) ; l'autre partie est dissipée par effet Joule, c'est-à-dire sous forme de chaleur :

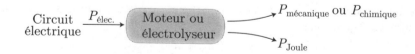

Le principe de conservation de l'énergie impose alors :

$$P_{\text{élec}} = P_{\text{utile}} + P_{\text{Joule}} \Leftrightarrow U_{AB} \times I = E \times I + r \times I^2$$

Remarque : Lorsqu'un moteur est bloqué, il ne peut délivrer de puissance mécanique, ce qui se traduit par :

$$P_{\text{mécanique}} = 0 \text{ ou encore : } E = 0 \text{ V}$$

L'énergie $\mathcal{E}$ étant proportionnelle à la puissance P et à la durée Δt d'utilisation, on retrouve le principe de conservation de l'énergie sous la forme :

$$\mathcal{E}_{\text{élec}} = \mathcal{E}_{\text{utile}} + \mathcal{E}_{\text{Joule}} \text{ avec } \mathcal{E} = P \times \Delta t$$

Le **rendement** η d'un moteur ou d'un électrolyseur est défini par :

$$\eta = \frac{\mathcal{E}_{\text{utile}}}{\mathcal{E}_{\text{élec}}} = \frac{P_{\text{utile}}}{P_{\text{élec}}} = \frac{E}{E + rI}$$

2.3 Générateurs électrique

2.3.1 Relation courant-tension

Lorsqu'un générateur de tension délivre un courant d'intensité I, la tension à ses bornes vaut :

$$U_{PN} = E - r \times I$$

où E est la **force électromotrice** du générateur (en volt) et r sa **résistance interne** (en ohm).

> **! Attention :**
>
> La loi : $U_{PN} = E - RI$ n'est valable que si les flèches représentant U_{PN} et I sont de même sens.

Un générateur de tension qui fournit une tension $U_{PN} = E$ indépendante de I (sa résistance interne est alors nulle) est appelée **source de tension** ou **générateur de tension stabilisée**.

2.3.2 Bilan énergétique

Un générateur de tension transforme une partie de la puissance P_0 délivrée par une source (puissance mécanique ou chimique dans le cas d'une dynamo ou d'une pile) en une puissance électrique ($P_{\text{élec}}$) dans un circuit électrique ; l'autre partie (P_J) est dissipée par effet Joule (sous forme de chaleur) :

À nouveau, le principe de conservation de l'énergie impose :

$$P_0 = P_{\text{élec}} + P_{\text{Joule}} \Leftrightarrow E \times I = U_{PN} \times I + rI^2$$

Compte tenu de la proportionnalité entre l'énergie ($\mathcal{E}$) et la puissance, cette loi s'écrit aussi :

$$\mathcal{E}_0 = \mathcal{E}_{\text{élec}} + \mathcal{E}_{\text{Joule}} \text{ avec } \mathcal{E} = P \times \Delta t$$

Le rendement (η) d'un moteur s'exprime par le rapport :

$$\eta_{\text{moteur}} = \frac{\mathcal{E}_{\text{élec}}}{\mathcal{E}_0} = \frac{P_{\text{élec}}}{P_0} = \frac{U_{PN}}{E} = \frac{E - rI}{E}$$

Solution de l'exercice type

1 **(a)** Aux bornes de la batterie règne une tension :

$$U_{PN} = E - rI = 144 - 0,1 \times 35 = 140,5 \text{ V}$$

Par conséquent, ce générateur délivre une puissance électrique $P_{\text{élec}} = U_{PN} \times I$ et donc une énergie, pendant $\Delta t = 3$ s :

$$\begin{aligned} \mathcal{E}_{\text{élec}} &= P_{\text{élec}} \times \Delta t = U_{PN} \times I \times \Delta t = 140,5 \times 35 \times 3 \\ &\Rightarrow \mathcal{E}_{\text{élec}} = 1,47.10^4 \text{ J} \end{aligned}$$

(b) En l'absence d'effet Joule, la batterie pourrait libérer, pendant $\Delta t = 3$ s, une énergie :

$$\mathcal{E}_0 = E \times I \times \Delta t = 144 \times 35 \times 3 = 1,51.10^4 \text{ J}$$

ce qui ramène son rendement à la valeur :

$$\eta = \frac{\mathcal{E}_{\text{élec}}}{\mathcal{E}_0} = \frac{1,47.10^4}{1,51.10^4} \Rightarrow \eta = 0,97 = 97\%$$

2 **(a)** Le bloc de béton de masse $m = 630$ kg est soumis :
- à son poids, de valeur $P = mg$:

- à la tension $\vec{T}$ exercée par le câble qui maintient le bloc.

Or, le bloc se déplace à vitesse constante de C en D, en conséquence de quoi la première loi de Newton prévoit que :

$$\vec{T} + \vec{P} = \vec{0} \Rightarrow \vec{T} = -\vec{P} \Rightarrow \left\| \vec{T} \right\| = \left\| \vec{P} \right\| = mg$$

Au cours de ce déplacement, la force $\vec{T}$ exerce donc un travail :

$$W_{CD}\left(\vec{T}\right) = T \times CD = mg \times CD$$

qui est aussi l'énergie mécanique fournie par le moteur du treuil :

$$\mathcal{E}_{\text{méca}} = W_{CD}\left(\vec{T}\right) = 630 \times 9,8 \times 1,7 \Rightarrow \mathcal{E}_{\text{méca}} = 1,05.10^4 \text{ J}$$

COURS

Solution de l'exercice type (suite)

(b) Le moteur étant directement connecté à la batterie, il reçoit l'énergie électrique $\mathcal{E}_{\text{élec}} = 1,47.10^4$ J délivrée par la batterie en 3 secondes.
Ainsi, son rendement vaut :

$$\eta_{\text{moteur}} = \frac{\mathcal{E}_{\text{méca}}}{\mathcal{E}_{\text{élec}}} = \frac{1,05.10^4}{1,47.10^4}$$

$$\Rightarrow \quad \eta_{\text{moteur}} = 0,71 = 71\%$$

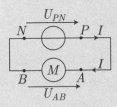

ÉNONCÉS

2 **(c)** La puissance mécanique fournie par le moteur vaut : $P_{\text{méca}} = E' \times I$, en raison de quoi le moteur fournit l'énergie mécanique :

$$\mathcal{E}_{\text{méca}} = P_{\text{méca}} \times \Delta t \text{ pendant } \Delta t = 3 \text{ s}$$

$$= E' \times I \times \Delta t \Rightarrow E' = \frac{\mathcal{E}_{\text{méca}}}{I \times \Delta t} = \frac{1,05.10^4}{35 \times 3}$$

$$\Rightarrow \quad E' = 100 \text{ V}$$

(d) Le moteur dissipe, par effet Joule, une puissance $P_{\text{Joule}} = r'I^2$ et donc, pendant la durée $\Delta t = 3$ s, une énergie thermique :

$$\mathcal{E}_{\text{Joule}} = P_{\text{Joule}} \times \Delta t = r'I^2 \times \Delta t = 1,15 \times (35)^2 \times 3$$

$$\Rightarrow \quad \mathcal{E}_{\text{Joule}} = 4,2.10^3 \text{ J}$$

(e) Les valeurs numériques trouvées précédemment :

$$\begin{cases} \mathcal{E}_{\text{méca}} = 1,05.10^4 \text{ J} \\ \mathcal{E}_{\text{Joule}} = 4,2.10^3 \text{ J} \end{cases} \Rightarrow \mathcal{E}_{\text{méca}} + \mathcal{E}_{\text{Joule}} = 1,47.10^4 \text{ J}$$

$$\Rightarrow \quad \mathcal{E}_{\text{méca}} + \mathcal{E}_{\text{Joule}} = \mathcal{E}_{\text{élec}}$$

confirment le principe de conservation de l'énergie au niveau du moteur : seule une partie de l'énergie électrique reçue par le moteur est convertie en énergie mécanique ; le reste est dissipé sous forme thermique.

CORRIGÉS

QCM 1 Effet Joule

15 min. | p. 148

Sur une cuisinière électrique, il est écrit : « 5 kW, 230 V ».

1 Quelle intensité faudra-t-il prendre en compte pour dimensionner les conducteurs d'arrivée du courant à cette cuisinière ?

     a $I = 2, 17$ A   **b** $I = 21, 7$ A   **c** $I = 21, 7$ mA

2 La cuisinière fonctionne à l'allure de chauffe 3 kW.

   (a) Quelle est la valeur de la résistance de chauffe ?

     a $R = 17, 63$ Ω **b** $R = 17, 63$ kΩ **c** $R = 176, 3$ Ω

   (b) Ce fonctionnement dure 1 h 30 min. Quelle est l'énergie consommée ?

     a $mcE = 16, 2$ J   **b** $\mathcal{E} = 16, 2$ kJ   **c** $\mathcal{E} = 16, 2$ MJ

   (c) Le prix du kWh étant facturé 0, 13 euro, quel est le coût $\mathcal{C}$?

     a $\mathcal{C} = 5, 8$ euros   **b** $\mathcal{C} = 0, 58$ euro   **c** $\mathcal{C} = 0, 85$ euro

QCM 2 Électrolyseur

20 min. | p. 148

Le métal aluminium est produit par électrolyse de l'alumine. La tension aux bornes d'un électrolyseur industriel a pour valeur 4 V.
Il est traversé par un courant d'intensité $I = 100$ kA.
Sa force contre-électromotrice a pour valeur $E' = 2, 8$ V.

1 La puissance électrique reçue par la cellule d'électrolyse vaut :

     a $P_{\text{élec}} = 400$ kW   **b** $P_{\text{élec}} = 280$ kW   **c** $P_{\text{élec}} = 120$ kW

2 La puissance dissipée par effet Joule vaut :

     a $P_{\text{Joule}} = 400$ kW   **b** $P_{\text{Joule}} = 280$ kW   **c** $P_{\text{Joule}} = 120$ kW

3 La proportion d'énergie électrique convertie en énergie chimique a pour valeur :

     a $\eta = 50\%$ **b** $\eta = 60\%$ **c** $\eta = 70\%$

4 Une usine de production de l'aluminium comporte 150 cellules d'électrolyse. Son fonctionnement nécessite une puissance :

     a $P_{\text{usine}} = 40$ MW   **b** $P_{\text{usine}} = 60$ MW   **c** $P_{\text{usine}} = 80$ MW

5 L'usine consomme, en 24 heures, une énergie :

     a $\mathcal{E}_{\text{usine}} = 3, 5.10^{12}$ J   **b** $\mathcal{E}_{\text{usine}} = 5, 2.10^{12}$ J   **c** $\mathcal{E}_{\text{usine}} = 6, 9.10^{12}$ J

QCM **3** ## Dipôles électrocinétiques $\qquad$ *5 min.* | *p. 149*

Les caractéristiques de quelques dipôles sont représentées ci-dessous :

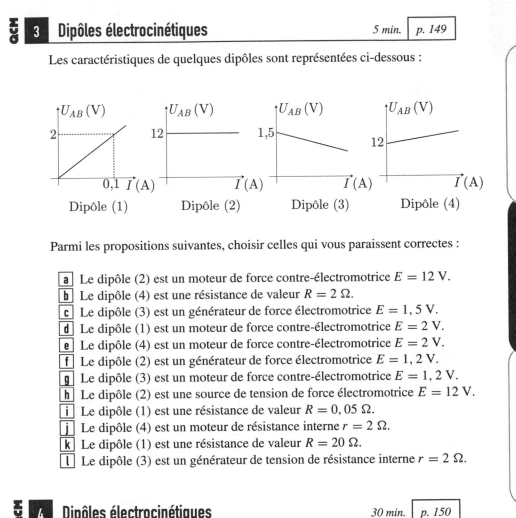

Dipôle (1) $\qquad$ Dipôle (2) $\qquad$ Dipôle (3) $\qquad$ Dipôle (4)

Parmi les propositions suivantes, choisir celles qui vous paraissent correctes :

a Le dipôle (2) est un moteur de force contre-électromotrice $E = 12$ V.
b Le dipôle (4) est une résistance de valeur $R = 2\ \Omega$.
c Le dipôle (3) est un générateur de force électromotrice $E = 1,5$ V.
d Le dipôle (1) est un moteur de force contre-électromotrice $E = 2$ V.
e Le dipôle (4) est un moteur de force contre-électromotrice $E = 2$ V.
f Le dipôle (2) est un générateur de force électromotrice $E = 1,2$ V.
g Le dipôle (3) est un moteur de force contre-électromotrice $E = 1,2$ V.
h Le dipôle (2) est une source de tension de force électromotrice $E = 12$ V.
i Le dipôle (1) est une résistance de valeur $R = 0,05\ \Omega$.
j Le dipôle (4) est un moteur de résistance interne $r = 2\ \Omega$.
k Le dipôle (1) est une résistance de valeur $R = 20\ \Omega$.
l Le dipôle (3) est un générateur de tension de résistance interne $r = 2\ \Omega$.

QCM **4** ## Dipôles électrocinétiques $\qquad$ *30 min.* | *p. 150*

1 La résistance R_e, équivalente à deux résistances R_1 et R_2 montées en parallèle :
   a est inférieure à R_1 ;

   b est supérieure à R_1 ;

   c est égale à R_1.

2 Pour un conducteur ohmique de résistance R, la représentation graphique de l'intensité I du courant en fonction de la tension U_{AB} :
   a est une droite de pente R ;

   b est une droite de pente $-R$;

   c est une droite de pente $\dfrac{1}{R}$.

3 Un dipôle qui reçoit une puissance $P = 4$ W pendant 30 minutes reçoit une énergie :

$\boxed{a}$ $\mathcal{E} = 7200$ J $\boxed{b}$ $\mathcal{E} = 120$ J $\boxed{c}$ $\mathcal{E} = 1200$ J

4 Lorsqu'un moteur est bloqué :

$\boxed{a}$ la tension U_{AB} à ses bornes vaut sa force électromotrice E ;

$\boxed{b}$ le courant qui traverse le moteur est maximum ;

$\boxed{c}$ la tension U_{AB} à ses bornes est nulle.

5 Lorsque la puissance dissipée par effet Joule, dans un électrolyseur, est trois fois plus grande que la puissance chimique :

$\boxed{a}$ le rendement de l'électrolyseur vaut $\eta = 30\%$;

$\boxed{b}$ le rendement de l'électrolyseur vaut $\eta = 25\%$;

$\boxed{c}$ le rendement de l'électrolyseur vaut $\eta = 35\%$;

6 La puissance électrique reçue par un moteur est en général :

$\boxed{a}$ plus grande que la puissance mécanique restituée ;

$\boxed{b}$ égale à la puissance mécanique restituée ;

$\boxed{c}$ plus petite que la puissance mécanique restituée.

7 Lorsqu'elle ne débite pas de courant électrique, une pile plate présente une tension de 4, 5 V. En revanche, lorsqu'elle alimente une ampoule traversée par un courant de 200 mA, la tension à ses bornes vaut 3, 5 V. On peut en déduire que la résistance interne de cette pile vaut :

$\boxed{a}$ $r = 5\ \Omega$ $\boxed{b}$ $r = 5.10^{-3}\ \Omega$ $\boxed{c}$ $r = 5000\ \Omega$

5 Conducteurs ohmiques

★ ■ ■ ■ *5 min.* | *p. 151*

Lycée Argouges, Grenoble

Déterminer la résistance R_{eq} équivalente à l'association AC des deux portions de circuit suivantes :

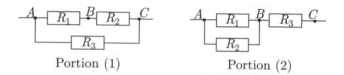

Portion (1)   Portion (2)

Les résistances ont pour valeurs :

$$R_1 = 100\ \Omega \qquad R_2 = 200\ \Omega \qquad R_3 = 100\ \Omega$$

COURS

ÉNONCÉS

CORRIGÉS

6 **Conducteurs ohmiques** 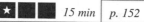 ★ ■ ■ *15 min* | *p. 152*

Lycée Guist'Hau, Nantes

On relie les bornes A et B des deux associations de résistances aux bornes P et N d'une source de tension $U_{PN} = 6,3$ V.

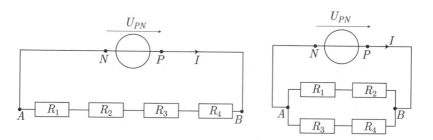

Les résistances ont pour valeurs :

$$R_1 = 15\ \Omega \qquad R_2 = 18\ \Omega \qquad R_3 = 22\ \Omega \qquad R_4 = 27\ \Omega$$

1 Calculer la résistance équivalente des deux associations.

2 Quelle est l'intensité I du courant fourni par la source de tension ?

7 **Conducteur ohmique** ★ ★ ■ *10 min.* | *p. 153*

Lycée Pierre d'Aragon, Muret

Un fer à repasser porte les indications : 220 V ; 1000 W.

1 Calculer :

    (a) l'intensité du courant qui le traverse.

    (b) sa résistance.

2 On veut augmenter sa puissance ? Faut-il augmenter ou diminuer sa résistance ?

8 **Générateurs électriques** ★ ★ ■ *10 min.* | *p. 153*

Lycée Évariste Galois, Sartrouville

La force électromotrice E d'une pile vaut 1, 50 V. On veut déterminer la résistance interne r de la pile ; pour cela, on la fait débiter dans une résistance variable et on mesure la tension U_{PN} aux bornes de la pile pour différentes valeurs de l'intensité I du courant. On obtient le tableau de mesures suivant :

I (mA)	20, 0	40, 0	60, 0	80, 0
U_{PN} (V)	1, 42	1, 28	1, 20	1, 06

Faire un graphe, sur un papier millimétré, donnant U_{PN} en fonction de I (l'origine O des axes ne doit pas nécessairement figurer sur le graphe). En déduire la valeur de r.

2 Pour une durée $\Delta t = 10, 0$ min et une intensité du courant $I = 50$ mA :

    (a) donner l'expression et calculer l'énergie dissipée par effet Joule dans la pile ;

    (b) donner l'expression et calculer l'énergie fournie au circuit par la pile ;

    (c) donner l'expression et calculer la variation d'énergie chimique de la pile.

9   Générateurs électriques   ★ ★ ▮   *10 min.* | *p. 154*

Lycée Saint-Louis de Gonzagues, Paris

Une batterie d'accumulateurs d'automobile a une f.é.m. $E = 12$ V et une résistance interne $r = 1, 2.10^{-2}$ Ω. Le démarreur de la voiture est un moteur électrique de f.c.é.m. $E_d = 10, 9$ V et de résistance interne r_d pratiquement nulle. Seul le démarreur fonctionne.

1 Calculer l'intensité I du courant débité quand le démarreur fonctionne (seul).

2 Quelle est la puissance mécanique fournie par le démarreur, sachant que la conversion d'énergie électrique en énergie mécanique s'effectue avec un rendement $\eta = 92\,\%$?

3 Quelle est la quantité de chaleur Q dissipée dans la batterie si l'on fait fonctionner le démarreur pendant une durée $\Delta t = 55$ s ?

10   Générateurs électriques   ★ ★ ▮   *15 min.* | *p. 155*

Lycée Lacordaire, Marseille

La f.é.m. E d'un générateur de tension continue est égale à 150 V et sa résistance interne r à 5, 0 Ω. Il transfert au reste du circuit une puissance $\mathcal{P}$ égale à 600 W. Nous supposerons que le circuit n'est composé que de conducteurs ohmiques dont la résistance totale est R.

 Déterminer la plus petite valeur possible de l'intensité du courant électrique pouvant circuler dans le circuit.

2 Pour cette valeur, calculer :

    (a) la valeur de la tension aux bornes du générateur ;

    (b) la puissance électrique transférée par effet Joule à l'intérieur du générateur ;

    (c) le rendement du circuit.

11 | Générateurs électriques ★ ★ ■ 20 min | p. 156

Lycée Colbert, Lorient

1 Une lampe de poche est constituée d'une pile reliée à une ampoule à incandescence. Lorsqu'on ferme le circuit, la tension aux bornes de la pile qui alimente l'ampoule est de 4, 3 V et l'intensité du courant est de 90 mA.

    (a) Faire un schéma du circuit en plaçant les multimètres qui conviennent pour mesurer l'intensité du courant qui circule dans le circuit ainsi que la tension qui règne aux bornes de la pile.

    (b) Quelle est la puissance fournie par la pile ?

    (c) Quelle est l'énergie électrique fournie par la pile pendant trois minutes ?

    (d) Quelle est l'énergie reçue par l'ampoule (on considère que les fils de connection ne prélèvent pas d'énergie) ?

2 Lorsque le circuit électrique de la lampe est ouvert, la tension aux bornes de la pile est de 4, 5 V.

    (a) Quelle est la f.é.m. de la pile ?

    (b) Quelle est la résistance interne de la pile ?

3 **(a)** Calculer la diminution d'énergie chimique de la pile lorsque la lampe est allumée pendant trois minutes.

    (b) Montrer que l'énergie dissipée par effet Joule, lorsque la lampe est allumée pendant trois minutes, est de 3, 2 J.

    (c) Comment pouvez-vous vérifier (en vous aidant des réponses apportées aux questions précédentes) que les réponses aux questions 3a. et 3b. sont cohérentes (aux arrondis près) ?

12 | Électrolyseurs ★ ■ ■ 15 min. | p. 157

Lycée Notre-Dame-des-Minimes, Lyon

Un générateur de f.é.m. $E = 6$ V et de résistance interne $r = 2\ \Omega$ alimente un circuit comprenant :
- un électrolyseur de f.c.é.m. $E' = 2$ V et de résistance interne $r' = 6\ \Omega$;
- un rhéostat de résistance maximale 33 Ω.

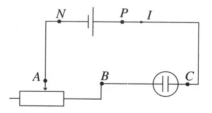

1 On souhaite fixer l'intensité dans le circuit à la valeur 100 mA. Quelle est alors la valeur de la résistance du rhéostat ?

2 Quelle est la valeur de la puissance dissipée par effet Joule dans le circuit ?

3 Quelle est la valeur de la puissance transformée en puissance chimique au niveau de l'électrolyseur ?

4 Quel est le rendement de cette expérience ?

13 Électrolyseurs ★ ★ ■ *10 min.* | *p. 158*

Lycée Jacques Prévert, Savernay

Une pile, de f.é.m. $E = 6,0$ V et de résistance interne $r = 2,0\ \Omega$, est associée en série avec un électrolyseur de f.c.é.m. $E' = 2,0$ V et de résistance interne $r' = 0,10\ \Omega$.

1 Faire un schéma du circuit en indiquant le sens du courant I et en représentant la tension U_{PN} aux bornes du générateur.

2 Exprimer littéralement, en fonction de I et des données du texte, puis calculer :

   (a) la puissance électrique engendrée par le générateur ;

   (b) la puissance électrique disponible aux bornes du générateur et reçue par l'électrolyseur ;

   (c) la puissance électrique utile, utilisée pour réaliser les transformations chimiques.

3 Définir et calculer le rendement de l'électrolyseur.

14 Électrolyseurs ★ ★ ★ *30 min.* | *p. 159*

Lycée Utrillo, Stains

On dispose d'un électrolyseur $(A,\ B)$ à électrodes de platine et contenant de l'eau acidifiée. Des mesures de la tension U_{AB} à ses bornes et de l'intensité I qui le traverse ont donné :

U_{AB} (V)	0	0,50	1,00	1,20	1,50	2,00
I (A)	0	0	0	0,01	0,04	0,16
U_{AB} (V)	2,90	3,70	4,50	5,20	6,70	
I (A)	0,40	0,60	0,80	1,00	1,40	

1 **(a)** Sur un schéma du montage complet, représenter par des flèches la tension U_{AB} et le courant I.

(b) Tracer la caractéristique $U_{AB} = f(I)$.

(c) En déduire la force électro-motrice E et la résistance interne r de l'électrolyseur, en précisant les unités.

2 On branche ce dipôle aux bornes d'une alimentation stabilisée délivrant une tension constante de 4, 70 V.

(a) Quelle puissance électrique reçoit l'électrolyseur ?

(b) Quelle est la puissance électrique transformée en puissance chimique ?

(c) Déterminer, par deux méthodes différentes, la puissance dissipée par effet Joule dans la cuve à électrolyse.

(d) Calculer le rendement énergétique de l'électrolyseur.

---

15 Moteur électrique
★ ★ ★ 20 min. | p. 161

Lycée Jacques Monod, Clamart

Un moteur, de résistance interne $r' = 2, 0 \ \Omega$, est alimenté par une tension $U_{AB} = 220$ V.

1 Faire le bilan énergétique à l'aide des puissances dans le moteur.

2 Le moteur est calé. Calculer l'intensité I du courant qui le traverse et le dégagement d'énergie chaque minute.

3 Le moteur tourne. Le dégagement d'énergie thermique chaque minute est de 7500 J. Quelle est l'intensité I' du courant qui traverse le moteur ? Quelle est sa force contre-électromotrice ? Quel est son rendement ?

---

16 Transferts d'énergie
★ ★ ★ 30 min. | p. 162

Lycée Lacordaire, Marseille

Une cuisinière électrique possède un élément chauffant de 1500 W, sous une tension de 220 V.

1 Calculer la résistance de l'élément chauffant ainsi que l'intensité du courant qui le traverse en fonctionnement normal.

2 On met trois litres d'eau à 12°C sur la cuisinière jusqu'à ébullition. La plaque a un rendement thermique de l'ordre de 80 %.

(a) Quelle est la valeur de la puissance utile au chauffage de l'eau ?

(b) Quel est le temps Δt nécessaire pour porter à ébullition cette eau ?

Données :

- masse volumique de l'eau : $\mu = 10^3$ kg $\cdot$ m^{-3}
- température d'ébullition de l'eau : $\theta_{\text{éb}} = 100$°C
- pour élever de $\Delta\theta = 1$°C la température de 1 kg d'eau, il faut lui apporter une énergie $Q_0 = 4180$ J

1 **Effet Joule** *15 min.* | *p. 140*

1 La puissance maximale que peut recevoir la cuisinière, $P_{max} = 5000$ W, alimentée sous une tension $U_{AB} = 230$ V, dépend de la valeur I_{max} du courant admissible dans cet appareil :

$$P_{max} = U_{AB} \times I_{max} \Rightarrow I_{max} = \frac{P_{ma}}{U_{AB}} = \frac{5000}{230} = 21,7 \text{ A}$$

Par conséquent, pour faire fonctionner en toute sécurité cette cuisinière, il conviendra de dimensionner les fils électriques d'alimentation de manière à ce qu'ils puissent supporter un courant d'intensité : $I = 21,7$ A (réponse *b*).

2 **(a)** La cuisinière, qui dissipe par effet Joule une puissance $P = 3000$ W, se comporte comme une résistance R aux bornes de laquelle règne une tension $U_{AB} = 230$ V. Par conséquent :

$$P = \frac{U_{AB}^2}{R} \Rightarrow R = \frac{U_{AB}^2}{P} = \frac{(230)^2}{3000} = 17,63 \ \Omega \text{ (réponse } a\text{)}.$$

(b) L'énergie consommée pendant une durée :

$$\Delta t = 1 \text{ h } 30 \text{ min} = 90 \text{ min} = 90 \times 60 = 5400 \text{ s}$$

est proportionnelle à la puissance P :

$$\mathcal{E} = P \times \Delta t = 3000 \times 5400 \Rightarrow \mathcal{E} = 16,2 \text{ MJ (réponse } c\text{)}.$$

(c) Un kWh désigne l'énergie $\mathcal{E}_0$ consommée par un appareil de puissance 1000 W, pendant une heure (3600 s) :

$$\mathcal{E}_0 = 1000 \times 3600 = 3,6.10^6 \text{ J}$$

Donc, la cuisinière consomme l'énergie :

$$\mathcal{E} = \frac{16,2.10^6}{3,6.10^6} = 4,5 \text{ kWh}$$

À raison de 0,13 euro du kWh, cette énergie représente un coût :

$$\mathcal{C} = 4,5 \times 0,13 = 0,58 \text{ euro (réponse } b\text{)}.$$

2 **Électrolyseur** *20 min.* | *p. 140*

1 La tension aux bornes de l'électrolyseur valant $U_{AB} = 4$ V, tandis qu'il est traversé par un courant d'intensité $I = 100.10^3$ A, il reçoit une puissance électrique :

$$P_{\text{élec}} = U_{AB} \times I = 4 \times 100.10^3 = 400.10^3 \text{ W} \Rightarrow P_{\text{élec}} = 400 \text{ kW (réponse } a\text{)}$$

2 Une partie de la puissance électrique est convertie en puissance chimique :

$$P_{\text{chimique}} = E' \times I = 2,8 \times 100.10^3 = 280.10^3 \text{ W}$$

L'autre partie est dissipée par effet Joule, avec une puissance P_{Joule} qui vérifie :

$$P_{\text{élec}} = P_{\text{chimique}} + P_{\text{Joule}} \;\Rightarrow\; P_{\text{Joule}} = P_{\text{élec}} - P_{\text{chimique}}$$
$$\Rightarrow\; P_{\text{Joule}} = 400.10^3 - 280.10^3 = 120.10^3 \text{ W}$$
$$\Rightarrow\; P_{\text{Joule}} = 120 \text{ kW (réponse } c\text{)}$$

3 La proportion η d'énergie électrique, convertie en énergie chimique, est définie par :

$$P_{\text{chimique}} = \eta \times P_{\text{élec}} \;\Rightarrow\; \eta = \frac{P_{\text{chimique}}}{P_{\text{élec}}} = \frac{280.10^3}{400.10^3} = 0,70$$
$$\Rightarrow\; \eta = 70\% \text{ (réponse } c\text{)}$$

4 Chacune des 150 cellules reçoit une puissance électrique $P_{\text{élec}} = 400.10^3$ W, de sorte que l'ensemble de l'usine nécessite une puissance totale :

$$P_{\text{usine}} = 150 \times P_{\text{élec}} = 150 \times 400.10^3 = 60.10^6 = 60 \text{ MW (réponse } b\text{)}$$

5 L'énergie consommée par l'usine pendant :

$$\Delta t = 40 \text{ h} = 24 \times 3600 = 86400 \text{ s}$$

vaut :

$$\mathcal{E}_{\text{usine}} = P_{\text{usine}} \times \Delta t = 60.10^6 \times 86400 = 5,2.10^{12} \text{ J (réponse } b\text{)}$$

---

 3 ## Dipôles électrocinétiques

5 min. | *p. 141*

Pour trouver les réponses qui sont correctes, parmi les réponses proposées, il suffit de dresser un inventaire de quelques dipôles.

- Une résistance traversée par un courant d'intensité I voit apparaître entre ses bornes une tension U_{AB} qui vérifie la loi d'Ohm : $U_{AB} = R \times I$. Par suite, la représentation graphique de U_{AB} en fonction de I est une droite qui passe par l'origine ; c'est le cas du dipôle (1), qui est donc une résistance, dont la valeur est donnée par :

$$R = \frac{U_{AB}}{I} = \frac{2}{0,1} = 20 \ \Omega$$

Donc, le dipôle (1) est une résistance de valeur $R = 20 \ \Omega$ (réponse k).

- Une source de tension génère une tension $U_{AB} = E$ indépendante du courant I qu'elle débite ; la représentation graphique de U_{AB} en fonction de I est un segment de droite horizontal, dont la valeur U_{AB} s'identifie à la force électromotrice E. C'est pourquoi le dipôle (2) est une source de tension de force électromotrice $E = 12$ V (réponse h).

- Un générateur, de force électromotrice E et de résistance interne r, qui débite un courant d'intensité I, délivre une tension donnée par :

$$U_{AB} = E - r \times I$$

La courbe représentative de U_{AB} en fonction de I est donc une droite de pente négative (le coefficient directeur vaut $-r$) et d'ordonnée à l'origine E. Par conséquent, le dipôle (3) est un générateur de force électromotrice $E = 1,5$ V (réponse c).

- Un moteur, de force électromotrice E et de résistance interne r, traversé par un courant d'intensité I, fait apparaître entre ses bornes une tension :

$$U_{AB} = E + r \times I$$

Aussi, la représentation graphique de U_{AB} en fonction de I est un segment de droite de pente positive (le coefficient directeur vaut $+r$) et d'ordonnée à l'origine E. Il s'ensuit que le dipôle (4) est un moteur de force contre-électromotrice $E = 2$ V (réponse e).

QCM 4 Dipôles électrocinétiques

30 min. | *p. 141*

1 L'association en parallèle de deux résistances R_1 et R_2 équivaut à une résistance R_e telle que :

$$\frac{1}{R_e} = \frac{1}{R_1} + \frac{1}{R_2} > \frac{1}{R_1} \text{ car } \frac{1}{R_2} > 0$$

$$\Rightarrow \frac{1}{R_e} > \frac{1}{R_1} \Rightarrow R_e < R_1 \text{ (réponse } a\text{)}$$

2 La loi d'Ohm indique que :

$$U_{AB} = R \times I \Rightarrow I = \frac{1}{R} \times U_{AB}$$

ce qui signifie que la représentation graphique de I en fonction de U_{AB} est une droite, qui passe par l'origine et de pente $\frac{1}{R}$ (réponse c).

3 Pendant une durée $\Delta t = 30$ min $= 30 \times 60 = 1800$ s, le dipôle reçoit une énergie :

$$\mathcal{E} = P \times \Delta t = 4 \times 1800 \Rightarrow \mathcal{E} = 7200 \text{ J (réponse } a\text{)}.$$

4 Un moteur de force contre-électromotrice $E > 0$, de résistance $r > 0$, alimenté sous une tension U_{AB} et traversé par un courant d'intensité I, fournit une puissance mécanique $P_{\text{méca}} = E \times I$ et dissipe une puissance thermique $P_{\text{Joule}} = r I^2$, telles que

$$P_{\text{élec}} = P_{\text{méca}} + P_{\text{Joule}} \Rightarrow P_{\text{Joule}} = P_{\text{élec}} - P_{\text{méca}} \leqslant P_{\text{élec}}$$

car $P_{\text{méca}} \geqslant 0$. Donc P_{Joule} atteint sa valeur maximale $P_{\text{Joule}}^{\max} = P_{\text{élec}}$ lorsque $P_{\text{méca}} = 0$ c'est-à-dire lorsque le moteur est bloqué. Or, puisque $P_{\text{Joule}} = r I^2$, le courant I est maximum lorsque le moteur est bloqué (réponse b).

5 La puissance électrique reçue par l'électrolyseur est d'une part convertie en puissance chimique et d'autre part dissipée par effet Joule :

$$P_{\text{élec}} = P_{\text{Joule}} + P_{\text{chimique}}$$

Or, l'énoncé précise que :

$$P_{\text{Joule}} = 3 \times P_{\text{chimique}} \Rightarrow P_{\text{élec}} = 3P_{\text{chimique}} + P_{\text{chimique}} = 4P_{\text{chimique}}$$

Par conséquent, le rendement de cet électrolyseur vaut :

$$\eta = \frac{P_{\text{chimique}}}{P_{\text{élec}}} = \frac{P_{\text{chimique}}}{4P_{\text{chimique}}} = \frac{1}{4}$$

$$\Rightarrow \quad \eta = 0,25 = 25\% \text{ (réponse } b)$$

6 Une partie de la puissance électrique $P_{\text{élec}}$ reçue par le moteur est transformée en puissance mécanique $P_{\text{méca}}$ et l'autre partie est dissipée par effet Joule : $P_{\text{Joule}} = rI^2$ où r est la résistance interne du moteur et I l'intensité du courant qui le traverse :

$$P_{\text{élec}} = P_{\text{méca}} + rI^2 \geqslant P_{\text{méca}} \text{ car } rI^2 \geqslant 0$$

L'égalité $P_{\text{élec}} = P_{\text{méca}}$ n'est assurée que lorsque $I = 0$. C'est pourquoi la puissance électrique reçue par le moteur est en général plus grande que la puissance mécanique restituée (réponse a).

7 La pile, de force électromotrice E et de résistance interne r, présente une tension $U_{PN} = E - rI$ à ses bornes lorsqu'elle débite un courant d'intensité I. Deux cas se présentent alors :

• lorsque $I = 0$, $U_{PN} = 4,5$ V, ce qui signifie que :

$$U_{PN} = E - rI \Rightarrow 4,5 = E - r \times 0 \Rightarrow E = 4,5\,\text{V}$$

• lorsque $I = 200$ mA $= 0,2$ A, U_{PN} vaut 3,5 V de sorte que :

$$U_{PN} = E - rI \quad \Rightarrow \quad 3,5 = 4,5 - r \times 0,2 \Rightarrow r \times 0,2 = 4,5 - 3,5 = 1$$

$$\Rightarrow \quad r = \frac{1}{0,2} = 5\ \Omega \text{ (réponse } a)$$

---

5 ## Conducteurs ohmiques   ★■■ 5 min. | p. 142

Lycée Argouges, Grenoble

1 Dans la portion (1), les résistances R_1 et R_2 sont montées en série ; elles sont équivalentes à une résistance R_4 de valeur :

$$R_4 = R_1 + R_2 = 100 + 200 = 300\ \Omega$$

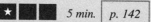

Ainsi, entre A et C, les résistances R_3 et R_4, montées en parallèle, équivalent à une résistance R_{eq} telle que :

$$\frac{1}{R_{\text{eq}}} = \frac{1}{R_3} + \frac{1}{R_4} = \frac{R_3 + R_4}{R_3 \times R_4} \quad \Rightarrow \quad R_{\text{eq}} = \frac{R_3 \times R_4}{R_3 + R_4} = \frac{100 \times 300}{100 + 300}$$

$$\Rightarrow \quad R_{\text{eq}} = 75\ \Omega$$

2 Dans la portion (2), les résistances R_1 et R_2 sont montées en parallèle entre les points A et B ; elles équivalent à une résistance R_4 telle que :

$$\frac{1}{R_4} = \frac{1}{R_1} + \frac{1}{R_2} = \frac{R_1 + R_2}{R_1 \times R_2}$$

$$\Rightarrow R_4 = \frac{R_1 \times R_2}{R_1 + R_2} = \frac{100 \times 200}{100 + 200}$$

$$\Rightarrow R_4 = 67 \ \Omega$$

Par suite, les résistances R_3 et R_4, montées en série, sont équivalentes à une résistance :

$$R_{\text{éq}} = R_4 + R_3 = 67 + 100 = 167 \ \Omega$$

---

6 Conducteurs ohmiques ★ ■ ■ *15 min* | p. 143

Lycée Guist'Hau, Nantes

1 Dans le premier montage, les résistances R_1, R_2, R_3 et R_4, sont montées en série, auquel cas elles sont équivalentes à une seule résistance de valeur :

$$R_{e1} = R_1 + R_2 + R_3 + R_4 = 15 + 18 + 22 + 27 \Rightarrow R_{e1} = 82 \ \Omega$$

En revanche, dans le deuxième montage les résistances R_1 et R_2, montées en série, équivalent à une résistance :

$$R_{12} = R_1 + R_2 = 15 + 18 = 33 \ \Omega$$

De même, les résistances R_3 et R_4, montées en série, sont équivalentes à une résistance :

$$R_{34} = R_3 + R_4 = 22 + 27 = 49 \ \Omega$$

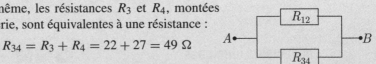

Par conséquent, entre les points A et B, le montage équivaut à l'association des résistances R_{12} et R_{34} en parallèle. Une telle association se comporte comme une seule résistance R_{e2} telle que :

$$\frac{1}{R_{e2}} = \frac{1}{R_{12}} + \frac{1}{R_{34}} = \frac{R_{12} + R_{34}}{R_{12} \times R_{34}}$$

$$\Rightarrow R_{e2} = \frac{R_{12} \times R_{34}}{R_{12} + R_{34}} = \frac{33 \times 49}{33 + 49} \Rightarrow R_{e2} = 19,7 \ \Omega$$

2 Dans les deux montages proposés, la source de tension est connectée à une résistance R_e (R_{e1} ou R_{e2}), de sorte que :

$$U_{PN} = V_P - V_N = V_B - V_A = U_{AB}$$

où $U_{AB} = R_e \times I$, conformément à la loi d'Ohm.
Il s'ensuit que :

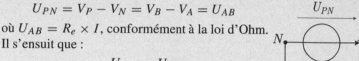

$$I = \frac{U_{AB}}{R_e} = \frac{U_{PN}}{R_e}$$

ce qui conduit à l'expression de I pour chacun des deux montages :

$$I_1 = \frac{U_{PN}}{R_{e1}} = \frac{6,3}{82} \Rightarrow I_1 = 76,8 \text{ mA}$$

et :

$$I_2 = \frac{U_{PN}}{R_{e2}} = \frac{6,3}{19,7} \Rightarrow I_2 = 0,32 \text{ A}$$

7 Conducteur ohmique   ★ ★ ■   10 min.   p. 143

Lycée Pierre d'Aragon, Muret

1 Un fer à repasser est constitué d'une résistance R affectée d'une différence de potentiel U à ses bornes lorsqu'elle est traversée par un courant d'intensité I : $U = R \times I$.

(a) La puissance électrique dissipée par effet Joule par le *resistor* vaut ainsi :

$$\mathcal{P} = U \times I \Rightarrow I = \frac{\mathcal{P}}{U} = \frac{1000}{220} = 4,5 \text{ A}$$

(b) La loi d'Ohm conduit à :

$$U = R \times I \Rightarrow I = \frac{U}{R} \Rightarrow \mathcal{P} = \frac{U^2}{R} \qquad (9)$$

d'où l'on tire :

$$R = \frac{U^2}{\mathcal{P}} = \frac{(220)^2}{1000} = 48,4 \ \Omega$$

2 D'après le résultat (9) : $\mathcal{P} = \dfrac{U^2}{R}$, pour augmenter la puissance $\mathcal{P}$ en maintenant U à la valeur de 220 V, il est nécessaire de diminuer la résistance R.

8 Générateurs électriques   ★ ★ ■   10 min.   p. 143

Lycée Évariste Galois, Sartrouville

1 Les valeurs numériques proposées par l'énoncé permettent le tracé de U_{PN} en fonction de I :

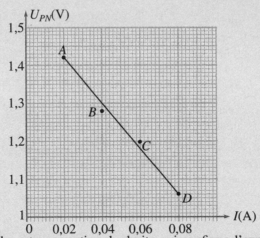

Cette courbe est une portion de droite qui confirme l'expression analytique : $U_{PN} = E - r \times I$ dont E est l'ordonnée à l'origine et $-r$ le coefficient directeur. Celui-ci s'obtient à partir des coordonnées de deux points appartenant à la courbe ; par exemple :

$$A \begin{pmatrix} I(A) = 0,02 \text{ A} \\ U_{PN}(A) = 1,42 \text{ V} \end{pmatrix} \text{ et } D \begin{pmatrix} I(D) = 0,08 \text{ A} \\ U_{PN}(D) = 1,06 \text{ V} \end{pmatrix}$$

Par suite, le coefficient directeur s'obtient par la relation :

$$-r = \frac{U_{PN}(A) - U_{PN}(D)}{I(A) - I(D)} = \frac{1,42 - 1,06}{0,02 - 0,08} \Rightarrow r = 6 \ \Omega$$

2 **(a)** La puissance dissipée par effet Joule dans la pile est donnée par :
$\mathcal{P}_J = r \times I^2$, si bien que pendant la durée $\Delta t = 10 \text{ min} = 600 \text{ s}$, la pile dissipe, par effet Joule, l'énergie :

$$\mathcal{E}_J = \mathcal{P}_J \times \Delta t = r I^2 \, \Delta t = 6 \times (0,05)^2 \times 600 = 9 \text{ J}$$

(b) La pile fournit au circuit une puissance :

$$\mathcal{P}_{\text{circuit}} = UI = EI - rI^2 = (E - rI) \times I$$

et donc une énergie, pendant $\Delta t = 600$ s :

$$\mathcal{E}_{\text{circuit}} = (E - rI) \times I \times \Delta t = (1,5 - 6 \times 0,05) \times 0,05 \times 600 = 36 \text{ J}$$

(c) La variation d'énergie chimique $\mathcal{E}_{\text{chim}}$ de la pile est associée à une puissance :

$$\mathcal{P}_{\text{chim}} = E \times I \Rightarrow \mathcal{E}_{\text{chim}} = E \times I \times \Delta t = 1,5 \times 0,05 \times 600 = 45 \text{ J}$$

9 **Générateurs électriques**   ★ ★ ◼   *10 min.*   p. 144

Lycée Saint-Louis de Gonzagues, Paris

1 On appelle $U_{PN} = E - rI$ la tension aux bornes de la batterie qui débite un courant I, et $U_{AB} = E_d$ la tension aux bornes du démarreur dépourvu de résistance interne.

Les tensions U_{PN} et U_{AB} étant égales, cela se traduit par :

$$U_{PN} = U_{AB} \Rightarrow E - rI = E_d \Rightarrow rI = E - E_d$$

C'est pourquoi :

$$I = \frac{E - E_d}{r} = \frac{12 - 10,9}{1,2.10^{-2}} = 92 \text{ A}$$

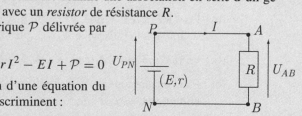

2 Le moteur reçoit une puissance $\mathcal{P}_{\text{élec}} = U_{AB} \times I$ susceptible d'être convertie en énergie mécanique. Cependant, seuls $\eta = 92\,\%$ de cette puissance sont réellement transformés en puissance mécanique $\mathcal{P}_{\text{méca}}$:

$$\eta = \frac{\mathcal{P}_{\text{méca}}}{\mathcal{P}_{\text{élec}}} \Rightarrow \mathcal{P}_{\text{méca}} = \eta \times U_{AB} \times I = 0,92 \times 10,9 \times 92 = 923 \text{ W}$$

3 La résistance interne de la batterie est responsable de la dissipation d'énergie par effet Joule, de puissance $\mathcal{P}_J = rI^2$. Par ailleurs, pendant $\Delta t = 55$ s, est dissipée une énergie thermique :

$$Q = \mathcal{P}_J \times \Delta t = rI^2 \times \Delta t = 1,2.10^{-2} \times (92)^2 \times 55 = 5586 \text{ J}$$

10 **Générateurs électriques** ★ ★ ■ *15 min.* | *p. 144*

Lycée Lacordaire, Marseille

1 Le circuit peut être considéré comme une association en série d'un générateur de tension avec un *resistor* de résistance R.

La puissance électrique $\mathcal{P}$ délivrée par le générateur vaut :

$$\mathcal{P} = EI - rI^2 \Rightarrow rI^2 - EI + \mathcal{P} = 0$$

I est donc solution d'une équation du second degré, de discriminent :

$$\Delta = E^2 - 4\mathcal{P}r = (150)^2 - 4 \times 600 \times 5 = 10500$$

auquel correspondent deux solutions :

$$I = \frac{E + \sqrt{\Delta}}{2r} = \frac{150 + \sqrt{10500}}{2 \times 5} = 25 \text{ A}$$

ou :

$$I = \frac{E - \sqrt{\Delta}}{2r} = \frac{150 - \sqrt{10500}}{2 \times 5} = 4,75 \text{ A}$$

La plus petite de ces valeurs donne : $I = 4,75$ A.

2 **(a)** Aux bornes du générateur règne une tension :

$$U_{PN} = E - rI = 150 - 5 \times 4,75 \Rightarrow U_{PN} = 126,25 \text{ V}$$

(b) À l'intérieur du générateur est donc transférée, par effet Joule, une puissance :

$$\mathcal{P}_J = rI^2 = 5 \times (4,75)^2 = 112,81 \text{ W}$$

(c) Le générateur délivre une puissance utilisable $\mathcal{P}_u = \mathcal{P}$ tandis qu'il pourrait délivrer la puissance $\mathcal{P}_e = EI = 712$ W. Par suite, le rendement du circuit vaut :

$$\eta = \frac{\mathcal{P}}{\mathcal{P}_e} = \frac{600}{712} = 84\%$$

 ## Générateurs électriques 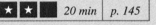 ★ ★ ▮ *20 min* | *p. 145*

Lycée Colbert, Lorient

1 **(a)** Un voltmètre permet la mesure de la tension U_{PN} aux bornes de la pile (de force électromotrice E et de résistance interne r), tandis qu'un ampèremètre mesure l'intensité I du courant qui circule dans le circuit lorsque l'interrupteur K est fermé :

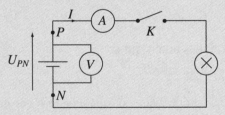

(b) Lorsque K est fermé, $I = 90 \text{ mA} = 0,09 \text{ A}$ et $U_{PN} = 4,3 \text{ V}$ définissent la puissance $\mathcal{P}_{\text{circuit}}$ que la pile fournit au circuit :

$$\mathcal{P}_{\text{circuit}} = U_{PN} \times I = 4,3 \times 0,09 = 0,387 \text{ W}$$

(c) Pendant une durée $\Delta t = 3 \text{ min} = 180 \text{ s}$, la pile fournit alors, au circuit, une énergie :

$$\mathcal{E}_{\text{circuit}} = \mathcal{P}_{\text{circuit}} \times \Delta t = 0,387 \times 180 = 69,7 \text{ J}$$

(d) Si les fils de connection n'induisent aucune perte énergétique, l'énergie fournie par la pile est intégralement transmise à la lampe, qui reçoit ainsi l'énergie :

$$\mathcal{E}_{\text{lampe}} = \mathcal{E}_{\text{circuit}} = 69,7 \text{ J}$$

2 **(a)** Lorsque la pile débite un courant d'intensité I, la tension à ses bornes vaut $U_{PN} = E - rI$. Donc, dans un circuit ouvert, $I = 0$ provoque l'apparition d'une tension $U_{PN}^0 = 4,5 \text{ V}$ à ses bornes, telle que :

$$U_{PN}^0 = E \Rightarrow E = 4,5 \text{ V}$$

(b) D'après la description de la question 1, la pile débite dans le circuit fermé un courant $I = 0,09$ A de sorte que la tension à ses bornes vaut $U_{PN} = 4,3$ V. Ainsi :

$$U_{PN} = E - rI \Rightarrow r = \frac{E - U_{PN}}{I} = \frac{4,5 - 4,3}{0,09} = 2,2 \ \Omega$$

3 **(a)** La force électromotrice E de la pile provient d'une transformation d'énergie chimique en énergie électrique. Celle-ci se réalise donc avec une puissance $\mathcal{P}_{\text{chimique}} = E \times I$ de sorte que pendant $\Delta t = 180$ s, la pile convertit une énergie :

$$\mathcal{E}_{\text{chimique}} = \mathcal{P}_{\text{chimique}} \times \Delta t = E \times I \times \Delta t = 4,5 \times 0,09 \times 180 = 72,9 \ \text{J}$$

(b) La pile dissipe, par effet Joule, une puissance $\mathcal{P}_J = rI^2$ à laquelle est associée une énergie, pendant $\Delta t = 180$ s :

$$\mathcal{E}_J = \mathcal{P}_J \times \Delta t = rI^2 \times \Delta t = 2,2 \times (0,09)^2 \times 180 = 3,2 \ \text{J}$$

(c) Les calculs précédents permettent de comparer $\mathcal{E}_{\text{chimique}} = 72,9$ J à :

$$\mathcal{E}_{\text{circuit}} + \mathcal{E}_J = 69,7 + 3,2 = 72,9 \ \text{J}$$

Il apparaît ainsi que :

$$\mathcal{E}_{\text{chimique}} = \mathcal{E}_{\text{circuit}} + \mathcal{E}_J$$

ce qui signifie, physiquement, que l'énergie chimique s'est intégralement convertie en énergie électrique et en énergie thermique perdue par effet Joule.

---

12 ## Électrolyseurs ★ ■ ■ ■ *15 min.* | *p. 145*

Lycée Notre-Dame-des-Minimes, Lyon

1 Soient U_{BA} et U_{CB} les tensions aux bornes du rhéostat, de résistance R, et aux bornes de l'électrolyseur, en convention récepteur (les flèches qui représentent ces tensions sont inversées par rapport à celles figurant I).

Cette convention permet de poser :

$$\begin{cases} U_{PN} = E - rI \\ U_{BA} = RI \\ U_{CB} = E' + r'I \end{cases}$$

En outre, les potentiels V_N et V_A sont identiques (de même que $V_P = V_C$), ce qui justifie l'identité suivante :

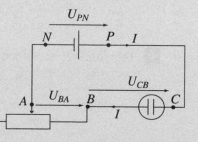

COURS

ÉNONCÉS

CORRIGÉS

$$\underbrace{V_P - V_N}_{U_{PN}} = \underbrace{V_C - V_B}_{U_{CB}} + \underbrace{V_B - V_A}_{U_{BA}} \quad \Rightarrow \quad U_{PN} - U_{CB} - U_{BA} = 0$$

$$\Rightarrow \quad E - rI - E' - r'I - RI = 0$$

$$\Rightarrow \quad RI = E - E' - I \times (r + r')$$

$$\Rightarrow \quad R = \frac{E - E'}{I} - (r + r')$$

c'est-à-dire :

$$R = \frac{6 - 2}{0,1} - (2 + 6) = 32 \ \Omega$$

On s'assure également que cette valeur demeure inférieure à la valeur maximale de 33 Ω pour le rhéostat.

2 Les trois résistances R, r et r' sont susceptibles de dissiper de l'énergie par effet Joule, dont la puissance vaut :

$$\mathcal{P}_J = (R + r + r') \times I^2 = (32 + 2 + 6) \times (0,1)^2 = 0,4 \ \text{W}$$

3 Quant à la puissance transférée sous forme chimique à l'électrolyseur, elle vaut :

$$\mathcal{P}_{\text{chimique}} = E' \times I = 2 \times 0,1 = 0,2 \ \text{W}$$

4 Cette expérience est manifestement réalisée dans le but d'effectuer une électrolyse, qui requiert une puissance $\mathcal{P}_{\text{utile}} = \mathcal{P}_{\text{chimique}} = 0,2 \ \text{W}$. À cette fin, le générateur produit une puissance totale $\mathcal{P}_{\text{totale}} = E \times I$ et c'est pourquoi le rendement de cette expérience est défini par :

$$\eta = \frac{\mathcal{P}_{\text{utile}}}{\mathcal{P}_{\text{totale}}} = \frac{E' \times I}{E \times I} = \frac{E'}{E} = \frac{2}{6} = 0,33 = 33 \ \%$$

13 Électrolyseurs ★ ★ ■ *10 min.* | *p. 146*

Lycée Jacques Prévert, Savernay

1 Dans la représentation schématique du circuit, il convient de respecter la convention générateur pour la pile (les flèches figurant U_{PN} et I sont dans le même sens) et la convention récepteur pour l'électrolyseur (les flèches figurant U_{AB} et I sont de sens contraire).

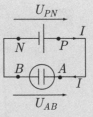

2 Les points P et A étant simplement reliés par un fil électrique, leurs potentiels sont égaux. De même pour les points B et N, ce qui conduit à :

$$\begin{cases} V_P = V_A \\ V_N = V_B \end{cases} \Rightarrow V_P - V_N = V_A - V_B \Leftrightarrow U_{PN} = U_{AB}$$

avec :

$$\begin{cases} U_{PN} = E - rI \\ U_{AB} = E' + r'I \end{cases} \Rightarrow E - rI = E' + r'I \Rightarrow (r + r') \times I = E - E'$$

c'est-à-dire :

$$I = \frac{E - E'}{r + r'} = \frac{6 - 2}{2 + 0,1} = 1,9 \, \text{A}$$

(a) La puissance électrique totale générée par la pile vaut :

$$\mathcal{P}_{\text{totale}} = E \times I = 6 \times 1,9 = 11,4 \, \text{W}$$

(b) La pile transmet au circuit une puissance électrique :

$$\mathcal{P}_{\text{circuit}} = U_{PN} \times I = (E - rI) \times I = (6 - 2 \times 1,9) \times 1,9 = 4,2 \, \text{W}$$

(c) L'électrolyseur dispose, pour les réactions chimiques, d'une puissance :

$$\mathcal{P}_{\text{utile}} = E' \times I = 2 \times 1,9 = 3,8 \, \text{W}$$

3 Par définition, le rendement de l'électrolyseur s'identifie au rapport :

$$\eta = \frac{\mathcal{P}_{\text{utile}}}{\mathcal{P}_{\text{circuit}}} = \frac{3,8}{4,2} = 0,90 = 90\,\%$$

14 **Électrolyseurs** ★ ★ ★ *30 min.* | *p. 146*

Lycée Utrillo, Stains

1 Un générateur, de bornes PN, délivre une tension U_{PN} réglable.

(a) Un voltmètre permet alors la mesure de la tension U_{AB} aux bornes A, B de la cellule d'électrolyse, traversée par un courant dont l'intensité I est mesurée à l'aide d'un ampèremètre.

> **Attention**
>
> L'ampèremètre est nécessairement monté en série avec l'électrolyseur et le voltmètre en parallèle.

(b) Les valeurs numériques proposées par l'énoncé permettent de représenter les points d'abscisse I et d'ordonnée U_{AB} :

point				A	B	C
U_{AB} (V)	0	0,50	1,00	1,20	1,50	2,00
I (A)	0	0	0	0,01	0,04	0,16
point	D	F	G	H	J	
U_{AB} (V)	2,90	3,70	4,50	5,20	6,70	
I (A)	0,40	0,60	0,80	1,00	1,40	

COURS

ÉNONCÉS

CORRIGÉS

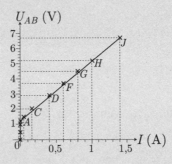

(c) La tension U_{AB} dépend de I conformément à la loi : $U_{AB} = E + r \times I$, notamment vérifiée par les points A et J :

$$\begin{cases} U_{AB}(A) = E + r \times I_A \\ U_{AB}(J) = E + r \times I_J \end{cases} \Rightarrow \begin{cases} E = U_{AB}(A) - r \times I_A \\ E = U_{AB}(J) - r \times I_J \end{cases} \quad (10)$$

Ainsi :

$$\begin{aligned} U_{AB}(A) - rI_A &= U_{AB}(J) - rI_J \\ \Rightarrow \quad r \times (I_J - I_A) &= U_{AB}(J) - U_{AB}(A) \\ \Rightarrow \quad r &= \frac{U_{AB}(J) - U_{AB}(A)}{I_J - I_A} = \frac{6,7 - 1,2}{1,4 - 0,01} \\ \Rightarrow \quad r &= 4 \, \Omega \end{aligned}$$

Quant à la valeur de E, elle s'obtient directement à partir de la première équation du système (10) :

$$E = U_{AB}(A) - rI_A = 1,2 - 4 \times 0,01 \Rightarrow E = 1,16 \, \text{V}$$

2 **(a)** Lorsque $U_{PN} = U_{AB} = 4,70 \, \text{V}$, le courant I qui circule dans l'électrolyseur vérifie :

$$U_{AB} = E + rI \Rightarrow I = \frac{U_{AB} - E}{r} = \frac{4,7 - 1,16}{4}$$
$$\Rightarrow I = 0,88 \, \text{A}$$

Dans ce cas, l'électrolyseur reçoit une puissance électrique :

$$\mathcal{P}_{\text{élec}} = U_{AB} \times I = 4,7 \times 0,88 \Rightarrow \mathcal{P}_{\text{élec}} = 4,1 \, \text{W}$$

(b) Une partie de la puissance électrique reçue par l'électrolyseur est transférée en puissance chimique :

$$\mathcal{P}_{\text{chimique}} = E \times I = 1,16 \times 0,88 \Rightarrow \mathcal{P}_{\text{chimique}} = 1 \, \text{W}$$

(c) Quant à l'autre partie de la puissance électrique reçue, elle est dissipée par effet Joule :

$$\begin{aligned} \mathcal{P}_{\text{élec}} &= \mathcal{P}_{\text{chimique}} + \mathcal{P}_{\text{Joule}} \\ \Rightarrow \quad \mathcal{P}_{\text{Joule}} &= \mathcal{P}_{\text{élec}} - \mathcal{P}_{\text{chimique}} = 4,1 - 1 \\ \Rightarrow \quad \mathcal{P}_{\text{Joule}} &= 3,1 \, \text{W} \end{aligned}$$

Cette puissance peut aussi être calculée directement par la loi :

$$\mathcal{P}_{\text{Joule}} = r \times I^2 = 4 \times (0,88)^2 \Rightarrow \mathcal{P}_{\text{Joule}} = 3,1\,\text{W}$$

(d) Le rendement de l'électrolyseur est défini par le rapport :

$$\eta = \frac{\mathcal{P}_{\text{chimique}}}{\mathcal{P}_{\text{élec}}} = \frac{1}{4,1} \Rightarrow \eta = 0,24 = 24\%$$

15 **Moteur électrique** ★ ★ ★ 20 min. p. 147
Lycée Jacques Monod, Clamart

1 La puissance électrique $\mathcal{P}_{\text{élec}} = U_{AB} \times I$ reçue par le moteur de la part du circuit électrique se répartit en une puissance dissipée par effet Joule : $\mathcal{P}_J = r'I^2$ et une puissance mécanique $\mathcal{P}_{\text{méca}} = E'I$ (où E' est la force contre-électromotrice du moteur) :

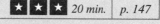

$$\mathcal{P}_{\text{élec}} = \mathcal{P}_J + \mathcal{P}_{\text{méca}} \Leftrightarrow U_{AB}I = r'I^2 + E'I$$

2 Lorsque le moteur est calé, c'est-à-dire qu'il ne tourne pas, il ne peut délivrer de puissance mécanique, en dépit du courant I non nul qui le traverse :

$$\mathcal{P}_{\text{méca}} = 0 \Rightarrow E' \times I = 0 \Rightarrow E' = 0 \text{ car } I \neq 0$$

Par conséquent, l'identité de la question précédente révèle que :

$$U_{AB}I = r'I^2 \Rightarrow I = \frac{U_{AB}}{r'} = \frac{220}{2} = 110\,\text{A}$$

Dans ces circonstances, le moteur dissipe une puissance, par effet Joule : $\mathcal{P}_J = r'I^2$, pendant une durée $\Delta t = 1\,\text{min} = 60\,\text{s}$, c'est-à-dire une énergie :

$$\mathcal{E}_J = \mathcal{P}_J \times \Delta t = r'I^2 \Delta t = 2 \times (110)^2 \times 60 = 1452\,\text{kJ}$$

3 Chaque minute, le moteur dégage une énergie thermique, par effet Joule :

$$\mathcal{E}'_J = 7500\,\text{J} = r'I'^2 \Delta t \Rightarrow I' = \sqrt{\frac{\mathcal{E}'_J}{r' \times \Delta t}} = \sqrt{\frac{7500}{2 \times 60}} = 7,9\,\text{A}$$

Quant au bilan énergétique de la première question, il conduit à :

$$U_{AB} = r'I' + E' \Rightarrow E' = U_{AB} - r'I' = 220 - 2 \times 7,9 = 204,2\,\text{V}$$

Le rendement η du moteur est défini par le rapport de la puissance mécanique $\mathcal{P}_{\text{méca}} = E'I$ qu'il fournit par la puissance électrique $\mathcal{P}_{\text{élec}} = U_{AB}I$ qu'il reçoit :

$$\eta = \frac{\mathcal{P}_{\text{méca}}}{\mathcal{P}_{\text{élec}}} = \frac{E'I}{U_{AB}I} = \frac{E'}{U_{AB}} = \frac{204,2}{220} \simeq 0,93 = 93\,\%$$

Transferts d'énergie ★ ★ ★ *30 min.* | *p. 147* |

Lycée Lacordaire, Marseille

1 Par définition, un *resistor* parcouru par un courant I et soumis à une tension U_{AB} dissipe, par effet Joule, une puissance :

$$\mathcal{P}_J = U_{AB} \times I \Rightarrow I = \frac{\mathcal{P}_J}{U_{AB}} = \frac{1500}{220} = 6,8 \text{ A}$$

Si R désigne la résistance du *resistor*, la loi d'Ohm impose :

$$U_{AB} = RI \Rightarrow I = \frac{U_{AB}}{R} \Rightarrow \mathcal{P}_J = \frac{U_{AB}^2}{R} \Rightarrow R = \frac{U_{AB}^2}{\mathcal{P}_J} = \frac{(220)^2}{1500} = 32,3 \text{ }\Omega$$

2 **(a)** Par définition, le rendement thermique η est le rapport de la puissance utile $\mathcal{P}_{\text{utile}}$ (qui sert au chauffage) par celle reçue par le *resistor* sous forme électrique : $\mathcal{P}_{\text{reçue}} = \mathcal{P} = 1500 \text{ W}$:

$$\eta = \frac{\mathcal{P}_{\text{utile}}}{\mathcal{P}_{\text{reçue}}} \Rightarrow \mathcal{P}_{\text{utile}} = \eta \times \mathcal{P} = 0,80 \times 1500 = 1200 \text{ W}$$

(b) La masse volumique μ de l'eau est définie par le rapport de la masse m d'eau par son volume : $\mu = \dfrac{m}{V}$. Notamment, si $V = 3 \text{ L} = 3.10^{-3} \text{ m}^3$:

$$m = \mu \times V = 1000 \times 3.10^{-3} \Rightarrow m = 3 \text{ kg d'eau}$$

En outre, chaque kilogramme d'eau requiert un apport d'énergie $Q_0 = 4180 \text{ J}$ pour assurer une élévation de température de 1°C. Aussi, pour porter un kilogramme d'eau de 12°C à 100°C (température d'ébullition), il convient de fournir une énergie Q_1 assurant une augmentation de température $\Delta\theta = 100 - 12 = 88°C$, c'est-à-dire :

$$Q_1 = 88 \times Q_0 = 88 \times 4180 = 367,84 \text{ kJ}$$

Il faut donc fournir, à $m = 3 \text{ kg}$ d'eau, pour l'amener à ébullition, une énergie thermique :

$$Q_3 = 3\, Q_1 \simeq 1103 \text{ kJ}$$

à l'aide de la plaque chauffante, susceptible de libérer, par effet Joule, une puissance $\mathcal{P}_{\text{utile}} = 1200 \text{ W}$ et donc, pendant une durée Δt, une énergie :

$$\mathcal{E}_{\text{utile}} = \mathcal{P}_{\text{utile}} \times \Delta t = Q_3$$

$$\Rightarrow \Delta t = \frac{Q_3}{\mathcal{P}_{\text{utile}}} = \frac{1103.10^3}{1200} = 920 \text{ s} = 15 \text{ min } 20 \text{ s}$$

Magnétisme

Plan du chapitre

1. Le champ magnétique
2. Champ magnétique créé par un courant
3. Forces électromagnétiques

Exercice type

Institution des Chartreux, Lyon

1 **(a)** Qu'est-ce qu'un solénoïde ?

(b) Que peut-on dire du champ magnétique à l'intérieur du solénoïde ?

(c) Un solénoïde, de longueur $L = 40$ cm et de rayon $r = 2,5$ cm, est constitué de 200 spires jointives.

Il est parcouru par un courant d'intensité $I = 5,0$ A. Calculer la valeur du champ créé à l'intérieur du solénoïde.

─Lignes de champ─

La perméabilité magnétique du vide vaut : $\mu_0 = 4\pi.10^{-7}$ usi.

(d) orienter les lignes de champ du spectre du solénoïde et repérer les faces nord et sud de la bobine.

2 On considère maintenant un point O, le champ magnétique créé par le solénoïde ayant une valeur égale à 50% de celle du champ en son centre. Représenter une aiguille aimantée en ce point. Dessiner le vecteur $\vec{B}$ en O, en précisant l'échelle utilisée.

3 On place maintenant un aimant droit à proximité de O. L'intensité du champ qu'il crée est $B' = 2$ mT.

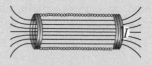

(a) Représenter le vecteur $\vec{B}'$ en O avec la même échelle que précédemment.

(b) Que devient l'aiguille aimantée ?

$\boxed{N}$
$\boxed{S}$

$(...)$

4 **(a)** Quel est l'ordre de grandeur de la valeur de la composante horizontale du champ magnétique terrestre ?

(b) Peut-on négliger les effets du champ magnétique terrestre sur la position de l'aiguille en O ? Justifier.

Voir corrigé page 168

1 Le champ magnétique

1.1 Spectre et lignes de champ magnétique

L'interaction observée entre un aimant et certains corps définit le magnétisme, que l'on peut mettre en évidence avec de la limaille de fer. Celle-ci s'oriente selon des lignes appelées **lignes de champ**. La figure obtenue à partir des lignes de champ, ou **spectre magnétique**, fait apparaître deux pôles sur l'aimant ; il s'agit des pôles nord (N) et sud (S).

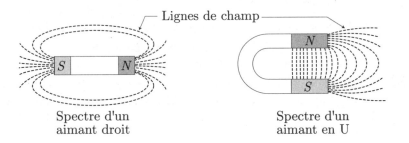

Spectre d'un
aimant droit

Spectre d'un
aimant en U

Si l'on dispose d'une aiguille aimantée, libre de tourner, à proximité d'un aimant, on constate qu'elle s'oriente tangentiellement à une ligne de champ, ses pôles nord et sud étant respectivement attirés par les pôles sud et nord de l'aimant.

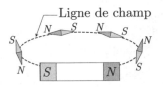

1.2 Vecteur champ magnétique

Le champ magnétique produit par un aimant en un point M de l'espace est représenté par un vecteur ($\vec{B}$) :

- la direction de $\vec{B}$ est tangente, en M, à la ligne de champ $(\mathcal{L})$ qui passe par M ;
- le vecteur B est orienté, sur $(\mathcal{L})$, dans le sens nord → sud à l'extérieur de l'aimant ;
- la valeur de $\left\| \vec{B} \right\|$ est exprimée en tesla (T). Par exemple la composante horizontale du champ magnétique terrestre vaut environ 2.10^{-5} T en France.

Pour représenter, sur une feuille de papier, un vecteur $\vec{B}$ perpendiculaire à cette feuille, on convient que :

- $\odot$ représente un vecteur $\vec{B}$ qui sort de la feuille, vers le lecteur ;
- $\otimes$ représente un vecteur $\vec{B}$ qui sort de la feuille, vers l'arrière de la feuille.

En un point de l'espace, l'existence de deux champ magnétiques $\vec{B}_1$ et $\vec{B}_2$ (qui peuvent être produits de manière différente) équivaut à un champ magnétique résultant :

$$\vec{B}_{\text{résultant}} = \vec{B}_1 + \vec{B}_2$$

Par exemple l'aiguille d'une boussole, habituellement orientée selon la composante horizontale du champ magnétique terrestre $\vec{B}_h$, peut être déviée par la présence d'un aimant qui produit un champ $\vec{B}_a$.

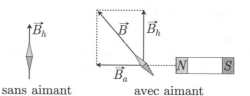

sans aimant   avec aimant

1.3 Le champ magnétique terrestre

Au regard du magnétisme, la Terre se comporte comme d'il existait, en son centre, un aimant dont l'axe des pôles (N_m : nord magnétique et S_m : sud magnétique) est légèrement décalé de l'axe des pôles géographiques (N_g : nord géographique et S_g : sud géographique).

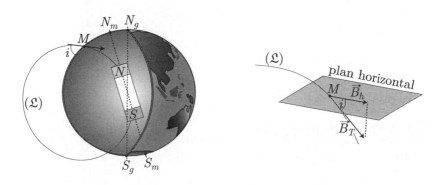

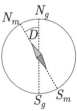

Le **champ géomagnétique** $\vec{B}_T$ ainsi produit en chaque point M de la surface terrestre, présente une composante horizontale $\vec{B}_h$. Par exemple, en France :

$$\left\| \vec{B}_T \right\| \simeq 5.10^{-5} \text{ T et } \left\| \vec{B}_h \right\| \simeq 2.10^{-5} \text{ T}$$

L'angle i entre $\vec{B}_T$ et $\vec{B}_h$ est appelé **inclinaison** du champ géomagnétique.

L'aiguille d'une boussole utilisée à la surface de la Terre s'oriente vers les pôles magnétiques qui ne coïncident pas toujours avec les pôles géographiques. L'aiguille fait alors, par rapport au méridien sur lequel elle se trouve, un angle D appelé **déclinaison magnétique**.

Remarque : Le pôle nord d'une aiguille aimantée s'oriente vers le pôle nord magnétique, qui est ainsi dans l'axe du pôle sud de l'aimant équivalent, à l'origine du champ magnétique.

2 Champ magnétique créé par un courant

2.1 Champ créé par un long fil rectiligne

Un long fil rectiligne, parcouru par un courant d'intensité I, crée en tout point M de l'espace un champ magnétique $\vec{B}$, dont les lignes de champ sont de cercles centrés sur le fil. Le vecteur $\vec{B}$ est caractérisé par :

- sa direction : en M, $\vec{B}$ est tangent à la ligne de champ circulaire qui passe par M ;

- sa valeur : proportionnelle à I et inversement proportionnelle à la distance qui sépare M du fil ;

- sons sens : donné par la **règle du bonhomme d'Ampère** :

    Un bonhomme, placé le long du fil, qui reçoit le courant par les pieds et qui regarde M, donne le sens de $\vec{B}$ avec son bras gauche tendu.

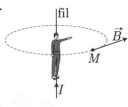

ou par la **règle de la main droite** :

le pouce de la main droite étant orienté comme I les autres doigts tournent autour du fil, comme les lignes de champ, dans le sens de $\vec{B}$.

Remarque : Il est inutile, voire dangereux, de collectionner les règles servant à déterminer le sens de $\vec{B}$. C'est pourquoi il convient de ne conserver qu'une seule de ces règles : dans la suite, la recherche du sens de $\vec{B}$ ne se fera qu'à l'aide de la « règle de la main droite » (la « règle du bonhomme d'Ampère » sera réservée à un autre usage).

2.2 Champ créé par un solénoïde

Un **solénoïde** est une bobine cylindrique constituée par un enroulement de fil électrique (chaque boucle est appelée **spire**). Il est caractérisé par :

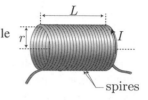

- sa longueur L très supérieure à son rayon r ;
- le nombre N de spires (jointives) ou encore le nombre de spire par unité de longueur : $n = \dfrac{N}{L}$;
- l'intensité I du courant qui le traverse.

À l'extérieur du solénoïde, les lignes de champ sont semblables à celles d'un aimant droit. En revanche à l'intérieur du solénoïde est produit un champ magnétique $\vec{B}$ caractérisé par :

- sa direction : parallèle à l'axe (Δ) du solénoïde les lignes de champ sont des segments de droites parallèles à Δ) ;

- son sens : donné par la « règle de la main droite » : les doigts de la main droite tournant comme I, le pouce tendu indique l'orientation de $\vec{B}$

- sa valeur :

$$B = \mu_0 \frac{N}{L} I = \mu_0 n I$$

où μ_0 est la perméabilité du vide et vaut $4\pi.10^{-7}$ dans le système international d'unités, B est exprimé en tesla, L en mètre, n en m^{-1} et I en ampère.

Remarque : À l'intérieur du solénoïde, le champ magnétique est **uniforme**, ce qui signifie que le vecteur $\vec{B}$ y demeure partout le même.

❸ Forces électromagnétiques

Une portion linéaire de fil, de longueur L, parcourue par un courant d'intensité I et plongée dans un champ magnétique uniforme $\vec{B}$, est soumise à une force électromagnétique, appelée **force de Laplace**, caractérisée par :

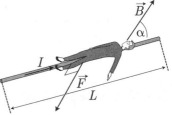

- sa direction : perpendiculaire au plan qui contient le fil électrique et $\vec{B}$;
- sa valeur :

$$F = I \times L \times B \times \sin \alpha \text{ avec } \begin{cases} F \text{ en newton} \\ I \text{ en ampère} \\ L \text{ en mètre} \\ B \text{ en tesla} \end{cases}$$

où α désigne l'angle que fait $\vec{B}$ avec le fil électrique ;

- son sens, donné par la **règle du bonhomme d'Ampère** : le bonhomme étant allongé sur le fil de manière à recevoir le courant électrique par les pieds, son regard est dirigé comme $\vec{B}$, tandis que son bras gauche tendu indique l'orientation de $\vec{F}$.

Solution de l'exercice type

1

(a) Un solénoïde est un enroulement cylindrique de fil électrique dont la longueur est beaucoup plus grande que le rayon.

(b) À l'intérieur d'un solénoïde, le champ magnétique $\vec{B}$ est uniforme.

(c) Le champ magnétique a pour valeur :

$$B = \mu_0 \frac{N}{L} I = 4\pi.10^{-7} \times \frac{200}{0,4} \times 5 \Rightarrow B = 3,14.10^{-3} \text{ T}$$

(d) Le sens de $\vec{B}$ à l'intérieur du solénoïde est donné par la « règle de la main droite » : les doigts de la main droite tournant comme I, le pouce est tendu dans le sens de $\vec{B}$.

Solution de l'exercice type (suite)

En outre, à l'extérieur du solénoïde le champ $\vec{B}$ ressemble à celui que produirait un aimant droit : $\vec{B}$ sort du solénoïde par la face nord et entre dans le solénoïde par la face sud.

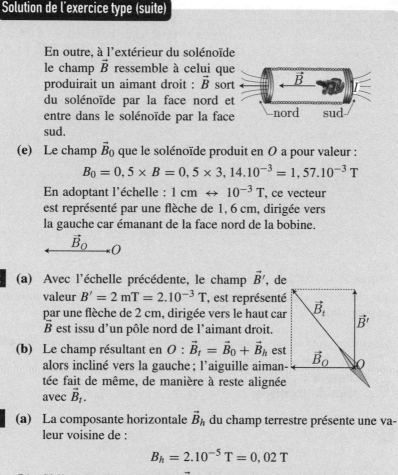

(e) Le champ $\vec{B_0}$ que le solénoïde produit en O a pour valeur :

$$B_0 = 0,5 \times B = 0,5 \times 3,14.10^{-3} = 1,57.10^{-3} \text{ T}$$

En adoptant l'échelle : $1 \text{ cm} \leftrightarrow 10^{-3}$ T, ce vecteur est représenté par une flèche de $1,6$ cm, dirigée vers la gauche car émanant de la face nord de la bobine.

2 **(a)** Avec l'échelle précédente, le champ $\vec{B'}$, de valeur $B' = 2 \text{ mT} = 2.10^{-3}$ T, est représenté par une flèche de 2 cm, dirigée vers le haut car $\vec{B}$ est issu d'un pôle nord de l'aimant droit.

(b) Le champ résultant en O : $\vec{B_t} = \vec{B_0} + \vec{B_h}$ est alors incliné vers la gauche ; l'aiguille aimantée fait de même, de manière à reste alignée avec $\vec{B_t}$.

3 **(a)** La composante horizontale $\vec{B_h}$ du champ terrestre présente une valeur voisine de :

$$B_h = 2.10^{-5} \text{ T} = 0,02 \text{ T}$$

(b) Si l'on devait représenter $\vec{B_h}$ avec l'échelle précédente, il faudrait représenter une flèche de $0,02$ cm c'est-à-dire $0,2$ mm ; une telle flèche demeurerait invisible, ce qui justifie que l'on néglige l'influence du champ magnétique terrestre sur la position de l'aiguille.

1 Champ créé par des courants

30 min. | *p. 179*

On dispose de fils rectilignes parcourus par un courant de même intensité I et dont le sens est indiqué sur la figure ci-dessous. Chaque fil crée un champ magnétique de $1,5.10^{-5}$ T à une distance de 10 cm.

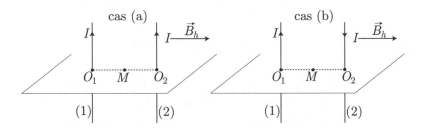

Un point M est placé entre les points O_1 et O_2, à la même distance $d = 10$ cm de chaque fil. La composante horizontale du champ magnétique terrestre $\vec{B}_h$ a pour valeur $B_h = 2,0.10^{-5}$ T.

Parmi les propositions suivantes, quelles sont celles qui vous semblent exactes ?

1 Les champs magnétiques $\vec{B}_1$ et $\vec{B}_2$ créés en M par les fils (1) et (2) vérifient :

   a $\vec{B}_1 \perp \overrightarrow{O_1O_2}$ et $\vec{B}_2 \perp \overrightarrow{O_1O_2}$ dans les cas (a) et (b) ;

   b $\vec{B}_1 \parallel \overrightarrow{O_1O_2}$ et $\vec{B}_2 \parallel \overrightarrow{O_1O_2}$ dans les cas (a) et (b) ;

   c $\vec{B}_1 \parallel \overrightarrow{O_1O_2}$ et $\vec{B}_2 \perp \overrightarrow{O_1O_2}$ dans le cas (a) ;

   d $\vec{B}_1 \perp \overrightarrow{O_1O_2}$ et $\vec{B}_2 \parallel \overrightarrow{O_1O_2}$ dans le cas (b).

2 Le champ magnétique $\vec{B}_3 = \vec{B}_1 + \vec{B}_2$ produit en M par les courants I a pour valeur :

   a $B_3 = 0$ T dans le cas (a) et $B_3 = 3.10^{-3}$ T dans le cas (b) ;

   b $B_3 = 3.10^{-5}$ T dans le cas (a) et $B_3 = 0$ T dans le cas (b) ;

   c $B_3 = 1,5.10^{-5}$ T dans le cas (a) et $B_3 = 0$ T dans le cas (b) ;

   d $B_3 = 0$ T dans le cas (a) et $B_3 = 1,5.10^{-5}$ T dans le cas (b)

3 En M règne un champ magnétique total $\vec{B}$ qui a pour valeur :

   a $B = 0$ T dans le cas (a) et $B = 6,3.10^{-5}$ T dans le cas (b) ;

   b $B = 6,3.10^{-5}$ T dans le cas (a) et $B = 2.10^{-5}$ T dans le cas (b) ;

   c $B = 2.10^{-5}$ T dans le cas (a) et $B = 3,6.10^{-5}$ T dans le cas (b) ;

   d $B = 3,6.10^{-5}$ T dans le cas (a) et $B = 2.10^{-5}$ T dans le cas (b)

4 L'aiguille aimantée d'une boussole, placée en M, fait avec $[O_1, O_2]$ un angle α qui vaut :

   a $\alpha = 0°$ dans le cas (a) et $\alpha = 56°$ dans le cas (b) ;

   b $\alpha = 37°$ dans le cas (a) et $\alpha = 0°$ dans le cas (b) ;

   c $\alpha = 0°$ dans le cas (a) et $\alpha = 37°$ dans le cas (b) ;

   d $\alpha = 56°$ dans le cas (a) et $\alpha = 0°$ dans le cas (b).

QCM 2   Champ créé par un solénoïde
20 min. | p. 180

On considère le dispositif comportant une bobine longue. Lorsqu'aucun courant ne circule dans le solénoïde, l'aiguille aimantée prend la direction indiquée sur la figure ci-contre. La composante horizontale du champ magnétique terrestre vaut $B_T = 2.10^{-5}$ T.

Le solénoïde comporte $n = 1000$ spires par mètre. On donne $\mu_0 = 4\pi.10^{-7}$ S.I. Cocher la bonne réponse dans les cas suivants.

1 Lorsqu'un courant circule dans le solénoïde, dans le sens indiqué, les lignes de champ à l'intérieur du solénoïde sont :

   a orientées vers la gauche ;

   b orientées vers la droite ;

   c orientées vers le haut.

2 Lorsque $I = 20$ mA, le champ magnétique créé par le solénoïde en son centre vaut :

a $2,5$ mT   **b** $25\ \mu$T $2,5.10^{-4}$ T

3 Le pôle nord de l'aiguille de la boussole dévie :

   a vers la droite ;

   b vers la gauche.

4 L'angle de déviation est égal à :

a $45,2°$ **b** $30,4°$ **c** $51,3°$

3 Forces électromagnétiques 5 min. | p. 180

On considère la force électromagnétique subie par un conducteur rectiligne parcouru par un courant d'intensité I, placé dans un champ magnétique $\vec{B}$ uniforme.

Parmi les réponses proposées à chaque affirmation, quelles sont celles qui vous paraissent exactes ?

1 La valeur de la force est :

  a proportionnelle à la valeur du champ ;

  b dépend du sens du courant ;

  c est indépendante de l'intensité du courant.

2 La force est :

  a parallèle au champ magnétique ;

  b perpendiculaire au conducteur ;

  c tangente aux lignes de champ.

3 Le sens de la force n'est pas modifié si :

  a le sens du courant est inversé ;

  b le sens du champ est inversé ;

  c les sens du courant et du champ sont inversés simultanément.

4 La direction de la force :

  a dépend de la direction du conducteur ;

  b dépend du sens du champ ;

  c dépend du sens du courant.

5 La force est nulle :

  a quand le conducteur est parallèle au champ ;

  b quand le conducteur est perpendiculaire au champ ;

  c quand le courant et le champ ont des sens contraires.

6 La valeur de la force est maximale quand :

  a le conducteur est parallèle au champ ;

  b le conducteur est perpendiculaire au champ ;

  c le courant et le champ ont des sens contraires.

4 **Force de Laplace**    5 min.   p. 181

Lycée Saint-Exupéry, Mantes-la-Jolie

Un solenoïde, comportant 400 spires, est parcouru par un courant d'intensité I. Il est placé dans un champ magnétique uniforme $\vec{B}$, perpendiculaire à son axe.

Quelle est l'action de $\vec{B}$ sur le solénoïde libre de se déplacer ?

5 **Force de Laplace**   ★ ■ ■ 5 min.   p. 182

Lycée Saint-Louis, Lorient

Dans l'expérience des rails de Laplace, la tige de masse 50 g, placée dans le champ magnétique $\vec{B}$, a une longueur $\ell = 8,0$ cm. Le champ magnétique a une valeur $B = 0,02$ T et l'intensité du courant est $I = 10$ A.

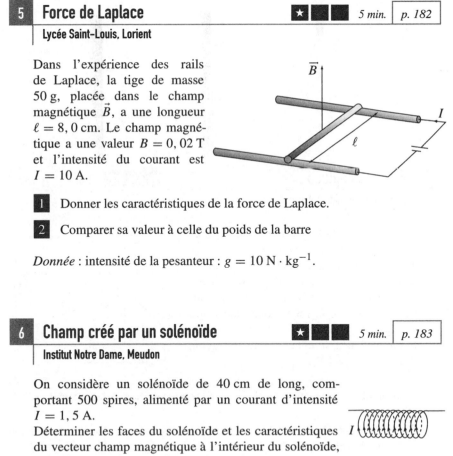

1 Donner les caractéristiques de la force de Laplace.

2 Comparer sa valeur à celle du poids de la barre

Donnée : intensité de la pesanteur : $g = 10$ N $\cdot$ kg^{-1}.

6 **Champ créé par un solénoïde**   ★ ■ ■ 5 min.   p. 183

Institut Notre Dame, Meudon

On considère un solénoïde de 40 cm de long, comportant 500 spires, alimenté par un courant d'intensité $I = 1,5$ A.
Déterminer les faces du solénoïde et les caractéristiques du vecteur champ magnétique à l'intérieur du solénoïde, et le représenter sur le schéma.

Donnée : perméabilité du vide : $\mu_0 = 4\pi.10^{-7}$ S.I.

7 Force de Laplace

★ ▪ ▪ ▪ *5 min.* | p. 183 |

Lycée Saint-Martin, Rennes

Un conducteur rectiligne de longueur $\ell = 20$ cm, parcouru par un courant d'intensité $I = 2,0$ A, est plongé dans un champ magnétique uniforme de valeur $B = 10$ mT.

Dans chacun des cas représentés ci-dessous, déterminer la direction, le sens et la valeur de la force de Laplace subie par le conducteur.

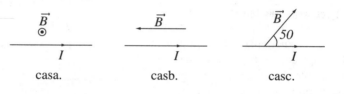

casa.　　　　　casb.　　　　　casc.

8 Force de Laplace

★ ▪ ▪ ▪ *5 min.* | p. 184 |

Lycée Saint-Sernin, Toulouse

Une roue de Barlow est formée de huit rayons conducteurs identiques de longueur $L = 4,0$ cm et également répartis autour d'un axe. La roue est libre de tourner autour de son axe horizontal. Seule la partie inférieure de la roue plonge dans une solution conductrice. Un générateur assure la circulation d'un courant, dans le rayon, d'intensité $I = 10$ A.

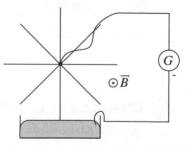

L'ensemble est placé dans un champ magnétique uniforme de valeur $B = 200$ mT.

1. Représenter le vecteur force de Laplace s'exerçant sur le rayon qui plonge dans la solution.

2. Calculer la force de Laplace.

3. Indiquer précisément le mouvement de la roue de Barlow.

COURS

9 Champ créé par un fil

★ ■ ■ ■ *10 min.* | *p. 185*

Lycée Saint-Michel de Picpus, Paris

Deux fils parallèles sont parcourus par des courants de même intensité $I = 6$ A, dans le même sens. Ils sont distants de $d = 6,0$ cm.

1 **(a)** Donner, en chaque point du segment MM' du fil (2), la direction et le sens du champ magnétique.

(b) À la distance $d = 6,0$ cm, la valeur du champ magnétique créé par le fil (1) est $B_1 = 2,0.10^{-5}$ T.

Donner les caractéristiques de la force électromagnétique qui s'exerce sur la portion $\ell = MM' = 50$ cm du fil (2) placé dans le champ du fil (1). Représenter cette force $\vec{F}_{12}$.

2 **(a)** Donner les caractéristiques du champ $\vec{B}_2$ créé par le fil (2) en chaque point du segment $\ell = NN' = 50$ cm du fil (1).

(b) Quelles sont les caractéristiques de la force de Laplace qui s'exerce sur la portion NN' placée dans le champ $\vec{B}_2$? Représenter cette force.

ÉNONCÉS

10 Force de Laplace

★ ■ ■ ■ *15 min.* | *p. 186*

Lycée Saint-Martin, Rennes

On veut mesurer la force électromagnétique qui s'exerce sur la bobine d'un haut-parleur en fonction de l'intensité I du courant qui la traverse. Pour cela, on a découpé la membrane du haut-parleur et fixé un index solidaire du spider :

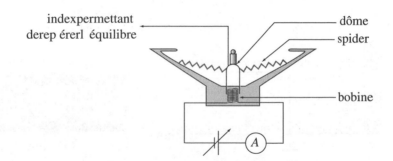

CORRIGÉS

On pose des masses marquées sur le dôme, l'index se déplace alors vers le bas. Puis on relie la bobine du haut-parleur à un générateur de tension continue réglable et on augmente la tension de façon à ramener l'index à sa position initiale.

1 Quel doit être le sens de la force électromagnétique $\vec{F}$ s'exerçant sur la bobine pour que cette expérience soit possible ?

À l'équilibre quelle relation lie le poids $\vec{P}$ de la masse marquée à la force électromagnétique $\vec{F}$?

2 Pour une masse marquée de 100 g, il faut faire passer un courant d'intensité $I = 0,33$ A pour ramener l'index à sa position initiale.

(a) Quelle est la valeur du poids de la mase marquée ? on prendra $g = 10$ N·kg^{-1}.

(b) En déduire la valeur de la force électromagnétique.

3 On recommence l'expérience pour plusieurs masses marquées différentes, en ajustant à chaque fois l'intensité du courant pour ramener l'index à sa position initiale. Les résultats obtenus sont :

m (g)	50	100	150	200
I (A)	0,16	0,33	0,48	0,69

(a) Représenter la valeur de la force électromagnétique F (en newtons) en fonction de l'intensité du courant I (en ampères).

(b) Le graphe obtenu est-il compatible avec la force de Laplace ?

---

11 **Champ créé par une bobine** ★ ★ ★ *20 min.* | *p. 188*

Lycée Jeanne d'Albret, Saint-Germain-en-Laye

On place une aiguille aimantée horizontale au centre d'un solénoïde de longueur $L = 50$ cm, dont l'axe est orienté dans le plan du méridien magnétique terrestre. En faisant passer un courant électrique d'intensité I variable dans le solénoïde et en relevant l'angle α dont tourne l'aiguille, on obtient la courbe suivante :

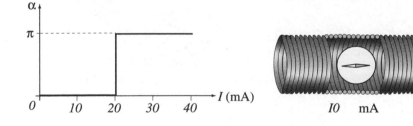

COURS

ÉNONCÉS

CORRIGÉS

1 Pour expliquer l'allure de la courbe, faire le bilan des champs magnétiques qui agissent sur l'aiguille, en précisant leur direction et leur sens. En déduire le sens du courant dans le solénoïde.

2 Que fait l'aiguille si on maintient l'intensité du courant électrique à la valeur 0, 02 A ?

3 La valeur de la composante horizontale du champ magnétique terrestre est de 2.10^{-5} T ; calculer le nombre de spires du solénoïde.

12 **Champ créé par un courant** ★ ★ ★ *25 min.* | *p. 189*

Lycée Saint-Martin, Rennes

On place un fil de cuivre vertical en face du pôle nord d'une boussole horizontale orientée dans le champ magnétique terrestre. Lorsqu'on fait circuler un courant d'intensité 1, 5 A dans le fil, on constate que la boussole est déviée d'un angle $\alpha = 40°$ par rapport à sa position initiale.

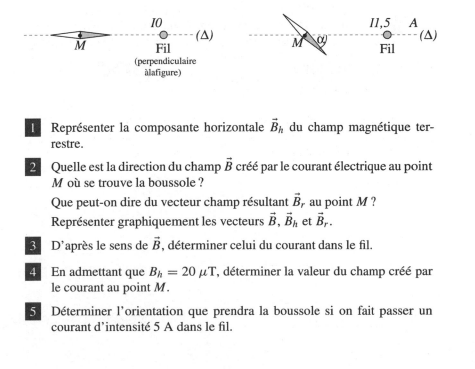

1 Représenter la composante horizontale $\vec{B_h}$ du champ magnétique terrestre.

2 Quelle est la direction du champ $\vec{B}$ créé par le courant électrique au point M où se trouve la boussole ?
Que peut-on dire du vecteur champ résultant $\vec{B_r}$ au point M ?
Représenter graphiquement les vecteurs $\vec{B}$, $\vec{B_h}$ et $\vec{B_r}$.

3 D'après le sens de $\vec{B}$, déterminer celui du courant dans le fil.

4 En admettant que $B_h = 20\ \mu$T, déterminer la valeur du champ créé par le courant au point M.

5 Déterminer l'orientation que prendra la boussole si on fait passer un courant d'intensité 5 A dans le fil.

13 Force de Laplace

Lycée Bouchardon, Chaumont

Deux rails conducteurs parallèles sont fixés sur un plan incliné formant un angle $\alpha = 30°$ avec l'horizontale. Les rails sont séparés d'une distance $d = 10$ cm. On pose sur ces rails une tige métallique de masse $m = 10$ g. La tige est perpendiculaire aux rails et peut glisser sans frottements. La tige est parcourue par un courant d'intensité $I = 0,5$ A dont le sens est indiqué sur le schéma.

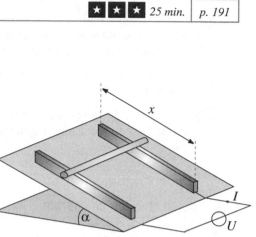

Le dispositif est placé dans un champ magnétique uniforme, perpendiculaire au plan incliné, de valeur $B = 0,50$ T.

1 Représenter le champ magnétique pour que la tige subisse une force de Laplace dirigée vers le haut des rails.

2 Faire l'inventaire des forces s'exerçant sur la tige en précisant leur direction et leur sens.

3 En utilisant le théorème de l'énergie cinétique, déterminer la vitesse de la tige lorsqu'elle aura parcouru une distance $x = 15$ cm sachant qu'elle a été lâchée sans vitesse initiale.

Donnée : intensité de la pesanteur : $g = 9,8$ N $\cdot$ kg^{-1}.

QCM **1** **Champ créé par des courants** *30 min.* | *p. 170*

1 La direction et le sens des champs $\vec{B}_1$ et $\vec{B}_2$ produits en M par le courant qui circule dans les fils (1) et (2) sont révélés par la « règle de la main droite » :

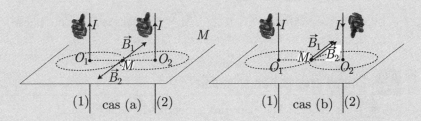

(1) | cas (a) |(2)   (1)| cas (b) |(2)

Ces schémas montrent que :
$$\vec{B}_1 \perp \overrightarrow{O_1O_2} \text{ et } \vec{B}_2 \perp \overrightarrow{O_1O_2} \text{ dans les cas } (a) \text{ et } (b) \text{ (réponse } a).$$

2 Dans les deux cas précédents, $\vec{B}_1$ et $\vec{B}_2$ ont la même direction et la même valeur $1,5.10^{-5}$ T. Or, puisqu'ils présentent des sens opposés dans le cas (a) et le même sens dans le cas (b), il s'ensuit que $\vec{B}_3 = \vec{B}_1 + \vec{B}_2$ a pour valeur :

$B_3 = 0$ T dans le cas (a) et $B_3 = 3.10^{-5}$ T dans le cas (b) (réponse a).

3 Dans le cas (a), $\vec{B}_3 = \vec{B}_1 + \vec{B}_2$ est un vecteur nul tandis que dans le cas (b) $\vec{B}_3$ a pour valeur $B_3 = 3.10^{-5}$ T et est perpendiculaire à $\vec{B}_h$.

Ainsi, dans le cas (a) : $\vec{B}_3 = \vec{B}_1 + \vec{B}_2 = \vec{0}$ montre que le champ total $\vec{B}$ en M vaut :
$$\vec{B} = \vec{B}_3 + \vec{B}_h = \vec{B}_h \Rightarrow B = B_h = 2.10^{-5} \text{ T}$$

En revanche, dans le cas (b), le théorème de Pythagore permet d'écrire que :
$$\vec{B} = \vec{B}_3 + \vec{B}_h \Rightarrow B = \sqrt{B_3^2 + B_h^2} = \sqrt{\left(3.10^{-5}\right)^2 + \left(2.10^{-5}\right)^2} = 3,6.10^{-5} \text{ T}$$

de sorte que :

$B = 2.10^{-5}$ T dans le cas (a) et $B = 3,6.10^{-5}$ T dans le cas (b) (réponse c).

4 Les schémas précédents montrent que, dans le cas (a), le champ $\vec{B}$ fait un angle $\alpha = 0$ avec le vecteur $\overrightarrow{O_1O_2}$ tandis que, dans le cas (b), cet angle vérifie :

$$\tan \alpha = \frac{B_3}{B_h} = \frac{3.10^{-5}}{2.10^{-5}} \Rightarrow \alpha = 56°$$

C'est pourquoi une aiguille aimantée placée en M ferait avec $[O_1, \; O_2]$ un angle :

$\alpha = 0°$ dans le cas (a) et $\alpha = 56°$ dans le cas (b) (réponse a).

QCM 2 Champ créé par un solénoïde *20 min.* | *p. 171*

1 La règle de la main droite fournit immédiatement l'orientation des lignes du champ magnétique $\vec{B}_b$ créé par la bobine : les doigts de la main droite tournant dans le sens de I, le pouce montre que $\vec{B}_b$ est orienté vers la gauche (réponse a)

2 La valeur de B_b est donnée par :

$$B_b = \mu_0 \, n \, I = 4\pi .10^{-7} \times 1000 \times 20.10^{-3} = 25.10^{-6}\,\text{T} = 25 \; \mu\text{T} \; (\text{réponse } b)$$

3 Au champ magnétique terrestre $\vec{B}_T$ (dirigé vers le haut comme l'est l'aiguille de la boussole lorsque $I = 0$) se rajoute le champ $\vec{B}_b$ dirigé vers la gauche ; le champ résultant : $\vec{B} = \vec{B}_T + \vec{B}_b$ est dirigé vers le haut à gauche, de sorte que le pôle nord de l'aiguille dévie vers la gauche (réponse b) :

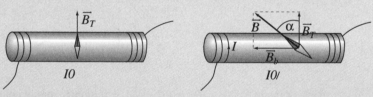

4 Le schéma précédent montre que l'angle de déviation α vérifie :

$$\tan \alpha = \frac{B_b}{B_T} = \frac{25.10^{-6}}{2.10^{-5}} = 1,25 \Rightarrow \alpha = 51,3° \; (\text{réponse } c).$$

QCM 3 Forces électromagnétiques *5 min.* | *p. 172*

1 La force subie par le conducteur de longueur ℓ a pour valeur :

$$F = I\ell B \, \sin \alpha \; \text{où} \; B = \left\| \vec{B} \right\| \; \text{et} \; \alpha = \left(I, \; \vec{B} \right)$$

ce qui montre que F est proportionnel à la valeur du champ (réponse a).

2 La « règle du bonhomme d'Ampère » donne la direction de la force $\vec{F}$: celle de son bras gauche tendu lorsqu'il est aligné sur le conducteur ; cette direction est perpendiculaire à celle du conducteur (réponse *b*).

3 En ne modifiant que le sens du courant, le sens de $\vec{F}$ est inversé :

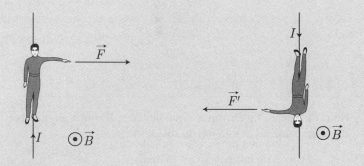

Il en va de même si seul le sens de $\vec{B}$ est inversé. En revanche, si les sens de I et de $\vec{B}$ sont inversés simultanément, la force conserve son sens (réponse *c*).

4 La direction de $\vec{F}$ est donnée par celle du bras tendu du « bonhomme d'Ampère » : $\vec{F}$ est perpendiculaire au conducteur (ce qui ne préjuge rien du sens de $\vec{F}$: vers la droite, vers la gauche, ...). Donc, la direction de $\vec{F}$ ne dépend que de la direction du conducteur (réponse *a*).

5 La valeur F de la force dépend de l'angle α entre le conducteur et le champ magnétique $\vec{B}$:

$$F = I\ell B \sin\alpha$$

Donc, si le conducteur est parallèle à $\vec{B}$:

$$\alpha = 0 \Rightarrow \sin\alpha = 0$$

montre que F est nul (réponse *a*).

6 De même, F est maximum lorsque $\sin\alpha$ est maximum, c'est-à-dire lorsque $\alpha = 90°$ (dans ce cas, $\sin\alpha = 1$) ; F est donc maximum lorsque le conducteur est perpendiculaire à $\vec{B}$ (réponse *b*).

4 ## Force de Laplace ★■■■ *5 min.* p. 173

Lycée Saint–Exupéry, Mantes–la–Jolie

Lorsque le solénoïde est parcouru par un courant I, il se comporte comme un aimant de pôles nord N et sud S, produisant un champ magnétique $\vec{B}_S$.

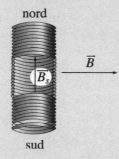

nord

$\vec{B}$

$\overline{B_s}$

sud

Sous l'influence du champ $\vec{B}$, les pôles N et S vont s'aligner dans la direction de $\vec{B}$, provoquant la rotation du solénoïde :

sud $\overline{B_s}$ nord $\vec{B}$

5 Force de Laplace   ★ ■ ■   *5 min.*   *p. 173*

Lycée Saint-Louis, Lorient

1 Les caractéristiques de la force de Laplace $\vec{F}$ sont :

- sa norme : $F = I \times \ell \times B = 10 \times 8.10^{-2} \times 0,02 = 0,016\,\text{N}$.

- sa direction et son sens, accessibles à partir de la loi du « bonhomme d'Ampère » : le courant électrique lui arrivant aux pieds, son regard porte dans la direction de $\vec{B}$, tandis que son bras gauche est tendu dans la direction de $\vec{F}$ (vers la gauche ici).

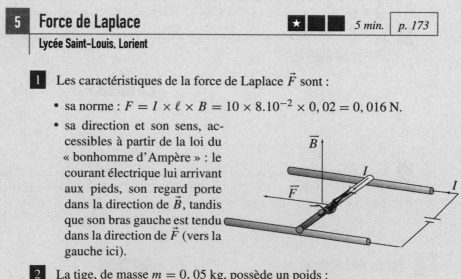

2 La tige, de masse $m = 0,05\,\text{kg}$, possède un poids :

$$P = m \times g = 0,05 \times 10 = 0,5\,\text{N}$$

Ce résultat révèle que : $P \gg F$.

6 | Champ créé par un solénoïde ★ ■ ■ ■ 5 min. | p. 173

Institut Notre Dame, Meudon

Le vecteur champ magnétique est caractérisé par :

- sa direction : l'axe de la bobine ;

- son sens, donné par la règle de la main droite : les doigts de la main droite tournant dans le sens du courant, le pouce indique le sens de $\vec{B}$ (vers la gauche ici) :

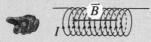

- sa norme, proportionnelle à l'intensité $I = 1,5$ A du courant, au nombre $N = 500$ spires et inversement proportionnelle à la longueur $L = 40.10^{-2}$ m du solénoïde :

$$B = \mu_0 \frac{N}{L} \times I = 4\pi.10^{-7} \times \frac{500}{0,4} \times 1,5 = 2,3 \text{ mT}$$

En outre, le champ magnétique sort de la bobine par son pôle nord, qui se trouve par conséquent à gauche :

p lenord   p lesud

7 | Force de Laplace ★ ■ ■ ■ 5 min. | p. 174

Lycée Saint-Martin, Rennes

La norme F de la force de Laplace $\vec{F}$ qui s'exerce sur un fil électrique de longueur $\ell = 0,2$ m, parcouru par un courant d'intensité $I = 2$ A, et plongé dans un champ magnétique d'intensité $B = 0,01$ T, est donnée par la loi de Laplace :

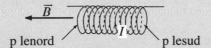

$$F = I\,\ell\,B\,\sin\alpha$$

Cette loi s'applique aux trois cas proposés par l'énoncé :

- cas a :

$$\alpha = 90° \Rightarrow F_a = 2 \times 0,2 \times 0,01 \times \underbrace{\sin(90°)}_{=1} = 4.10^{-3} \text{ N}$$

- cas b :

$$\alpha = 180° \Rightarrow F_b = 2 \times 0,2 \times 0,01 \times \underbrace{\sin(180°)}_{=0} = 0 \text{ N}$$

- cas c :

$$\alpha = 50° \Rightarrow F_c = 2 \times 0,2 \times 0,01 \times \sin(50°) = 3,1.10^{-3} \, \text{N}$$

Quant à la direction et au sens de $\vec{F}$, ils sont fournis par la règle du « bon-homme d'Ampère » : celui-ci regarde dans la direction de $\vec{B}$ en recevant le courant par les pieds ; son bras gauche est alors tendu dans la direction de $\vec{F}$:

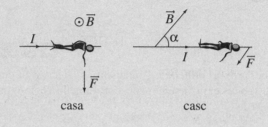

casa   casc

8 Force de Laplace   ★ ■ ■ ■   5 min.   p. 174

Lycée Saint–Sernin, Toulouse

1 Soit OA le rayon de la roue de Barlow dans lequel circule le courant d'intensité I. Compte tenu de la polarisation du générateur, le courant circule du centre O vers A, de sorte que la direction de la force de Laplace $\vec{F}$ suit la règle du « bonhomme d'Ampère » : I lui pénétrant par les pieds, son regard est dirigé vers $\vec{B}$ et son bras gauche tendu donne la direction de $\vec{F}$:

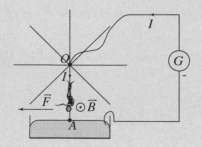

2 Si α désigne l'angle $\widehat{\overrightarrow{OA},\ \vec{B}}$ (ici $\alpha = 90°$), la valeur de la force de Laplace qui s'exerce sur un rayon de longueur $OA = L = 4.10^{-2}$ m est donnée par la loi de Laplace :

$$F = I\,L\,B\,\sin\alpha = 10 \times 4.10^{-2} \times 0,2 \times \sin(90°) = 8.10^{-2}\ \text{N}$$

3 La force $\vec{F}$ est toujours perpendiculaire au(x) rayon(s) dont l'extrémité inférieure plonge dans la solution conductrice. Soumise à cette force, la roue tourne donc dans le sens des aiguilles d'une montre.

9 **Champ créé par un fil** ★ ■ ■ *10 min.* p. 175

Lycée Saint-Michel de Picpus, Paris

1 **(a)** L'orientation du champ $\vec{B}_1$ est donnée par la règle de la main droite : le pouce étant dirigé comme le courant I sur le fil (1), $\vec{B}_1$ tourne comme les autres doigts de la main droite sur sa ligne de champ. C'est pourquoi $\vec{B}_1$ est dirigé vers l'intérieur de la feuille de papier, sur MM'.

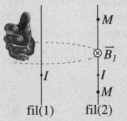

$$\text{fil}(1) \qquad \text{fil}(2)$$

(b) Sur la portion $\ell = MM' = 0,5$ m s'exerce une force électromagnétique $\vec{F}_{12}$ dont l'intensité suit la loi de Laplace :

$$F_{12} = I \times \ell \times B_1 = 6 \times 0,5 \times 2.10^{-5} = 6.10^{-5}\ \text{N}$$

Quant à l'orientation de $\vec{F}_{12}$, elle s'obtient à l'aide de la règle du « bonhomme d'Ampère » : le courant I lui entrant par les pieds, il regarde dans la direction de $\vec{B}_1$ et son bras gauche tendu indique l'orientation de $\vec{F}_{12}$ (vers la gauche ici).

$$\text{fil}(1) \qquad \text{fil}(2)$$

2 **(a)** De même, l'orientation du champ $\vec{B}_2$ est accessible à partir de la règle de la main droite : le pouce étant dirigé selon le courant I du

COURS

ÉNONCÉS

CORRIGÉS

fil (2), $\vec{B}_2$ tourne dans le sens des autres doigts de la main droite sur la ligne de champ ; sur le fil (1), $\vec{B}_2$ est dirigé vers l'extérieur de la feuille de papier.

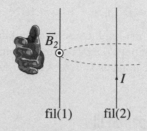

(b) Le fil (1) étant à la distance $d = 6$ cm, le champ magnétique B_2 vaut alors 2.10^{-5} T (car les deux fils sont parcourus par des courants de même intensité) et la valeur de la force $\vec{F}_{12}$ suit la loi de Laplace :

$$F_{21} = I \times \ell \times B_2 = 6 \times 0,5 \times 2.10^{-5} = 6.10^{-5} \text{ N}$$

Quant à la direction de F_{21}, elle est aussi donnée par la règle du « bonhomme d'Ampère » : le courant I lui entrant dans les pieds, il regarde dans la direction de $\vec{B}_2$ tandis que son bras gauche est tendu vers $\vec{F}_{12}$ (vers la droite ici).

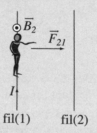

On s'assurera aisément du principe des actions réciproques :

$$\vec{F}_{12} = -\vec{F}_{21}$$

10 Force de Laplace ★ ■■■ *15 min.* p. 175

Lycée Saint-Martin, Rennes

1 Sous l'influence du poids $\vec{P}$ de la masse marquée (d'intensité $P = mg$ et dirigé selon la verticale descendante) et de la force électromagnétique $\vec{F}$, le dôme reprend la place qu'il occupe en l'absence de ces deux forces, ce qui signifie aussi que :

$$\vec{F} + \vec{P} = \vec{0} \Rightarrow \vec{F} = -\vec{P} \tag{11}$$

$\vec{F}$ s'exerce par conséquent selon la verticale ascendante.

2 **(a)** Lorsque $m = 100\text{ g} = 0,1\text{ kg}$, l'intensité du poids vaut :
$$P = m \times g = 0,1 \times 10 = 1\text{ N}$$

(b) Compte tenu du résultat (11) :
$$\vec{F} = -\vec{P} \Rightarrow \left\|\vec{F}\right\| = \left\|-\vec{P}\right\| \Rightarrow F = P = 1\text{ N}$$

3 **(a)** La question précédente permet d'établir que $F = P = m \times g$, ce qui fournit le tableau de mesures suivant :

m (kg)	$0,050$	$0,100$	$0,150$	$0,200$
I (A)	$0,16$	$0,33$	$0,48$	$0,69$
F (N)	$0,5$	$1,0$	$1,5$	$2,0$

d'où est issue la représentation graphique suivante :

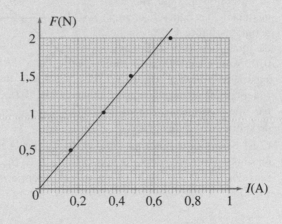

(b) Ce graphe montre que F en fonction de I est une droite passant par l'origine, qui vérifie donc l'équation analytique :
$$F = a \times I$$

où a est une constante réelle positive. Or, la loi de Laplace indique que dans un champ magnétique $\vec{B}$ (produit ici par un aimant situé autour de la bobine), un élément de longueur ℓ de la bobine est soumis à la force d'intensité : $F' = I\ell B = \ell B \times I$.

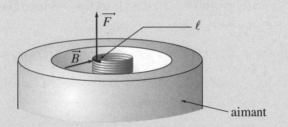

Cette force est transmise au dôme, à la suite de quoi la proportionnalité entre F et I est confirmée par la loi de Laplace.

11 Champ créé par une bobine

★ ★ ★ *20 min.* | *p. 176*

Lycée Jeanne d'Albret, Saint-Germain-en-Laye

1 Le champ magnétique B_{bob}, créé par la bobine, est proportionnel à l'intensité I du courant électrique tandis que le champ magnétique terrestre B_{Terre} est constant.

Tant que I demeure inférieur à $0,02$ A, $B_{Terre} > B_{bob}$ permet de maintenir l'aiguille dans sa direction initiale qui est aussi celle des lignes du champ géomagnétique. En revanche, dès que I devient supérieur à $0,02$ A, le champ B_{bob} devient supérieur à B_{Terre}. Or, expérimentalement, cela se traduit par une rotation de l'aiguille de la boussole d'un angle π.

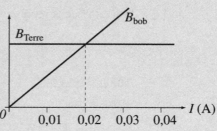

C'est pourquoi les champs $\vec{B}_{bob}$ et $\vec{B}_{Terre}$ ont la même direction mais un sens opposé, de sorte que la résultante $\vec{B} = \vec{B}_{bob} + \vec{B}_{Terre}$ change de sens dès que $I > 0,02$ A. Ci-dessous, le premier schéma correspond à $I < 0,02$ A et le second à $I > 0,02$ A.

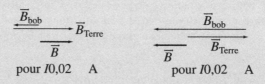

pour I 0,02   A   pour I 0,02   A

La règle de la main droite permet alors de trouver le sens du courant dans la bobine : le pouce de la main droite étant dirigé selon $\vec{B}_{bob}$, les autres doigts tournent dans le même sens que le courant.

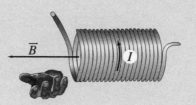

2 Si $I = 0, 02$ A, les champs $\vec{B}_{\text{bob}}$ et $\vec{B}_{\text{Terre}}$ ont la même norme mais ils sont opposés ; leur résultante vectorielle $\vec{B}$ est nulle de sorte que l'aiguille de la boussole n'est soumise à aucun champ magnétique susceptible de la faire tourner. Elle conserve ainsi la direction qu'elle possédait lorsque I était inférieur à 20 mA.

3 Lorsque $I = 0, 02$ A, $B_{\text{Terre}} = B_{\text{bob}}$ avec $B_{\text{Terre}} = 2.10^{-5}$ T et B_{bob} est proportionnel au courant I et au nombre de spires par unité de longueur :

$$B_{\text{bob}} = \mu_0\, n\, I = \mu_0\, \frac{N}{L}\, I$$

où N désigne le nombre de spires qui composent la bobine. C'est pourquoi :

$$B_{\text{bob}} = B_{\text{Terre}} \Rightarrow \mu_0 \frac{N}{L} I = B_{\text{Terre}} \quad \Rightarrow \quad N = \frac{L \times B_{\text{Terre}}}{\mu_0 \times I} = \frac{0,5 \times 2.10^{-5}}{4\pi.10^{-7} \times 0, 02}$$
$$\Rightarrow \quad N \simeq 400 \text{ spires}$$

12 ## Champ créé par un courant   ★ ★ ★ *25 min.* | *p. 177*

Lycée Saint–Martin, Rennes

1 Le pôle nord de la boussole se trouve en face du fil et est attiré par le pôle sud du champ magnétique terrestre (S_T) :

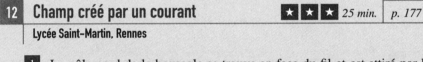

Le champ magnétique terrestre $\vec{B}_h$ est alors dirigé de N_T (pôle nord géomagnétique) vers S_T.

$$M \quad \vec{B}_h$$

2 L'aiguille de la boussole est ensuite orientée dans le même sens que le champ $\vec{B}_r = \vec{B}_h + \vec{B}$ résultant du champ géomagnétique $\vec{B}_h$ et du champ $\vec{B}$ créé par le fil ; ce dernier champ est alors orienté vers le bas :

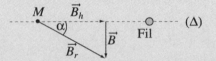

3 D'après la règle du « bonhomme d'Ampère », celui-ci regarde le point M en tendant son bras gauche dans la direction de $\vec{B}$:

$$M \qquad \vec{B}$$

Le courant électrique lui entre par les pieds et ressort par la tête, de sorte que le courant électrique I sort vers le haut de la feuille de papier :

feuillede papier

4 D'après le schéma de la question 2., il ressort que :

$$\tan \alpha = \frac{B}{B_h} \Rightarrow B = B_h \times \tan \alpha = 20.10^{-6} \times \tan(40°) = 17\mu\text{T}$$

5 Le champ magnétique B créé par le courant électrique est proportionnel à l'intensité I. C'est pourquoi il existe une constante a positive telle que :

$$B = a \times I \Rightarrow a = \frac{B}{I}$$

De même, un courant $I' = 5$ A génère en M un champ B' tel que :

$$B' = a \times I' \Rightarrow B' = \frac{B}{I} \times I'$$

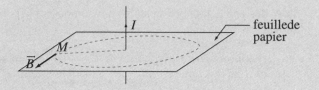

L'aiguille de la boussole s'orientera dans la direction du champ $\vec{B}'_r$ résultant, tel que :

$$\tan \alpha' = \frac{B'}{B_h} \Rightarrow \tan \alpha' = \frac{B}{I} \times \frac{I'}{B_h} = \frac{I'}{I} \times \tan \alpha \text{ car } \frac{B}{B_h} = \tan \alpha$$

soit finalement :

$$\tan \alpha' = \frac{5}{1,5} \times \tan(40°) = 2,8 \Rightarrow \alpha' \simeq 70°$$

13 Force de Laplace ★ ★ ★ *25 min.* p. 178

Lycée Bouchardon, Chaumont

1 La direction et le sens de la force de Laplace sont donnés par la règle du « bonhomme d'Ampère » : le courant I lui entrant par les pieds, il regarde dans la direction de $\vec{B}$, tandis que son bras gauche, tendu, indique l'orientation de $\vec{F}$.

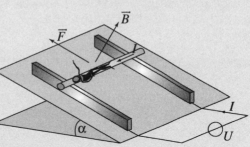

Pour que cette force soit dirigée vers le haut des rails, il faut que $\vec{B}$ soit orienté vers le ciel. La loi de Laplace fournit également la valeur de F :

$$F = I \times d \times B = 0,5 \times 10.10^{-2} \times 0,5 = 0,025 \text{ N}$$

2 Outre, la force $\vec{F}$ décrite précédemment, la tige est aussi soumise à :

• la réaction $\vec{R}$ des rails, perpendiculaire à ceux-ci, et dirigée vers le ciel ;

• le poids $\vec{P}$ de la tige, dirigé selon la verticale descendante, et de valeur :

$$P = m \times g = 10.10^{-3} \times 9,8 = 0,098 \text{ N}$$

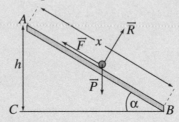

3 La tige est soumise :

• à la force $\vec{F}$ qui exerce, entre A et B, un travail :

$$W_{AB}\left(\vec{F}\right) = \vec{F} \cdot \overrightarrow{AB} = -F \times AB = -F \times x$$

• à la réaction $\vec{R}$ qui exerce un travail : $W_{AB}\left(\vec{R}\right) = \vec{R} \cdot \overrightarrow{AB} = 0$ car $\vec{R} \perp \overrightarrow{AB}$.

• à son poids $\vec{P}$, dont le travail ne dépend que de la dénivellation h entre les points A et B : $W_{AB}\left(\vec{P}\right) = mgh$, où le triangle rectangle (ABC) définit :

$$\sin \alpha = \frac{AC}{AB} = \frac{h}{x} \Rightarrow h = x \sin \alpha \Rightarrow W_{AB}\left(\vec{P}\right) = mgx \sin \alpha$$

La tige est lâchée en A sans vitesse initiale ($V_A = 0 \text{ m} \cdot \text{s}^{-1}$) et arrive en B avec une vitesse V, ce qui traduit une variation d'énergie cinétique :

$$\Delta E_c = \frac{1}{2}mV^2 - \frac{1}{2}mV_A^2 = \frac{1}{2}mV^2$$

Quant au théorème de l'énergie cinétique, il stipule que :

$$\Delta E_c = W_{AB}\left(\vec{P}\right) + W_{AB}\left(\vec{F}\right) + W_{AB}\left(\vec{R}\right) \quad \Rightarrow \quad \frac{1}{2}mV^2 = mgx\,\sin\alpha - Fx$$

$$\Rightarrow \quad V = \sqrt{2x\left(g\,\sin\alpha - \frac{F}{m}\right)}$$

soit encore :

$$V = \sqrt{2 \times 15.10^{-2} \times \left[9,8 \times \sin(30°) - \frac{0,025}{10.10^{-3}}\right]} = 0,85\ \text{m} \cdot \text{s}^{-1}$$

Optique

Exercice type   Lycée Lacroix, Maison–Alfort

Sébastien observe une grosse fourmi, de longueur $AB = 10, 0$ mm, à travers une loupe de distance focale $f = 5$ cm ; la fourmi se trouve à une distance $d = 4, 0$ cm de la loupe. On considère que la tête A de la fourmi se trouve sur l'axe optique et que son corps AB est perpendiculaire à celui-ci.

1 Calculer la vergence de la loupe.

2 Trouver la distance entre la lentille et l'image $A'B'$ de la fourmi fournie par la loupe, ainsi que sa taille :

  (a) par une méthode graphique (on fera un schéma sur lequel on indiquera la position des foyers et du centre optique) ;

  (b) par le calcul.

3 L'œil de Sébastien se trouve à 5 cm de la lentille. À quelle distance se trouve-t-il de l'image ?

Voir corrigé page 199

1 Condition de visibilité d'un objet

Dans un milieu transparent et homogène, la lumière se propage en ligne droite. On figure cette propagation par des segments de droites appelés rayons lumineux.

Un point objet est un point d'où partent les rayons lumineux (ou leurs prolongements). À la sortie d'un système optique, ces rayons lumineux (ou leurs prolongements) peuvent converger en un point, appelé image (conjuguée) de l'objet.

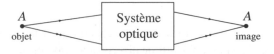

Parmi les systèmes optiques, on trouve les lentilles convergentes, dont les bords sont plus étroits que le centre :

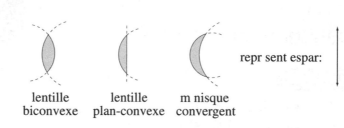

lentille
biconvexe

lentille
plan-convexe

m nisque
convergent

repr sent espar:

Leur rôle consiste à faire converger un faisceau de lumière parallèle incident, en un point appelé foyer image.

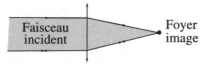

Faisceau
incident

Foyer
image

L'œil est aussi un instrument optique dont :

- le cristallin joue le rôle d'une lentille convergente (des muscles rendent cette lentille plus ou moins convergente) ;

- la rétine récupère les images pour les transmettre au cerveau, sous forme d'influx nerveux, par l'intermédiaire du nerf optique.

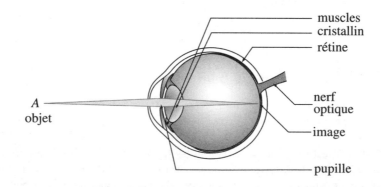

muscles
cristallin
rétine

nerf
optique

image

pupille

A
objet

! Attention :

L'œil ne peut assurer son rôle dans la vision que si les rayons qu'il reçoit proviennent d'un point objet (d'où divergent les rayons lumineux). En aucun cas la formation d'une image réelle sur le cristallin ne permet ce rôle, mais peut surtout provoquer de graves lésions sur l'œil.

2 Images données par un miroir plan

2.1 La réflexion des rayons lumineux

Un miroir plan est constitué d'une surface réfléchissant la lumière. On appelle :

- rayon incident $(\mathcal{R})$, le rayon arrivant sur le miroir ;
- normale (n), le segment de droite perpendiculaire au plan du miroir, passant par le point d'intersection du rayon incident avec le miroir ;
- rayon réfléchi $(\mathcal{R}')$, le rayon repartant du miroir.

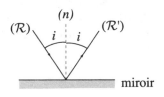

Les angles que font les rayons incident et réfléchi avec la normale sont identiques (angle i sur la figure ci-dessus) et $(\mathcal{R})$, $(\mathcal{R}')$, (n) sont compris dans un même plan ; ces deux résultats constituent la loi de *Snell-Descartes* relative à la réflexion.

L'image A' d'un point A par un miroir $(\mathcal{M})$ est le point symétrique de A par rapport au plan défini par $(\mathcal{M})$:

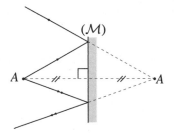

L'image A' dessinée précédemment n'est pas le point d'intersection des rayons lumineux, mais seulement de leurs prolongements ; en ce sens elle est virtuelle.

3 Images données par une lentille convergente

3.1 Foyers et distance focale

Une lentille mince convergente est caractérisée par :

- son centre optique O qui coïncide généralement avec son centre géométrique ;
- son axe optique Δ, passant par O perpendiculairement au plan de la lentille ;

- son foyer image F', où convergent les rayons incidents parallèles à Δ ;
- son foyer objet F d'où doivent partir des rayons lumineux pour ressortir de la lentille parallèlement à l'axe optique.

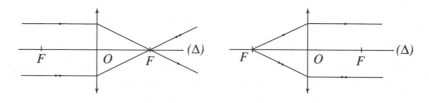

L'axe optique Δ est orienté dans le sens de propagation de la lumière (souvent vers la droite) ce qui permet d'utiliser les valeurs algébriques des différentes grandeurs. Par exemple $\overline{OF} < 0$ signifie que F se trouve à gauche de O, tandis que $\overline{OF'} > 0$ indique que F' se trouve à droite de O.

On appelle distance focale image la grandeur positive $f' = \overline{OF'}$ et distance focale objet $f = \overline{OF} < 0$; de manière générale $|f| = f'$. À la distance focale est aussi associée la vergence :

$$V = \frac{1}{f'} > 0$$

qui s'exprime en dioptries (δ) lorsque f' est exprimé en mètres.

3.2 Constructions géométriques

Les schémas de la figure ci-dessus montrent que deux types de rayons lumineux ont des trajets remarquables :

Les rayons lumineux arrivant sur la lentille parallèlement à l'axe optique en ressortent en passant par le foyer F'.

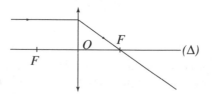

Les rayons lumineux arrivant sur la lentille après être passés par le foyer F, en ressortent parallèlement à l'axe optique.

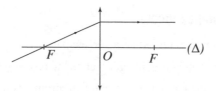

Outre les deux rayons précédemment évoqués, celui traversant la lentille en O n'est pas dévié

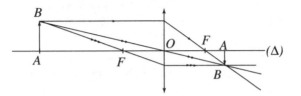

Ces trois rayons permettent la construction géométrique illustrant comment un point objet B, hors de l'axe optique, peut former une image B' : parmi tous les rayons issus de B, les trois évoqués ci-dessus convergent vers l'image B', à la sortie de la lentille :

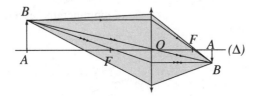

L'image d'un point A, projeté orthogonal de B sur l'axe optique (Δ) est alors un point A', projeté orthogonal de B' sur (Δ).

Les trois rayons remarquables tracés précédemment ne sont évidemment pas les seuls, partant de B, à converger vers B'.

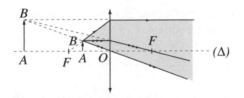

Il peut arriver toutefois que les rayons ainsi tracés ne convergent pas vers un point B'.

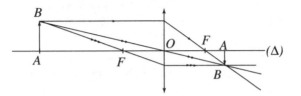

Dans ce cas, il convient de tracer les prolongements des trois rayons remarquables issus de la lentille ; l'intersection de ces prolongements coïncide avec B'. En fait, le point B' constitue quand même une image, d'ailleurs observable par un œil situé à droite de la lentille : un tel observateur ne pourrait pas faire la différence entre les rayons provenant d'un point lumineux émettant de la lumière depuis B' :

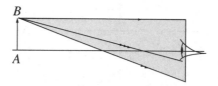

et les rayons issus de la lentille :

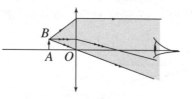

On a ainsi une loupe, c'est-à-dire une lentille convergente, qui donne d'un objet une image plus grande.

! **Attention :**

L'image B' est le point d'intersection des rayons (ou de leurs prolongements) émergeant de la lentille. Afin de ne pas les confondre avec les rayons incidents, vous aurez parfois intérêt à représenter ces rayons de manière caractéristique. Par exemple, l'intersection d'un rayon incident avec un rayon émergent n'aurait aucun sens :

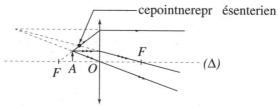

ce point ne représente rien

3.3 Relations de conjugaison

Une lentille convergente $(\mathcal{L})$, de centre O, de foyer objet F et de foyer image F', forme une image $A'B'$ d'un objet AB.

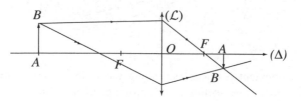

L'axe optique (Δ) est orienté dans le sens de propagation de la lumière (souvent de la gauche vers la droite). Cette orientation est ensuite adoptée pour algébriser les positions des différents points. Par exemple :

- $\overline{OA} < 0$ car pour passer de O à A, il est nécessaire de se déplacer vers la gauche. On peut également remarquer que :

$$\overline{OA} = -OA$$

où OA désigne la distance séparant O et A.

- En revanche, $\overline{OA'} > 0$ (le passage de O à A' requiert un déplacement vers la droite). On pose ainsi : $\overline{OA'} = OA'$.

Remarque : À l'issue des calculs, le signe d'une valeur algébrique permet de repérer immédiatement la position relative de deux points. Par exemple, $\overline{FA'} > 0$ montre que A' est situé à droite de F.

De même, les objets et images sont algébrisés dans un sens que vous pouvez définir arbitrairement (en général, ces valeurs algébriques sont choisies positives vers le haut, mais rien ne s'oppose à l'utilisation d'une convention contraire). C'est ainsi que, pour le schéma ci-dessus, $\overline{AB} > 0$ et $\overline{A'B'} < 0$. Ces signes montrent notamment que l'image $A'B'$ est inversée par rapport à l'objet AB dont elle est issue.

Les positions relatives des objets et images conjuguées sont fournies par des *relations de conjugaison* :

- $\dfrac{1}{\overline{OA'}} - \dfrac{1}{\overline{OA}} = \dfrac{1}{f'}$ avec $f' = \overline{OF'}$.
- $\overline{FA} \times \overline{F'A'} = -f'^2$ (relation de Newton).

De même les tailles relatives des images et des objets sont caractérisées par le grandissement (transversal), défini par :

$$\gamma = \frac{\overline{A'B'}}{\overline{AB}}$$

Ce grandissement peut se calculer directement à partir des positions de A et A', à l'aide d'une des deux relations suivantes :

- $\gamma = \dfrac{\overline{OA'}}{\overline{OA}}$
- $\gamma = \dfrac{f'}{\overline{FA}} = -\dfrac{\overline{F'A'}}{f'}$ (relations de Newton)

Solution de l'exercice type

1 Avec une distance focale de $f = 5$ cm, la loupe a pour vergence :

$$C = \frac{1}{f} = \frac{1}{0,05} \Rightarrow C = 20\,\delta$$

2 **(a)** Les foyers (image F' et objet F) de la loupe se trouvent à $f = 5$ cm du centre optique O de la loupe. Pour localiser l'image $A'B'$ de AB, il suffit de représenter deux des trois rayons remarquables :

- le rayon (1), issu de B parallèlement à l'axe optique (Δ), ressort de la loupe $\mathcal{L}$ en passant par F' ;

- le rayon (2), issu de B et passant par O n'est pas dévié par ($\mathcal{L}$).

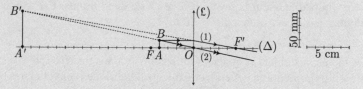

Les rayons qui ressortent de ($\mathcal{L}$) divergent, si bien que seuls leurs prolongements (en pointillé) se coupent en B', dont le projeté orthogonal sur (Δ) coïncide avec A'. La figure précédente montre que :

$$OA' = -20 \text{ cm et } A'B' = 50 \text{ mm}$$

(b) Étant donné que $\overline{OA} = -4$ cm $= -0,04$ m et $f = 5$ cm $= 0,05$ m, la relation de conjugaison de la lentille fournit :

$$\frac{1}{\overline{OA'} - \dfrac{1}{\overline{OA}}} = \frac{1}{f} \quad \Rightarrow \quad \frac{1}{\overline{OA'}}$$

$$= \frac{1}{f} + \frac{1}{\overline{OA}}$$

$$= \frac{1}{0,05} - \frac{1}{0,04}$$

$$= -5\,\delta$$

$$\Rightarrow \quad \overline{OA'} = -0,2 \text{ m} = -20 \text{ cm}$$

Solution de l'exercice type (suite)

En outre, le grandissement du montage vaut :

$$\gamma = \frac{\overline{A'B'}}{\overline{AB}} = \frac{\overline{OA'}}{\overline{OA}} \quad \Rightarrow \quad \frac{A'B'}{AB} = \frac{OA'}{OA} = \frac{20.10^{-2}}{0,04} = 5$$

$$\Rightarrow \quad A'B' = 5 \times AB = 5 \times 10.10^{-3}$$

$$\Rightarrow \quad A'B' = 50.10^{-3} \text{ m} = 50 \text{ mm}$$

Pour voir les rayons qui divergent et semblent provenir de B', l'œil doit se trouver à droite de $(\mathcal{L})$, à 5 cm de O (d'après l'énoncé). C'est pourquoi l'œil se trouve à une distance D de $A'B'$ telle que :

$$D = A'O + OF' = 20 + 5 \Rightarrow D = 25 \text{ cm}$$

(c) Pour l'œil normal au repos, l'image d'un objet situé à l'infini (en réalité quelques dizaines de mètres) se forme sur la rétine.

Pour un œil normal, le *PP* (*Ponctum Proximum* : point le plus près de l'œil qui peut être vu nettement) se situe entre 10 et 25 cm, le *PR* (*Punctum Remotum* : point le plus éloigné qu'un œil peut voir nettement) est à l'infini.

Pour un œil myope, le *PP* se situe à 1 cm par exemple et le *PR* à 20 cm.

On modélise un œil par une lentille convergente ; la rétine est située à 17 mm du centre optique O. Cette distance est constante lorsque l'œil accommode.

1   Certaines parties de l'œil jouent le rôle d'un dispositif optique :

   a La pupille joue le rôle d'un écran.

   b Le cristallin joue le rôle d'une lentille.

   c La rétine joue le rôle d'un diaphragme.

2   Pourquoi un œil doit-il accommoder ?

   a pour former, sur la rétine, l'image nette d'un point situé entre le *PP* et le *PR* ;

   b pour concentrer, sur la rétine, les rayons issus d'un point situé au *PR* ;

   c pour contrôler la quantité de lumière qui parvient à la rétine.

3   Un œil observe un objet qui se rapproche ;

   a la distance focale du cristallin augmente ;

   b la distance focale du cristallin diminue ;

   c la taille de la pupille diminue.

4   On considère un œil normal dont le *PP* se situe à 15 cm. Entre quelles limites varie la vergence C ?

   a C varie de $70, 2\,\delta$ à $83, 7\,\delta$.

   b C varie de $60, 6\,\delta$ à $72, 1\,\delta$.

   c C varie de $58, 8\,\delta$ à $65, 5\,\delta$.

5   Cet œil observe des caractères d'imprimerie, de 2 mm de haut, d'un journal situé à 25 cm. La distance focale f et la taille $A'B'$ de l'image des caractères valent :

$\boxed{\text{a}}$ $f = 1,6$ cm et $A'B' = 0,14$ mm ;

$\boxed{\text{b}}$ $f = 3,2$ cm et $A'B' = 0,07$ mm ;

$\boxed{\text{c}}$ $f = 0,8$ cm et $A'B' = 0,28$ mm.

QCM $\boxed{2}$ Lentille convergente

20 min. | p. 210

Parmi les réponses qui sont proposées, choisir celles qui sont exactes.

$\boxed{1}$ Un objet réel AB, de hauteur $1,0$ cm, est placé à 15 cm d'une lentille mince convergente $(\mathcal{L})$, de centre optique O et de distance focale $f = 10,0$ cm. A est sur l'axe optique.

$\quad\boxed{\text{a}}$ L'image $A'B'$ est située à droite de $(\mathcal{L})$, à une distance de 30 cm.

$\quad\boxed{\text{b}}$ L'image $A'B'$ est située à droite de $(\mathcal{L})$, à une distance de 60 cm.

$\quad\boxed{\text{c}}$ L'image $A'B'$ est située à gauche de $(\mathcal{L})$, à une distance de 60 cm.

$\boxed{2}$ L'image $A'B'$ est caractérisée par sa taille et son sens :

$\quad\boxed{\text{a}}$ $A'B'$ est inversée et mesure 4 cm ;

$\quad\boxed{\text{b}}$ $A'B'$ est inversée et mesure 2 cm ;

$\quad\boxed{\text{c}}$ $A'B'$ est droite et mesure 4 cm.

$\boxed{3}$ On réalise maintenant le montage suivant : un objet A_1B_1 de hauteur $1,0$ cm est placé perpendiculairement à l'axe optique de la lentille $(\mathcal{L})$, A_1 étant sur l'axe optique. On déplace lentille et écran de telle façon que l'image $A'_1B'_1$ donnée par la lentille soit renversée et de même taille que l'objet. On mesure la distance $D = \overline{A_1A'_1} = 40,0$ cm.

$\quad\boxed{\text{a}}$ Le grandissement vaut $\gamma = -1$.

$\quad\boxed{\text{b}}$ Le grandissement vaut $\gamma = -2$.

$\quad\boxed{\text{c}}$ Le grandissement vaut $\gamma = 0,5$.

$\boxed{4}$ Les valeurs algébriques $\overline{OA}_1$ et $\overline{OA'}_1$ sont liées par la relation :

$\quad\boxed{\text{a}}$ $\overline{OA'}_1 = -\overline{OA}_1$ $\quad\boxed{\text{b}}$ $\overline{OA'}_1 = \dfrac{\overline{OA}_1}{2}$ $\quad\overline{OA'}_1 = -\overline{OA}_1$

$\boxed{5}$ Entre D et $\overline{OA}_1$ existe la relation :

$\quad\boxed{\text{a}}$ $D = -3\,\overline{OA}_1$ $\quad\boxed{\text{b}}$ $D = -2\,\overline{OA}_1$ $\quad\boxed{\text{c}}$ $D = -\dfrac{\overline{OA}_1}{2}$

$\boxed{6}$ Exprimer $\overline{OA}_1$ en fonction de f :

$\quad\boxed{\text{a}}$ $D = 4f$ $\quad\boxed{\text{b}}$ $D = -\dfrac{f}{2}$ $\quad\boxed{\text{c}}$ $D = \dfrac{9f}{2}$

Tracer le faisceau réfléchi correspondant au faisceau incident, dans les deux cas suivants :

cas1   cas2

Deux miroirs plans sont disposés orthogonalement comme indiqué sur le schéma ci-contre. Un rayon lumineux SI arrive sur le miroir M_1, comme indiqué sur la figure.

Construire la marche du rayon, après réflexions sur M_1 et M_2. Préciser la direction dans laquelle repart la lumière, après réflexion sur M_2.

Connaissez-vous une application pratique de ce montage ?

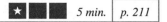

Une lentille mince, de centre optique O, donne d'un objet réel, constitué par une flèche lumineuse de longueur $AB = 3$ cm, normale à l'axe principal de la lentille, une image $A'B'$ sur un écran E. A et A' sont sur l'axe.

$$OA = 40 \text{ cm et } OA' = 160 \text{ cm}$$

1 Quelle est la nature de la lentille ? Calculer sa distance focale et sa vergence.

2 Quelles sont la valeur absolue du grandissement et la longueur $A'B'$ de l'image ?

6 Lentille convergente

 ★ ■ ■ *10 min.* | *p. 213*

Lycée Bouchardon, Chaumont

Un appareil photographique est constitué d'une lentille convergente de distance focale $f' = 4,50$ cm.

1 À quelle distance de la lentille doit être située la pellicule pour que l'image soit nette quand on photographie un objet très éloigné ? justifier la réponse.

2 On photographie un immeuble de hauteur $h = 100$ m situé à 1 km. Quelle sera la hauteur h' de l'image sur la pellicule ?

7 Lentille convergente

★ ■ ■ *5 min.* | *p. 214*

Lycée Saint-Martin, Rennes

Une lentille convergente de centre optique O donne d'un objet AB, de hauteur 5 cm et situé à 120 cm en avant de la lentille, une image $A'B'$ située 60 cm après la lentille. AB est perpendiculaire à l'axe optique de la lentille et A est situé sur cet axe.

1 Déterminer la vergence de la lentille et sa distance focale.

2 À l'aide d'un schéma clair et annoté, tracer la marche du faisceau lumineux qui, issu de B et couvrant la lentille, arrive en B'.

3 Déterminer, par le calcul, le grandissement et la grandeur de l'image $A'B'$.

8 Lentille convergente

 ★ ■ ■ *10 min.* | *p. 215*

Lycée Evariste Galois, Sartrouville

Une lentille convergente, de centre optique O, a une distance focale $f' = 4,0$ cm.

On place un objet AB de $2,0$ cm de hauteur perpendiculairement à l'axe optique de la lentille, A étant sur cet axe à $9,0$ cm de O. La lumière se déplace de gauche à droite.

1 Faire une figure à l'échelle et construire l'image $A'B'$ de l'objet AB.

2 Préciser les caractéristiques et la position de cette image par exploitation graphique.

3 Retrouver la valeur de $\overline{OA'}$ par le calcul.

4 Que devient la valeur de $\overline{OA'}$ quand $\overline{OA} = -3,0$ cm ?

Réflexion de la lumière

 ★ ★ ▉   5 | *p. 216*

Lycée Pierre d'Aragon, Muret

On place deux miroirs perpendiculairement.

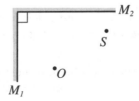

En reproduisant la figure, tracer la marche des rayons issus de O qui arrivent en S après réflexion(s).

10 ## Réflexion de la lumière

 ★ ★ ▉ *10 min.* | *p. 217*

Lycée Pierre d'Aragon, Muret

Un miroir de 6 cm de diamètre est posé sur le sol. À 30 cm de ce miroir est placée, sur son axe de symétrie, une source ponctuelle S. Il se forme une tache lumineuse sur le plafond qui est à 3 m du sol.

1   Représenter, sur un schéma, le chemin suivi par la lumière.

2   Quelle est la dimension de cette tache ?

11 ## Lentille convergente

★ ★ ▉ *10 min* | *p. 218*

Lycée Saint-Martin, Rennes

Sur une diapositive éclairée est dessinée la lettre **b**.

Cette diapositive est éclairée et placée perpendiculairement à l'axe optique d'une lentille convergente. L'image obtenue est visualisée sur un écran translucide, perpendiculaire à l'axe optique.

1   La distance objet-lentille est-elle supérieure ou inférieure à la distance focale de la lentille ? justifier.

2   Quelle lettre un observateur peut-il observer sur la face avant de l'écran ?

3   La diapositive est éloignée de la lentille.

    (a)   Pour visualiser à nouveau l'image, l'écran doit-il être rapproché ou éloigné de la lentille ?

    (b)   La taille de l'image augmente-t-elle ou diminue-t-elle ?

12 Réflexion de la lumière ★ ★ ▮ *10 min.* | *p. 219*

Lycée Saint-Exupéry, Mantes-la-Jolie

Deux miroirs font entre eux un angle de 90°. Les surfaces réfléchissantes sont en regard.

1 Construire les images d'un point lumineux S situé entre les deux miroirs. Quelle figure géométrique obtient-on en joignant toutes les images ?

2 Étudier le cas particulier où S est situé dans le plan bissecteur du dièdre formé par les trois miroirs.

13 Réflexion de la lumière ★ ★ ▮ *15 min.* | *p. 220*

Lycée Jeanne d'Albret, Saint-Germain-en-Laye

Un observateur est face à un miroir AB vertical, à 1 m de distance. À 10 m derrière l'homme se trouve un arbre de hauteur h.

1 Sur le schéma proposé (qui n'est pas à l'échelle), construire l'image de l'arbre donnée par le miroir.

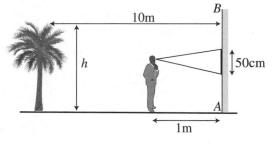

2 L'homme voit l'arbre en entier s'inscrire dans le miroir sur une hauteur de 50 cm ; calculer la hauteur h de l'arbre.

14 Lentille convergente ★ ★ ★ *25* | *p. 221*

Lycée Lacordaire, Marseille

1 Établir, par une démonstration rigoureuse utilisant les constructions géométriques, la relation de conjugaison des lentilles minces.

2 Application : une lentille de vergence 5 δ forme d'un objet réel AB (vertical, perpendiculaire à l'axe de la lentille, et A sur l'axe optique) une image réelle $A'B'$ sur un écran situé à 40 cm de la lentille. En utilisant la relation de conjugaison, déterminer la position de l'objet AB et calculer le grandissement.

COURS

ÉNONCÉS

CORRIGÉS

15 **Lentille convergente**   ★ ★ ★ *25 min.*   *p. 222*

Lycée Charlemagne, Paris

On veut former l'image réelle d'un objet AB assimilable à un segment perpendiculaire à l'axe optique d'une lentille convergente, et de hauteur 2 cm, de sorte que l'image obtenue soit 4 fois plus grande que l'objet et se forme sur un écran situé à 5, 0 m de la lentille.

1 Faire un schéma de principe pour montrer la façon de définir l'image et ses caractéristiques. Montrer que le rapport des tailles de l'image et de l'objet, en valeur absolue, est égal au rapport des distances de l'image et de l'objet au plan de la lentille.

2 Trouver, graphiquement, la position de la lentille et sa distance focale.

3 Déterminer ces mêmes caractéristiques par le calcul, en utilisant la formule de conjugaison de Descartes.

QCM 1 **L'oeil** *20 min.* | *p. 202*

1 Dans l'œil, la pupille joue le rôle de diaphragme, qui limite la quantité de lumière parvenant à la rétine, où se forment les images. Ainsi, la rétine joue le rôle d'écran. En revanche, le cristallin se comporte comme une lentille (réponse *b*).

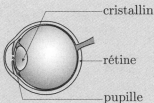

cristallin

rétine

pupille

2 L'œil accommode lorsque les muscles agissent sur le cristallin pour assurer la vision nette d'un objet. Or, l'énoncé précise qu'au repos (l'œil n'accommode pas), un objet situé à l'infini (au PR) est observé nettement. En outre, les muscles qui agissent sur le cristallin n'ont aucune influence sur la pupille qui contrôle la quantité de lumière reçue par la rétine. Par conséquent, l'œil doit accommoder pour former, sur la rétine, l'image nette d'un point situé entre le PP et le PR (réponse *a*).

3 Soit A un objet dont le cristallin, assimilé à une lentille convergente de distance focale f et de centre optique O, forme une image A' sur la rétine. La relation de Descartes :

$$\frac{1}{\overline{OA'}} - \frac{1}{\overline{OA}} = \frac{1}{f}$$

devient, lorsque $\overline{OA'} > 0$ et $\overline{OA} < 0$:

$$\begin{cases} \overline{OA'} = OA' \\ \overline{OA} = -OA \end{cases} \Rightarrow \frac{1}{OA'} + \frac{1}{OA} = \frac{1}{f}$$

Lorsque A se rapproche de O, OA diminue, donc $\dfrac{1}{OA}$ augmente, de même que $\dfrac{1}{f}$. Par conséquent, la distance focale du cristallin diminue (réponse *b*).

4 Pour un œil normal, le PR se situe à l'infini, de sorte que $\dfrac{1}{OA}$ devient presque nul. Dans ce cas, la relation précédente devient :

$$C = \frac{1}{f} = \frac{1}{OA'} + \frac{1}{OA} \simeq \frac{1}{OA'} = \frac{1}{17.10^{-3}} \Rightarrow C = 58,8\ \delta$$

En revanche, lorsque A se trouve au PP, $OA = 15$ cm $= 15.10^{-2}$ m, de sorte que :

$$C = \frac{1}{f} = \frac{1}{OA'} + \frac{1}{OA} = \frac{1}{17.10^{-3}} + \frac{1}{15.10^{-2}} \Rightarrow C = 65,5\ \delta$$

Finalement, C varie de $58,8\ \delta$ à $65,5\ \delta$ (réponse *c*).

5 Lorsque le journal se trouve à la distance $OA = 25\,\text{cm} = 0,25\,\text{m}$ de l'œil, dont la taille $OA' = 17.10^{-3}\,\text{m}$ ne varie pas, la distance focale vérifie à nouveau la relation :

$$\frac{1}{f} = \frac{1}{OA'} + \frac{1}{OA} = \frac{1}{17.10^{-3}} + \frac{1}{0,25} \Rightarrow f = 1,6.10^{-2}\,\text{m}$$

De plus, le grandissement γ du cristallin permet d'exprimer la taille $A'B'$ d'un caractère de hauteur $AB = 2\,\text{mm} = 2.10^{-3}\,\text{m}$:

$$\gamma = \frac{\overline{A'B'}}{\overline{AB}} = \frac{\overline{OA'}}{\overline{OA}} \Rightarrow \frac{A'B'}{AB} = \frac{OA'}{OA} \Rightarrow A'B'$$

$$= AB \times \frac{OA'}{OA}$$

$$= 2.10^{-3} \times \frac{17.10^{-3}}{0,25}$$

$$\Rightarrow A'B'$$

$$= 1,4.10^{-4}\,\text{m}$$

$$= 0,14\,\text{mm}$$

Il s'ensuit que $f = 1,6\,\text{cm}$ et $A'B' = 0,14\,\text{mm}$ (réponse a).

2 Lentille convergente

20 min. | p. 203

1 L'objet AB étant réel, il est placé à gauche de O, de sorte que :

$$\overline{OA} = -15\,\text{cm} = -0,15\,\text{m}$$

Par suite, la relation de conjugaison indique que :

$$\frac{1}{\overline{OA'}} - \frac{1}{\overline{OA}} = \frac{1}{f} \Rightarrow \frac{1}{\overline{OA'}} = \frac{1}{f} + \frac{1}{\overline{OA}} = \frac{1}{0,10} - \frac{1}{0,15} = \frac{0,5}{0,15}$$

$$\Rightarrow \overline{OA'} = 0,3\,\text{m} = 30\,\text{cm}$$

ce résultat signifie que l'image $A'B'$ est située à droite de $(\mathcal{L})$ à une distance de 30 cm (réponse a).

2 Le grandissement du montage vaut :

$$\gamma = \frac{\overline{A'B'}}{\overline{AB}} = \frac{\overline{OA'}}{\overline{OA}} \Rightarrow \overline{A'B'} = \overline{AB} \times \frac{\overline{OA'}}{\overline{OA}} = 10^{-2} \times \frac{30.10^{-2}}{-0,15}$$

$$\Rightarrow \overline{A'B'} = -2.10^{-2}\,\text{m} = -2\,\text{cm}$$

L'image $A'B'$ est donc renversée et mesure 2 cm (réponse b).

3 Puisque l'image $A'_1B'_1$ a la même taille que A_1B_1 et est renversée par rapport à A_1B_1 :

$$\gamma = \frac{\overline{A'_1B'_1}}{A_1B_1} \text{ avec } \overline{A'_1B'_1} = -\overline{A_1B_1} \Rightarrow \gamma = -1 \text{ (réponse } a\text{).}$$

4 Le grandissement est également donné par :

$$\gamma = \frac{\overline{OA'_1}}{\overline{OA_1}} = -1 \Rightarrow \overline{OA'_1} = -\overline{OA_1} \text{ (réponse c).}$$

5 La distance D est définie par :

$$D = \overline{A_1 A'_1} = \overline{A_1 O} + \overline{OA'_1} = -\overline{OA_1} + \overline{OA'_1}$$
$$\Rightarrow D = -2\,\overline{OA_1}$$

6 Étant donné que $\overline{OA'_1} = -\overline{OA_1}$, la relation de conjugaison s'écrit :

$$\frac{1}{\overline{OA'_1}} - \frac{1}{\overline{OA_1}} = \frac{1}{f} \Rightarrow -\frac{1}{\overline{OA_1}} - \frac{1}{\overline{OA_1}} = \frac{1}{f}$$
$$\Rightarrow \frac{-2}{\overline{OA_1}} = \frac{1}{f} \Rightarrow \overline{OA_1} = -2f$$

Et, d'autre part, le résultat de la question précédente indique que :

$$D = -2 \times \overline{OA_1} \text{ où } \overline{OA_1} = -2f \Rightarrow D = 4f \text{ (réponse a).}$$

Remarque : Étant donné que $f = 10$ cm, on s'assurera aisément que la valeur $D = 40$ cm confirme le résultat des calculs précédents.

3 **Réflexion de la lumière**   ★■■■ *5 min.* | p. 204 |

Lycée des Pontonniers, Strasbourg

| Méthode |

Lors des constructions graphiques des rayons réfléchis, n'utilisez pas l'identité des angles d'incidence et de réflexion (sauf si l'énoncé vous le demande explicitement). D'une part les schémas qu'on vous proposera se prêteront mal à l'emploi d'un rapporteur et d'autre part vous vous priveriez de montrer que vous avez compris ce qu'est une image.

1 Premier cas

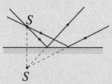

Les deux rayons incidents ont pour point commun le point S, qui apparaît ainsi comme un point objet, dont l'image S' est symétrique par rapport au miroir ; les rayons se réfléchissent comme s'ils venaient de S'.

2 Deuxième cas.

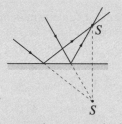

À nouveau, les prolongements des rayons incidents se coupent en un point S (mais comme S est à l'intérieur du miroir, il s'agit d'un objet *virtuel*), dont l'image S' est le symétrique par rapport au miroir. C'est pourquoi les rayons se réfléchissent sur le miroir dans la direction de S'.

4 réflexion de la lumière ★ ■ ■ *5 min.* | p. 204 |

Lycée Lacordaire, Marseille

Le rayon SI se réfléchit comme s'il provenait de l'image S_1 de S par M_1. De même, ce rayon se réfléchit au point I' de M_2 comme s'il provenait de l'image S_2 de S_1 par M_2.

Le schéma ci-contre révèle que la lumière repart du point I' parallèlement au rayon incident SI. Pour s'en convaincre, il suffit de remarquer que l'angle entre ces deux rayons vaut :

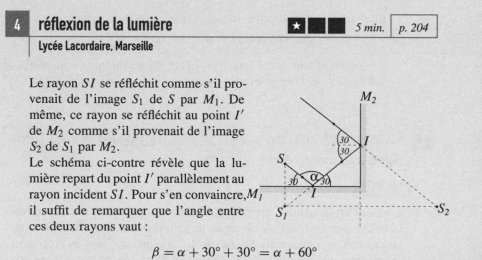

$$\beta = \alpha + 30° + 30° = \alpha + 60°$$

avec, en I :

$$\alpha + 2 \times 30° = 180° \Rightarrow \beta = 180°$$

Or, des droites faisant un angle de 180° sont parallèles.

Un tel dispositif peut être utilisé comme catadioptre car il offre la possibilité de renvoyer la lumière vers sa source ; un tel montage est d'ailleurs utilisé pour mesurer la distance Terre-Lune : un catadioptre a été déposé sur la surface de la Lune, et est éclairé par un rayon laser depuis la Terre, puis revient sur Terre.

5 Lentille convergente

★ ■ ■ ■ *5 min.* p. 204

Lycée Saint-Exupéry, Mantes-la-Jolie

Méthode

Seul l'emploi des relations de conjugaison peut fournir des réponses exactes concernant les caractéristiques des images et objets. Préférez ces relations aux constructions géométriques qui ne permettent, tout au plus, que d'illustrer les résultats issus de calculs.

1 L'objet est réel ainsi que son image $A'B'$ (puisqu'on peut la former sur un écran). Seule une lentille convergente permet d'associer une image réelle à un objet réel :

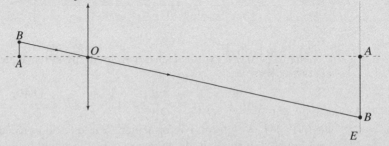

La relation de conjugaison de Descartes permet alors de trouver la distance focale f' de cette lentille, ainsi que sa vergence V ; avec $\overline{OA'} = 1,6$ m et $\overline{OA} = -0,4$ m, on trouve :

$$V = \frac{1}{f'} = \frac{1}{\overline{OA'}} - \frac{1}{\overline{OA}} = \frac{1}{1,6} + \frac{1}{0,4} \Rightarrow V = 3,125\ \delta \text{ et } f' = 0,32 \text{ m}$$

2 Le grandissement γ est donné par :

$$\gamma = \frac{\overline{A'B'}}{\overline{AB}} = \frac{\overline{OA'}}{\overline{OA}} \Rightarrow |\gamma| = \frac{OA'}{OA} = \frac{160}{40} = 4$$

ce qui conduit à :

$$\frac{A'B'}{AB} = |\gamma| \Rightarrow A'B' = |\gamma| \times AB = 4 \times 3 = 12 \text{ cm}$$

6 Lentille convergente

★ ■ ■ ■ *10 min.* p. 205

Lycée Bouchardon, Chaumont

1 Soit A le point objet très éloigné du centre optique O de la lentille et A' son image sur la pellicule. La relation de conjugaison de cette lentille : $\frac{1}{\overline{OA'}} - \frac{1}{\overline{OA}} = \frac{1}{f'}$ se simplifie dans le cas où A est suffisamment éloigné pour que l'on puisse poser :

$$\frac{1}{\overline{OA}} \simeq 0 \Rightarrow \frac{1}{\overline{OA'}} = \frac{1}{f'} \Rightarrow \overline{OA'} = f' = 4,5 \text{ cm}$$

La pellicule se trouve donc à 4, 5 cm à droite de la lentille.

2 Considérons l'immeuble AB tel que $AB = h$ et A est situé sur l'axe optique de la lentille. Parmi tous les rayons issus du sommet B de l'immeuble, celui qui traverse la lentille en son centre optique n'est pas dévié, comme l'indique le schéma suivant (les échelles ne sont pas respectées) :

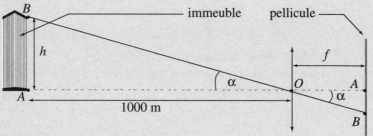

Ce schéma permet d'exprimer $\tan \alpha$ dans les triangles rectangles (OAB) et $(OA'B')$:

$$\tan \alpha = \frac{A'B'}{OA'} = \frac{AB}{OA} \Rightarrow A'B' = AB \times \frac{OA'}{OA}$$

où $OA' = f' = 4, 5$ cm, conformément à la question précédente. Par conséquent, l'image $A'B'$ de AB sur la pellicule a pour hauteur :

$$h' = A'B' = h \times \frac{f'}{OA} = 100 \times \frac{4, 5.10^{-2}}{1000} = 4, 5.10^{-3} \text{ m} = 4, 5 \text{ mm}$$

7 Lentille convergente

★ ■ ■ *5 min.* | *p. 205*

Lycée Saint–Martin, Rennes

1 Les indications de l'énoncé permettent de repérer les positions de A et A' :

$$\overline{OA} = -120 \text{ cm} = -1, 2 \text{ m et } \overline{OA'} = 60 \text{ cm} = 0, 6 \text{ m}$$

Aussi, la vergence V de la lentille se déduit de sa relation de conjugaison :

$$V = \frac{1}{\overline{OA'}} - \frac{1}{\overline{OA}} = \frac{1}{0, 6} + \frac{1}{1, 2} = \frac{1}{0, 4} = 2, 5 \, \delta$$

2 Les points B et B' sont soumis aux contraintes suivantes :

- $(AB) \perp (AA')$ et $(A'B') \perp (AA')$

- Le rayon partant de B et passant par O n'est pas dévié, auquel cas il passe aussi par B'. Donc, B' est le point d'intersection de ce rayon avec la perpendiculaire à (AA') passant par A'.

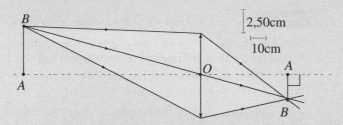

Quant aux autres rayons issus de B (notamment, ceux prenant appui sur les bords de la lentille), ils convergent également en B' (image de B).

3 Le grandissement γ vaut :

$$\gamma = \frac{\overline{OA'}}{\overline{OA}} = \frac{0,6}{-1,2} = -0,5$$

et est défini par :

$$\gamma = \frac{\overline{A'B'}}{\overline{AB}} \Rightarrow |\gamma| = \frac{A'B'}{AB} \Rightarrow A'B' = |\gamma| \times AB = 0,5 \times 5 = 2,5 \text{ cm}$$

8 **Lentille convergente** ★ ■ ■   *10 min.* | p. 205 |

Lycée Evariste Galois, Sartrouville

1 La connaissance de la distance focale $f' = 4$ cm de la lentille convergente permet de déterminer la position de son foyer image F' et de son foyer objet F : $\overline{OF'} = 4$ cm et $\overline{OF} = -4$ cm. En outre, l'image B' du point B s'obtient en traçant deux rayons remarquables : celui qui traverse la lentille L en son centre optique O n'est pas dévié tandis que celui qui arrive sur L parallèlement à l'axe optique en ressort dans la direction de F' ; à la sortie de L, ces deux rayons se coupent en B' :

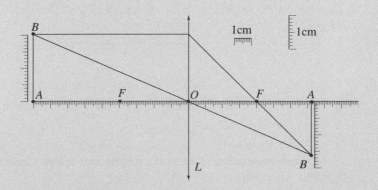

Méthode

Sauf si l'énoncé l'exige, il n'est pas nécessaire en général de tracer les trois rayons remarquables. Deux seulement suffisent (il vous suffit de déterminer, une fois pour toutes, deux rayons remarquables que vous tracerez fréquemment et sans difficulté).

2 Le schéma précédent permet une description de l'image $A'B'$: elle est inversée par rapport à AB et mesure $A'B' \simeq 1,6$ cm ;

le point A' est situé à une distance $OA \simeq 7,2$ cm de O.

3 La relation de conjugaison de Descartes impose :

$$\frac{1}{\overline{OA'}} - \frac{1}{\overline{OA}} = \frac{1}{f'} \Rightarrow \frac{1}{\overline{OA'}} = \frac{1}{\overline{OA}} + \frac{1}{f'} = \frac{1}{-9} + \frac{1}{4} \Rightarrow \overline{OA'} = 7,2 \text{ cm}$$

4 Si $\overline{OA}$ valait -3 cm, la même relation de conjugaison fournirait :

$$\frac{1}{\overline{OA'}} = \frac{1}{\overline{OA}} + \frac{1}{f'} = \frac{1}{-3} + \frac{1}{4} \Rightarrow \overline{OA'} = -12 \text{ cm}$$

Le signe négatif de $\overline{OA'}$ révèle que $A'B'$ serait une image virtuelle, ce qui était prévisible de la part d'un objet AB situé entre L et son foyer objet F.

9 Réflexion de la lumière ★ ★ ◼ 5 | p. 206

Lycée Pierre d'Aragon, Muret

Trois rayons peuvent parvenir en S après réflexion :

- sur le miroir M_1 seulement ; ce rayon semble issu de l'image O_1 de O par M_1 :

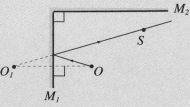

- sur le miroir M_2 seulement ; ce rayon semble provenir de l'image O_2 de O par M_2 :

COURS

ÉNONCÉS

CORRIGÉS

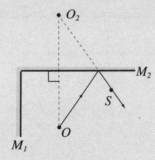

- sur le miroir M_1, puis sur le miroir M_2.

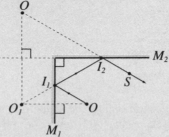

Le rayon issu de O et qui se réfléchit au point I_1 de M_1 semble provenir de O_1. Ce rayon se réfléchit ensuite sur M_2 au point I_2 ; il semble provenir de l'image O' de O_1 par M_2 et passe par S.

---

10 **Réflexion de la lumière**   ★ ★ ▮ ▮ *10 min.* | *p. 206*

Lycée Pierre d'Aragon, Muret

1 La source S, placée à $h = 0,3$ m du miroir, admet une image S' symétrique de S par rapport au miroir (donc à une distance h du miroir). Les rayons lumineux qui arrivent à la périphérie du miroir (dont le rayon r vaut la moitié du diamètre d) se réfléchissent comme s'ils provenaient de S'. Il forment alors au plafond, situé à $H = 3$ m du sol, une tache de diamètre D (double du rayon R) :

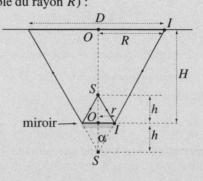

Dans le triangle rectangle $(O'S'I')$, on définit :

$$\tan\alpha = \frac{O'I'}{O'S'} = \frac{R}{H+h} \Rightarrow R = (H+h) \times \tan\alpha$$

tandis que dans le triangle rectangle $(OS'I)$: $\tan\alpha = \dfrac{OI}{OS'} = \dfrac{r}{h}$.

Il s'ensuit que : $R = (H+h) \times \dfrac{r}{h} \Rightarrow 2R = 2r \times \dfrac{H+h}{h}$ où l'on reconnaît les expressions du diamètre $d = 2r$ du miroir et $D = 2R$ de la tache :

$$D = d \times \frac{H+h}{h} = 0,06 \times \frac{3+0,3}{0,3} = 0,66 \,\text{m} = 66 \,\text{cm}$$

11   Lentille convergente   ★ ★ ■   *10 min*   p. 206
Lycée Saint-Martin, Rennes

1 Soient O le centre optique de la lentille, de distance focale f', AB la diapositive éclairée et $A'B'$ l'image de AB qui se forme sur l'écran :

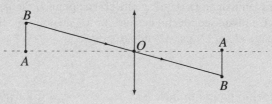

Ce schéma révèle que :

$$\overline{OA} < 0 \Rightarrow \overline{OA} = -OA \text{ et } \overline{OA'} > 0 \Rightarrow \overline{OA'} = OA'$$

de sorte que la relation de conjugaison de Descartes devient :

$$\frac{1}{\overline{OA'}} - \frac{1}{\overline{OA}} = \frac{1}{f'} \Rightarrow \frac{1}{OA'} + \frac{1}{OA} = \frac{1}{f'} \Rightarrow \frac{1}{OA'} = \frac{1}{f'} - \frac{1}{OA} \quad (12)$$

Ainsi :

$$\frac{1}{OA'} > 0 \Rightarrow \frac{1}{f'} - \frac{1}{OA} > 0 \Rightarrow \frac{1}{f'} > \frac{1}{OA} \Rightarrow OA > f'$$

révèle que la distance entre O et A excède la distance focale.

2 Compte tenu des signes de $\overline{OA} < 0$ et $\overline{OA'} > 0$, le grandissement γ du montage vérifie :

$$\gamma = \frac{\overline{OA'}}{\overline{OA}} < 0 \Rightarrow \gamma = \frac{\overline{A'B'}}{\overline{AB}} < 0$$

Le signe négatif de γ signifie que l'image $A'B'$ est inversée par rapport à son objet AB (c'est-à-dire symétrique de AB par rapport à O) :

La lettre observable sur l'écran est donc un **q**.

Remarque : Une ambiguïté subsiste dans l'énoncé quant à la face avant de l'écran. Cette face est vraisemblablement celle en face de la lentille, auquel cas la réponse précédente convient. Mais il peut aussi s'agir de l'autre face (l'écran translucide autorise une observation par transparence) et dans ce cas la lettre observée sera un **p**.

3 **(a)** En éloignant la diapositive, on augmente la distance OA, si bien que $\dfrac{1}{OA}$ diminue. Donc $-\dfrac{1}{OA}$ augmente, de même que $\dfrac{1}{f'} - \dfrac{1}{OA}$. Or, compte tenu de la relation (12) : $\dfrac{1}{OA'} = \dfrac{1}{f'} - \dfrac{1}{OA}$, $\dfrac{1}{OA'}$ augmente, ce qui signifie que OA' diminue. En d'autres termes, il convient de rapprocher l'écran de la lentille pour visualiser à nouveau l'image.

(b) La valeur absolue du grandissement vérifie :

$$|\gamma| = \frac{A'B'}{AB} = \frac{OA'}{OA}$$

Or, nous venons d'établir que OA augmente tandis que OA' diminue, en conséquence de quoi le rapport $\dfrac{OA'}{OA}$ diminue, de même que $\dfrac{A'B'}{AB}$. Et puisque la taille AB de l'objet ne varie pas, cette diminution provient d'une diminution de la taille de l'image $A'B'$.

12 **Réflexion de la lumière** ★ ★ ■ *10 min.* | *p. 207*

Lycée Saint-Exupéry, Mantes-la-Jolie

1 On appelle :

- S_1 l'image de S par le miroir M_1 ;
- S_2 l'image de S_1 par le miroir M_2 ;
- S_3 l'image de S_2 par le miroir M_1 ;
- S_4 l'image de S_3 par le miroir M_2.

Sachant que l'image d'un point P par un miroir M est le symétrique de P par rapport au plan de M, ces images peuvent être représentées :

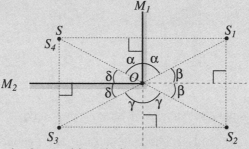

Dans le quart de plan supérieur droit, α et β sont liés par : $\alpha + \beta = 90°$, tandis que le quart de plan inférieur gauche indique que $\gamma + \delta = 90°$. Donc :

$$\widehat{SOS_4} = 2\alpha + 2\beta + 2\gamma + 2\delta = 2\underbrace{(\alpha + \beta)}_{90°} + 2\underbrace{(\gamma + \delta)}_{90°} \Rightarrow \widehat{SOS_4} = 360°$$

En outre, ces symétries révèlent que : $OS = OS_1 = OS_2 = OS_3 = OS_4$, ce qui signifie que les points S, S_1, S_2, S_3 et S_4 appartiennent à un même cercle et, plus précisément, $\widehat{SOS_4} = 360°$ permet d'affirmer que S_4 est confondu avec S.

De plus, ces symétries sont telles que :

$$\left\{ \begin{array}{l} (SS_1) \perp M_1 \\ (S_3S_2) \perp M_1 \end{array} \right. \Rightarrow (SS_1) \parallel (S_3S_2) \text{ et } \left\{ \begin{array}{l} (S_1S_2) \perp M_2 \\ (SS_3) \perp M_2 \end{array} \right. \Rightarrow (S_1S_2) \parallel (SS_3)$$

Donc, le quadrilatère $(SS_1S_2S_3)$ présente ses côtés parallèles deux à deux ; il s'agit d'un parallèlogramme. Enfin :

$$\left\{ \begin{array}{l} (SS_1) \perp M_1 \\ (S_1S_2) \perp M_2 \\ M_1 \perp M_2 \end{array} \right. \Rightarrow (SS_1) \perp (S_1S_2)$$

Le parallèlogramme présente deux côtés perpendiculaires, en conséquence de quoi :

$$(SS_1S_2S_3) \text{ est un rectangle}$$

2 L'appartenance de S à un plan bissecteur de M_1 et M_2 impose $\alpha = 45°$. C'est pourquoi : $\widehat{SOS_1} = 2\alpha = 90°$, ce qui suffit à montrer que les diagonales $[SS_2]$ et $[S_1S_3]$ du rectangle sont perpendiculaires. Dans ce cas :

$$(SS_1S_2S_3) \text{ est un carré}$$

---

13 Réflexion de la lumière

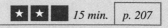 ★ ★ ▮ *15 min.* | *p. 207*

Lycée Jeanne d'Albret, Saint-Germain-en-Laye

1 Soient C et D le pied et la cime de l'arbre, dont les images C' et D' sont symétriques de C et D par rapport au plan du miroir :

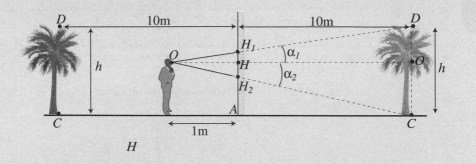

$$H$$

2 On appelle O l'œil de l'observateur, H son projeté sur le miroir et O' son projeté sur le plan vertical contenant $C'D'$. Les triangles rectangles (OHH_1) et $(OO'D')$ permettent de définir :

$$\tan\alpha_1 = \frac{O'D'}{OO'} = \frac{HH_1}{OH} \Rightarrow O'D' = HH_1 \times \frac{OO'}{OH}$$

De même, les triangles rectangles (OHH_2) et $(OO'C')$ définissent :

$$\tan\alpha_2 = \frac{O'C'}{OO'} = \frac{HH_2}{OH} \Rightarrow O'C' = HH_2 \times \frac{OO'}{OH}$$

Il s'ensuit que :

$$h = O'D' + O'C' = \underbrace{(HH_1 + HH_2)}_{H_1H_2} \times \frac{OO'}{OH} = H_1H_2 \times \frac{OO'}{OH}$$

avec :

$$\begin{cases} H_1H_2 = 50\,\text{cm} = 0,5\,\text{m} \\ OO' = OH + HO' = 1 + 10 = 11\,\text{m} \\ OH = 1\,\text{m} \end{cases} \Rightarrow h = 0,5 \times \frac{11}{1} = 5,5\,\text{m}$$

14 Lentille convergente ★★★ 25 p. 207
Lycée Lacordaire, Marseille

1 Soit $A'B'$ l'image de AB par une lentille mince L de centre optique O. Du point B partent, entre autres, deux rayons remarquables : le rayon qui arrive sur L parallèlement à l'axe optique émerge de L en passant par le foyer image F', et le rayon qui passe par O n'est pas dévié :

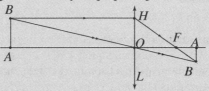

Soit H le projeté orthogonal de B sur L, tel que le théorème de Thalès puisse s'appliquer aux droites (OH) et $(A'B')$ parallèles :

$$\frac{\overline{A'B'}}{\overline{F'A'}} = \frac{\overline{OH}}{\overline{F'O}} = \frac{\overline{AB}}{\overline{F'O}} \Rightarrow \frac{\overline{A'B'}}{\overline{AB}} = \frac{\overline{F'A'}}{\overline{F'O}} = \frac{\overline{F'O} + \overline{OA'}}{\overline{F'O}} = 1 + \frac{\overline{OA'}}{\overline{F'O}}$$
(13)

De même, le théorème de Thalès s'applique aux droites (AB) et $(A'B')$, parallèles :

$$\frac{\overline{A'B'}}{\overline{OA'}} = \frac{\overline{AB}}{\overline{OA}} \Rightarrow \frac{\overline{A'B'}}{\overline{AB}} = \frac{\overline{OA'}}{\overline{OA}} \tag{14}$$

Les expressions (13) et (14) du même rapport $\dfrac{\overline{A'B'}}{\overline{AB}}$ conduisent à :

$$\frac{\overline{OA'}}{\overline{OA}} = 1 + \frac{\overline{OA'}}{\overline{F'O}} \quad \Rightarrow \quad \frac{1}{\overline{OA}} = \frac{1}{\overline{OA'}} + \frac{1}{\overline{F'O}} \text{ après division par } \overline{OA'}$$

$$\Rightarrow \quad \frac{1}{\overline{OA'}} - \frac{1}{\overline{OA}} = -\frac{1}{\overline{F'O}} = \frac{1}{\overline{OF'}}$$

où l'on reconnaît la définition de la distance focale image $f' = \overline{OF'}$, et la vergence V :

$$\frac{1}{\overline{OA'}} - \frac{1}{\overline{OA}} = \frac{1}{f'} = V$$

2 Lorsque $v = 5\,\delta$ et $\overline{OA'} = 40\,\text{cm} = 0,4\,\text{m}$, la relation de conjugaison précédente fournit :

$$\frac{1}{\overline{OA}} = \frac{1}{\overline{OA'}} - V = \frac{1}{0,4} - 5 = -2,5 \Rightarrow \overline{OA} = -0,4\,\text{m} = -40\,\text{cm}$$

Ce résultat signifie que A se trouve à 40 cm à gauche du point O.

Quant au grandissement $\gamma = \dfrac{\overline{A'B'}}{\overline{AB}}$, son expression est aussi donnée par l'identité (14) :

$$\gamma = \frac{\overline{OA'}}{\overline{OA}} = \frac{0,4}{-0,4} = -1$$

15 Lentille convergente ★ ★ ★ 25 min. p. 208
Lycée Charlemagne, Paris

1 Si A appartient à l'axe optique Δ, son image A' lui appartient aussi. En outre $(AB) \perp \Delta$ entraîne que $(A'B') \perp \Delta$ de sorte qu'on peut représenter graphiquement AB et son image $A'B'$ (inversée par rapport à AB et quatre fois plus grande) :

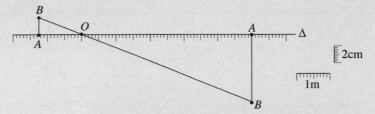

En outre, le rayon issu de B et qui traverse la lentille en son centre optique O n'est pas dévié, de sorte que les droites (AA') et (BB') sont concourantes en O. Les conditions d'application du theorème de Thalès sont alors réunies :

$$\frac{\overline{A'B'}}{\overline{OA'}} = \frac{\overline{AB}}{\overline{OA}} \Rightarrow \frac{\overline{A'B'}}{\overline{AB}} = \frac{\overline{OA'}}{\overline{OA}} \Rightarrow \frac{A'B'}{AB} = \frac{OA'}{OA} \qquad (15)$$

2 Le schéma précédent a permis de trouver la position du centre optique O de la lentille comme intersection des droites (AA') et (BB') ; la lentille est ainsi localisée :

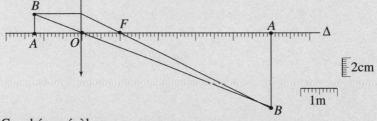

Ce schéma révèle que :

$$OA \simeq 1,2 \text{ m c'est-à-dire} : \overline{OA} \simeq -1,2 \text{ m}$$

et d'autre part, le rayon issu de B qui arrive sur la lentille parallèlement à Δ, émerge de la lentille en passant évidemment par B', mais également par le foyer image F' (qui appartient à Δ). Ce faisant :

$$f = \overline{OF'} \simeq 1 \text{ m}$$

3 L'identité (15) conduit à :

$$OA = OA' \times \frac{AB}{A'B'} = 5 \times \frac{AB}{4\,AB} = 1,25 \text{ m}$$

De plus, la connaissance de $\overline{OA} = -1,25$ m et de $\overline{OA'} = 5$ m permet de trouver la valeur de f' grâce à la relation de conjugaison de Descartes :

$$\frac{1}{f'} = \frac{1}{\overline{OA'}} - \frac{1}{\overline{OA}} = \frac{1}{5} + \frac{1}{1,25} \Rightarrow f' = 1 \text{ m}$$

COURS

ÉNONCÉS

CORRIGÉS

Grandeurs physiques liées aux quantités de matière

Plan du chapitre

1. Masse, volume, pression
2. Concentrations ; solutions électrolytiques

Exercice type

Lycée Gay–Lussac, Limoges

On réalise la combustion de 10 L de butane (gaz de formule C_4H_{10}) dans 100 L d'air. Il se forme du dioxyde de carbone $CO_{2(gaz)}$ et de l'eau $H_2O_{(gaz)}$. L'opération est conduite à la température de 50°C et sous la pression de 1 bar, soit 10^5 Pa. Tous les gaz seront considérés comme parfaits.

1. Calculer le volume, en $L \cdot mol^{-1}$ d'une mole de gaz dans ces conditions de température et de pression. Ce volume est le volume molaire dans les conditions de l'expérience.

2. En déduire la quantité de matière de butane dans l'état initial.

3. Sachant que l'air est un mélange de deux espèces chimiques, constitué approximativement de 20% de dioxygène O_2 et de 80% de diazote N_2 en volume, déterminer la quantité de matière de chacun de ces gaz dans l'état initial.

4. Quels sont les éléments chimiques présents dans les produits de la réaction ? En déduire quelle est, parmi les espèces présentes à l'état initial, l'espèce spectatrice.

5. Écrire l'équation-bilan de la réaction (elle contient deux produits et des réactifs).

6. En établissant un tableau d'avancement, décrire l'état final (quantités de matière de toutes les espèces présentes).

7. Quelle est la masse d'eau recueillie ?

Données :

- constante molaire des gaz parfaits : $R = 8,31\ J \cdot K^{-1} \cdot mol^{-1}$;
- masses molaires de quelques éléments (en $g \cdot mol^{-1}$) :

$$M_H = 1 \qquad M_C = 12 \qquad M_N = 14 \qquad M_O = 16$$

Voir corrigé page 233

1 Masse, volume, pression

1.1 Masse et volume

La masse se mesure à l'aide d'une balance et son unité, dans le système international, est le kilogramme (kg). On rencontre cependant des multiples et des sous-multiples du kilogramme, parmi lesquels les plus fréquents sont :

unité	conversion	conversion inverse
g	10^{-3} kg	$1 \text{ kg} = 10^3$ g
mg	10^{-6} kg	$1 \text{ kg} = 10^6$ g

Les volumes des liquides se mesurent, quant à eux, avec de la verrerie étalonnée :

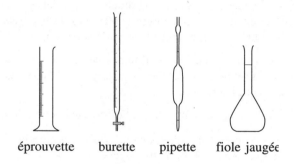

éprouvette   burette   pipette   fiole jaugée

En revanche, certains récipients de laboratoire ne permettent pas ces mesures, en dépit de l'indication qu'ils portent quant à leur contenance. Il s'agit :

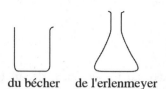

du bécher   de l'erlenmeyer

Dans le système international d'unités, le volume s'exprime en m^3. Cependant d'autres unités sont mieux adaptées aux quantités usuelles :

unité	conversion	conversion inverse
cm^3	$1 \text{ cm}^3 = 10^{-6} \text{ m}^3$	$1 \text{ m}^3 = 10^6 \text{ cm}^3$
dm^3	$1 \text{ dm}^3 = 10^{-3} \text{ m}^3$	$1 \text{ m}^3 = 10^3 \text{ dm}^3$
L	$1 \text{ L} = 1 \text{ dm}^3$	$1 \text{ m}^3 = 1000 \text{ L}$
mL	$1 \text{ mL} = 1 \text{ cm}^3$	$1 \text{ m}^3 = 10^6 \text{ mL}$

💡 Méthode :

Pour effectuer facilement la conversion, il existe une méthode mnémotechnique reposant simplement sur les conversions des longueurs :

$$1 \text{ m} = 10^2 \text{ cm et } 1 \text{ m} = 10 \text{ dm}$$

Pour obtenir la conversion des volumes, il suffit simplement d'élever au cube ces égalités :

$$(1 \text{ m})^3 = (10^2 \text{ cm})^3 \Rightarrow 1 \text{ m}^3 = 10^6 \text{ cm}^3$$
$$(1 \text{ m})^3 = (10 \text{ dm})^3 \Rightarrow 1 \text{ m}^3 = 10^3 \text{ dm}^3$$

Il convient également de se souvenir qu'un litre représente le volume que peut contenir un cube de 10 cm de côtés (c'est-à-dire 1 dm) pour écrire :

$$1 \text{ L} = 1 \text{ dm}^3$$

et finalement :

$$1 \text{ m}^3 = 1000 \text{ dm}^3 = 1000 \text{ L}$$

Cette dernière relation peut être comprise de la manière suivante : un cube de 1 m de côté peut contenir 1000 bouteilles de 1 L.

À partir des masses et volumes, on définit :

- *la masse volumique* : un corps de masse m et de volume V possède une masse volumique :

$$\mu = \frac{m}{V}$$

➡️ À retenir :

Il faut toujours préciser les unités de la masse et du volume pour calculer une masse volumique. Celle-ci s'exprime en $kg.m^{-3}$ dans le système international d'unités, mais l'emploi d'unités mieux adaptées est assez fréquent.

- *la densité des liquides et des solides* : Soit μ_{eau} la masse volumique de l'eau (typiquement de 1000 kg.m^{-3}) et soit μ_{corps} la masse volumique d'un corps solide ou liquide. La densité de ce dernier est définie par le rapport :

$$d_{corps} = \frac{\mu_{corps}}{\mu_{eau}}$$

❗ Attention :

La densité est une grandeur sans unité qui impose à μ_{corps} d'être exprimé préalablement dans les mêmes unités que μ_{eau}.

1.2 Mole et grandeurs associées

Chaque mole contient $\mathcal{N} = 6,02.10^{23}$ entités, au même titre qu'un paquet de lessive contient des dizaines de milliers de grains de lessive ; ainsi définie, la mole est mieux adaptée aux quantités utilisées usuellement en chimie. On manipule couramment des moles d'atomes et des moles de molécules, et l'on préfère souvent évoquer le nombre de moles ainsi manipulées plutôt que le nombre d'atomes ou de molécules.

Une mole d'atomes présente une masse molaire atomique M (par exemple, la masse d'une mole d'atomes de fer vaut : $M = 55, 85 \text{ g} \cdot \text{mol}^{-1}$). La masse m de n moles de ces atomes vaut alors :

$$m = n \times M$$

Il en va de même pour les molécules, à ceci près que M désigne la masse molaire moléculaire, c'est-à-dire la masse d'une mole de molécules (n désignant le nombre de moles de molécules). Par exemple, la molécule d'eau H_2O contient deux atomes d'hydrogène associés à un atome d'oxygène, de masses molaires atomiques :

$$M_H = 1 \text{ g} \cdot \text{mol}^{-1} \text{ et } M_O = 16 \text{ g} \cdot \text{mol}^{-1}$$

Donc, la masse molaire moléculaire de l'eau vaut :

$$M_{H_2O} = 2 \times M_H + M_O = 18 \text{ g} \cdot \text{mol}^{-1}$$

1.3 Gaz parfait

Un gaz exerce sur une paroi de surface S une force d'intensité f proportionnelle à S.

Le coefficient de proportionnalité p définit la pression exercée par le gaz :

$$f = p \times S$$

Lorsque f est exprimé en newtons (N) et S en m^2, la pression p est exprimée dans le système international d'unités en pascals (Pa).

surface S

gaz $\vec{f}$

De nombreuses unités ont également cours, dont on peut retenir les principales :

unité	symbole	conversion
atmosphère	atm	$1 \text{ atm} = 1, 013.10^5 \text{ Pa}$
bar	bar	$1 \text{ bar} = 10^5 \text{ Pa}$
millimètre de mercure	mmHg	$1 \text{ mmHg} = 133, 3 \text{ Pa}$

n moles d'un gaz parfait occupant un volume V (en m^3), à la température absolue T (en kelvin) et sous la pression p (en Pa) suit *l'équation d'état des gaz parfaits* :

$$p V = n R T \qquad (16)$$

où $R = 8,314 \, \text{J·K}^{-1} \text{·mol}^{-1}$ $(S.I.)$ est une constante (constante des gaz parfaits). On rappelle que si t (°C) représente une température en degré Celsius et T (K) la température correspondante en kelvins, alors :

$$T \ (\text{K}) = 273 + t \ (\text{°C})$$

→ À retenir :

L'équation d'état des gaz parfaits ne tient pas compte de la nature du gaz : n désigne aussi bien le nombre de moles d'atomes (si le gaz ne contient que des atomes, tel l'argon Ar), que le nombre de moles de molécules (si le gaz ne contient que des molécules, comme le dioxygène O_2). Dans un mélange tel que l'air (78, 07 % de N_2 + 20, 95 % de O_2 + 0, 03 % de CO_2 + 0, 93 % de Ar +...) n dénombre, indistinctement, les molécules et les atomes.

Le volume molaire V_m (volume d'une mole de gaz) est défini par :

$$V_m = \frac{V}{n} \Leftrightarrow V = n \times V_m$$

soit, compte tenu de l'équation d'état des gaz parfaits (16) :

$$V_m = \frac{R \, T}{p}$$

Les conditions normales de température et de pression $(C.N.T.P.)$ sont caractérisées par :

- la température $t = 0°C$, c'est-à-dire $T \simeq 273$ K
- la pression atmosphérique $p = 1 \text{ atm} = 1,013.10^5$ Pa

Dans ces conditions,

$$V_m = \frac{8,314 \times 273}{1,013.10^5} = 0,0224 \text{ m}^3\text{·mol}^{-1} \Rightarrow V_m = 22,4 \text{ L·mol}^{-1} \text{ dans les } C.N.T.P.$$

2 Concentrations ; solutions électrolytiques

2.1 Solutions aqueuses

L'eau est constituée de molécules H_2O :

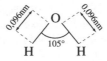

La liaison O–H n'est pas symétrique à l'égard des charges : l'oxygène est plus *électronégatif* (plus avide d'électrons), ce qui provoque une distorsion du nuage électronique au profit de l'oxygène.

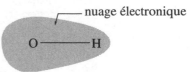

nuage électronique

Statistiquement, les électrons de la liaison covalente passent plus de temps au voisinage de l'atome d'oxygène, qui acquiert de fait un excédent de charge négative (symbolisé par $\delta-$), tandis que l'atome d'hydrogène acquiert un excédent de charge positive (symbolisé par $\delta+$) :

Cette distribution statistique de charge est responsable de l'apparition d'un moment dipolaire qui permet aux molécules d'eau d'entourer les ions qui sont dissous en milieu aqueux. Par exemple, avec l'ion H_3O^+ :
Cette attraction, de nature électrostatique, stabilise l'ion et c'est pourquoi les ions se forment facilement dans l'eau. Par suite, il convient de distinguer :

- les électrolytes, qui sont des ions en solution aqueuse, repérés par l'indice $_{(aq)}$, tels que :

$$H^+_{(aq)}, Na^+_{(aq)}, \cdots$$

- les solutés, qui sont des espèces non dissoutes, telles que :

  - les cristaux ioniques (solides repérés par l'indice $_{(sol)}$) constitués d'ions associés les uns aux autres par des interactions électrostatiques. Leur formule statistique ne fait pas apparaître les charges des ions mais la neutralité électrique de ces cristaux doit être assurée. Par exemple :

  $$NaCl_{(sol)} \text{ est l'association d'ions } Na^+ \text{ et } Cl^-$$

  $$CaF_2 \text{ est l'association d'ions } Ca^{2+} \text{ et d'ions } F^-$$

  - les liquides, repérés par l'indice $_{(liq)}$, dans lesquelles les molécules ne sont pas dissociées en ions, tels que l'acide nitrique anhydre $HNO_{3(liq)}$.

  - les gaz, dont l'indice $_{(gaz)}$ indique l'état physique, ne peuvent pas contenir d'ions. Par exemple, le chlorure d'hydrogène présente pour formule : $HCl_{(gaz)}$.

La mise en solution d'un électrolyte s'accompagne de la dissociation des ions, d'où naît une solution électrolytique. Par exemple, les réactions de dissolution du chlorure d'hydrogène, du chlorure de sodium et de l'acide nitrique présentent pour équations bilan :

$$\underbrace{HCl_{(gaz)}}_{\text{gaz}} \rightarrow \underbrace{H^+_{(aq)} + Cl^-_{(aq)}}_{\text{solution électrolytique}}$$

$$\underbrace{NaCl_{(sol)}}_{\text{solide}} \rightarrow \underbrace{Na^+_{(aq)} + Cl^-_{(aq)}}_{\text{solution électrolytique}}$$

$$\underbrace{HNO_{3\,(liq)}}_{\text{liquide}} \rightarrow \underbrace{H^+_{(aq)} + NO^-_{3\ (aq)}}_{\text{solution électrolytique}}$$

La présentation d'une solution électrolytique fait apparaître explicitement les ions dissociés. Par exemple, les solutions de chlorure de sodium et de sulfate de sodium s'écrivent respectivement :

$$Na^+_{(aq)} + Cl^-_{(aq)} \text{ et } 2\,Na^+_{(aq)} + SO^{2-}_{4\ (aq)}$$

! Attention :

Le chlorure d'hydrogène est un gaz de formule $HCl_{(gaz)}$, tandis que sa dissolution dans l'eau produit de l'acide chlorhydrique : $H^+_{(aq)} + Cl^-_{(aq)}$. En solution aqueuse, HCl n'existe pas.

2.2 Concentrations

Une solution, de volume V (en litre), contenant n moles de soluté, présente une concentration molaire :

$$c = \frac{n}{V} \text{ (en mol} \cdot L^{-1})$$

Le soluté peut ensuite se dissocier en ions, dont la concentration (des espèces dissoutes) vérifie la même définition, mais est notée entre crochets ; par exemple : $\left[Cl^-\right]$, $\left[H^+\right]$...

Une solution, de volume V (en litre), contenant une masse m de soluté (en gramme), présente une concentration massique :

$$c_{\text{massique}} = \frac{m}{V} \text{ (en g} \cdot L^{-1})$$

La dilution consiste, à partir d'une solution appelée « solution mère », à obtenir une solution de concentration moindre par ajout d'eau. Soient :

- c_1 et V_1 la concentration molaire et le volume de la solution mère ;

- c_2 et V_2 la concentration molaire et le volume de la solution diluée.

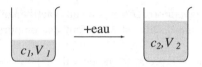

Le nombre de moles n de soluté n'ayant pas varié au cours de la dilution, il convient d'écrire : $c_1 = \dfrac{n}{V_1}$ et $c_2 = \dfrac{n}{V_2}$, d'où l'on déduit que :

$$\left\{ \begin{array}{l} n = c_1 \times V_1 \\ n = c_2 \times V_2 \end{array} \right. \Rightarrow c_2 \times V_2 = c_1 \times V_1 \Rightarrow c_2 = c_1 \times \frac{V_1}{V_2}$$

2.3 Suivi d'une transformation chimique

L'introduction de réactifs, en quantités connues, dans un milieu réactionnel permet le déroulement d'une réaction chimique dont l'évolution peut être suivie. Il convient cependant de procéder méthodiquement.

Par exemple, considérons l'introduction de $n^0_{Fe} = 2$ moles de fer solide avec $n^0_{O_2} = 2$ moles de dioxygène gazeux dans un récipient. Sachant que ces réactifs évoluent vers la formation de l'oxyde de fer $Fe_3O_{4(sol)}$, on veut déterminer les quantités de matière restant dans le milieu réactionnel en fin de réaction. Pour cela, procédons comme suit :

1 *Recherche de l'équation bilan*
Le fer $Fe_{(sol)}$ réagit avec le dioxygène $O_{2(gaz)}$ pour donner $Fe_2O_{3(sol)}$. L'équation bilan (évidemment équilibrée) qui rend compte de cette transformation s'écrit :

$$3\,Fe_{(sol)} + 2\,O_{2(gaz)} \rightarrow Fe_3O_{4(sol)}$$

2 *Quantités initiales de matière*
Ici, les quantités initiales de réactifs sont connues explicitement :

$$n^0_{Fe} = 2 \text{ moles de } Fe_{(sol)} \text{ et } n^0_{O_2} = 2 \text{ moles de } O_{2(gaz)}$$

Dans d'autres cas, il conviendra de calculer ces grandeurs.

En l'absence d'indications contraires, on peut supposer qu'initialement le produit Fe_3O_4 était absent du milieu réactionnel.

Les quantités ainsi connues sont alors recensées dans l'équation bilan :

	$3\,Fe_{(sol)}$	$+$	$2\,O_{2(gaz)}$	$\rightarrow$	$Fe_3O_{4(sol)}$
n^0 (mole)	2		2		0

3 *Réactifs en excès ou en défaut*
Pour déterminer si un réactif (ou plusieurs) est en excès dans le mélange initial, il suffit de calculer le rapport de n^0 pour chacun des réactifs, par son coefficient stœchiométrique :

$$x_{Fe} = \frac{n^0_{Fe}}{3} = \frac{2}{3} = 0,67 \text{ mole}$$

$$x_{O_2} = \frac{n^0_{O_2}}{2} = \frac{2}{2} = 1 \text{ mole}$$

Le plus petit de ces rapports correspond au réactif en défaut. Ici, notamment : $x_{Fe} < x_{O_2}$ révèle que le fer est en défaut par rapport au dioxygène (alors présent en excès).

Lorsque la grandeur x prend la même valeur pour tous les réactifs, aucun n'est en excès ou en défaut ; on dit qu'ils sont introduits dans les proportions stœchiométriques.

4 *Avancement de la réaction*
L'équation bilan de la réaction :

$$3\,Fe_{(sol)} + 2\,O_{2(gaz)} \rightarrow Fe_3O_{4(sol)}$$

indique que 3 moles de Fe doivent réagir avec deux moles de O_2 pour former 1 mole de Fe_3O_4. Mais le milieu ne contient pas 3 moles de Fe, en raison de quoi $3x$ moles de Fe peuvent vraiment réagir avec $2x$ moles de O_2 pour produire x moles de Fe_3O_4. La grandeur x s'appelle l'avancement de la réaction et elle permet d'exprimer les quantités des diverses espèces chimiques *restant* dans le milieu réactionnel :

$$3\,Fe_{(sol)} \quad + \quad 2\,O_{2\,(gaz)} \quad \rightarrow \quad Fe_3O_{4\,(sol)}$$

	$3\,Fe_{(sol)}$	$2\,O_{2\,(gaz)}$	$Fe_3O_{4\,(sol)}$
n^0 (mole)	2	2	0
n (mole)	$2 - 3x$	$2 - 2x$	x

5 *Bilan molaire*

La réaction cesse dès que le réactif introduit en défaut vient à disparaître, c'est-à-dire ici lorsque $n_{Fe} = 0$. À ce moment :

$$n_{Fe} = 2 - 3x = 0 \Rightarrow 3x = 2 \Rightarrow x = \frac{2}{3} = 0,67 \text{ mole}$$

Les autres quantités s'en déduisent immédiatement :

$$n_{O_2} = 2 - 2x = 2 - 2 \times 0,67 = 0,67 \text{ mole de } O_2$$

et

$$n_{Fe_3O_4} = x = 0,67 \text{ mole de } Fe_3O_4$$

L'algorithme ci-dessus peut également être utilisé en substituant les concentrations aux nombres de moles ; l'avancement est alors exprimé en $\text{mol} \cdot \text{L}^{-1}$.

Solution de l'exercice type

1 Sous une pression $P = 10^5$ Pa et à la température $T = 273 + 50$ K, une mole de gaz occupe un volume V_m qui vérifie l'équation d'état des gaz parfaits :

$$PV_m = RT \quad \Rightarrow \quad V_m = \frac{RT}{P} = \frac{8,31 \times 323}{10^5} = 27.10^{-3} \text{ m}^3 \cdot \text{mol}^{-1}$$

$$\Rightarrow \quad V_m = 27 \text{ L} \cdot \text{mol}^{-1}$$

2 Le milieu réactionnel contient initialement $V_{C_4H_{10}} = 10$ L de butane, c'est-à-dire une quantité $n^0_{C_4H_{10}}$ de butane telle que :

$$V_{C_4H_{10}} = n^0_{C_4H_{10}} \times V_m \Rightarrow n^0_{C_4H_{10}} = \frac{V_{C_4H_{10}}}{V_m} = \frac{10}{27}$$

$$\Rightarrow n^0_{C_4H_{10}} = 0,37 \text{ mol}$$

3 Étant donné que le dioxygène $O_{2(gaz)}$ et le diazote $N_{2(gaz)}$ constituent respectivement 20% et 80% du volume initial d'air : $V_{air} = 100\,L$, ces gaz occupent respectivement les volumes $V_{O_2} = 20\,L$ et $V_{N_2} = 80\,L$. Les quantités de matière $n^0_{O_2}$ et $n^0_{N_2}$ de ces gaz vérifient alors :

$$V_{O_2} = n^0_{O_2} \times V_m \Rightarrow n^0_{O_2} = \frac{V_{O_2}}{V_m} = \frac{20}{27} \Rightarrow n^0_{O_2} = 0,74 \text{ mol}$$

et :

$$V_{N_2} = n^0_{O_2} \times V_m \Rightarrow n^0_{N_2} = \frac{V_{N_2}}{V_m} = \frac{80}{27} \Rightarrow n^0_{N_2} = 2,96 \text{ mol}$$

4 Initialement, le milieu réactionnel est composé de butane (C_4H_{10}) et d'air (mélange de O_2 et de N_2), tandis que les produits de la réaction : $CO_{2(gaz)}$ et $H_2O_{(gaz)}$ ne contiennent que les éléments carbone (C), oxygène (O) et hydrogène (H). Il apparaît ainsi que l'élément azote (dans N_2) ne participe pas à la réaction : le diazote $N_{2(gaz)}$ est une espèce spectatrice.

5 La réaction chimique implique alors deux réactifs : $C_4H_{10(gaz)}$ et $O_{2(gaz)}$ tandis qu'elle produit $CO_{2(gaz)}$ et $H_2O_{(gaz)}$. Son équation-bilan d'écrit donc :

$$2\,C_4H_{10(gaz)} + 13\,O_{2(gaz)} \rightarrow 8\,CO_{2(gaz)} + 10\,H_2O_{(gaz)}$$

Remarque : Pour équilibrer plus facilement cette équation, on pouvait aussi écrire :

$$C_4H_{10(gaz)} + \frac{13}{2}\,O_{2(gaz)} \rightarrow 4\,CO_{2(gaz)} + 5\,H_2O_{(gaz)}$$

Cependant, le coefficient stœchiométrique fractionnaire $\frac{13}{2}$ compliquerait les calculs ultérieurs ; une multiplication par 2 de cette équation évite cette difficulté.

6 Soit x l'avancement à partir duquel il est possible de suivre l'évolution de cette réaction :

$2\,C_4H_{10(gaz)}$	$+$	$13\,O_{2(gaz)}$	$\rightarrow$	$8\,CO_{2(gaz)}$	$+$	$10\,H_2O_{(gaz)}$	avancement
$0,37$		$0,74$		0		0	$x = 0$
$0,37 - 2x$		$0,74 - 13x$		$8x$		$10x$	$x \neq 0$

La réaction cesse lorsque x prend une valeur qui annule la quantité de matière d'un des deux réactifs ;

$$n_{C_4H_{10}} = 0,37 - 2\,x_1 = 0 \Rightarrow x_1 = \frac{0,37}{2} \simeq 0,18 \text{ mol}$$

ou :

$$n_{O_2} = 0,74 - 13\,x_2 = 0 \Rightarrow x_2 = \frac{0,74}{13} \simeq 0,06 \text{ mol}$$

Il apparaît alors que $O_{2(gaz)}$ est le premier réactif à disparaître, pour une valeur de l'avancement $x_2 \simeq 0,06$ mol. Outre la quantité de diazote, qui ne varie pas, la composition du milieu réactionnel s'obtient directement à l'aide du tableau d'avancement :

$$n_{C_4H_{10}} = 0,37 - 2\,x_2 = 0,26 \text{ mol}$$
$$n_{O_2} = 0,7413\,x_2 = 0 \text{ mol}$$
$$n_{CO_2} = 8x_2 = 0,45 \text{ mol}$$
$$n_{H_2O} = 10\,x_2 = 0,57 \text{ mol}$$
$$n_{N_2} = 2,96 \text{ mol}$$

1 Concentrations molaires volumiques

10 min. | *p. 244*

Pour chaque proposition, indiquer la bonne réponse, en justifiant :

1 Dans une solution de phosphate de sodium à $0, 1 \, \text{mol} \cdot \text{L}^{-1}$:

(a) les ions sodium ont une concentration molaire de :

    a $0, 3 \, \text{mol} \cdot \text{L}^{-1}$ **b** $0, 1 \, \text{mol} \cdot \text{L}^{-1}$ **c** $0, 05 \, \text{mol} \cdot \text{L}^{-1}$

(b) les ions phosphate ont une concentration molaire de :

    a $0, 1 \, \text{mol} \cdot \text{L}^{-1}$ **b** $0, 033 \, \text{mol} \cdot \text{L}^{-1}$ **c** $0, 3 \, \text{mol} \cdot \text{L}^{-1}$

2 Une solution aqueuse de nitrate de fer III est telle que $\left[\text{NO}_3^-\right] = 0, 6 \, \text{mol} \cdot \text{L}^{-1}$. La concentration molaire de solution aqueuse est de :

    a $0, 6 \, \text{mol} \cdot \text{L}^{-1}$ **b** $0, 2 \, \text{mol} \cdot \text{L}^{-1}$ **c** $0, 3 \, \text{mol} \cdot \text{L}^{-1}$

2 Réactions chimiques

30 min | *p. 244*

Le sodium métallique Na réagit violemment avec l'eau : la réaction produit du dihydrogène, des ions $\text{Na}^+_{(aq)}$ et des ions $\text{HO}^-_{(aq)}$.

1 **Étude théorique**

(a) On mesure $V = 50, 0$ mL d'eau et $m = 0, 23$ g de sodium métallique. Calculer les quantités de matière initiales des réactifs.

    a $n_{\text{Na}} = 0, 01$ mol et $n_{\text{H}_2\text{O}} = 3, 05$ mol ;

    b $n_{\text{Na}} = 0, 1$ mol et $n_{\text{H}_2\text{O}} = 3, 05$ mol ;

    c $n_{\text{Na}} = 0, 01$ mol et $n_{\text{H}_2\text{O}} = 2, 78$ mol ;

    d $n_{\text{Na}} = 0, 1$ mol et $n_{\text{H}_2\text{O}} = 2, 78$ mol

(b) Écrire l'équation chimique de la réaction.

    a $\text{Na}_{(sol)} + \text{H}_2\text{O}_{(liq)} \rightarrow \text{H}_{2\,(gaz)} + \text{Na}^+_{(aq)} + \text{HO}^-_{(aq)}$

    b $2\,\text{Na}_{(sol)} + 2\,\text{H}_2\text{O}_{(liq)} \rightarrow \text{H}_{2\,(gaz)} + 2\,\text{Na}^+_{(aq)} + 2\,\text{HO}^-_{(aq)}$

    c $2\text{Na}_{(sol)} + 3\,\text{H}_2\text{O}_{(liq)} \rightarrow 4\,\text{H}_{2\,(gaz)} + 2\,\text{Na}^+_{(gaz)} + 2\,\text{HO}^-_{(aq)}$

(c) Quelle sera la quantité de matière de dihydrogène produite par la réaction ?

    a $n_{\text{H}_2} = 5.10^{-3}$ mol   **b** $n_{\text{H}_2} = 1, 39$ mol

    c $n_{\text{H}_2} = 0, 05$ mol   **d** $n_{\text{H}_2} = 1, 52$ mol

2 **Réaction réalisée à volume constant**

On réalise l'expérience dans un flacon de 300 mL.

(a) Déterminer la quantité de matière d'air initialement présente dans le flacon, sachant que la pression de l'air est $p_0 = 1, 0.10^5$ Pa et la température $\theta = 20°C$.

> **a** $n_{air} = 1, 0.10^{-2}$ mol   **b** $n_{air} = 1, 2.10^{-2}$ mol
>
> **c** $n_{air} = 15, 0.10^{-2}$ mol   **d** $n_{air} = 18, 0.10^{-2}$ mol

(b) En déduire la quantité de matière totale n_{tot} de gaz (air et dihydrogène) présente dans le flacon après l'expérience.

> **a** $n_{tot} = 15, 5.10^{-2}$ mol   **b** $n_{tot} = 20, 0.10^{-2}$ mol
>
> **c** $n_{tot} = 6, 0.10^{-2}$ mol   **d** $n_{tot} = 1, 5.10^{-2}$ mol

(c) Calculer la valeur de la pression p du mélange gazeux dans le flacon en fin d'expérience. On admet, pour cela, que le volume de la solution et la température n'ont pas varié pendant l'expérience.

> **a** $p = 4, 9.10^5$ Pa   **b** $p = 1, 5.10^5$ Pa
>
> **c** $p = 1, 2.10^5$ Pa   **d** $p = 0, 1.10^5$ Pa

3 **Réaction réalisée à pression constante**

On réalise à nouveau la même réaction chimique mais, maintenant, le dihydrogène produit est recueilli sur une cuve à eau, dans une éprouvette graduée de 250 mL. Calculer le volume V_{gaz} du gaz formé.

On considère que dans les conditions de l'expérience, le volume molaire des gaz vaut $V_m = 24$ L $\cdot$ mol^{-1}.

> **a** $V_{gaz} = 120$ mL   **b** $V_{gaz} = 12$ mL
>
> **c** $V_{gaz} = 210$ mL   **d** $V_{gaz} = 21$ mL

4 En fin d'expérience, la solution obtenue est une solution d'hydroxyde de sodium : elle contient des ions $Na^+_{(aq)}$ et $HO^-_{(aq)}$.

(a) Calculer la quantité de matière d'ions sodium et d'ions hydroxyde formés.

> **a** $n_{Na^+} = 0, 1$ mol et $n_{HO^-} = 0, 02$ mol
>
> **b** $n_{Na^+} = 0, 01$ mol et $n_{HO^-} = 0, 2$ mol
>
> **c** $n_{Na^+} = 0, 1$ mol et $n_{HO^-} = 0, 1$ mol
>
> **d** $n_{Na^+} = 0, 01$ mol et $n_{HO^-} = 0, 01$ mol

(b) Calculer la concentration c de la solution d'hydroxyde de sodium en fin d'expérience. On considère que, pendant la réaction, le volume V de la solution est toujours inchangé.

$$\boxed{a}\ c = 0,0'\ \text{mol} \cdot \text{L}^{-1} \qquad \boxed{b}\ c = 2\ \text{mol} \cdot \text{L}^{-1}$$

$$\boxed{c}\ c = 0,2\ \text{mol} \cdot \text{L}^{-1} \qquad \boxed{d}\ c = 0,4\ \text{mol} \cdot \text{L}^{-1}$$

Données numériques :

- masses molaires de quelques éléments :

$$M_{\text{H}} = 1\ \text{g} \cdot \text{mol}^{-1} \quad M_{\text{O}} = 16\ \text{g} \cdot \text{mol}^{-1} \quad M_{\text{Na}} = 23\ \text{g} \cdot \text{mol}^{-1}$$

- masse volumique de l'eau : $\mu_{\text{eau}} = 1000\ \text{kg} \cdot \text{m}^{-2}$;
- constante molaire des gaz parfaits : $R = 8,31\ \text{J} \cdot \text{K}^{-1} \cdot \text{mol}^{-1}$.

3 | Masse et volume 5 min. | *p. 246*

Lycée Descartes, Antony

Sachant que la masse volumique du fer est égale à $7800\ \text{kg} \cdot \text{m}^{-3}$, quel est le volume d'un morceau de fer de masse $m = 1$ g ? on donnera le résultat en cm^3.

4 | Solutions aqueuse 5 min. | *p. 247*

Lycée Lacroix, Maison-Alfort

On prépare $V = 250$ mL d'une solution de permanganate de potassium en dissolvant 12 g de ce sel de formule KMnO$_4$.

1 Quelle est la concentration molaire de la solution obtenue ?

2 Quelle est la concentration molaire des ions présents ?

Données : masses molaires atomiques :

$$M_{\text{K}} = 39,1\ \text{g} \cdot \text{mol}^{-1} \qquad M_{\text{Mn}} = 54,9\ \text{g} \cdot \text{mol}^{-1} \qquad M_{\text{O}} = 16\ \text{g} \cdot \text{mol}^{-1}$$

5 | Solutions aqueuses 5 min. | *p. 247*

Lycée Jacques Monod, Enghien

On dispose de 100 mL de solution aqueuse obtenue par dissolution de 5,40 g de chlorure de cuivre II anhydre.

1 Quelle est la formule du cuivre II anhydre ? Quelle est sa masse molaire ?

2 Écrire l'équation bilan de la dissolution du chlorure de cuivre II.

3 En déduire les concentrations molaires des ions $\text{Cl}^-_{(aq)}$ et $\text{Cu}^{2+}_{(aq)}$.

Données : masses molaires atomiques :

$$M_{\text{Cl}} = 35,5\ \text{g} \cdot \text{mol}^{-1}\ ; M_{\text{Cu}} = 63,5\ \text{g} \cdot \text{mol}^{-1}$$

6 Solutions aqueuses 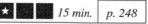 *15 min.* | *p. 248*

Lycée Amyot, Melun

On dispose de chlorure de nickel II hexahydraté : $NiCl_2$, $6\,H_2O$ Quelle masse de ce solide faut-il dissoudre pour préparer 100 mL de solution de concentration $0,5$ $mol \cdot L^{-1}$?

Données : masses molaires atomiques (en $g \cdot mol^{-1}$) :
$$M_{Cl} = 35,5 \qquad M_{Ni} = 58,7 \qquad M_O = 16 \qquad M_H = 1$$

7 Concentrations  *5 min.* | *p. 249*

Lycée Turgot, Paris

1 On dissout $15,0$ L de dioxyde de soufre SO_2 (gaz pur) dans de l'eau distillée que l'on place dans une fiole jaugée de $0,5$ L. On ajuste le volume au trait de jauge pour obtenir une solution S_1.
Calculer la concentration c_1 du dioxyde de soufre dans la solution S_1 (en $mol \cdot L^{-1}$) sachant que, dans les conditions de l'expérience, le volume molaire des gaz est égal à 25 $L \cdot mol^{-1}$.

2 On prélève 10 mL de la solution S_1 et on les introduit dans une fiole jaugée de 1 L. On ajuste le volume au trait de jauge pour obtenir une solution S_2. Calculer la concentration c_2 du dioxyde de soufre dans la solution S_2.
Comment s'appelle l'opération réalisée dans cette question ?

8 Concentrations 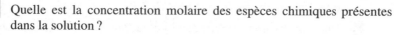 *15 min.* | *p. 250*

Lycée Camille Julian, Bordeaux

Un technicien de laboratoire de lycée doit fabriquer 50 mL d'une solution de chlorure de fer III ($FeCl_3$), de concentration $c = 1$ $mol \cdot L^{-1}$. Il trouve, dans l'armoire à produits chimiques, un flacon dont l'étiquette porte l'inscription : $FeCl_3$, $6H_2O$.

1 Que signifie cette inscription ?

2 Il n'a, à sa disposition, que des fioles jaugées de 25 mL, 100 mL et 500 mL.
Quelle fiole doit-il choisir ?

3 Quelle masse doit-il alors peser ?
On donne les masses molaires atomiques suivantes, en $mol \cdot L^{-1}$:
$$M_{Fe} = 56 \qquad M_{Cl} = 35,5 \qquad M_H = 1 \qquad M_O = 16$$

4 Quelle est la concentration molaire des espèces chimiques présentes dans la solution ?

9 Concentrations

Lycée Montalembert, Nogent-sur-Marne

On dispose d'une « solution mère » S_0 de bromure de cuivre II à la concentration $c_0 = 0,2$ mol $\cdot$ L^{-1}.

1 Quelle est la concentration molaire des ions présents dans la solution ?

2 Quel volume V_0 de la « solution mère » faut-il utiliser pour préparer $V_1 = 250$ mL de « solution fille » S de bromure de cuivre à la concentration $c_1 = 0,04$ mol $\cdot$ L^{-1} ?

3 Quel volume V_0' de « solution mère » faut-il utiliser pour préparer 100 mL d'une « solution fille » S' de bromure de cuivre telle que la concentration en ions bromure $[\text{Br}^-]$ soit de $0,2$ mol $\cdot$ L^{-1} ?

10 Transformation chimique

Lycée Montchapet, Dijon

On prend une masse $m = 0,486$ g de magnésium que l'on verse dans 100 mL d'eau. On verse ensuite de l'acide chlorhydrique concentré en excès ; il se produit un dégagement gazeux, que l'on récupère, issu d'une réaction d'équation bilan :

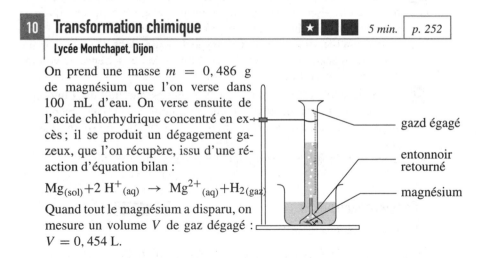

gazd égagé

entonnoir retourné

magnésium

$$\text{Mg}_{(sol)} + 2\,\text{H}^+_{(aq)} \rightarrow \text{Mg}^{2+}_{(aq)} + \text{H}_{2\,(gaz)}$$

Quand tout le magnésium a disparu, on mesure un volume V de gaz dégagé : $V = 0,454$ L.

En déduire le volume molaire dans les conditions opératoires.
Donnée : masse molaire atomique du magnésium : $M = 24,3$ g $\cdot$ mol^{-1}.

11 Transformation chimique

Lycée Marie Curie, Sceaux

Le dichlore gazeux réagit sur le sulfure d'hydrogène gazeux H_2S pour donner du soufre solide et du chlorure d'hydrogène gazeux.

1 Quelle masse de soufre peut-on obtenir à partir de 500 cm^3 de sulfure d'hydrogène (mesurés dans les *C.N.T.P.*) ?

2 Quel volume minimum de dichlore (mesuré dans les mêmes conditions) faut-il utiliser ?

Données :
- masse molaire atomique du soufre : $M_S = 32 \text{ g} \cdot \text{mol}^{-1}$;
- volume molaire des gaz parfaits dans les *C.N.T.P.* : $V_m = 22,4 \text{ L} \cdot \text{mol}^{-1}$.

COURS

12 Lycée du Parc, Lyon
★ ★ ■ *5 min.* | *p. 254*

Masse et volume

Quelle masse d'eau de mer à 2,5 % en masse de chlorure de sodium faut-il évaporer pour obtenir 1 kg de chlorure de sodium solide ?

À quel volume d'eau de mer cela correspond-il (on admettra que la dissolution de sel dans l'eau se fait sans variation de volume et que la masse volumique de l'eau vaut $\mu = 1 \text{ kg} \cdot \text{L}^{-1}$) ?

13 Transformations chimiques
★ ★ ■ *15 min.* | *p. 254*

Lycée Marceau, Chartres

ÉNONCÉS

L'aluminium réagit avec les ions $H^+_{(aq)}$ pour donner des ions aluminium III (Al^{3+}) et du dihydrogène gazeux.

1 Écrire l'équation bilan de la réaction.

2 On ajoute une masse $m = 0,27$ g d'aluminium à un volume $V = 250$ mL d'une solution d'acide chlorhydrique ($H^+_{(aq)} + Cl^-_{(aq)}$) de concentration $c = 0,1 \text{ mol} \cdot \text{L}^{-1}$. Reste-t-il de l'aluminium métallique en fin de réaction ? Si oui, quelle est sa masse ?

3 Déterminer la concentration molaire finale des ions Al^{3+}.

Donnée : masse molaire de l'aluminium : $M_{Al} = 27 \text{ g} \cdot \text{mol}^{-1}$

CORRIGÉS

14 Dilution
★ ★ ■ *15 min.* | *p. 256*

Lycée Montesquieu, Herblay

On veut préparer 2 litres d'une solution d'ammoniac NH_3 de concentration $0,1 \text{ mol} \cdot \text{L}^{-1}$ à partir d'une solution commerciale de densité 0,95 et de pourcentage massique 28 % en ammoniac.

Quel volume de « solution mère » faut-il prélever pour réaliser la solution ?

Données :
- masse volumique de l'eau : $\mu_{eau} = 1 \text{ g} \cdot \text{cm}^{-3}$;
- masses molaires atomiques : $M_H = 1 \text{ g} \cdot \text{mol}^{-1}$ et $M_N = 14 \text{ g} \cdot \text{mol}^{-1}$

15   Solutions aqueuses   ★ ★ ■ *15 min.* | *p. 256*

Lycée Hoche, Versailles

On dispose d'une solution commerciale d'acide perchlorique ($H^+_{(aq)} + ClO^-_{4\ (aq)}$) dont l'étiquette indique la densité par rapport à l'eau : $d = 1,61$ et le pourcentage massique en acide perchlorique : 65 %.
Déterminer sa concentration molaire c.

Données :

- masse molaire moléculaire de $HClO_4$: $M = 100,5\ \text{g} \cdot \text{mol}^{-1}$
- masse volumique de l'eau : $\mu_{\text{eau}} = 1000\ \text{g} \cdot \text{L}^{-1}$

16   Transformations chimiques   ★ ★ ■ *20 min.* | *p. 257*

Lycée Édouard Branly, Nogent-sur-Marne

On attaque 10 g d'un alliage de laiton par une solution d'acide chlorhydrique utilisée en excès. Le laiton contient du zinc et du cuivre.

1   Les ions $H^+_{(aq)}$ de l'acide chlorhydrique sont les seuls à réagir avec le zinc qui se transforme en ions $Zn^{2+}_{(aq)}$, tandis que s'échappe du dihydrogène gazeux. Le cuivre est, quant à lui, inerte vis-à-vis de la solution d'acide chlorhydrique. Écrire l'équation bilan de la réaction chimique qui se produit.

2   Le volume du dihydrogène formé, dans les *C.N.T.P.*, est de 0,9 L. Quelle est la composition massique du laiton (on donnera d'abord les masses respectives du cuivre et du zinc, puis on exprimera la composition centésimale massique, c'est-à-dire le pourcentage en masse de chaque métal).

Données :

- masses molaires atomiques : $M_{\text{Cu}} = 63,5\ \text{g} \cdot \text{mol}^{-1}$ $M_{\text{Zn}} = 65,4\ \text{g} \cdot \text{mol}^{-1}$
- volume molaire des gaz parfaits dans les *C.N.T.P.* : $V_m = 22,4\ \text{L} \cdot \text{mol}^{-1}$

17   Concentrations   ★ ★ ■ *20* | *p. 258*

Lycée Louis-le-Grand, Paris

On dispose d'une solution commerciale d'acide nitrique dont l'étiquette indique la densité par rapport à l'eau : $d = 1,33$ et le pourcentage massique en acide nitrique : 52,5 %.

   Calculer la concentration molaire de cette solution commerciale appelée « solution mère » $\mathcal{S}_0$.

2 On veut préparer $V = 500$ mL d'une solution $\mathcal{S}$ de concentration $c = 0,1$ mol $\cdot$ L^{-1}. Décrire de façon détaillée la préparation de cette solution.

Données :

- masse volumique de l'eau : $\mu_{\text{eau}} = 1000$ g $\cdot$ L^{-1}
- masse molaire moléculaire de HNO$_3$: $M = 63$ g $\cdot$ mol^{-1}

COURS

ÉNONCÉS

CORRIGÉS

QCM 1 Concentrations molaires volumiques

10 min. | *p. 236*

1 Une solution de phosphate de sodium résulte de la dissolution du sel correspondant selon l'équation bilan :

$$Na_3PO_{4(sol)} \rightarrow 3\,Na^+_{(aq)} + PO_4^{3-}_{(aq)}$$

$$0,1 \ \text{mol} \cdot L^{-1} \qquad 0 \qquad 0$$

$$0 \qquad 0,3 \ \text{mol} \cdot L^{-1} \qquad 0,1 \ \text{mol} \cdot L^{-1}$$

Les ions présentent donc les concentrations molaires volumiques suivantes :

$$\begin{cases} \left[Na^+\right] = 0,3 \ \text{mol} \cdot L^{-1} & (\text{réponse } a) \\ \left[PO_4^{3-}\right] = 0,1 \ \text{mol} \cdot L^{-1} & (\text{réponse } a) \end{cases}$$

2 Une solution de nitrate de fer III résulte de la dissolution dans l'eau du sel correspondant, selon l'équation bilan :

$$Fe(NO_3)_{3(sol)} \rightarrow Fe^{3+}_{(aq)} + 3\,NO_3^-_{(aq)}$$

$$c \ \text{mol} \cdot L^{-1} \qquad 0 \qquad 0$$

$$0 \qquad c \ \text{mol} \cdot L^{-1} \qquad 3\,c \ \text{mol} \cdot L^{-1}$$

La concentration molaire c de cette solution est telle que $\left[NO_3^-\right] = 3\,c$, d'où :

$$c = \frac{\left[NO_3^-\right]}{3} = \frac{0,6}{3} = 0,2 \ \text{mol} \cdot L^{-1} \qquad (\text{réponse } b)$$

QCM 2 Réactions chimiques

30 min | *p. 236*

1 **Étude théorique**

(a) Un volume $V = 50 \ \text{mL} = 50.10^{-6} \ \text{m}^3$ présente une masse m_{H_2O} d'eau qui définit la masse volumique de l'eau :

$$\mu_{eau} = \frac{m_{H_2O}}{V} \quad \Rightarrow \quad m_{H_2O} = \mu_{eau} \times V = 1000 \times 50.10^{-6}$$

$$\Rightarrow \quad m_{H_2O} = 5.10^{-2} \ \text{kg} = 50 \ \text{g}$$

Or, la masse molaire de l'eau valant

$$M_{H_2O} = M_O + 2M_H = 16 + 2 \times 1 = 18 \ \text{g} \cdot \text{mol}^{-1}$$

cette masse contient :

$$n_{H_2O} = \frac{m_{H_2O}}{M_{H_2O}} = \frac{50}{18} = 2,78 \ \text{moles d'eau.}$$

Quant à l'échantillon de sodium, de masse $m = 0,23$ g, il contient :

$$n_{Na} = \frac{m}{M_{Na}} = \frac{0,23}{23} = 0,01 \ \text{mole de sodium.}$$

Ainsi, les quantités des matière initiales valent :

$$n_{Na} = 0,01 \ \text{mol et } n_{H_2O} = 2,78 \ \text{mol (réponse } c).$$

(b) L'équation chimique de la réaction doit comporter des coefficients stœchiométriques assurant la conservation des éléments et des charges électriques de part et d'autre de l'équation :

$$2\,\text{Na}_{(sol)} + 2\,\text{H}_2\text{O}_{(liq)} \;\rightarrow\; \text{H}_{2\,(gaz)} + 2\,\text{Na}^+_{(aq)} + 2\,\text{HO}^-_{(aq)} \;\text{(réponse } b\text{).}$$

(c) La composition du milieu réactionnel peut être suivie à l'aide d'un tableau d'avancement :

$2\,\text{Na}_{(sol)}$	$+$	$2\,\text{H}_2\text{O}_{(liq)}$	$\rightarrow$	$\text{H}_{2\,(gaz)}$	$+$	$2\,\text{Na}^+_{(aq)}$	$+$	$2\,\text{HO}^-_{(aq)}$
$0,01$		$2,78$		0		0		0
$0,01 - 2x$		$2,78 - 2x$		x		$2x$		$2x$

où l'avancement x prend, en fin de réaction, une valeur x_f qui assure la disparition d'un des réactifs :

$$0,01 - 2x_f = 0 \Rightarrow x_f = \frac{0,01}{2} = 5.10^{-3}\ \text{mol}$$

ou :

$$2,78 - 2x_f = 0 \Rightarrow x_f = \frac{2,78}{2} = 1,39\ \text{mol}$$

Ces deux valeurs montrent que $\text{Na}_{(sol)}$ est le premier réactif à disparaître, lorsque $x_f = 5.10^{-3}$ mol. Le tableau d'avancement révèle qu'il se forme alors $n_{\text{H}_2} = x_f = 5.10^{-3}$ mol de H_2 (réponse a).

2 **Réaction réalisée à volume constant**

(a) Initialement, le flacon de $V_0 = 300$ mL contient $V_{\text{eau}} = 50$ mL de solution et par conséquent un volume d'air :

$$V_{\text{air}} = V_0 - V_{\text{eau}} = 300 - 50 = 250\ \text{mL} = 250.10^{-6}\ \text{m}^3 \text{ d'air.}$$

Sous la pression $p_0 = 10^5$ Pa et à la température $T = 20 + 273 = 293$ K, ce volume contient n_{air} mole d'air, satisfaisant à l'équation d'état :

$$p_0 V_{\text{air}} = n_{\text{air}} RT \;\Rightarrow\; n_{\text{air}} = \frac{p_0 V_{\text{air}}}{RT} = \frac{10^5 \times 250.10^{-6}}{8,31 \times 293}$$

$$\Rightarrow\; n_{\text{air}} = 1,0.10^{-2}\ \text{mol (réponse } a\text{).}$$

(b) À l'issue de l'expérience, il se forme $n_{\text{H}_2} = 5.10^{-3} = 0,5.10^{-2}$ mole de dihydrogène dans le flacon, qui contient alors une quantité totale de gaz :

$$n_{\text{tot}} = n_{\text{air}} + n_{\text{H}_2} = 10^{-2} + 0,5.10^{-2} = 1,5.10^{-2}\ \text{mol (réponse (d).}$$

(c) En fin d'expérience, la pression p dans le flacon vérifie toujours l'équation d'état des gaz parfaits, dans laquelle $V = 250.10^{-6}$ m^3 est le volume occupé par le mélange gazeux :

$$pV = n_{\text{tot}} RT \;\Rightarrow\; p = \frac{n_{\text{tot}} RT}{V} = \frac{1,5.10^{-2} \times 8,31 \times 293}{250.10^{-6}}$$

$$\Rightarrow\; p = 1,5.10^5\ \text{Pa (réponse } b\text{).}$$

3 **Réaction réalisée à pression constante**

La réaction produit $n_{H_2} = 5.10^{-3}$ mol de dihydrogène qui occupe, dans les conditions de l'expérience, un volume :

$$V_{H_2} = n_{H_2} \times V_m = 5.10^{-3} \times 24 = 0,12 \, \text{L} = 120 \, \text{mL}$$

Or, ce volume est aussi le volume V_{gaz} de gaz recueilli dans l'éprouvette graduée :

$$V_{\text{gaz}} = 120 \, \text{mL (réponse } a).$$

4 **(a)** Le tableau d'avancement a permis d'établir qu'à l'issue de la réaction, il se forme les quantités d'ions $Na^+_{(aq)}$ et $HO^-_{(aq)}$:

$$n_{Na^+} = 2\,x_f \text{ et } n_{HO^-} = 2\,x_f \text{ avec } x_f = 5.10^{-3} \text{ mol}$$
$$\Rightarrow \quad n_{Na^+} = 0,01 \text{ mol et } n_{HO^-} = 0,01 \text{ mol (réponse } d).$$

(b) Une solution, de volume $V_{\text{eau}} = 50 \, \text{mL} = 50.10^{-3}$ L, réalisée à partir de n moles d'hydroxyde de sodium NaOH serait le siège de la réaction de dissociation :

$NaOH_{(sol)}$	$\xrightarrow{\text{eau}}$	$Na^+_{(aq)}$	$+$	$HO^-_{(aq)}$	avancement
n		0		0	$X = 0$
$n - X$		X		X	$X \neq 0$
0		n		n	$X = n$

Cette solution a donc une concentration $c = \dfrac{n}{V} = \dfrac{n_{Na^+}}{V}$ car $n_{Na^+} = n$ et $n_{HO^-} = n$. Ainsi, une solution qui contient $n = 0,01$ mol d'ions $Na^+_{(aq)}$ (et autant d'ions $HO^-_{(aq)}$) présente une concentration :

$$c = \frac{n}{V} = \frac{0,01}{50.10^{-3}} = 0,2 \, \text{mol} \cdot \text{L}^{-1} \text{ (réponse } c).$$

---

3 **Masse et volume** ★ ■ ■ *5 min.* | *p. 238* |

Lycée Descartes, Antony

Le morceau de fer de volume V et de masse $m = 1 \, \text{g} = 10^{-3}$ kg présente une masse volumique μ définie par :

$$\mu = \frac{m}{V} \Rightarrow V = \frac{m}{\mu} = \frac{10^{-3}}{7800} = 0,128.10^{-6} \, \text{m}^3$$

En outre, puisque 1 m vaut 10^2 cm, il s'ensuit que : $1 \, \text{m}^3 = 10^6 \, \text{cm}^3$, d'où l'on déduit que :

$$0,128.10^{-6} \, \text{m}^3 = 0,128.\underbrace{10^{-6} \times 10^6}_{=1} \, \text{cm}^3 \Rightarrow V = 0,128 \, \text{cm}^3$$

Attention

La masse volumique $\mu = \dfrac{m}{V}$ est fournie, dans l'énoncé, en $kg \cdot m^{-3}$. Il est donc impératif d'exprimer m en kg (c'est pourquoi $m = 10^{-3}$ kg) et V en m^3.

4 Solutions aqueuse ★■■■ 5 min. p. 238

Lycée Lacroix, Maison-Alfort

1 Par définition, la concentration molaire c représente le rapport du nombre de moles n_{KMnO_4} de soluté dissous (en mole) par le volume V (en litre) de la solution :

$$c = \frac{n_{KMnO_4}}{V}$$

De plus, le nombre de moles n_{KMnO_4} est lié à la masse m_{KMnO_4} de soluté dissous (en gramme) par la masse molaire M_{KMnO_4} (en $g \cdot mol^{-1}$) du permanganate de potassium, qui vaut :

$$M_{KMnO_4} = M_K + M_{Mn} + 4 \times M_O = 39,1 + 54,9 + 4 \times 16 = 158 \text{ g·mol}^{-1}$$

Par conséquent : $n_{KMnO_4} = \dfrac{m_{KMnO_4}}{M_{KMnO_4}} = \dfrac{12}{158} \simeq 0,076$ mole, de sorte que :

$$c = \frac{n_{KMnO_4}}{V} = \frac{0,076}{0,25} \simeq 0,3 \text{ mol} \cdot L^{-1}$$

2 La dissolution du permanganate de potassium suit le bilan :

$KMnO_{4(sol)}$	$\rightarrow$	$K^+{}_{(aq)}$	$+$	$MnO_4^-{}_{(aq)}$
$0,3 \text{ mol} \cdot L^{-1}$		0		0
0		$0,3 \text{ mol} \cdot L^{-1}$		$0,3 \text{ mol} \cdot L^{-1}$

en conséquence de quoi les concentrations des ions valent :

$$\left[K^+ \right] = \left[MnO_4^- \right] = 0,3 \text{ mol} \cdot L^{-1}$$

5 Solutions aqueuses ★■■■ 5 min. p. 238

Lycée Jacques Monod, Enghien

1 Le chlorure de cuivre II est un solide constitué d'ions Cu^{2+} (cuivre II) et Cl^- (chlorure). Afin d'assurer la neutralité électrique de ce solide, il faut associer deux ions Cl^- à chaque ion Cu^{2+} :

$$CuCl_{2(sol)}$$

Quant à la précision « anhydre », elle signifie qu'aucune molécule d'eau n'est associée aux espèces $CuCl_2$.

La composition de $CuCl_2$ (un atome de cuivre et deux atomes de chlore) permet le calcul de sa masse molaire M :

$$M = M_{Cu} + 2\,M_{Cl} = 63,5 + 2 \times 35,5 = 134,5\ g \cdot mol^{-1}$$

2 L'équation bilan de la dissolution de $CuCl_2$ s'écrit :

$$CuCl_{2\,(sol)} \rightarrow Cu^{2+}{}_{(aq)} + 2\,Cl^-{}_{(aq)}$$

3 La masse $m = 5,40\ g$ de chlorure de cuivre II contient un nombre n de moles de composé $CuCl_2$, tel que :

$$m = n \times M \Rightarrow n = \frac{m}{M} = \frac{5,4}{134,5} \Rightarrow n = 0,040\ \text{mole}$$

Aussi, la concentration molaire de la solution ainsi obtenue est définie par :

$$c_{molaire} = \frac{n}{V} = \frac{0,04}{0,1} \Rightarrow c_{molaire} = 0,4\ mol \cdot L^{-1}$$

La dissolution du chlorure de cuivre II est décrite par le bilan suivant :

$$
\begin{array}{cccc}
CuCl_{2\,(sol)} & \rightarrow & Cu^{2+}{}_{(aq)} & + & 2\,Cl^-{}_{(aq)} \\
n & & 0 & & 0 \\
0 & & n & & 2n
\end{array}
$$

Cette dissolution correspond à la libération, dans l'eau, de n moles d'ions Cu^{2+} et $2n$ moles d'ions Cl^-, dont les concentrations molaires sont par conséquent :

$$\left[Cu^{2+}\right] = \frac{n}{V} = \frac{0,04}{0,1} = 0,4\ mol \cdot L^{-1}$$

$$\text{et } \left[Cl^-\right] = \frac{2 \times n}{V} = \frac{0,08}{0,1} = 0,8\ mol \cdot L^{-1}$$

---

6 **Solutions aqueuses**   ★ ■ ■   *15 min.* | p. 239 |

Lycée Amyot, Melun

Méthode

Lorsqu'un énoncé évoque une concentration, écrivez sur votre brouillon la définition de cette concentration ($c = \dfrac{n}{V}$) et faites apparaître les grandeurs connues (ici $V = 0,1\ L$ et $c = 0,5\ mol \cdot L^{-1}$). L'inconnue à déterminer se présentera alors spontanément (ici n).

Le chlorure de nickel II hexahydraté a pour formule : $NiCl_2,\ 6\,H_2O$. La solution de volume $V = 100\ mL = 0,1\ L$ contient un nombre de moles n_{sel} de sel accessible à partir de la concentration $c_{sel} = 0,5\ mol \cdot L^{-1}$ en sel :

$$c_{sel} = \frac{n_{sel}}{V} \Rightarrow n_{sel} = c_{sel} \times V$$

En outre, la masse m_{sel} de sel correspondant à cette quantité est liée à la masse molaire M_{sel} de $NiCl_2$, $6H_2O$:

$$m_{sel} = M_{sel} \times n_{sel} = M_{sel} \times c_{sel} \times V$$

où M_{sel} peut se calculer à partir des masses molaires atomiques des constituants de $NiCl_2$, $6H_2O$:

$$M_{sel} = M_{Ni} + 2 \times M_{Cl} + 6 \times \underbrace{M_{H_2O}}_{2\,M_H + M_O}$$

$$= 58,7 + 2 \times 35,5 + 6 \times (2 \times 1 + 16) = 237,7\,g \cdot mol^{-1}$$

Par suite :

$$m_{sel} = 237,7 \times 0,5 \times 0,1 = 11,88\,g$$

---

7 **Concentrations**   ★ ■ ■   *5 min.*   p. 239

Lycée Turgot, Paris

1 Dans les conditions expérimentales évoquées, le volume molaire des gaz parfaits vaut $V_m = 25\,L \cdot mol^{-1}$, si bien que $V_0 = 15\,L$ de dioxyde de soufre contiennent la quantité n_{SO_2} (en moles de molécules de SO_2), telle que :

$$V_0 = n_{SO_2} \times V_m \Rightarrow n_{SO_2} = \frac{V_0}{V_m} = \frac{15}{25} = 0,6\ \text{mole de } SO_2$$

L'introduction de 15 L de SO_2 dans l'eau correspond donc à la dissolution de $n_{SO_2} = 0,6$ mole de SO_2. Ainsi, la fiole jaugée contient $n_{SO_2} = 0,6$ mole de SO_2 et le volume de la solution étant $V_1 = 0,5\,L$, cela représente une concentration :

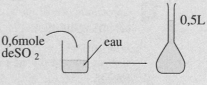

0,6 mole de SO_2 eau   0,5 L

$$c_1 = \frac{n_{SO_2}}{V_1} = \frac{0,6}{0,5} \Rightarrow c_1 = 1,2\ \ mol \cdot L^{-1}\ \text{de } SO_{2(aq)}$$

2 On prélève un volume $v = 10\,mL = 10.10^{-3}\,L$ de la solution S_1 précédente. La définition de la concentration c_1 permet de déterminer la quantité n'_{SO_2} (en mole) de molécules de SO_2 contenues dans cet échantillon de volume $v = 10^{-2}\,L$:

$$c_1 = \frac{n'_{SO_2}}{v} \Rightarrow n'_{SO_2} = c_1 \times v$$

Cette quantité est ensuite introduite dans une fiole jaugée dont le volume est ajusté à $V_2 = 1\,L$:

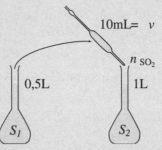

La concentration c_2 de la solution ainsi obtenue est définie par le rapport du nombre de moles de SO_2 qu'elle contient (n'_{SO_2} mole introduite) par le volume de liquide $V_2 = 1$ L :

$$c_2 = \frac{n'_{SO_2}}{V_2} = \frac{c_1 \times v}{V_2} = \frac{1,2.10^{-2}}{1} = 1,2.10^{-2} \ \text{mol} \cdot \text{L}^{-1}$$

Cette opération, visant à réaliser une solution de dioxyde de soufre de concentration $c_2 = 1,2.10^{-2} \ \text{mol} \cdot \text{L}^{-1}$ à partir d'une solution de concentration $c_1 = 1,2 \ \text{mol} \cdot \text{L}^{-1}$ s'appelle une dilution : la concentration a été diminuée d'un facteur 100.

---

8 **Concentrations** ★ ■ ■ ■ *15 min.* | *p. 239* |

Lycée Camille Julian, Bordeaux

1 L'inscription $FeCl_3$, $6\,H_2O$ signifie que le flacon contient des cristaux (solides) de chlorure de fer III hexahydratés : chaque molécule $FeCl_3$ est entourée de 6 molécules d'eau (l'ensemble demeurant solide).

2 La contenance d'une fiole jaugée indique ce qu'elle est capable de mesurer (ni plus, ni moins de liquide !).

Pour mesurer un volume de 50 mL, les fioles de 100 mL et 500 mL ne peuvent donc pas convenir. En revanche, une fiole de 25 mL permet le prélèvement de cette quantité de liquide. Il suffit ainsi de réaliser successivement deux prélèvements de 25 mL, que l'on verse dans un bécher, afin d'obtenir 50 mL de solution.

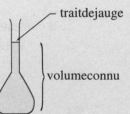

3 La masse molaire M de la structure $FeCl_3$, $6\,H_2O$ dépend étroitement de la composition statistique en éléments de cette espèce chimique :

- 1 atome de fer ;

- 3 atomes de chlore ;

- 12 atomes d'hydrogène (chaque molécule d'eau H_2O en possède deux) ;

- 6 atomes d'oxygène (autant que de molécules d'eau).

Par suite :

$$M = M_{Fe} + 3 \times M_{Cl} + 12 \times M_H + 6 \times M_O$$
$$= 56 + 3 \times 35,5 + 12 \times 1 + 6 \times 16 = 270,5 \; \text{g} \cdot \text{mol}^{-1}$$

Un volume $V = 50$ mL $= 0,05$ L de solution à la concentration c contient un nombre de moles n de chlorure de fer III hexahydraté, tel que :

$$c = \frac{n}{V} \Rightarrow n = c \times V$$

> **Attention**
>
> Dans l'expression de la concentration (en mol $\cdot$ L^{-1}), veillez à présenter le volume en litre et non en millilitre.

En outre, n moles de substance solide présentent une masse m vérifiant :

$$m = n \times M \Rightarrow m = c \times V \times M$$

soit encore :

$$m = 1 \times 0,05 \times 270,5 = 13,525 \; \text{g}$$

Le technicien devra prélever deux échantillons de cette masse.

4 L'introduction de 1 mole par litre de cristaux dans l'eau se traduit par la dissociation des espèces, selon le bilan :

$$\begin{array}{ccccccc}
\text{FeCl}_3, 6\,\text{H}_2\text{O}_{(sol)} & \to & \text{Fe}^{3+}_{(aq)} & + & 3\,\text{Cl}^-_{(aq)} & + & 6\,\text{H}_2\text{O} \\
1 & & 0 & & 0 & & \neq 0 \\
0 & & 1 & & 3 & & \neq 0
\end{array}$$

On en déduit immédiatement la composition du milieu :

$$\left[\text{Fe}^{3+}\right] = 1 \; \text{mol} \cdot \text{L}^{-1} \text{ et } \left[\text{Cl}^-\right] = 3 \; \text{mol} \cdot \text{L}^{-1}$$

9 Concentrations ★■■■ *15 min.* | *p. 240*

Lycée Montalembert, Nogent-sur-Marne

1 L'équation de dissolution du bromure de cuivre solide s'écrit :

$$\begin{array}{ccccc}
\text{CuBr}_{2(sol)} & \to & \text{Cu}^{2+}_{(aq)} & + & 2\,\text{Br}^-_{(aq)} \\
c_0 & & 0 & & 0 \\
0 & & c_0 & & 2\,c_0
\end{array}$$

d'où il s'ensuit que :

$$\begin{cases} \left[\text{Cu}^{2+}\right] = c_0 = 0,2 \; \text{mol} \cdot \text{L}^{-1} \\ \left[\text{Br}^-\right] = 2\,c_0 = 0,4 \; \text{mol} \cdot \text{L}^{-1} \end{cases}$$

2 Dans $V_1 = 250$ mL $= 0,25$ L de « solution fille » $\mathcal{S}$ se trouvent n moles de bromure de cuivre dissous :

$$n = c_1 \times V_1$$

Ces n moles ont été prélevées à l'aide d'un volume V_0 de « solution mère » de concentration c_0, en raison de quoi n vaut aussi $c_0 \times V_0$:

$$c_0 \times V_0 = c_1 \times V_1 \Rightarrow V_0 = \frac{c_1 \times V_1}{c_0} = \frac{0,04 \times 250}{0,2} = 50 \text{ mL}$$

3 Dans le volume V_0' de « solution mère » se trouvent :

$$n' = \left[\text{Br}^- \right] \times V_0' = 0,4 \times V_0' \text{ moles d'ions Br}^-$$

La solution $\mathcal{S}'$, de volume $V_1' = 100$ mL $= 0,1$ L doit présenter une concentration $\left[\text{Br}^- \right]_1' = 0,2$ mol $\cdot$ L^{-1}, ce qui correspond à un nombre de moles n_{Br^-} d'ions $\text{Br}^-_{(aq)}$ donné par :

$$n_{\text{Br}^-} = \left[\text{Br}^- \right]_1' \times V_1' = 0,2 \times 0,1 = 0,02 \text{ mole}$$

Or, ces ions ont été apportés par le volume V_0' de « solution mère », si bien que :

$$n' = n_{\text{Br}^-} \Rightarrow 0,4 \times V_0' = 0,02 \Rightarrow V_0' = \frac{0,02}{0,4} = 0,05 \text{ L} = 50 \text{ mL}$$

10 Transformation chimique ★ ■ ■   *5 min.* | *p. 240*

Lycée Montchapet, Dijon

Méthode

Lorsqu'une réaction chimique se produit, vous devez impérativement dresser le bilan de cette réaction ; penser ce bilan sans l'écrire est une négligence souvent fatale !

La masse $m = 0,486$ g de magnésium (de masse molaire $M = 24,3$ g $\cdot$ mol^{-1}) contient une quantité n (en mole) de magnésium, telle que :

$$m = n \times M \Rightarrow n = \frac{m}{M} = \frac{0,486}{24,3} = 0,02 \text{ mole}$$

Par suite, le bilan de la réaction chimique s'écrit :

$\text{Mg}_{(sol)}$	$+$	$2\,\text{H}^+_{(aq)}$	$\rightarrow$	$\text{Mg}^{2+}_{(aq)}$	$+$	$\text{H}_{2\,(gaz)}$
$0,02$		excès		0		0
0		$\neq 0$		$0,02$		$0,02$

d'où il ressort que la disparition totale du magnésium s'accompagne d'un dégagement de $n = 0,02$ mole de dihydrogène H_2 gazeux. Cette quantité de gaz occupant un volume $V = 0,454$ L, le volume molaire V_m du gaz est défini par :

$$V_m = \frac{V}{n} = \frac{0,454}{0,02} = 22,7 \text{ L} \cdot \text{mol}^{-1}$$

11 Transformation chimique   ★ ■ ■ ■   *10 min.*   p. 240

Lycée Marie Curie, Sceaux

1 Le volume $V = 500$ cm$^3 = 0,5$ L de sulfure d'hydrogène gazeux H$_2$S$_{(gaz)}$ contient un nombre de moles de molécules accessible à partir du volume molaire V_m :

$$V = n \times V_m \Rightarrow n = \frac{V}{V_m} = \frac{0,5}{22,4} \simeq 0,022 \text{ mole} \qquad (17)$$

En outre, le dichlore gazeux Cl$_{2(gaz)}$ réagit sur H$_2$S$_{(gaz)}$ pour donner du soufre solide S$_{(sol)}$ et du chlorure d'hydrogène gazeux HCl$_{(gaz)}$ conformément à l'équation bilan (équilibrée) :

$$Cl_{2(gaz)} + H_2S_{(gaz)} \rightarrow S_{(sol)} + 2\,HCl_{(gaz)}$$

Méthode

> Une réaction chimique se produisant, il est nécessaire d'établir un bilan molaire du milieu réactionnel, en repérant le réactif introduit en excès.

En notant $n^0_{Cl_2}$ la quantité de dichlore introduite initialement (supposée supérieure à celle de H$_2$S, afin que tout le sulfure d'hydrogène réagisse), cette équation fournit le bilan molaire de la réaction :

$$\begin{array}{cccc} Cl_{2(gaz)} & + \quad H_2S_{(gaz)} & \rightarrow \quad S_{(sol)} & + \quad 2\,HCl_{(gaz)} \\ n^0_{Cl_2} & n = 0,022 \text{ mol} & 0 & 0 \\ n^0_{Cl_2} - n & 0 & n & 2n \end{array}$$

Il ressort de ce bilan que, tant que la quantité de Cl$_2$ n'est pas un facteur limitant ($n^0_{Cl_2} \geqslant n$), il est possible d'obtenir n moles de soufre solide, de masse molaire atomique $M = 32$ g $\cdot$ mol^{-1}. À cette quantité est donc associée une masse de soufre m_S telle que :

$$m_S = n \times M = 0,022 \times 32 \Rightarrow m_S \simeq 0,7 \text{ g de soufre}$$

2 La question précédente a mis en évidence que Cl$_2$ pouvait limiter l'obtention du soufre, s'il était introduit en quantité trop faible. Pour éviter que cela ne se produise, il suffit d'assurer l'inégalité : $n^0_{Cl_2} \geqslant n$, le dichlore étant alors en excès.

Cette condition s'écrit aussi :

$$n^0_{Cl_2} \times V_m \geqslant n \times V_m$$

où le membre de droite s'identifie à $V = 0,5$ L (en vertu de l'équation 17) et où le membre de gauche correspond au volume V_{Cl_2} de dichlore introduit dans le milieu réactionnel. Par suite :

$$V_{Cl_2} \geqslant V = 0,5 \text{ L}$$

montre qu'il est nécessaire d'introduire $V^{min}_{Cl_2} = 0,5$ L de dichlore gazeux pour espérer obtenir $m_S = 0,7$ g de soufre solide.

12 Lycée du Parc, Lyon

★ ★ ▪ *5 min.* | *p. 241* |

Masse et volume

> Méthode
>
> Ne restez pas désabusé par l'emploi des pourcentages massiques ou des masses volumiques ; écrivez plutôt leurs définitions :
>
> $$\frac{m_{\text{NaCl}}}{m_{\text{eau}}} = 2,5\,\% = 0,025 \text{ et } \mu = \frac{m_{\text{eau}}}{V_{\text{eau}}}$$
>
> Cette simple présentation, écrite en préambule sur votre brouillon, permet d'établir les relations qui existent entre ces grandeurs ; il ne vous reste plus qu'à chercher où se trouvent les inconnues et remplacer les termes qui sont fournis par l'énoncé.

Soit m_{eau} la masse de l'eau de mer contenant $m_{\text{NaCl}} = 1$ kg de chlorure de sodium. L'énoncé précise que m_{NaCl} représente $2,5\,\%$ de m_{eau}, c'est-à-dire :

$$m_{\text{NaCl}} = \frac{2,5}{100} \times m_{\text{eau}} \Rightarrow m_{\text{eau}} = \frac{100}{2,5} \times \underbrace{m_{\text{NaCl}}}_{1\text{ kg}} = 40\text{ kg}$$

La masse volumique μ_{eau} de l'eau est définie comme le rapport de la masse m_{eau} d'eau par le volume V_{eau} qui lui correspond (et qu'il s'agit de faire évaporer) :

$$\mu_{\text{eau}} = \frac{m_{\text{eau}}}{V_{\text{eau}}} = \frac{40}{1} = 40\text{ L}$$

13 Transformations chimiques

★ ★ ▪ *15 min.* | *p. 241* |

Lycée Marceau, Chartres

1 La réaction consiste à transformer $Al_{(sol)}$ et $H^+_{(aq)}$ en $Al^{3+}_{(aq)}$ et $H_{2\,(gaz)}$; aussi peut-on écrire, dans un premier temps :

$$Al_{(sol)} + H^+_{(aq)} \rightarrow Al^{3+}_{(aq)} + H_{2\,(gaz)}$$

Cependant, cette équation n'est pas équilibrée à l'égard des charges (trois charges positives apparaissent à droite au lieu d'une seule à gauche). Il convient de rajouter à gauche les charges manquantes, sous forme d'ions $H^+_{(aq)}$:

$$Al_{(sol)} + 3\,H^+_{(aq)} \rightarrow Al^{3+}_{(aq)} + H_{2\,(gaz)}$$

Ce faisant, ce bilan n'est pas équilibré à l'égard de l'élément hydrogène (trois atomes à gauche contre deux atomes à droite). C'est pourquoi une multiplication par $\frac{3}{2}$ permet de rétablir la situation :

$$Al_{(sol)} + 3\,H^+_{(aq)} \rightarrow Al^{3+}_{(aq)} + \frac{3}{2}\,H_{2\,(gaz)}$$

Enfin, pour éviter de conserver un coefficient stœchiométrique fractionnaire dans cette équation, celle-ci peut être multipliée par 2 :

$$2 \, Al_{(sol)} + 6 \, H^+_{(aq)} \; \rightarrow \; 2 \, Al^{3+}_{(aq)} + 3 \, H_{2\,(gaz)}$$

2 Une masse $m^0_{Al} = 0,27$ g d'aluminium, de masse molaire $M_{Al} = 27$ g $\cdot$ mol^{-1}, contient un nombre de moles n^0_{Al} d'atomes d'aluminium tel que :

$$m^0_{Al} = n^0_{Al} \times M_{Al} \Rightarrow n^0_{Al} = \frac{m^0_{Al}}{M_{Al}} = \frac{0,27}{27} \Rightarrow n^0_{Al} = 0,01 \text{ mole}$$

Quant à la solution d'acide chlorhydrique, de volume $V = 250$ mL $= 0,25$ L contenant des ions $H^+_{(aq)}$ à la concentration $[H^+]_0 = 0,1$ mol $\cdot$ L^{-1} elle comporte en fait un nombre $n^0_{H^+}$ de moles d'ions $H^+_{(aq)}$ vérifiant :

$$[H^+]_0 = \frac{n^0_{H^+}}{V} \Rightarrow n^0_{H^+} = [H^+]_0 \times V = 0,1 \times 0,25 \Rightarrow n^0_{H^+} = 0,025 \text{ mole}$$

Ainsi, la composition initiale du milieu réactionnel peut apparaître dans le bilan suivant (où x désigne l'avancement de la réaction) :

$2 \, Al_{(sol)}$	$+$	$6 \, H^+_{(aq)}$	$\rightarrow$	$2 \, Al^{3+}_{(aq)}$	$+$	$3 \, H_{2\,(gaz)}$
n^0_{Al}		$n^0_{H^+}$		0		0
$n^0_{Al} - 2x$		$n^0_{H^+} - 6x$		$2x$		$3x$

En posant $x_{Al} = \dfrac{n^0_{Al}}{2}$ et $x_{H^+} = \dfrac{n^0_{H^+}}{6}$, c'est-à-dire :

$$x_{Al} = \frac{0,01}{2} = 0,005 \text{ mole et } x_{H^+} = \frac{0,025}{6} = 0,00417 \text{ mole}$$

on constate que $x_{Al} > x_{H^+}$, ce qui signifie que Al est présent, initialement, en excès. Par conséquent, la réaction cessera dès que tous les ions $H^+_{(aq)}$ auront été transformés, c'est-à-dire quand on pourra écrire (d'après le bilan ci-dessus) :

$$n^0_{H^+} - 6x = 0 \Rightarrow x = \frac{n^0_{H^+}}{6} = 0,00417 \text{ mole}$$

Le nombre de moles n_{Al} d'aluminium restant alors dans le milieu réactionnel vaudra :

$$n_{Al} = n^0_{Al} - 2x \Rightarrow n_{Al} = 0,01 - 2 \times 0,00417 \Rightarrow n_{Al} \simeq 1,66.10^{-3} \text{ mole}$$

À cette quantité correspond une masse d'aluminium m_{Al} définie par :

$$m_{Al} = n_{Al} \times M_{Al} = 1,66.10^{-3} \times 27 \simeq 0,045 \text{ g d'aluminium restant.}$$

3 Le bilan précédent a montré qu'au cours de la réaction il s'est formé $2x$ mole d'ions $Al^{3+}_{(aq)}$. En outre, la réaction cesse lorsque $x = 0,00147$ mole, auquel cas il s'est formé :

$$n_{Al^{3+}} = 2x = 2 \times 0,00417 = 0,00834 \text{ mole d'ions } Al^{3+}_{(aq)}$$

Le volume de la solution étant demeuré égal à $V = 0,25$ L la concentration molaire finale des ions $Al^{3+}_{(aq)}$ est définie par :

$$\left[Al^{3+}\right] = \frac{n_{Al^{3+}}}{V} = \frac{0,00834}{0,25} \simeq 0,033 \ mol \cdot L^{-1}$$

14 Dilution ★ ★ ▪ 15 min. p. 241

Lycée Montesquieu, Herblay

Dans $V = 2$ L d'une solution d'ammoniac à $c = 0,1 \ mol \cdot L^{-1}$ se trouve une quantité n d'ammoniac (en moles) telle que : $n = c \times V = 0,1 \times 2 = 0,2$ mole. De plus, la masse molaire moléculaire de l'ammoniac NH_3 est calculable à partir de la masse molaire atomique de ses constituants :

$$M = M_N + 3\,M_H = 14 + 3 \times 1 = 17\,g \cdot mol^{-1}$$

Aussi, $n = 0,2$ mole d'ammoniac représente une masse :

$$m_{NH_3} = n \times M = 0,2 \times 17 = 3,4\,g$$

Il s'agit donc de prélever, dans la « solution mère » $(\mathcal{S})$, un volume V contenant $3,4$ g d'ammoniac NH_3. D'une part la densité $d = 0,95$ de $(\mathcal{S})$ est définie comme le rapport de sa masse volumique μ à celle de l'eau $\mu_{eau} = 1\,g \cdot cm^{-3}$:

$$d = \frac{\mu}{\mu_{eau}} \Rightarrow \mu = d \times \mu_{eau}$$

et d'autre part la masse volumique est définie comme le rapport de la masse m de la solution $(\mathcal{S})$ par le volume de cette même solution :

$$\mu = \frac{m}{V} \Rightarrow V = \frac{m}{\mu} = \frac{m}{d \times \mu_{eau}}$$

Enfin, l'énoncé précise que la masse d'ammoniac de la « solution mère » représente 28 % de la masse m de cette solution, c'est-à-dire :

$$m_{NH_3} = 0,28 \times m \Rightarrow m = \frac{m_{NH_3}}{0,28} \Rightarrow V = \frac{m_{NH_3}}{0,28 \times d \times \mu_{eau}}$$

Finalement, pour acquérir une masse $m_{NH_3} = 3,4$ g d'ammoniac, il faut prélever un volume V de « solution mère » :

$$V = \frac{m_{NH_3}}{0,28 \times d \times \mu_{eau}} = \frac{3,4}{0,28 \times 0,95 \times 1} = 12,8\,cm^3$$

15 Solutions aqueuses ★ ★ ▪ 15 min. p. 242

Lycée Hoche, Versailles

Soit un volume V_{sol} de la solution d'acide perchlorique de masse m_{sol}, à partir de laquelle est définie la masse volumique de la solution : $\mu_{sol} = \frac{m_{sol}}{V_{sol}}$. Sa densité se calcule en outre par rapport à la masse volumique de l'eau :

$$d = \frac{\mu_{sol}}{\mu_{eau}} = \frac{m_{sol}}{\mu_{eau} \times V_{sol}}$$

L'énoncé précise que la masse m_{HClO_4} d'acide perchlorique représente 65 % de la masse m_{sol} de la solution, ce qui signifie aussi :

$$m_{HClO_4} = 0,65 \times m_{sol} \quad \Rightarrow \quad m_{sol} = \frac{m_{HClO_4}}{0,65}$$

$$\Rightarrow \quad d = \frac{m_{HClO_4}}{0,65 \times \mu_{eau} \times V_{sol}}$$

Enfin, la masse m_{HClO_4} est liée au nombre de moles n_{HClO_4} d'acide perchlorique et à sa masse molaire M :

$$m_{HClO_4} = n_{HClO_4} \times M \quad \Rightarrow \quad d = \frac{n_{HClO_4} \times M}{V_{sol} \times 0,65 \times \mu_{eau}}$$

$$\Rightarrow \quad d = \frac{n_{HClO_4}}{V_{sol}} \times \frac{M}{0,65 \times \mu_{eau}}$$

où l'on reconnaît l'expression de la concentration molaire $c = \dfrac{n_{HClO_4}}{V_{sol}}$:

$$c = \frac{d \times 0,65 \times \mu_{eau}}{M} = \frac{1,61 \times 0,65 \times 1000}{100,5} = 10,4 \ \text{mol} \cdot \text{L}^{-1}$$

16 Transformations chimiques   ★ ★ ◼ 20 min. | p. 242

Lycée Édouard Branly, Nogent–sur–Marne

1 La masse $m = 10$ g du laiton est constituée d'une masse m_{Zn} de zinc et d'une masse m_{Cu} de cuivre. Or, seul le zinc réagit avec les ions $H^+_{(aq)}$ de l'acide chlorhydrique, pour former des ions $Zn^{2+}_{(aq)}$ et le dihydrogène gazeux :

$$Zn_{(sol)} + H^+_{(aq)} \ \rightarrow \ Zn^{2+}_{(aq)} + H_{2\,(gaz)}$$

Cette équation n'est cependant pas équilibrée, ni à l'égard des charges (il manque une charge positive dans le membre de gauche), ni à l'égard de l'élément hydrogène (c'est à nouveau dans le membre de gauche que s'exprime le déficit d'un atome d'hydrogène); l'ajout d'un ion $H^+_{(aq)}$ résout alors les deux problèmes simultanément :

$$Zn_{(sol)} + 2\,H^+_{(aq)} \ \rightarrow \ Zn^{2+}_{(aq)} + H_{2\,(gaz)}$$

2 L'échantillon de laiton de 10 g contient n_{Cu} moles d'atomes de cuivre et n_{Zn} moles d'atomes de zinc, et seul ce dernier est à l'origine de la production de dihydrogène, qui peut être décrite par le bilan suivant :

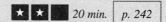

$$
\begin{array}{cccccc}
Zn_{(sol)} & + & 2\,H^+_{(aq)} & \rightarrow & Zn^{2+}_{(aq)} & + & H_{2\,(gaz)} \\
n_{Zn} & & \text{excès} & & 0 & & 0 \\
0 & & \neq 0 & & n_{Zn} & & n_{Zn}
\end{array}
$$

Il ressort de ce bilan que n_{Zn} moles de dihydrogène gazeux se dégagent, ce qui représente un volume $V_{gaz} = 0,9$ L. Or, dans les *C.N.T.P.*, le volume molaire $V_m = 22,4\ \text{L} \cdot \text{mol}^{-1}$ vérifie la relation :

$$V_{gaz} = n_{Zn} \times V_m \Rightarrow n_{Zn} = \frac{V_{gaz}}{V_m} = \frac{0,9}{22,4} = 0,040 \ \text{mole}$$

Ainsi, il apparaît que l'échantillon de laiton contenait, avant réaction avec $H^+_{(aq)}$, $n_{Zn} = 0,040$ mole de zinc Zn, c'est-à-dire une masse m_{Zn} telle que :

$$m_{Zn} = n_{Zn} \times M_{Zn} = 0,04 \times 65,4 = 2,616 \text{ g de zinc}$$

En outre, $m = 10$ g de laiton contiennent aussi une masse m_{Cu} de cuivre, de sorte que :

$$m = m_{Cu} + m_{Zn} \Rightarrow m_{Cu} = m - m_{Zn} = 10 - 2,616 = 7,384 \text{ g de cuivre}$$

$m = 10$ g du laiton contiennent donc respectivement $2,616$ g de zinc et $7,384$ g de cuivre.

> **Méthode**
>
> La composition centésimale x_i d'une espèce, présente avec une masse m_i dans un mélange de masse totale m_{tot}, est définie par :
>
> $$x_i = \frac{m_i}{m_{tot}} \times 100$$

Ce faisant :

$$x_{Zn} = \frac{2,616}{10} \times 100 = 26,16\,\% \text{ et } x_{Cu} = \frac{7,384}{10} \times 100 = 73,84\,\%$$

17 Concentrations ★ ★ ◼ 20 | p. 242

Lycée Louis-le-Grand, Paris

> **Méthode**
>
> Dans ce problème, comme dans beaucoup d'autres, procédez méthodiquement ; sur votre brouillon, écrivez les définitions des différentes grandeurs évoquées dans l'énoncé (densité, masse volumique, ...) en précisant très scrupuleusement la signification de toutes les notations ainsi introduites. Par exemple, la définition $\mu = \dfrac{m}{V}$ ne vous servira à rien si vous n'écrivez pas, en toutes lettres, que V désigne le volume du corps dont la masse vaut m (éventuellement, un schéma annoté peut aussi vous être utile).

1 Soit m_{sol} la masse correspondant à un volume V_{sol} de solution d'acide nitrique. La masse volumique de cette solution vaut par définition :

$$\mu_{sol} = \frac{m_{sol}}{V_{sol}}$$

d'où s'exprime sa densité par rapport à l'eau (dont la masse volumique vaut : $\mu_{eau} = 1000 \text{ g} \cdot \text{L}^{-1}$) :

$$d = \frac{\mu_{sol}}{\mu_{eau}} = \frac{m_{sol}}{\mu_{eau} \times V_{sol}}$$

La masse m_{HNO_3} d'acide nitrique ne représente cependant que $52,5\%$ de la masse de la solution, ce qui signifie aussi que :

$$m_{HNO_3} = 0,525 \times m_{sol} \quad \Rightarrow \quad m_{sol} = \frac{m_{HNO_3}}{0,525}$$

$$\Rightarrow \quad d = \frac{m_{HNO_3}}{0,525 \times \mu_{eau} \times V_{sol}}$$

Enfin, cette masse d'acide nitrique provient de n_{HNO_3} moles de molécules HNO_3, de masse molaire $M = 63 \text{ g} \cdot \text{mol}^{-1}$:

$$m_{HNO_3} = n_{HNO_3} \times M \Rightarrow d = \frac{n_{HNO_3}}{V_{sol}} \times \frac{M}{0,525 \times \mu_{eau}}$$

où apparaît la concentration molaire $c_0 = \dfrac{n_{HNO_3}}{V_{sol}}$ de la solution :

$$c_0 = \frac{d \times 0,525 \times \mu_{eau}}{M} = \frac{1,33 \times 0,525 \times 1000}{63} = 11,08 \text{ mol} \cdot \text{L}^{-1}$$

2 Lors de la dissolution, il y a conservation de la quantité de matière dissoute, d'où :

$$c_0 \times V_0 = c \times V \Rightarrow V_0 = \frac{c \times V}{c_0} = \frac{0,1 \times 500}{11,08} = 4,5 \text{ mL}$$

Dans une fiole jaugée de 500 mL, on introduit environ 100 mL d'eau distillée. On introduit seulement alors, à l'aide d'une pipette graduée de 5 mL (précision $0,1$ mL) le volume $V_0 = 4,5$ mL. On agite (pour homogénéiser) puis on complète le volume de la fiole jusqu'au trait de jauge. On bouche puis on agite une dernière fois pour bien homogénéiser.

Rappel : pour éviter les projections, on verse toujours l'acide dans l'eau et *jamais le contraire*.

Conductimétrie

1 Conductance et conductivité

Exercice type

Lycée Argouges, Grenoble

On mesure la conductance d'une solution de chlorure de magnésium de concentration inconnue.

Le conductimètre affiche une valeur $G = 328\ \mu$ S.

1 Calculer la conductivité de cette solution.

2 Calculer la concentration molaire de cette solution en $\text{mol} \cdot \text{L}^{-1}$.

Données :

- surface des électrodes : $S = 1, 0\ \text{cm}^2$;
- distance entre les électrodes : $\ell = 4, 0\ \text{cm}$;
- conductivités molaires ioniques des ions chlorure et magnésium :

$$\lambda_{\text{Cl}^-} = 7, 23\ \text{mS} \cdot \text{m}^2 \cdot \text{mol}^{-1} \qquad \lambda_{\text{Mg}^{2+}} = 11\ \text{mS} \cdot \text{m}^2 \cdot \text{mol}^{-1}$$

Voir corrigé page 265

1.1 Solutions conductrices de l'électricité

Lorsque deux électrodes plongent dans une solution électrolytique (c'est-à-dire contenant des ions assurant le passage du courant électrique), une résistance R apparaît entre ces deux électrodes :

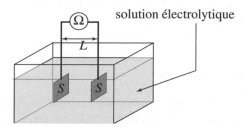

solution électrolytique

Cette résistance peut être mesurée à l'aide d'un ohmmètre (Ω). L'inverse de la résistance définit alors la conductance G :

$$G = \frac{1}{R}$$

où R s'exprime en ohm (Ω) tandis que G s'exprime en siemens (S qui équivaut à Ω^{-1}).

La conductance G est proportionnelle à la surface S (en m^2) des électrodes et inversement proportionnelle à la distance L (en m) séparant les électrodes :

$$G = \sigma \times \frac{S}{L} = k \times \sigma \tag{18}$$

où σ définit la conductivité de la solution, exprimée en $S \cdot m^{-1}$ dans le système international d'unités et où k est appelé « constante de cellule ». Par suite, la mesure de G dépend :

- de la surface S des électrodes, de leur éloignement et de leur état de surface : des dépôts sur les électrodes peuvent altérer la mesure de G ;

- de la température de la solution, car plus cette température est importante, plus σ l'est également ;

- de la concentration c de la solution en soluté : pour $c \leqslant 10^{-2}$ mol $\cdot$ L^{-1}, σ est proportionnel à c.

La conductivité σ étant proportionnelle à c, il s'ensuit qu'il existe un nombre Λ indépendant de c tel que :

$$\sigma = \Lambda \times c \tag{19}$$

Le coefficient Λ est appelé « conductivité molaire de la solution » et les termes intervenant dans cette relation doivent être exprimés dans les unités prescrites par le système international :

grandeur	unité
σ	$S \cdot m^{-1}$
Λ	$S \cdot m^2 \cdot mol^{-1}$
c	$mol \cdot m^{-3}$

➜ À retenir :

La concentration c s'exprime ici en mol $\cdot$ m^{-3}, tandis qu'elle est traditionnellement exprimée en mol $\cdot$ L^{-1}. La conversion entre ces deux unités doit impérativement être connue :

$$1 \text{ mol} \cdot L^{-1} = 1000 \text{ mol} \cdot m^{-3} \Leftrightarrow 1 \text{ mol} \cdot m^{-3} = 10^{-3} \text{ mol} \cdot L^{-1}$$

1.2 Application aux dosages

La loi précédente peut être mise à profit afin de doser une solution contenant un (seul) soluté de concentration inconnue. Pour cela, on procède comme suit :

- On réalise plusieurs solutions électrolytiques du soluté à diverses concentrations c connues.

- Une cellule de conductimétrie, reliée à un conductimètre, est plongée dans chacune de ces solutions, à une température fixée (la cellule de conductimétrie, préalablement étalonnée, est constituée de deux électrodes de platine, dont les dimensions sont connues).

Le conductimètre mesure la conductance G en fonction de c.

Du reste, le conductimètre peut être remplacé par un ohmmètre mesurant, dans les mêmes conditions, la résistance R entre les électrodes ; la conductance G s'en déduit par la loi $G = \dfrac{1}{R}$.

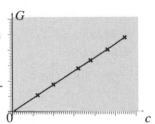

cellule de conductimétrie

conductimétre

solution à doser

- On trace la courbe représentant G en fonction de c à l'aide des valeurs numériques recueillies :

Cette portion de droite admet pour expression analytique :
$$G = c \times a$$
dont on détermine expérimentalement le coefficient directeur a.

- Connaissant a, la relation :
$$c = \frac{G}{a}$$
permet d'accéder à la concentration inconnue c d'une solution du même soluté dont on mesure alors la conductivité G.

2 Conductivité molaire ionique

La conductivité σ d'une solution électrolytique contenant des ions $X_1, X_2, ...X_n$ s'écrit :
$$\sigma = \lambda_{X_1} [X_1] + \lambda_{X_2} [X_2] + \cdots + \lambda_{X_n} [X_n] = \sum_{i=1}^{n} \lambda_{X_i} [X_i]$$
où λ_{X_i} désigne la conductivité molaire ionique de l'ion X_i.

! Attention :

La loi précédente ne peut s'appliquer qu'à condition de respecter les contraintes suivantes :

- la somme ne porte que sur les espèces *ioniques* X_i (les molécules neutres ne participent pas à la conduction de l'électricité) ;

- toutes les grandeurs sont exprimées dans le système international d'unités :

grandeur	unité
σ	$S \cdot m^{-1}$
λ_{X_i}	$S \cdot m^2 \cdot mol^{-1}$
$[X_i]$	$mol \cdot m^{-3}$

- les concentrations demeurent inférieures à 10^{-2} mol·L^{-1}, c'est-à-dire $[X_i] \leqslant 10$ mol · m$^-$

La conductivité molaire ionique λ_{X_i} dépend non seulement de la température, mais également de la nature de l'ion X_i. Les tables numériques recensent les valeurs de λ pour divers ions (à 25°C). Par exemple :

ion	symbole	conductivité molaire ionique
argent	$Ag^+_{(aq)}$	$\lambda_{Ag^+} = 61,9.10^{-4}\ S \cdot m^2 \cdot mol^{-1}$
oxonium	$H^+_{(aq)}$	$\lambda_{H^+} = 349,65.10^{-4}\ S \cdot m^2 \cdot mol^{-1}$
potassium	$K^+_{(aq)}$	$\lambda_{K^+} = 73,48.10^{-4}\ S \cdot m^2 \cdot mol^{-1}$
sodium	$Na^+_{(aq)}$	$\lambda_{Na^+} = 50,08.10^{-4}\ S \cdot m^2 \cdot mol^{-1}$
bromure	$Br^-_{(aq)}$	$\lambda_{Br^-} = 78,1.10^{-4}\ S \cdot m^2 \cdot mol^{-1}$
chlorure	$Cl^-_{(aq)}$	$\lambda_{Cl^-} = 76,31.10^{-4}\ S \cdot m^2 \cdot mol^{-1}$
hydroxyde	$HO^-_{(aq)}$	$\lambda_{HO^-} = 198.10^{-4}\ S \cdot m^2 \cdot mol^{-1}$

Lorsqu'une solution électrolytique est réalisée par dissolution de c mol·m^{-3} d'un seul soluté MX, le bilan de la dissociation concomitante :

$$
\begin{array}{ccccc}
MX_{(sol)} & \rightarrow & M^+_{(aq)} & + & X^-_{(aq)} \\
c & & 0 & & 0 \\
0 & & c & & c
\end{array}
$$

donne les concentrations des ions présents en solution :

$$\left[M^+\right] = \left[X^-\right] = c$$

La conductivité d'une telle solution vérifie alors la loi :

$$
\sigma = \lambda_{M^+} \times \underbrace{\left[M^+\right]}_{=c} + \lambda_{X^-} \times \underbrace{\left[X^-\right]}_{=c}
$$

$$
\Rightarrow \quad \sigma = \left(\lambda_{M^+} + \lambda_{X^-}\right) \times c
$$

Solution de l'exercice type

1 Entre les électrodes de la cellule, de surface $S = 1\,\text{cm}^2 = 10^{-4}\,\text{m}^2$ et espacées de $\ell = 4\,\text{cm} = 4.10^{-2}\,\text{m}$, la conductance G de la solution est proportionnelle à sa conductivité σ :

$$G = \sigma \times \frac{S}{\ell} \Rightarrow \sigma = \frac{G \times \ell}{S} = \frac{328.10^{-6} \times 4.10^{-2}}{10^{-4}} \Rightarrow \sigma = 0,131\ \text{S·m}^{-1}$$

2 La dissolution du chlorure de magnésium ($MgCl_2$) se traduit par l'équation :

$$MgCl_{2\,(sol)} \xrightarrow{\text{eau}} Mg^{2+}_{(aq)} + 2\,Cl^-_{(aq)}$$

Aussi, une solution de chlorure de magnésium à la concentration c contient-elle des ions $Mg^{2+}_{(aq)}$ et $Cl^-_{(aq)}$ tels que :

$$Mg^{2+}_{(aq)} = c \text{ et } \left[Cl^-_{(aq)}\right] = 2c$$

qui confèrent à la solution sa conductivité :

$$
\begin{aligned}
\sigma &= \lambda_{Mg^{2+}} \times \left[Mg^{2+}_{(aq)}\right] + \lambda_{Cl^-} \times \left[Cl^-_{(aq)}\right] = \lambda_{Mg^{2+}} \times c + \lambda_{Cl^-} \times 2c \\
&= c \times \left(\lambda_{Mg^{2+}} + 2\,\lambda_{Cl^-}\right) \\
&\Rightarrow c = \frac{\sigma}{\lambda_{Mg^{2+}} + 2\,\lambda_{Cl^-}} = \frac{0,131}{11.10^{-3} + 2 \times 7,63.10^{-3}} \\
&\Rightarrow c = 5\ \text{mol} \cdot \text{m}^{-3} = 5.10^{-3}\ \text{mol} \cdot \text{L}^{-1}
\end{aligned}
$$

1 Cellule de conductimétrie

15 min. | *p. 271*

Une cellule est constituée de deux plaques métalliques parallèles, de surface S, distantes de ℓ, plongées dans une solution.

Pour étalonner cette solution, on utilise une solution étalon, par exemple une solution de chlorure de potassium ($K^+_{(aq)} + Cl^-_{(aq)}$) à $0,01$ mol $\cdot$ L^{-1}.

Pour une tension efficace de $6,85$ V, on a mesuré une intensité efficace de 339 mA. La température de la solution était $23°C$.

On donne, à cette température, les conductivités molaires ioniques des ions $K^+_{(aq)}$ et $Cl^-_{(aq)}$:

$$\lambda_{K^+} = 61.10^{-4} \text{ S} \cdot \text{m}^2 \cdot \text{mol}^{-1} \qquad \lambda_{Cl^-} = 63.10^{-4} \text{ S} \cdot \text{m}^2 \cdot \text{mol}^{-1}$$

1 Calculer la valeur de la résistance R de cette cellule.

    a $R = 0,05$ Ω **b** $R = 0,02$ Ω

    c $R = 49,49$ Ω **d** $R = 20,21$ Ω

2 En déduire la valeur de la conductance de cette cellule.

    a $G = 49,49$ S   **b** $G = 20,2$ mS

    c $G = 49,5$ mS   **d** $G = 20,21$ mS

3 Calculer la conductivité de la solution.

    a $\sigma = 1,24$ S $\cdot$ m^{-1} **b** $\sigma = 1,24$ mS $\cdot$ m^{-1}

    c $\sigma = 1,24.10^{-4}$ S $\cdot$ m^{-1}

4 Déterminer la constante de cellule.

    a $K = 0,4$ m   **b** $K = 1,9$ m

    c $K = 39,4$ m   **d** $K = 0,2$ m

5 Les plaques sont rectangulaires, de largeur $5,0$ cm et de longueur $8,0$ cm. Calculer la longueur ℓ qui les sépare.

    a $\ell = 2$ mm   **b** $\ell = 1$ mm

    c $\ell = 1,2$ cm   **d** $\ell = 1$ cm

6 Avec la même cellule, à la même température, on a déterminé la conductance d'une solution d'acide chlorhydrique ($H^+_{(aq)} + Cl^-_{(aq)}$), soit $G = 145$ mS. Quelle est la conductivité de la solution ?

    a $\sigma = 0,076$ S $\cdot$ m^{-1} **b** $\sigma = 0,725$ S $\cdot$ m^{-1}

    c $\sigma = 0,362$ S $\cdot$ m^{-1} **d** $\sigma = 3,68$ S $\cdot$ m^{-1}

QCM **2** **Conductivité et conductance**   *5 min.*   p. 272

Choisir la (les) bonne(s) réponse(s) :

1 La conductivité ionique s'exprime en :

  a siemens ;

  b siemens par mètre ;

  c siemens-mètre-carré par mole.

2 La conductance G d'une portion de solution ionique comprise entre deux plaques de surface S, distantes de L et la condutivité σ d'une solution ionique sont liées par :

  a $G = \sigma \dfrac{L}{S}$ **b** $\sigma = G \dfrac{L}{S}$ **c** $G = \sigma \dfrac{\lambda}{c}$

3 La conductivité σ d'une solution ionique :

  a est une fonction croissante de sa concentration ;

  b est toujours proportionnelle à sa concentration.

4 La conductivité σ d'une solution de NaCl de concentration c (où c est inférieur à $0,01 \ \mathrm{mol \cdot L^{-1}}$) est donnée par :

  a $\sigma = \left(\lambda_{\mathrm{Na^+}} + \lambda_{\mathrm{Cl^-}}\right) \times c$;

  b $\sigma = \lambda_{\mathrm{Na^+}} \times \left[\mathrm{Na^+}\right] + \lambda_{\mathrm{Cl^-}} \times \left[\mathrm{Cl^-}\right]$;

  c $\sigma = \lambda_{\mathrm{Na^+}} \times \left[\mathrm{Na^+}\right] \times \lambda_{\mathrm{Cl^-}} \times \left[\mathrm{Cl^-}\right]$.

QCM **3** **Cellule de conductimétrie**   *10 min.*   p. 272

On plonge la cellule d'un conductimètre dans une solution étalon de chlorure de potassium de concentration $c = 1,0.10^{-2} \ \mathrm{mol \cdot L^{-1}}$, à la température de 25°C.

Le conductimètre indique alors une conductance $G = 0,76 \ \mathrm{mS}$.

On donne les conductivités molaires ioniques des ions $\mathrm{K^+_{(aq)}}$ et $\mathrm{Cl^-_{(aq)}}$, à 25°C :

$\lambda_{\mathrm{K^+}} = 73,48.10^{-4} \ \mathrm{S \cdot m^2 \cdot mol^{-1}}$ $\lambda_{\mathrm{Cl^-}} = 76,31.10^{-4} \ \mathrm{S \cdot m^2 \cdot mol^{-1}}$

1 La conductivité de la solution vaut, à cette température :
  a $\sigma = 0,15 \ \mathrm{S}$ **b** $\sigma = 1,5 \ \mathrm{S}$ **c** $\sigma = 1,5.10^{-4} \ \mathrm{S}$

2 La cellule de conductimétrie a pour constante :
  a $k = 5,0.10^{-4} \ \mathrm{m}$ **b** $k = 5,0 \ \mathrm{m}$ **c** $k = 5,0.10^{-3} \ \mathrm{m}$

3 Les électrodes planes et parallèles de la cellule sont distantes de $\ell = 5,0 \ \mathrm{mm}$. Leur surface S vaut alors :
  a $S = 25.10^{-2} \ \mathrm{cm^2}$ **b** $S = 25.10^{-3} \ \mathrm{m^2}$ **c** $S = 2,5 \ \mathrm{cm^2}$

4 | Conductivité molaire ionique

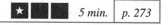 5 min. | p. 273

Lycée Bouchardon, Chaumont

Calculer la concentration molaire d'une solution aqueuse de chlorure de césium de conductivité, à 25°C, égale à $1,536.10^{-4}$ S$\cdot$m^{-1}.

On donne les conductivités molaires ioniques : $\lambda_{Cs^+} = 77,3.10^{-4}$ S$\cdot$m$^2\cdot$mol^{-1} et $\lambda_{Cl^-} = 76,3.10^{-4}$ S$\cdot$m$^2\cdot$mol^{-1}.

5 | Cellule de conductimétrie

 5 min. | p. 273

Lycée Saint-Michel de Picpus, Paris

Une cellule de conductimétrie est constituée de deux plaques carrées, en métal inattaquable, distantes de $L = 5$ mm. Elles sont plongées dans une solution de chlorure de sodium de concentration $C = 2,3.10^{-3}$ mol$\cdot$L^{-1} et elles mesurent une conductance $G = 589.10^{-6}$ S.

Calculer l'arête a de chaque plaque.

On donne les conductivités molaires ioniques des ions sodium et chlorure : $\lambda_{Na^+} = 5,01.10^{-3}$ S$\cdot$m$^2\cdot$mol^{-1} ; $\lambda_{Cl^-} = 7,63.10^{-3}$ S$\cdot$m$^2\cdot$mol^{-1}.

6 | Conductivité molaire ionique

 5 min. | p. 274

Lycée Bouchardon, Chaumont

On a calculé les conductivités de quelques solutions de concentration 10^{-3} mol$\cdot$L^{-1} :

$$\sigma\left(Na^+ + Cl^-\right) = \sigma_1 = 12,64.10^{-3} \text{ S}\cdot\text{m}^{-1}$$
$$\sigma\left(K^+ + Cl^-\right) = \sigma_2 = 14,98.10^{-3} \text{ S}\cdot\text{m}^{-1}$$
$$\sigma\left(Na^+ + HO^-\right) = \sigma_3 = 24,87.10^{-3} \text{ S}\cdot\text{m}^{-1}$$

Déterminer la valeur de la conductivité d'une solution à 10^{-3} mol$\cdot$L^{-1} de KOH ($K^+ + HO^-$).

7 Conductance et conductivité ★ ★ ■ *10 min.* | *p. 275*

Lycée Saint-Dominique, Saint-Herblain

1 Quelle relation y a-t-il entre conductance et résistance ?

2 On étudie la conductance de solutions d'iodure de sodium de concentrations c différentes. Les mesures sont réalisées dans des conditions identiques, avec une même cellule conductimétrique et les résultats sont consignés sur la courbe ci-dessous.

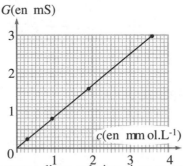

Calculer la conductance d'une solution si on mesure une intensité du courant de $2,50$ mA pour une tension sinusoïdale de $1,00$ V aux bornes de la cellule conductimétrique.

3 La courbe ci-dessus représente les variations de la conductance pour différentes concentrations. En déduire :

- la concentration de la solution précédente.
- la conductance d'une solution d'iodure de sodium si sa concentration est $4,0$ m mol $\cdot$ L^{-1}.

8 Calcul d'une concentration ★ ★ ■ *15 min.* | *p. 276*

Lycée Marseille Vegre, Marseille

Avec la même cellule et à la même température de 25°C, on a mesuré les conductances de solutions de même concentration molaire $c = 4,00.10^{-3}$ mol $\cdot$ L^{-1} :

chlorure de sodium	$(Na^+ + Cl^-)$	$G_1 = 1,16$ mS
chlorure de potassium	$(K^+ + Cl^-)$	$G_2 = 1,37$ mS
nitrate de potassium	$(K^+ + NO_3^-)$	$G_3 = 1,33$ mS

1 Calculer la conductance G d'une solution de nitrate de sodium de concentration molaire $c = 4,00.10^{-3}$ mol $\cdot$ L^{-1} à 25°C.

2 La conductance d'une solution S' de nitrate de potassium, de concentration molaire c' mesurée avec la même cellule que précédemment à 25°C, est : $G' = 0,598$ mS.

Calculer la concentration c' de cette solution.

9 Conductance et conductivité ★ ★ ☐ *20 min.* | *p. 276*

Lycée Jeanne d'Albret, Saint-Germain-en-Laye

Deux électrodes, de surface $S_1 = 2,0\ cm^2$ et distantes de $L_1 = 2,0\ cm$ l'une de l'autre plongent dans une solution ionique contenant un seul soluté.

On réalise le montage représenté sur le schéma ci-dessous ; le voltmètre indique une tension $U_1 = 1,0\ V$ et l'ampèremètre une intensité $I_1 = 5,0\ mA$.

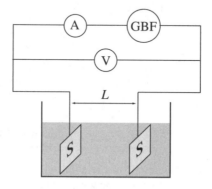

Après avoir rapproché les électrodes, on note une tension de $1,0\ V$ et une intensité de $7,0\ mA$.

1 Calculer la conductance G de la solution dans les deux cas.

2 Calculer la distance entre les deux électrodes dans le deuxième cas.

3 Calculer la constante de cellule dans les deux cas (préciser l'unité).

4 Calculer la conductivité de la solution.

5 Dans une troisième expérience, les électrodes sont identiques à celles de la première expérience (même distance L_1 et même surface S_1), la solution ionique contient le même soluté et on opère à la même température ; le voltmètre indique une tension de $1,0\ V$ et l'ampèremètre une intensité de $15\ mA$. Quelles sont les grandeurs physiques qui ont changé dans cette expérience ?

Décrire brièvement l'expérience à réaliser pour vérifier les résultats précédents.

QCM **1** **Cellule de conductimétrie** *15 min.* | *p. 266*

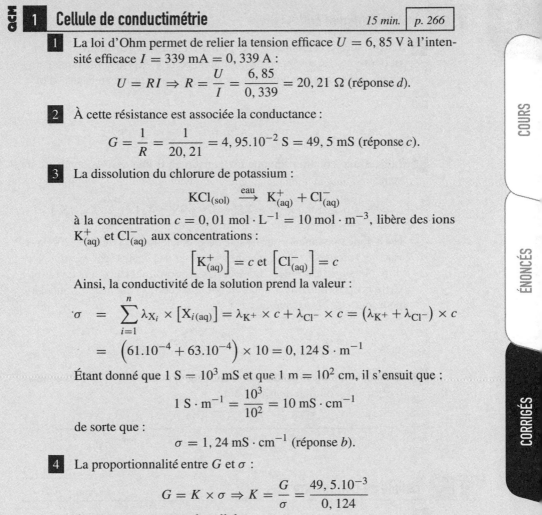

1 La loi d'Ohm permet de relier la tension efficace $U = 6,85$ V à l'intensité efficace $I = 339$ mA $= 0,339$ A :

$$U = RI \Rightarrow R = \frac{U}{I} = \frac{6,85}{0,339} = 20,21 \; \Omega \text{ (réponse } d).$$

2 À cette résistance est associée la conductance :

$$G = \frac{1}{R} = \frac{1}{20,21} = 4,95.10^{-2} \; \text{S} = 49,5 \; \text{mS (réponse } c).$$

3 La dissolution du chlorure de potassium :

$$\text{KCl}_{(\text{sol})} \xrightarrow{\text{eau}} \text{K}^{+}_{(\text{aq})} + \text{Cl}^{-}_{(\text{aq})}$$

à la concentration $c = 0,01 \; \text{mol} \cdot \text{L}^{-1} = 10 \; \text{mol} \cdot \text{m}^{-3}$, libère des ions $\text{K}^{+}_{(\text{aq})}$ et $\text{Cl}^{-}_{(\text{aq})}$ aux concentrations :

$$\left[\text{K}^{+}_{(\text{aq})}\right] = c \text{ et } \left[\text{Cl}^{-}_{(\text{aq})}\right] = c$$

Ainsi, la conductivité de la solution prend la valeur :

$$\sigma = \sum_{i=1}^{n} \lambda_{\text{X}_i} \times \left[\text{X}_{i(\text{aq})}\right] = \lambda_{\text{K}^+} \times c + \lambda_{\text{Cl}^-} \times c = \left(\lambda_{\text{K}^+} + \lambda_{\text{Cl}^-}\right) \times c$$

$$= \left(61.10^{-4} + 63.10^{-4}\right) \times 10 = 0,124 \; \text{S} \cdot \text{m}^{-1}$$

Étant donné que $1 \; \text{S} = 10^3 \; \text{mS}$ et que $1 \; \text{m} = 10^2 \; \text{cm}$, il s'ensuit que :

$$1 \; \text{S} \cdot \text{m}^{-1} = \frac{10^3}{10^2} = 10 \; \text{mS} \cdot \text{cm}^{-1}$$

de sorte que :

$$\sigma = 1,24 \; \text{mS} \cdot \text{cm}^{-1} \text{ (réponse } b).$$

4 La proportionnalité entre G et σ :

$$G = K \times \sigma \Rightarrow K = \frac{G}{\sigma} = \frac{49,5.10^{-3}}{0,124}$$

donne pour constante de cellule :

$$K = 0,4 \; \text{m (réponse } a).$$

5 La constante de cellule est définie comme le rapport de la surface :

$$S = 5.10^{-2} \times 8.10^{-2} = 40.10^{-4} \; \text{m}^2$$

par la distance ℓ (en mètre) :

$$K = \frac{S}{\ell} \Rightarrow \ell = \frac{S}{K} = \frac{40.10^{-4}}{0,4} = 10^{-2}\text{m} = 1 \; \text{cm (réponse } d).$$

6 Dans les mêmes conditions expérimentales (même cellule et même température), la constante K conserve sa valeur calculée précédemment, de telle manière que :

$$G = K \times \sigma \Rightarrow \sigma = \frac{G}{K} = \frac{145.10^{-3}}{0,4} = 0,362 \; \text{S} \cdot \text{ m}^{-1} \text{ (réponse } c).$$

COURS

ÉNONCÉS

CORRIGÉS

2 **Conductivité et conductance** *5 min.* | *p. 267*

1 La conductivité ionique σ s'exprime en siemens par mètre : $S \cdot m^{-1}$ (réponse *b*). En revanche, la conductance G s'exprime en siemens (S), tandis que la conductivité molaire ionique λ s'exprime en $S \cdot m^2 \cdot mol^{-1}$.

2 D'après le cours :

$$G = \sigma \times \frac{S}{L} \Rightarrow \sigma = G \times \frac{L}{S} \text{ (réponse } b)$$

3 Lorsqu'une solution ionique est constituée d'ions X_i, sa conductivité vaut :

$$\sigma = \lambda_{X_1} [X_1] + \lambda_{X_2} [X_2] + \cdots + \lambda_{X_n} [X_n] = \sum_{i=1}^{n} \lambda_{X_i} [X_i]$$

et est donc une fonction croissante de sa concentration (réponse *a*). En revanche, si toutes les concentrations ne sont pas égales (par exemple lors d'un mélange de solutés), σ n'est pas proportionnel aux concentrations. Cette proportionnalité n'apparaît que lorsque $[X_i]$ est proportionnel à c pour tout $i \in [1; n]$, auquel cas :

$$\sigma = c \times \sum_{i=1}^{n} \lambda_{X_i}$$

4 D'après la question précédente, avec $\left[Na^+\right] = c$ et $\left[Cl^-\right] = c$, la conductivité d'une solution de NaCl vaut :

$$\underbrace{\sigma = \lambda_{Na^+} \left[Na^+\right] + \lambda_{Cl^-} \left[Cl^-\right]}_{\text{réponse } b.} \text{ ou } \underbrace{\sigma = c \times \left(\lambda_{Na^+} + \lambda_{Cl^-}\right)}_{\text{réponse } a.}$$

3 **Cellule de conductimétrie** *10 min.* | *p. 267*

1 Le chlorure de potassium se dissocie dans l'eau selon l'équation :

$$KCl_{(sol)} \xrightarrow{\text{eau}} K^+_{(aq)} + Cl^-_{(aq)}$$

Donc, une solution de concentration $c = 10^{-2} \text{ mol} \cdot L^{-1} = 10 \text{ mol} \cdot m^{-3}$ contient des ions $K^+_{(aq)}$ et $Cl^-_{(aq)}$ aux concentrations :

$$\left[K^+_{(aq)}\right] = c \text{ et } \left[Cl^-_{(aq)}\right] = c$$

ce qui confère à la solution une conductivité :

$$\begin{aligned} \sigma &= \sum_{i=1}^{n} \lambda_{X_i} \times \left[X_{i\,(aq)}\right] = \lambda_{K^+} \left[K^+_{(aq)}\right] + \lambda_{Cl^-} \left[Cl^-_{(aq)}\right] \\ &= \left(\lambda_{K^+} + \lambda_{Cl^-}\right) \times c = \left(73, 48.10^{-4} + 76, 31.10^{-4}\right) \times 10 \\ \Rightarrow \quad \sigma &= 0, 15 \text{ S (réponse } a). \end{aligned}$$

La conductivité de la solution : $G = 0,76\,\text{mS} = 0,76.10^{-3}\,\text{S}$ est proportionnelle à σ, la constante de proportionnalité k étant alors la constante de la cellule :

$$G = k \times \sigma \Rightarrow k = \frac{G}{\sigma} = \frac{0,76.10^{-3}}{0,15} = 5,0.10^{-3}\,\text{m (réponse } c\text{)}.$$

3 La constante k est proportionnelle à S (en m^2) et inversement proportionnelle à ℓ (en m) :

$$k = \frac{S}{\ell} \Rightarrow S = k \times \ell = 5.10^{-3} \times 5.10^{-3} = 25.10^{-6}\,\text{m}^6$$

Or, puisque $1\,\text{m}^2 = 10^4\,\text{cm}^2$, il s'ensuit que :

$$S = 25.10^{-2}\,\text{cm}^2 \text{ (réponse } a\text{)}.$$

---

4 **Conductivité molaire ionique**  5 min. | p. 268

Lycée Bouchardon, Chaumont

La dissolution du chlorure de césium libère des ions Cs^+ et Cl^- à la concentration c selon le bilan :

$$
\begin{array}{ccccc}
\text{CsCl}_{(\text{sol})} & \rightarrow & \text{Cs}^+_{(\text{aq})} & + & \text{Cl}^-_{(\text{aq})} \\
c & & 0 & & 0 \\
0 & & c & & c
\end{array}
$$

Par suite, la conductivité de cette solution vaut :

$$
\begin{aligned}
\sigma &= \lambda_{\text{Cs}^+}\left[\text{Cs}^+\right] + \lambda_{\text{Cl}^-}\left[\text{Cl}^-\right] = \lambda_{\text{Cs}^+} \times c + \lambda_{\text{Cl}^-} \times c = c \times \left(\lambda_{\text{Cs}^+} + \lambda_{\text{Cl}^-}\right) \\
&\Rightarrow c = \frac{\sigma}{\lambda_{\text{Cs}^+} + \lambda_{\text{Cl}^-}} = \frac{1,536.10^{-4}}{77,3.10^{-4} + 76,3.10^{-4}} = 10^{-2}\,\text{mol} \cdot \text{m}^{-3}
\end{aligned}
$$

où $1\,\text{mol} \cdot \text{m}^{-3} = 10^{-3}\,\text{mol} \cdot \text{L}^{-1}$. Il s'ensuit que :

$$c = 10^{-2} \times 10^{-3} = 10^{-5}\,\text{mol} \cdot \text{L}^{-1}$$

---

5 **Cellule de conductimétrie** 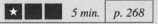 5 min. | p. 268

Lycée Saint–Michel de Picpus, Paris

La conductance G de la solution est proportionnelle à sa conductivité σ, et dépend des caractéristiques de la cellule de conductimétrie : la surface $S = a^2$ des plaques et leur éloignement L :

$$G = \sigma \times \frac{S}{L} = \sigma \times \frac{a^2}{L} \Rightarrow a = \sqrt{\frac{L \times G}{\sigma}}$$

La mise en solution du chlorure de sodium libère, en outre, des ions Na^+ et Cl^- à la concentration $c = 2,3.10^{-3}$ mol$\cdot$L^{-1} = 2,3 mol$\cdot$m^{-3}. Par suite, la conductivité vaut :

$$\sigma = \lambda_{Na^+} \times \underbrace{[Na^+]}_{=c} + \lambda_{Cl^-} \times \underbrace{[Cl^-]}_{=c} = c \times \left(\lambda_{Na^+} + \lambda_{Cl^-}\right)$$

$$\Rightarrow \quad a = \sqrt{\frac{L \times G}{c \times \left(\lambda_{Na^+} + \lambda_{Cl^-}\right)}} \quad \text{où } L = 5 \text{ mm} = 5.10^{-3} \text{ m}$$

Par conséquent :

$$a = \sqrt{\frac{5.10^{-3} \times 589.10^{-6}}{2,3 \times (5,01.10^{-3} + 7,63.10^{-3})}} = 0,01 \text{ m} = 1 \text{ cm}$$

6 Conductivité molaire ionique   ★■■   5 min.   p. 268

Lycée Bouchardon, Chaumont

La solution de chlorure de sodium est obtenue par dissolution de $c = 1$ mol$\cdot$m^{-3} de sel :

$$\begin{array}{ccccc}
NaCl_{(sol)} & \rightarrow & Na^+_{(aq)} & + & Cl^-_{(aq)} \\
c & & 0 & & 0 \\
0 & & c & & c
\end{array}$$

Elle présente alors une conductivité :

$$\sigma_1 = \lambda_{Na^+} \times \underbrace{[Na^+]}_{=c} + \lambda_{Cl^-} \times \underbrace{[Cl^-]}_{=c} = c \times \left(\lambda_{Na^+} + \lambda_{Cl^-}\right)$$

Il en va de même des solutions de chlorure de potassium et d'hydroxyde de sodium :

$$\left\{ \begin{array}{l} \sigma_2 = c\,\lambda_{K^+} + c\,\lambda_{Cl^-} \\ \sigma_3 = c\,\lambda_{Na^+} + c\,\lambda_{HO^-} \end{array} \right. \Rightarrow \left\{ \begin{array}{l} c\,\lambda_{K^+} = \sigma_2 - c\,\lambda_{Cl^-} \\ c\,\lambda_{HO^-} = \sigma_3 - c\,\lambda_{Na^+} \end{array} \right.$$

$$\Rightarrow \quad c \times \left(\lambda_{K^+} + \lambda_{HO^-}\right) = \sigma_2 + \sigma_3 - c \times \left(\lambda_{Cl^-} + \lambda_{Na^+}\right)$$

On reconnaît, dans cette identité, non seulement l'expression de σ_1, mais également celle de la conductivité σ d'une solution de KOH à la concentration c :

$$\sigma = c\left(\lambda_{K^+} + \lambda_{HO^-}\right) = \sigma_2 + \sigma_3 - \sigma_1 = 14,98.10^{-3} + 24,87.10^{-3} - 12,64.10^{-3}$$

$$\Rightarrow \quad \sigma = 27,21.10^{-3} \text{ S}\cdot\text{m}^{-1}$$

7 **Conductance et conductivité** ★ ★ ■ *10 min.* | p. 269

Lycée Saint-Dominique, Saint-Herblain

1 La conductance G est définie comme l'inverse de la résistance : $G = \dfrac{1}{R}$.

2 La cellule de conductimétrie, traversée par un courant $I = 2,5.10^{-3}$ A, et aux bornes de laquelle se trouve une tension $U = 1$ V, présente une résistance R vérifiant la loi d'Ohm :

$$U = R \times I = \frac{1}{G} \times I \Rightarrow G = \frac{I}{U} = \frac{2,5.10^{-3}}{1} = 2,5.10^{-3} \text{ S} = 2,5 \text{ mS}$$

3 La courbe donnée par l'énoncé révèle qu'une conductance $G = 2,5$ mS est obtenue pour une concentration $c = 3.10^{-3}$ mol $\cdot$ L^{-1}.

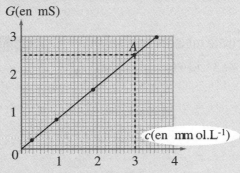

En outre, la courbe ci-dessus est une portion de droite passant par l'origine, dont l'équation s'écrit par conséquent :

$$G = a \times c \Rightarrow a = \frac{G}{c}$$

Le coefficient directeur a s'obtient à l'aide d'un des points appartenant à la droite, et notamment :

$$A \begin{pmatrix} c = 3.10^{-3} \text{ mol} \cdot \text{L}^{-1} \\ G = 2,5.10^{-3} \text{ S} \end{pmatrix} \Rightarrow a = \frac{2,5}{3} \simeq 0,83 \text{ S} \cdot \text{L} \cdot \text{mol}^{-1}$$

• La solution dont la conductance vaut $G = 2,5$ mS a par conséquent une concentration c qui vérifie :

$$G = a \times c \Rightarrow c = \frac{G}{a} = \frac{2,5.10^{-3}}{0,83} = 3.10^{-3} \text{ mol} \cdot \text{L}^{-1}$$

• De même, une solution de concentration $c' = 4.10^{-3}$ mol $\cdot$ L^{-1} présente une conductance :

$$G' = a \times c' = \frac{2,5}{3} \times 4.10^{-3} \simeq 3,3.10^{-3} \text{ S} = 3,3 \text{ mS}$$

8 Calcul d'une concentration ★ ★ ▮ *15 min.* | *p. 269*

Lycée Marseille Vegre, Marseille

1 Soit k la constante de cellule du conductimètre ayant permis la mesure de la conductivité σ_1 de la première solution ; la conductance vaut : $G_1 = k \times \sigma_1$, où :

$$\sigma_1 = \lambda_{Na^+} \times \underbrace{[Na^+]}_{=c} + \lambda_{Cl^-} \times \underbrace{[Cl^-]}_{=c} = c \times \left(\lambda_{Na^+} + \lambda_{Cl^-}\right)$$

$$\Rightarrow G_1 = kc\left(\lambda_{Na^+} + \lambda_{Cl^-}\right)$$

Il en va de même des solutions de chlorure de potassium et de nitrate de potassium :

$$G_2 = kc\left(\lambda_{K^+} + \lambda_{Cl^-}\right) \text{ et } G_3 = kc\left(\lambda_{K^+} + \lambda_{NO_3^-}\right)$$

Des expressions de G_1 et G_3, on déduit que :

$$\begin{cases} kc\,\lambda_{Na^+} = G_1 - kc\,\lambda_{Cl^-} \\ kc\,\lambda_{NO_3^-} = G_3 - kc\,\lambda_{K^+} \end{cases} \Rightarrow kc\left(\lambda_{Na^+} + \lambda_{NO_3^-}\right) = G_1 + G_3 - kc\left(\lambda_{Cl^-} + \lambda_{K^+}\right)$$

où l'on reconnaît non seulement l'expression de G_2 mais également celle de la conductance G de la solution de nitrate de sodium :

$$G = kc\left(\lambda_{Na^+} + \lambda_{NO_3^-}\right) \Rightarrow G = G_1 + G_3 - G_2$$
$$= 1,16 + 1,33 - 1,37$$
$$= 1,12 \text{ mS}$$

2 Une solution de nitrate de potassium, de concentration c', présente une conductance :

$$G' = kc'\left(\lambda_{K^+} + \lambda_{NO_3^-}\right) \Rightarrow k\left(\lambda_{K^+} + \lambda_{NO_3^-}\right) = \frac{G'}{c'}$$

En outre, la conductance G_3 vaut :

$$G_3 = kc\left(\lambda_{K^+} + \lambda_{NO_3^-}\right) \Rightarrow k\left(\lambda_{K^+} + \lambda_{NO_3^-}\right) = \frac{G_3}{c}$$

Il s'ensuit que :

$$\frac{G_3}{c} = \frac{G'}{c'} \Rightarrow c' = \frac{G'}{G_3} \times c = \frac{0,598}{1,33} \times 4.10^{-3} = 1,8.10^{-3} \text{ mol}\cdot\text{L}^{-1}$$

9 Conductance et conductivité ★ ★ ▮ *20 min.* | *p. 270*

Lycée Jeanne d'Albret, Saint-Germain-en-Laye

1 La cellule de conductimétrie se comporte comme une résistance $R = \dfrac{1}{G}$, auquel cas elle est soumise à la loi d'Ohm :

$$U = R \times I = \frac{1}{G} \times I \Rightarrow G = \frac{I}{U}$$

Pour les deux expériences, ce résultat conduit à :

$$G_1 = \frac{I_1}{U_1} = \frac{5.10^{-3}}{1} = 5.10^{-3} \text{ S et } G_2 = \frac{I_2}{U_2} = \frac{7.10^{-3}}{1} = 7.10^{-3} \text{ S}$$

2 La conductance G d'une solution est proportionnelle à $\dfrac{S}{L}$; le coefficient de proportionnalité σ (conductivité) est le même pour les deux expériences réalisées à partir de la même solution (les surfaces S_1 et S_2 sont également identiques) :

$$\begin{cases} G_1 = \sigma \times \dfrac{S_1}{L_1} \\ G_2 = \sigma \times \dfrac{S_2}{L_2} \end{cases} \Rightarrow \quad G_1\,L_1 = G_2\,L_2 \Rightarrow L_2 = L_1 \times \frac{G_1}{G_2} = 2 \times \frac{5}{7}$$

$$\Rightarrow \quad L_2 = \frac{10}{7} \simeq 1,4 \text{ cm}$$

3 La constante de cellule k est le facteur de proportionnalité entre G et σ : $G = k \times \sigma$. Il ressort ainsi de la réponse précédente que $k = \dfrac{S}{L}$ (où $S_1 = S_2 = 2.10^{-4} \text{ m}^2$ pour les deux expériences et où $L_1 = 2 \text{ cm} = 2.10^{-2} \text{ m et } L_2 = \dfrac{10}{7} \times 10^{-2} \text{ m}$) :

$$k_1 = \frac{S_1}{L_1} = \frac{2.10^{-4}}{2.10^{-2}} = 10^{-2} \text{ m}$$

et

$$k_2 = \frac{S_2}{L_2} = 2.10^{-4} \times \frac{7}{10.10^{-2}} = 1,4.10^{-2} \text{ m}$$

4 La conductivité σ de la solution (identique au cours des deux expériences) vérifie :

$$G_1 = k_1 \times \sigma \Rightarrow \sigma = \frac{G_1}{k_1} = \frac{5.10^{-3}}{10^{-2}} = 0,5 \text{ S} \cdot \text{m}^{-1}$$

5 Si les électrodes sont identiques dans la première et la troisième expérience, la cellule présente la même constante : $k_1 = k_3$. En revanche, la conductance de la dernière solution vaut :

$$G_3 = \frac{I_3}{U_3} = \frac{15.10^{-3}}{1} = 15.10^{-3} \text{ S}$$

Par suite, la conductivité σ_3 de cette solution est telle qu'avec $k_1 = k_3$:

$$\begin{cases} G_1 = k_1\,\sigma \\ G_3 = k_3\,\sigma_3 \end{cases} \Rightarrow \frac{G_1}{\sigma} = \frac{G_3}{\sigma_3} \Rightarrow \sigma_3 = \sigma \times \frac{G_3}{G_1} = 0,5 \times \frac{15}{5} = 1,5 \text{ S·m}^{-1}$$

Enfin, la conductivité d'une solution est proportionnelle à la concentration c du soluté ionique (si celui-ci est seul) ; la constante de proportionnalité, Λ, (conductivié molaire de la solution) est spécifique au soluté :

$\sigma = \Lambda \times c$. Notamment, au cours des deux expériences, le même soluté a été conservé (Λ est le même), à la suite de quoi :

$$\begin{cases} \sigma = \Lambda\, c_1 \\ \sigma_3 = \Lambda\, c_3 \end{cases} \Rightarrow \frac{\sigma}{c_1} = \frac{\sigma_3}{c_3} \Rightarrow c_3 = \frac{\sigma_3}{\sigma} \times c_1 = \frac{1,5}{0,5} \times c_1 = 3 \times c_1$$

Pour confirmer ce résultat il suffirait de diluer d'un facteur 3 la troisième solution (par exemple 50 mL de cette solution dans 100 mL d'eau) et de mesurer le nouveau courant qui devrait alors s'identifier à I_1.

Réactions acido-basiques et réactions d'oxydo-réduction

Exercice type

Institution des Chartreux, Lyon

On mélange un volume $V_1 = 25$ mL d'une solution d'acide acétique (CH_3COOH), à la concentration $C_1 = 2,5.10^{-2}$ mol $\cdot$ L^{-1} et un volume $V_2 = 75$ mL d'une solution de borate de sodium, $Na^+ + BO_2^-$, à la concentration $C_2 = 1,0.10^{-2}$ mol $\cdot$ L^{-1}.

1 L'ion borate est une base au sens de Brønsted. Écrire la demi-équation acido-basique correspondante.

2 Quelle est la réaction qui peut se produire ? Écrire son équation.

3 Établir la composition du système en fin de réaction, en quantités de matière, puis en concentrations. On utilisera un tableau d'avancement.

Voir corrigé page 288

1 Réactions acido-basiques

Au sens de Brønsted :

- un acide AH est susceptible de libérer, en solution aqueuse, un proton $H^+_{(aq)}$:

$$AH_{(aq)} = A^-_{(aq)} + H^+_{(aq)}$$

- une base B est susceptible de capter, en solution aqueuse, un proton :

$$B_{(aq)} + H^+_{(aq)} = BH^+_{(aq)}$$

La notation = indique que la réaction peut se produire dans les deux sens ; dans l'un : $AH_{(aq)} = A^-_{(aq)} + H^+_{(aq)}$ le caractère acide de AH est mis en évidence, tandis que dans l'autre sens : $A^-_{(aq)} + H^+_{(aq)} = AH_{(aq)}$ le caractère basique de $A^-_{(aq)}$ apparaît.

Lorsqu'une telle situation survient :

- l'acide $AH_{(aq)}$ est dit « faible » et la base $A^-_{(aq)}$ est dite « faible » ;

- le couple $AH_{(aq)}/A^-_{(aq)}$ est un couple acide/base dans lequel $A^-_{(aq)}$ est la *base conjuguée* de $AH_{(aq)}$, lui-même *acide conjugué* de $A^-_{(aq)}$;

- la notation : $AH_{(aq)} = A^-_{(aq)} + H^+_{(aq)}$ s'appelle une *demi-équation*.

Parmi les couples acide/base, il faut retenir ceux qui suivent

acide	couple	base
ion hydronium ou oxonium	H_3O^+/H_2O	eau
eau	$H_2O/HO^-_{(aq)}$	ion hydroxyde
ion ammonium	$NH_4^+{}_{(aq)}/NH_{3(aq)}$	ammoniac
acide éthanoïque	$CH_3COOH_{(aq)}/CH_3COO^-_{(aq)}$	ion éthanoate
ion hydrogénosulfate	$HSO_4^-{}_{(aq)}/SO_4^{2-}{}_{(aq)}$	ion sulfate
dioxyde de carbone	$CO_2, H_2O/HCO_3^-{}_{(aq)}$	ion hydrogénocarbonate
ion hydrogénocarbonate	$HCO_3^-{}_{(aq)}/CO_3^{2-}{}_{(aq)}$	ion carbonate

couple	demi-équation
H_3O^+/H_2O	$H_3O^+ = H^+_{(aq)} + H_2O$
$H_2O/HO^-_{(aq)}$	$H_2O = H^+_{(aq)} + HO^-_{(aq)}$
$NH_4^+{}_{(aq)}/NH_{3(aq)}$	$NH_4^+{}_{(aq)} = H^+_{(aq)} + NH_{3(aq)}$
$CH_3COOH_{(aq)}/CH_3COO^-_{(aq)}$	$CH_3COOH_{(aq)} = H^+_{(aq)} + CH_3COO^-_{(aq)}$
$HSO_4^-{}_{(aq)}/SO_4^{2-}{}_{(aq)}$	$HSO_4^-{}_{(aq)} = H^+_{(aq)} + SO_4^{2-}{}_{(aq)}$
$CO_2, H_2O/HCO_3^-{}_{(aq)}$	$CO_2, H_2O = H^+_{(aq)} + HCO_3^-{}_{(aq)}$
$HCO_3^-{}_{(aq)}/CO_3^{2-}{}_{(aq)}$	$HCO_3^-{}_{(aq)} = H^+_{(aq)} + CO_3^{2-}{}_{(aq)}$

Entre deux couples acide/base un transfert de proton H^+ peut s'opérer entre l'acide d'un couple et la base de l'autre couple. Considérons les couples $A_1H_{(aq)}/A_1^-{}_{(aq)}$ et $A_2H_{(aq)}/A_2^-{}_{(aq)}$, dont les demi-équations :

$$A_1H_{(aq)} = A_1^-{}_{(aq)} + H^+{}_{(aq)}$$
$$A_2^-{}_{(aq)} + H^+_{(aq)} = A_2H_{(aq)}$$

conduisent à l'équation de la réaction acido-basique :

$$A_1H_{(aq)} + A_2^-{}_{(aq)} \rightarrow A_1^-{}_{(aq)} + A_2H_{(aq)}$$

Le transfert de proton peut être mis en évidence :

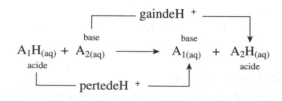

Certains composés se comportent simultanément comme des acides ou des bases ; ce sont des *ampholites*. Il s'agit, notamment :

- de l'eau, impliquée dans les couples :

$$H_3O^+/H_2O \text{ pour sa forme basique}$$
$$H_2O/HO^-_{(aq)} \text{ pour sa forme acide}$$

les demi-équations correspondantes s'écrivent :

$$
\begin{aligned}
H_3O^+ &= H_2O + H^+_{(aq)} \\
\underline{HO^-_{(aq)} + H^+_{(aq)}} &= \underline{H_2O} \\
H_3O^+ + HO^-_{(aq)} &\rightarrow 2\,H_2O
\end{aligned}
$$

- de l'ion hydrogénocarbonate, impliqué dans les couples :

$$CO_2, H_2O/HCO^-_{3\,(aq)} \text{ pour sa forme basique}$$
$$HCO^-_{3\,(aq)}/CO^{2-}_{3\,(aq)} \text{ pour sa forme acide}$$

Les demi-équations correspondantes sont :

$$
\begin{aligned}
CO_2, H_2O &= HCO^-_{3\,(aq)} + H^+_{(aq)} \\
\underline{CO^{2-}_{3\,(aq)} + H^+_{(aq)}} &= \underline{HCO^-_{3\,(aq)}} \\
CO_2, H_2O + CO^{2-}_{3\,(aq)} &\rightarrow 2\,HCO^-_{3\,(aq)}
\end{aligned}
$$

Certains acides sont « forts », ce qui signifie qu'ils libèrent irréversiblement des ions H^+. Il s'agit notamment :

- de l'acide chlorhydrique :

$$HCl_{(aq)} \rightarrow H^+_{(aq)} + Cl^-_{(aq)}$$

- de l'acide nitrique :

$$HNO_{3\,(aq)} \rightarrow H^+_{(aq)} + NO^-_{3\,(aq)}$$

- de l'acide sulfurique :

$$H_2SO_{4\,(aq)} \rightarrow H^+_{(aq)} + HSO^-_{4\,(aq)}$$

Pour ces acides, la notion de base conjuguée n'a que peu sens car l'ion formé ($Cl^-_{(aq)}$, $NO^-_{3\,(aq)}$ ou $HSO^-_{4\,(aq)}$) ne peut pas capturer d'ions $H^+_{(aq)}$.

2 Réactions d'oxydoréduction

2.1 Oxydant et réducteur

Au cours d'une réaction, un élément chimique peut échanger un ou plusieurs électrons.

- Il y a *réduction* quand l'élément gagne un ou plusieurs électrons. Par exemple :

$$Fe^{2+} + 2\,e^- \xrightarrow{\text{réd.}} Fe \qquad \text{ou} \qquad Ag^+ + e^- \xrightarrow{\text{réd.}} Ag$$

- Une perte d'électrons correspond, en revanche, à une *oxydation* :

$$Fe^{2+} \xrightarrow{\text{ox.}} Fe^{3+} + e^-$$

On appelle *oxydant* l'espèce chimique qui capte des électrons et *réducteur* celle qui en cède. La demi-équation traduisant ce transfert d'électrons entre oxydant et réducteur peut s'écrire :

$$\text{oxydant} + n\ \text{e}^- = \text{réducteur}$$

Un même élément impliqué dans un oxydant et un réducteur définit un couple oxydant/réducteur (ou *couple redox*), dans lequel l'oxydant est toujours présenté à gauche du réducteur. Par exemple :

$$\text{Fe}^{3+}_{(aq)}/\text{Fe}^{2+}_{(aq)} \qquad \text{Ag}^+_{(aq)}/\text{Ag}_{(sol)} \qquad \text{H}^+_{(aq)}/\text{H}_{2\,(gaz)}$$

Deux couples redox Ox_1/Red_1 et Ox_2/Red_2 peuvent s'engager dans une réaction d'oxydoréduction au cours de laquelle les électrons libérés par le réducteur d'un couple sont récupérés par l'oxydant de l'autre couple redox. Les électrons sont naturellement capturés par l'espèce la plus oxydante et cédés par l'espèce la plus réductrice. Par exemple, si Ox_1 est plus oxydant que Ox_2, les demi-équations électroniques s'écrivent :

$$\begin{aligned}
\text{Ox}_1 + n_1\ \text{e}^- &= \text{Red}_1\ (\times n_2) \\
\text{Red}_2 &= \text{Ox}_2 + n_2\ \text{e}^-\ (\times n_1)
\end{aligned}$$

ce qui mène à la réaction d'oxydoréduction suivante :

$$n_2\,\text{Ox}_1 + n_1\,\text{Red}_2 \longrightarrow n_2\,\text{Red}_1 + n_1\,\text{Ox}_2$$

Remarque : La première demi-équation a été multipliée par n_2 et la seconde par n_1. Cette opération vise à faire apparaître autant d'électrons dans les deux membres de l'équation d'oxydoréduction. Physiquement, cela signifie également que tous les électrons cédés par une espèce chimique sont récupérés par une autre espèce chimique.

2.2 Écriture d'une réaction d'oxydoréduction

Pour écrire l'équation bilan d'une réaction d'oxydoréduction se produisant entre deux couples redox, il suffit de respecter l'algorithme suivant, que l'on illustrera sur l'exemple des couples $\text{MnO}_4^-{}_{(aq)}/\text{Mn}^{2+}{}_{(aq)}$ et $\text{Cl}_{2\,(gaz)}/\text{Cl}^-{}_{(aq)}$ (où les ions permanganate réagissent avec les ions chlorure $\text{Cl}^-{}_{(aq)}$).

- Demi-équation électronique du couple $\text{Cl}_{2\,(gaz)}/\text{Cl}^-{}_{(aq)}$:
  - Conservation de l'élément chlore :

$$\underbrace{\text{Cl}_{2\,(gaz)}}_{2\ \text{Cl}} = 2\ \underbrace{\text{Cl}^-{}_{(aq)}}_{2\ \text{Cl}}$$

- Conservation des charges (en ajoutant des e^- dans le membre déficitaire en charges négatives) :

$$Cl_{2(gaz)} + 2\ e^- = 2\ Cl^-_{(aq)}$$

- Demi-équation électronique du couple $MnO_4^-{}_{(aq)}/Mn^{2+}{}_{(aq)}$

L'équation $MnO_4^-{}_{(aq)} = Mn^{2+}{}_{(aq)}$ assure déjà la conservation de l'élément manganèse, mais pas celle de l'élément oxygène.

- Conservation de l'élément oxygène (en ajoutant des molécules H_2O dans le membre déficitaire en oxygène) :

$$\underbrace{MnO_4^-{}_{(aq)}}_{4\ O} = \underbrace{Mn^{2+}{}_{(aq)} + 4\ H_2O}_{4\ O}$$

- Conservation de l'élément hydrogène (en ajoutant des ions $H^+_{(aq)}$ dans le membre de l'équation déficitaire en hydrogène) :

$$\underbrace{MnO_4^-{}_{(aq)} + 8\ H^+{}_{(aq)}}_{8\ H} = \underbrace{Mn^{2+}{}_{(aq)} + 4\ H_2O}_{8\ H}$$

- Conservation de la charge (en ajoutant des e^- dans le membre déficitaire en charges négatives) :

$$\underbrace{MnO_4^-{}_{(aq)} + 8\ H^+{}_{(aq)} + 5\ e^-}_{2\ charges\ +} = \underbrace{Mn^{2+}{}_{(aq)} + 4\ H_2O}_{2\ charges\ +}$$

🔅 Méthode :

Les électrons doivent toujours se trouver dans le membre de la demi-équation qui contient l'oxydant du couple redox ; cette remarque constitue un moyen rapide de contrôle de vos équations.

❗ Attention :

En milieu basique, il convient d'ajouter, dans les deux membres de la demi-équation, autant d'ions $HO^-_{(aq)}$ qu'il se trouve d'ions $H^+_{(aq)}$ dans l'équation. Par exemple, la demi-équation :

$$CH_3COO^-{}_{(aq)} + 5\ H^+{}_{(aq)} + 4\ e^- = CH_3CH_2OH_{(aq)} + H_2O$$

devient, en milieu basique :

$$CH_3COO^-{}_{(aq)} + \underbrace{5\ H^+ + 5\ HO^-}_{5\ H_2O} + 4\ e^- = CH_3CH_2OH_{(aq)} + H_2O + 5\ HO^-{}_{(aq)}$$

Par suite, cinq molécules d'eau apparaissent dans le membre de gauche, tandis qu'une même molécule se trouve dans le membre de droite ; une simplification consiste alors à retirer une de ces molécules dans les deux membres pour présenter finalement la demi-équation sous la forme suivante :

$$CH_3COO^-{}_{(aq)} + 4\ H_2O + 4\ e^- = CH_3CH_2OH_{(aq)} + 5\ HO^-{}_{(aq)}$$

- Les demi-équations étant obtenues, elles sont présentées dans le sens réel de la réaction (ici $MnO_4^-{}_{(aq)}$ réagit avec $Cl^-{}_{(aq)}$) :

$$MnO_4^-{}_{(aq)} + 8\,H^+{}_{(aq)} + 5\,e^- = Mn^{2+}{}_{(aq)} + 4\,H_2O$$

$$2\,Cl^-{}_{(gaz)} = Cl_{2(gaz)} + 2\,e^-$$

La combinaison des deux demi-équations fournit l'équation bilan cherchée, à condition qu'il s'y trouve autant d'électrons dans les deux membres de cette équation. C'est pourquoi chacune des demi-équations est multipliée par un facteur (ici 2 et 5 respectivement) avant addition :

$$MnO_4^- + 8\,H^+ + 5\,e^- = Mn^{2+} + 4\,H_2O \qquad (\times 2)$$
$$2\,Cl^- = Cl_2 + 2\,e^- \qquad (\times 5)$$

$$\overline{2\,MnO_4^- + 16\,H^+ + 10\,e^- + 10\,Cl^- \;\rightarrow\; 2\,Mn^{2+} + 8\,H_2O + 5\,Cl_2 + 10\,e^-}$$

après simplification par $10\,e^-$ (éventuellement d'autres composés se trouvant simultanément dans les deux membres), l'équation bilan devient :

$$2\,MnO_4^-{}_{(aq)} + 16\,H^+_{(aq)} + 10\,Cl^-_{(aq)} \;\rightarrow\; 2\,Mn^{2+}_{(aq)} + 8\,H_2O + 5\,Cl_{2(aq)}$$

Certains couples redox doivent être connus :

couple	demi-équation
$H^+_{(aq)}/H_{2(gaz)}$	$2\,H^+_{(aq)} + 2\,e^- = H_{2(gaz)}$
$Fe^{2+}_{(aq)}/Fe_{(sol)}$	$Fe^{2+}_{(aq)} + 2\,e^- = Fe_{(sol)}$
$Cu^{2+}_{(aq)}/Cu_{(sol)}$	$Cu^{2+}_{(aq)} + 2\,e^- = Cu_{(sol)}$
$Fe^{3+}_{(aq)}/Fe^{2+}_{(aq)}$	$Fe^{3+}_{(aq)} + e^- = Fe^{2+}_{(aq)}$
$I_2/I^-_{(aq)}$	$I_2 + 2\,e^- = 2\,I^-_{(aq)}$
$S_4O_6^{2-}{}_{(aq)}/S_2O_3^{2-}{}_{(aq)}$	$S_4O_6^{2-}{}_{(aq)} + 2\,e^- = 2\,S_2O_3^{2-}{}_{(aq)}$

3 Dosages directs

3.1 Dosages acido-basiques

Un dosage a pour but la détermination de la quantité de matière contenue dans une solution. On distingue ainsi :

- le *réactif titré*, qui est le réactif dont on cherche la quantité ;
- le *réactif titrant*, qui est celui qui permet le dosage par l'intermédiaire d'une réaction chimique.

Dans la pratique, le réactif titrant est introduit dans une burette qui permet la mesure du volume de solution titrante versée dans un bécher contenant au préalable un volume connu de solution titrée.

COURS

ÉNONCÉS

CORRIGÉS

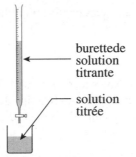

Soit un volume V_a d'une solution d'acide $AH_{(aq)}$ à la concentration c_a (réactif titré) et soit une solution de base $B_{(aq)}$, à la concentration c_b (réactif titrant), contenue dans une burette permettant d'en introduire un volume V dans la solution titrée.

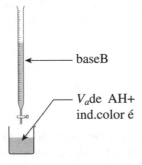

Les demi-équations relatives aux couples acide/base $AH_{(aq)}/A^-_{(aq)}$ et $BH^+_{(aq)}/B_{(aq)}$ conduisent à l'équation bilan :

$$AH_{(aq)} = A^-_{(aq)} + H^+_{(aq)}$$
$$\underline{B_{(aq)} + H^+_{(aq)} = BH^+_{(aq)}}$$
$$AH_{(aq)} + B_{(aq)} \rightarrow A^-_{(aq)} + BH^+_{(aq)}$$

La solution titrée contient initialement $n^0_a = c_a \times V_a$ moles d'acide $AH_{(aq)}$, tandis que le volume V introduit dans le milieu réactionnel $n^0_b = c_b \times V$ moles de base $B_{(aq)}$. Le bilan molaire de la réaction s'écrit par conséquent :

$$
\begin{array}{ccccc}
AH_{(aq)} & + & B_{(aq)} & \rightarrow & A^-_{(aq)} & + & BH^+_{(aq)} \\
n^0_a & & n^0_b & & 0 & & 0 \\
n^0_a - x & & n^0_b - x & & x & & x
\end{array}
$$

• avant l'équivalence, l'acide est en excès, de sorte que le milieu réactionnel est acide.

- après l'équivalence, $B_{(aq)}$ en excès confère au milieu réactionnel son caractère basique.

Pour mettre en évidence l'équivalence, on introduit dans le milieu réactionnel un indicateur coloré qui change de couleur en fonction de la nature (acide ou basique) de la solution. Parmi ceux-ci, on emploie fréquemment :

	milieu acide	milieu basique
la phénolphtaléine	incolore	rose fuchsia
le bleu de bromothymol	jaune	bleu
l'hélianthine	rouge	jaune

L'équivalence est repérée par le changement de couleur du mélange, et est caractérisée par la disparition simultanée de $AH_{(aq)}$ et $B_{(aq)}$. C'est pourquoi, à l'équivalence, $x = x_{eq}$ (et $V = V_{eq}$) tel que :

$$\left\{ \begin{array}{l} n_a^0 - x_{eq} = 0 \\ n_b^0 - x_{eq} = 0 \end{array} \right. \Rightarrow \left\{ \begin{array}{l} x_{eq} = n_a^0 \\ x_{eq} = n_b^0 \end{array} \right. \Rightarrow n_a^0 = n_b^0 \Rightarrow c_a \times V_a = c_b \times V_{eq}$$

$$\Rightarrow c_a = c_b \times \frac{V_{eq}}{V_a}$$

La connaissance de c_b et V_a (qui sont imposés par le protocole expérimental) et la mesure de V_{eq} conduisent finalement à la détermination de c_a.

3.2 Dosage d'oxydoréduction

Les définitions adoptées pour les dosages acido-basiques prévalent à nouveau pour les dosages d'oxydoréduction (réactif titré, réactif titrant, équivalence), mais il s'agit ici de faire réagir l'oxydant d'un couple redox avec le réducteur de l'autre couple.

Considérons un volume V_{ox} d'une solution titrée contenant l'espèce Ox_1 à la concentration c_{ox} inconnue. Cette espèce est par ailleurs l'oxydant du couple Ox_1/Red_1, de demi-équation électronique :

$$Ox_1 + n_1 \, e^- = Red_1$$

La solution titrante est constituée, quant à elle, du réducteur Red_2 à la concentration $V_{réd}$, participant à la demi-équation :

$$Red_2 = Ox_2 + n_2 \, e^-$$

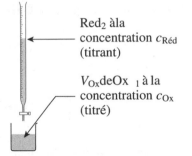

Red$_2$ àla concentration $c_{Réd}$ (titrant)

V_{Ox}deOx $_1$ à la concentration c_{Ox} (titré)

Considérons enfin que, parmi les espèces Ox$_1$, Red$_1$, Ox$_2$ et Red$_2$, seule la première présente une couleur caractéristique (par exemple violet pour les ions permanganate MnO$_{4}^{-}$ $_{(aq)}$ ou bleu pour le diiode I$_{2(aq)}$ en présence d'empois d'amidon), tandis que les autres sont, sinon incolores, du moins très faiblement colorées. L'équation bilan du dosage vient de l'association des deux demi-équations :

$$\begin{array}{ll} \text{Ox}_1 + n_1\ \text{e}^- = \text{Red}_1 & (\times n_2) \\ \text{Red}_2 = \text{Ox}_2 + n_2\ \text{e}^- & (\times n_1) \\ \hline \end{array}$$
$$n_2\ \text{Ox}_1 + n_1\,n_2\ \text{e}^- + n_1\ \text{Red}_2 \ \rightarrow\ n_2\ \text{Red}_1 + n_1\ \text{Ox}_2 + n_2\,n_1\ \text{e}^-$$

soit, après simplification par $n_1\,n_2\ \text{e}^-$:

$$n_2\ \text{Ox}_1 + n_1\text{Red}_2 \ \rightarrow\ n_2\ \text{Red}_1 + n_1\ \text{Ox}_2$$

Dans le volume V_{ox} de solution titrée, telle que $[\text{Ox}_1] = c_{ox}$ se trouvent :

$$n_{ox} = c_{ox} \times V_{ox} \text{ moles de Ox}_1$$

De même, un volume $V_{réd}$ de solution titrante telle que $[\text{Red}_2] = c_{réd}$ permet d'introduire, dans le milieu réactionnel :

$$n_{réd} = c_{réd} \times V_{réd} \text{ moles de Red}_2$$

En notant x l'avancement du dosage, ce dernier présente le bilan suivant :

$$\begin{array}{ccccccc} n_2\ \text{Ox}_1 & + & n_1\text{Red}_2 & \rightarrow & n_2\ \text{Red}_1 & + & n_1\ \text{Ox}_2 \\ n_{ox} & & n_{réd} & & 0 & & 0 \\ n_{ox} - n_2\,x & & n_{réd} - n_1\,x & & n_2\,x & & n_1\,x \end{array}$$

- avant l'équivalence, Ox$_1$ se trouvant en excès, la solution conserve de fait la couleur de Ox$_1$.

- après l'équivalence, Red$_2$ est en excès, si bien que la disparition de Ox$_1$ est responsable de la décoloration de la solution.

L'équivalence est donc repérée par cette décoloration. De plus, l'équivalence se produit lorsque x prend la valeur x_{eq} ($V_{réd}$ prend alors la valeur V_{eq}) telle que les réactifs disparaissent simultanément du milieu réactionnel, d'où il s'ensuit que :

$$\begin{cases} n_{ox} - n_2\, x_{eq} = 0 \\ n_{réd} - n_1\, x_{eq} = 0 \end{cases} \Rightarrow \begin{cases} x_{eq} = \dfrac{n_{ox}}{n_2} \\ x_{eq} = \dfrac{n_{réd}}{n_1} \end{cases} \Rightarrow \dfrac{n_{ox}}{n_2} = \dfrac{n_{réd}}{n_1}$$

$$\Rightarrow \dfrac{c_{ox} \times V_{ox}}{n_2} = \dfrac{c_{réd} \times V_{eq}}{n_1} \Rightarrow c_{ox} = \dfrac{n_2}{n_1} \times \dfrac{V_{eq}}{V_{ox}} \times c_{réd}$$

Remarque : Le repérage de l'équivalence peut être obtenu par d'autres méthodes :

- Si Red_2 est coloré et Ox_1 incolore : avant l'équivalence la solution est incolore, tandis qu'elle adopte la couleur de Red_2 après l'équivalence.

- On peut introduire un indicateur coloré auquel sont sensibles Ox_1 (par exemple l'empois d'amidon en présence de diiode devient bleu) ou Red_2 (par exemple l'orthophénanthroline devient rouge en présence d'ions $Fe^{2+}_{(aq)}$).

- L'ajout d'un indicateur coloré permet de reconnaître si le milieu est oxydant (par excès de Ox_1) ou réducteur (par excès de Red_2). Par exemple le bleu de méthylène, incolore en milieu réducteur, devient bleu en milieu oxydant.

Les rôles respectifs de Ox_1 et Red_2 peuvent être inversés (Ox_1 devenant le réactif titrant et Red_2 le réactif titré), auquel cas les calculs précédents prévalent encore. Seul le repérage de l'équivalence doit être repensé.

Solution de l'exercice type

1 Par définition, une base est une espèce susceptible de récupérer un proton :

$$BO_{2(aq)}^{-} + H^{+}_{(aq)} = HBO_{2(aq)}$$

2 Quant à l'acide acétique, il est susceptible de libérer un proton :

$$CH_3COOH_{(aq)} = CH_3COO^{-}_{(aq)} + H^{+}_{(aq)}$$

La réaction acido-basique qui peut se produire entre $BO_{2(aq)}^{-}$ et $CH_3COOH_{(aq)}$ s'obtient en associant les deux demi-équations précédentes :

$$BO_{2(aq)}^{-} + CH_3COOH_{(aq)} \rightarrow HBO_{2(aq)} + CH_3COO^{-}_{(aq)}$$

3 Dans le volume $V_1 = 25 \text{ mL} = 25.10^{-3}$ L de la solution d'acide acétique à la concentration $C_1 = 2,5.10^{-2} \text{ mol} \cdot L^{-1}$ se trouve :

$$n_1 = C_1 V_1 = 2,5.10^{-2} \times 15.10^{-3} = 6,25.10^{-4} \text{ mol de } CH_3COOH_{(aq)}$$

Solution de l'exercice type (suite)

De même, un volume $V_2 = 75$ mL $= 75.10^{-3}$ L d'une solution de borate de sodium à la concentration $C_2 = 10^{-2}$ mol $\cdot$ L^{-1} contient :

$$n_2 = C_2 V_2 = 10^{-2} \times 75.10^{-3} = 7,5.10^{-4} \text{ mol d'ions BO}_{2\,(aq)}^-$$

et la même quantité d'ions Na$_{(aq)}^+$.
Ainsi, le tableau d'avancement :

BO$_{2\,(aq)}^-$	+	CH$_3$COOH$_{(aq)}$	$\rightarrow$	HBO$_{2\,(aq)}$	+	CH$_3$COO$_{(aq)}^-$	avancement
$7,5.10^{-4}$		$6,25.10^{-4}$		0		0	$x = 0$
$7,5.10^{-4} - x$		$6,25.10^{-4} - x$		x		x	$x \neq 0$

montre que la réaction s'arrête lorsque CH$_3$COOH$_{(aq)}$ disparaît totalement, c'est-à-dire pour la valeur $x = 6,25.10^{-4}$ mol de l'avancement. À ce moment, la composition du milieu est :

$n_{BO_2^-} = 1,25.10^{-4}$ mol $\quad n_{CH_3COOH} = 0$ mol $\qquad n_{HBO_2} = 6,25.10^{-4}$ mol

$n_{Na^+} = 7,5.10^{-4}$ mol $\quad n_{CH_3COO^-} = 6,25.10^{-4}$ mol

Le volume total du milieu réactionnel valant $V = V_1 + V_2 = 100$ mL $= 0,1$ L, la concentration de chaque espèce X$_{i\,(aq)}$ est définie par : $\left[X_{i\,(aq)}\right] = \dfrac{n_{X_i}}{V}$, c'est-à-dire :

$\left[BO_2^-\right] = 1,25.10^{-3}$ mol $\cdot$ L^{-1} $\quad \left[CH_3COOH_{(aq)}\right] = 0$ mol $\cdot$ L^{-1}

$\left[HBO_{2\,(aq)}\right] = 6,25.10^{-3}$ mol $\cdot$ L^{-1} $\qquad \left[CH_3COO_{(aq)}^-\right] = 6,25.10^{-3}$ mol $\cdot$ L^{-1}

$\left[Na_{(aq)}^+\right] = 7,5.10^{-3}$ mol $\cdot$ L^{-1}

1 Réactions acido-basiques

5 min. | p. 301

Choisir, parmi les réponses qui sont proposées, celles qui vous semblent exactes.

1 Une base, au sens de Brönsted, est une espèce :

a susceptible de céder un proton H^+ ;

b susceptible de céder l'ion HO^- ;

c susceptible de capter un proton H^+

d susceptible de capter l'ion HO^-.

2 Parmi les composés suivants, lequel est un ampholyte ?

a $HO^-_{(aq)}$ **b** $NH_{4(aq)}^+$

c $HCO_{3\ (aq)}^-$ **d** CO_2, H_2O

3 Laquelle des équations suivantes correspond à une réaction acido-basique ?

a $NaOH_{(sol)} \xrightarrow{eau} Na^+_{(aq)} + HO^-_{(aq)}$

b $Fe^{3+}_{(aq)} + 3\,HO^-_{(aq)} \rightarrow Fe(OH)_{3\,(aq)}$

c $CH_3COOH_{(aq)} + 2\,H^+_{(aq)} + 2\,Zn_{(sol)} \rightarrow CH_3CHO(aq) + H_2O_{(liq)} + Zn^{2+}_{(aq)}$

d $CH_3COOH + CO_3^{2-}{}_{(aq)} \rightarrow CH_3COO^-_{(aq)} + HCO_{3\ (aq)}^-$

4 Le couple acide/base d'une solution aqueuse d'acide chlorhydrique est :

a $H_3O^+/H_2O_{(liq)}$ **b** $HCl_{(aq)}/Cl^-_{(aq)}$ **c** $HClO_{(aq)}/Cl^-_{(aq)}$

QCM

2 Réactions acido-basiques

10 min. | p. 301

Parmi les propositions suivantes, trouver celles qui vous semblent correctes.

a La réaction d'équation :

$$C_6H_5COOH_{(aq)} + NH_2OH_{(aq)} \rightarrow C_6H_5COO^-_{(aq)} + NH_3OH^+_{(aq)}$$

est une réaction acido-basique.

b La réaction d'équation : $Ag^+_{(aq)} + Cl^-_{(aq)} \rightarrow AgCl_{(sol)}$ est une réaction acido-basique.

c La réaction d'équation :

$$HCOOH_{(liq)} + CH_3OH_{(liq)} \rightarrow HCOOCH_{3\,(liq)} + H_2O_{(liq)}$$

n'est pas une réaction acido-basique.

d Dans l'équation : $HCl_{(aq)} + NH_{3\,(aq)} \rightarrow Cl^-_{(aq)} + NH_{4(aq)}^+$ interviennent les couple acide/base $HCl_{(aq)}/Cl^-$ et $NH_{4(aq)}^+/NH_{3(aq)}$.

e L'équation :

$$C_6H_8O_{6(aq)} + NH_{3(aq)} \rightarrow C_6H_7O_{6(aq)}^- + NH_{4(aq)}^+$$

n'est pas celle d'une équation acido-basique.

3 Oxydation et réduction

10 min. | *p. 302*

Parmi les affirmations suivantes, quelles sont celles qui sont exactes ?

a Un oxydant est une espèce capable de capter un (ou des) électron(s).

b Au cours d'une oxydation, une espèce perd un (ou des) électron(s).

c L'acide éthanoïque $CH_3COOH_{(aq)}$ est l'oxydant conjugué de l'éthanal $CH_3CHO_{(aq)}$.

d En milieu basique, le couple $H_2O_{(liq)}/H_{2(gaz)}$ est un couple oxydant / réducteur.

e Le couple $H_{(aq)}^+/H_{2(gaz)}$ est un couple acide/base.

f Dans la réaction d'équation :

$$2\,H_{(gaz)}^+ + Fe_{(sol)} \rightarrow H_{2(gaz)} + Fe_{(aq)}^{2+}$$

le fer joue le rôle de réducteur.

g La notation :

$$Cr_2O_{7(aq)}^{2-} + 14\,H_{(aq)}^+ + 9\,e^- = Cr_{(aq)}^{3+} + 7\,H_2O_{(liq)}$$

est appelée demi-équation d'oxydoréduction.

h Au cours de la réaction d'équation :

$$ClO_{(aq)}^- + 2\,H_{(aq)}^+ + Cl_{(aq)}^- \rightarrow Cl_{2(gaz)} + H_2O_{(liq)}$$

le dichlore $Cl_{2(aq)}$ joue simultanément les rôles d'oxydant et de réducteur.

4 Couples acide/base

 ★ ■ ■ ■ *5 min.* | *p. 303*

Lycée Carnot, Dijon

Les ions calcium Ca^{2+} peuvent être impliqués dans des réactions acido-basiques. Le couple $Ca_{(aq)}^{2+}/CaOH_{(aq)}^+$ est alors mis en jeu.

1 Écrire la demi-équation acido-basique associée à ce couple.

2 En déduire l'équation bilan de la réaction des ions Ca^{2+} avec le couple H_3O^+/H_2O.

5 Dosages acido-basiques ★ ■ ■ *10 min.* | *p. 304*

Lycée Saint–Hilaire, Étampes

On prélève $v_A = 10$ mL d'une solution d'acide chlorhydrique à $c_A = 0,10$ mol·L^{-1}, on ajoute peu à peu une solution de soude, de concentration $c_B = 0,10$ mol·L^{-1} et on ajoute un indicateur coloré de fin de dosage.

 1 Écrire l'équation bilan de la réaction chimique qui se produit.

2 Définir l'équivalence. Pour quel volume de soude atteint-on l'équivalence ?

6 Dosages acido-basiques ★ ■ ■ *10 min.* | *p. 304*

Lycée Champollion, Grenoble

On dispose d'un volume $V_B = 300$ cm^3 d'une solution aqueuse d'ammoniac et d'une solution d'acide nitrique de concentration $c_A = 0,50$ mol·L^{-1}.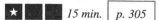

1 Faire l'inventaire des espèces chimiques présentes dans les solutions.

2 On fait agir la solution d'acide nitrique avec la solution d'ammoniac.

(a) Écrire l'équation bilan de la réaction.

(b) L'équivalence acido-basique est obtenue avec un volume $V_A = 20,4$ cm^3 de solution d'acide nitrique ; en déduire la concentration c_B de la solution d'ammoniac.

7 Dosages acido-basiques ★ ■ ■ *15 min.* | *p. 305*

Lycée Saint-Sulpice, Paris

Il existe, dans un laboratoire, une bouteille de solution S d'acide chlorhydrique de concentration $c = 0,15$ mol·L^{-1}. Afin de vérifier sa concentration, on dose S avec une solution S' d'ammoniac de concentration $c' = 0,1$ mol·L^{-1}. À un volume $V' = 20$ mL de S', on ajoute progressivement un volume v de S. L'équivalence est obtenue pour $v = v_{eq} = 14,7$ mL.

 1 Écrire l'équation bilan de la réaction qui se produit.

 2 Décrire avec précision comment l'équivalence peut être repérée.

3 Calculer la concentration molaire volumique c de la solution S.

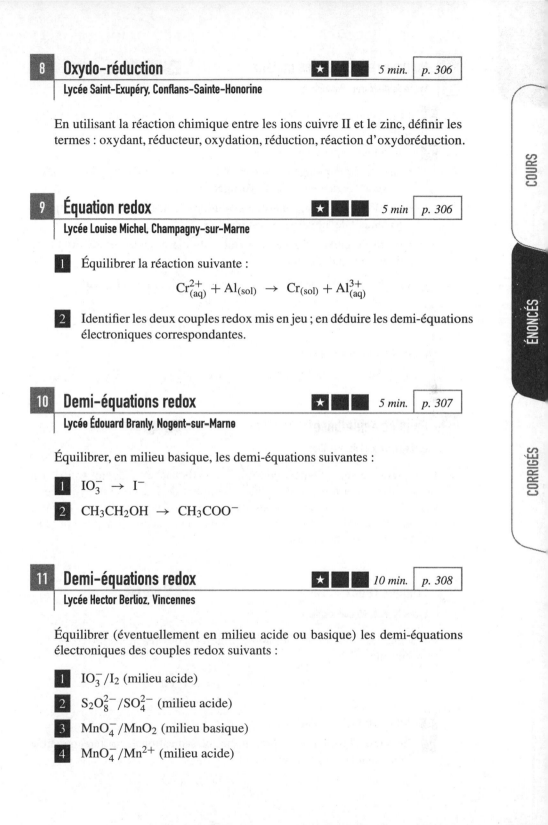

COURS

ÉNONCÉS

CORRIGÉS

8 **Oxydo-réduction** ★ ■ ■ *5 min.* *p. 306*

Lycée Saint-Exupéry, Conflans-Sainte-Honorine

En utilisant la réaction chimique entre les ions cuivre II et le zinc, définir les termes : oxydant, réducteur, oxydation, réduction, réaction d'oxydoréduction.

9 **Équation redox** ★ ■ ■ *5 min* *p. 306*

Lycée Louise Michel, Champagny-sur-Marne

1 Équilibrer la réaction suivante :

$$Cr^{2+}_{(aq)} + Al_{(sol)} \rightarrow Cr_{(sol)} + Al^{3+}_{(aq)}$$

2 Identifier les deux couples redox mis en jeu ; en déduire les demi-équations électroniques correspondantes.

10 **Demi-équations redox** ★ ■ ■ *5 min.* *p. 307*

Lycée Édouard Branly, Nogent-sur-Marne

Équilibrer, en milieu basique, les demi-équations suivantes :

1 $IO_3^- \rightarrow I^-$

2 $CH_3CH_2OH \rightarrow CH_3COO^-$

11 **Demi-équations redox** ★ ■ ■ *10 min.* *p. 308*

Lycée Hector Berlioz, Vincennes

Équilibrer (éventuellement en milieu acide ou basique) les demi-équations électroniques des couples redox suivants :

1 IO_3^- / I_2 (milieu acide)

2 $S_2O_8^{2-} / SO_4^{2-}$ (milieu acide)

3 MnO_4^- / MnO_2 (milieu basique)

4 MnO_4^- / Mn^{2+} (milieu acide)

12 Pouvoir réducteur des métaux ★ ■ ■ *10 min.* p. 309

Lycée Saint-Martin, Pontoise

1 Comment peut-on montrer qu'un métal est plus réducteur que le dihydrogène ?

2 On fait les expériences suivantes :

- un fil d'étain plonge dans une solution d'acide chlorhydrique ; on observe un dégagement de dihydrogène.
- un fil de zinc plonge dans une solution d'acide chlorhydrique ; un dégagement de dihydrogène est observé.
- un fil de cuivre plongé dans une solution d'acide chlorhydrique ne donne aucune réaction.

(a) En déduire, parmi les trois métaux cités ci-dessus, ceux qui sont plus réducteurs que le dihydrogène.

(b) Écrire les équations bilan dans le cas où une réaction s'est produite.

Données : couples redox :

$$\text{Sn}^{2+}_{(aq)}/\text{Sn}_{(sol)} \qquad \text{Zn}^{2+}_{(aq)}/\text{Zn}_{(sol)} \qquad \text{Cu}^{2+}_{(aq)}/\text{Cu}_{(sol)} \qquad \text{H}^{+}_{(aq)}/\text{H}_{2\,(gaz)}$$

13 Couples acide/base ★ ■ ■ *5 min.* p. 310

Lycée Lacroix, Maisons-Alfort

Le tartre est essentiellement constitué de carbonate de calcium solide. Un produit détartrant à usage domestique contient de l'acide chlorhydrique et son utilisation sur du tartre produit une effervescence, tandis que le tartre semble se dissoudre. À l'aide de l'équation bilan de la réaction qui se produit, interpréter ces observations.

14 Couples redox ★ ■ ■ *5 min.* p. 310

Lycée Jacques Monod, Clamart

On donne les équations bilan, non équilibrées, des réactions d'oxydoréduction suivantes :

$$\text{Hg}^{2+} + \text{Ag} \;\rightarrow\; \text{Hg} + \text{Ag}^{+}$$
$$\text{Hg}^{2+} + \text{Cu} \;\rightarrow\; \text{Hg} + \text{Cu}^{2+}$$
$$\text{Ag}^{+} + \text{Cu} \;\rightarrow\; \text{Ag} + \text{Cu}^{2+}$$

1 Équilibrer ces équations bilan.

2 Établir (en justifiant les réponses) une classification des différents couples intervenant dans ces réactions.

15 Dosages acido-basiques
★ ■ ■ *15 min.* | *p. 311*

Lycée Le Corbusier, Poissy

Par fermentation, le lactose est transformé en acide lactique CH_3–$CHOH$–$COOH$, responsable de l'acidité du lait. On veut déterminer la concentration c d'un lait en acide lactique.
On dose l'acide lactique par une solution de soude.

1 Préparation de la solution de soude

On veut 500 mL d'une solution de soude à $1,0.10^{-2}$ mol·L^{-1}. Expliquer comment on l'obtient à partir d'une solution de soude à $2,0.10^{-1}$ mol·L^{-1}, nommer le matériel utilisé, justifier le choix des volumes, et indiquer le mode opératoire. Le matériel disponible est : pipettes jaugées de 10, 20, 25 et 50 mL, fioles jaugées de 100, 500 et 1000 mL, burettes de 50 mL, béchers.

2 Dosage de l'acide lactique

Dans un volume $v_a = 20$ mL de lait, on verse progressivement la solution de soude préalablement introduite dans une burette.

(a) Écrire l'équation bilan de la réaction qui se produit.

(b) Définir l'équivalence.

(c) Les mesures donnent l'équivalence pour un volume v_E de soude versée, tel que :

$$3,0 \text{ cm}^3 \leqslant v_E \leqslant 3,1 \text{ cm}^3$$

On peut déduire de ces valeurs du volume deux valeurs c_1 et c_2 entre lesquelles se trouve la concentration c_a d'acide lactique, avec $c_1 < c_2$.
Calculer $\dfrac{c_2 - c_1}{c_2}$, l'écart relatif sur la mesure c_a.

16 Réactions d'oxydo-réduction
★ ■ ■ *10 min.* | *p. 312*

Lycée Fénelon, Paris

On considère les trois espèces chimiques $HSO_{3\ (aq)}^-$, $HS_{(aq)}^-$ et $SO_{3\ (aq)}^{2-}$.

1 $HSO_{3\ (aq)}^-$ et $HS_{(aq)}^-$ peuvent-ils former un couple redox ? Donner alors la demi-équation électronique de ce couple en indiquant le réducteur et l'oxydant.

2 La réation chimique qui transforme $SO_{3\ (aq)}^{2-}$ en $HSO_{3\ (aq)}^-$ est-elle une réaction d'oxydoréduction ? Justifier la réponse.

17 Réactions d'oxydo-réduction

★ ■ ■ *10 min.* p. 313

Lycée Marcelin Berthelot, Saint-Maur-des-Fossés

Le sulfate d'argent fond à 654°C en un liquide jaune. Ce liquide se décompose vers 900°C suivant la réaction :

$$Ag_2SO_4 \rightarrow 2\,Ag + SO_2 + O_2$$

Est-ce une réaction d'oxydoréduction ? Quel est l'élément qui se réduit ?

18 Dosage redox

★ ■ ■ *15 min.* p. 313

Lycée Colbert, Paris

On désire doser une solution de diiode de concentration C_{ox} voisine de 2.10^{-2} mol $\cdot$ L^{-1} par une solution de thiosulfate de sodium que l'on prépare.
Les cristaux de thiosulfate de sodium ont pour formule $Na_2S_2O_3$, $5\,H_2O$ (5 molécules d'eau de cristallisation).

1 Quelle masse de thiosulfate de sodium doit-on dissoudre pour obtenir 100 mL de solution réductrice de concentration $C_r = 0,05$ mol $\cdot$ L^{-1} ?

2 Le prélèvement de solution de diiode, placé dans un erlenmeyer, a un volume V_{ox} de 20 mL. L'équivalence est obtenue pour un volume versé de solution de thiosulfate égal à $V_r = 15,6$ mL. Quelle est la concentration C_{ox} de la solution de diiode ?

Données :

• masses molaires atomiques :
$$M_{Na} = 23\text{ g}\cdot\text{mol}^{-1} \quad M_S = 32\text{ g}\cdot\text{mol}^{-1}$$
$$M_H = 1\text{ g}\cdot\text{mol}^{-1} \quad M_O = 16\text{ g}\cdot\text{mol}^{-1}$$

• couples redox :
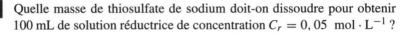
$$I_{2(aq)}/I^-_{(aq)} \text{ et } S_4O_6^{2-}{}_{(aq)}/S_2O_3^{2-}{}_{(aq)}$$

19 Dosages acido-basiques

★ ★ ■ *15 min.* p. 315

Lycée Saint-Exupéry, Mantes-la-Jolie

Une solution ($\mathcal{A}$) de volume $V_a = 100$ mL contient de l'acide sulfurique à la concentration c_a (mol $\cdot$ L^{-1}). On cherche à doser cette solution avec une solution ($\mathcal{B}$) de soude à la concentration $c_b = 0,1$ mol $\cdot$ L^{-1}.

1 Écrire les réactions de dissolution de l'acide sulfurique H_2SO_2 et de l'hydroxyde de sodium NaOH dans l'eau. En déduire les concentrations des ions $HSO_4^-{}_{(aq)}$, H_3O^+ dans ($\mathcal{A}$) d'une part, et d'autre part celle des ions $HO^-_{(aq)}$ dans ($\mathcal{B}$).

2 On verse un volume V_b de soude dans la solution ($\mathcal{A}$) pour réaliser les réactions successives du dosage :

- *Première réaction* : $H_3O^+ + HO^-_{(aq)} \rightarrow 2\,H_2O$
- *Seconde réaction* : $HSO^-_{4\,(aq)} + HO^-_{(aq)} \rightarrow SO^{2-}_{4\,(aq)} + H_2O$

Sachant que l'équivalence de cette seconde réaction est obtenue pour $V_b = 20$ mL, en déduire la concentration c_a

20 **Dosages acido–basiques**    ★ ★ ▮ *20 min.* | *p. 316* |

| Lycée Blaise Pascal, Orsay

$\mathcal{S}_1$ est une solution d'hydroxyde de sodium (soude) de concentration molaire volumique $c_1 = 5.10^{-2}$ mol · L^{-1}.
$\mathcal{S}_2$ est une solution aqueuse d'acide méthanoïque (HCOOH) de concentration molaire volumique $c_2 = 10^{-1}$ mol · L^{-1}.
À 40 cm³ de solution $\mathcal{S}_1$ on ajoute progressivement un volume V de solution $\mathcal{S}_2$.

1 Pour $V = V_e$ on atteint l'équivalence acido-basique. Écrire l'équation de la réaction entre les solutions $\mathcal{S}_1$ et $\mathcal{S}_2$. Calculer V_e.

2 Pour quelle valeur différente de V trouve-t-on dans le mélange :

$$[HCOOH] = \left[HCOO^-\right] ?$$

21 **Bilan d'oxydo–réduction**   ★ ★ ▮ *15 min.* | *p. 317* |

| Lycée Lacroix, Maisons-Alfort

Une solution de sulfate d'argent est obtenue en dissolvant une masse $m = 6,24$ g de cristaux de formule Ag_2SO_4 dans un volume V de 50 mL d'eau distillée. À cette solution, on ajoute des copeaux de cuivre.

1 Écrire l'équation bilan de dissolution du sel dans l'eau. Quelle est la concentration molaire initiale $\left[Ag^+\right]_0$?

2 En fin de réaction, il n'y a plus d'ions argent. Quelle est la masse d'argent métallique obtenue ?

3 Quelle est la concentration molaire en ions $Cu^{2+}_{(aq)}$, notée $\left[Cu^{2+}\right]$?

4 Quel est le nombre d'électrons échangés entre les réactifs ?

Données :

- masses molaires atomiques :
  $M_{Ag} = 107,9$ g · mol^{-1} $M_O = 16$ g · mol^{-1} $M_S = 32$ g · mol^{-1}
- nombre d'Avogadro : $\mathcal{N} = 6,02.10^{23}$ mol^{-1}

Dosage redox ★ ★ ▮ *20 min.* | *p. 319*

Lycée Fénelon, Paris

Pratiquement tous les vins contiennent du dioxyde de soufre. Ce conservateur empêche la contamination bactérienne, freine la fermentation du sucre et ralentit l'oxydation du vin (qui le transforme en vinaigre). Introduit dans le vin, le dioxyde de soufre se combine en quelques heures avec certains composés contenus dans le vin. Si la quantité de dioxyde de soufre est importante, l'excès demeure à l'état libre dans le vin. La réglementation actuellement en vigueur limite la teneur d'un vin blanc en dioxyde de soufre à $c_{max} = 210\,mg \cdot L^{-1}$.

On prépare un volume $V = 500\,mL$ d'une solution de diiode à $C_0 = 5,00.10^{-3}\,mol \cdot L^{-1}$.

On prélève, dans un erlenmeyer, un volume $v_{vin} = 25,0\,mL$ de vin blanc. On y ajoute 2 mL d'acide sulfurique concentré dont le rôle est de régénérer le dioxyde de soufre qui aurait pu être transformé de diverses façons, puis 1 mL d'empois d'amidon. On verse progressivement, tout en agitant, la solution de diiode précédemment préparée jusqu'à l'observation du changement de couleur du milieu réactionnel. Ce changement se produit quand on a versé un volume $V_0 = 13,75\,mL$ de la solution de diiode.

1 Établir l'équation bilan de la réaction d'oxydoréduction se produisant au cours du dosage.

2 Quel est le rôle de l'empois d'amidon ?

3 Déterminer la valeur de la concentration massique c_{SO_2} du vin en dioxyde de soufre.

Données :

- Le diiode du couple redox I_2/I^- est plus oxydant que l'ion sulfate du couple SO_4^{2-}/SO_2

- masse molaire de SO_2 : $M_{SO_2} = 64,1\,g \cdot mol^{-1}$.

 Dosages acido–basiques ★ ★ ★ *15 min.* | *p. 320*

Lycée Saint-Exupéry, Mantes-la-Jolie

Soit $(\mathcal{S})$ une solution d'acide éthanoïque CH_3COOH de concentration c. On introduit, dans 100 mL de la solution $(\mathcal{S})$, 5.10^{-4} mol d'ammoniac sans changement de volume. La mesure la conductivité de la nouvelle solution $(\mathcal{S}')$ donne :

$$\sigma = 228,8.10^{-4}\,S \cdot m^{-1}$$

1 Écrire l'équation bilan de la réaction qui se produit.

2 Quelles sont les quantités d'ions éthanoate et ammonium présents dans la solution $(\mathcal{S}')$?

COURS

3 En déduire la concentration c.

Données : conductivités molaires des ions :
$$\lambda_{\text{CH}_3\text{COO}^-} = 40, 9.10^{-4} \text{ S} \cdot \text{m}^2 \cdot \text{mol}^{-1}$$
$$\lambda_{\text{NH}_4^+} = 73, 5.10^{-4} \text{ S} \cdot \text{m}^2 \cdot \text{mol}^{-1}$$

24 **Bilan d'oxydo-réduction** ★ ★ ★ *10 min.* | *p. 321*

Lycée Jacques Monod, Clamart

On prépare 100 mL d'une solution de sulfate de cuivre dont la concentration en ions cuivre II est $\left[\text{Cu}^{2+}\right] = 1,00.10^{-3}$ mol $\cdot$ L^{-1}.

On introduit du fer en excès dans cette solution. Après quelques minutes, on observe la décoloration de la solution et la formation d'un dépôt métallique. Dans la solution décolorée, on ajoute quelques gouttes de soude ; il se forme un précipité vert.

1 Interpréter ces observations et écrire les équations bilan des réactions qui se produisent.

2 Quelle est la masse de fer qui a disparu ?

DONNÉE : masse molaire atomique du fer : $M_{\text{Fe}} = 56$ g $\cdot$ mol^{-1}.

ÉNONCÉS

25 **Bilan d'oxydo-réduction** ★ ★ ★ *15 min.* | *p. 322*

Lycée Lakanal, Sceaux

1 On prépare une solution de sulfate de cuivre :

• on pèse 5, 150 g de cristaux de sulfate de cuivre hydraté de formule CuSO_4, 5 H_2O, de masse molaire $M_{\text{sel}} = 249, 5$ g $\cdot$ mol^{-1}.

• on ajoute de l'eau pour obtenir $V = 500$ mL de solution.

Quelle est la concentration molaire C de cette solution ?

2 Dans un volume $V_1 = 50$ cm^3 de cette solution, on plonge une lame de plomb de masse initiale $m = 23, 246$ g. On attend assez longtemps, on obtient une solution incolore dans laquelle $\left[\text{Cu}^{2+}\right] \simeq 0$. Le métal M qui se forme reste accroché à la lame de plomb.

(a) Écrire l'équation de la réaction d'oxydoréduction observée.

(b) Quelle masse de plomb cette réaction consomme-t-elle ?

(c) Quelle masse de métal M cette réaction produit-elle ?

(d) En déduire la masse finale de la lame.

Données : masses molaires atomiques :
$$M_{\text{Pb}} = 207, 2 \text{ g} \cdot \text{mol}^{-1} \qquad M_{\text{Cu}} = 63, 5 \text{ g} \cdot \text{mol}^{-1}$$

CORRIGÉS

26 Bilan d'oxydo-réduction ★ ★ ★ *15 min.* | *p. 324*

Lycée Fénelon, Paris

20 mL d'une solution d'acide chlorhydrique sont mis en présence de $0,1$ g de zinc. On recueille, en fin de réaction $11,4$ cm^3 de dihydrogène gazeux, mesurés dans les *C.N.T.P.*, puis on sépare le zinc restant de la solution.

1 Écrire les demi-équations électroniques puis l'équation bilan de la réaction d'oxydoréduction.

2 Calculer la masse de zinc restant.

Données

- Volume molaire des gaz dans les *C.N.T.P.* : $V_m = 22,4$ L $\cdot$ mol^{-1}

- Masse molaire atomique du zinc : $M_{Zn} = 65$ g $\cdot$ mol^{-1}.

27 Bilan d'oxydo-réduction ★ ★ ★ *20 min.* | *p. 325*

Lycée Claude Monet, Paris

On plonge dans $V = 500$ cm^3 d'une solution de chlorure de cuivre II une plaque d'étain. On constate :

- un dépôt de cuivre sur l'étain

- une décoloration progressive de la solution

- une perte de masse de la plaque

Quand la solution est complètement décolorée, la perte totale de masse est $\Delta m = 55$ mg. Calculer :

1 le nombre de moles de métal cuivre déposé sur l'étain ;

2 la concentration initiale en chlorure de cuivre II de la solution.

Données :

- masses molaires atomiques :

$$M_{Cu} = 63,5 \text{ g} \cdot \text{mol}^{-1} \qquad M_{Sn} = 118,7 \text{ g} \cdot \text{mol}^{-1}$$

- couples redox mis en jeu :

$$Cu^{2+}_{(aq)}/Cu_{(sol)} \text{ et } Sn^{2+}_{(aq)}/Sn_{(sol)} \text{ (}Sn^{2+} \text{ est incolore en solution)}$$

QCM **1** **Réactions acido–basiques** *5 min.* | *p. 290*

1 Par définition, une base de Brönsted est une espèce susceptible de capter un proton H^+ (réponse *c*).

2 Parmi les espèces proposées, seul $HCO_{3\ (aq)}^-$ est simultanément l'acide conjugué d'un couple acide/base et la base conjuguée d'un autre couple acide/base :

$$HCO_{3(aq)}^-/CO_{3(aq)}^{2-} \text{ et } H_2O, \ CO_2/HCO_{3(aq)}^-$$

Par définition, un ampholyte est une espèce qui jouit de cette propriété, en raison de quoi l'ampholyte est $HCO_{3(aq)}^-$ (réponse *c*).

3 L'équation d'une réaction acido-basique est la combinaison de deux demi-équations dans lesquelles apparaissent les acides et bases de deux couples :

$$CH_3COOH_{(aq)} = CH_3COO_{(aq)}^- + H^+ \quad \text{couple : } CH_3COOH_{(aq)}/CH_3COO_{(aq)}^-$$

$$CO_{3(aq)}^{2-} + H^+ = HCO_{3(aq)}^- \quad\quad\quad \text{couple : } HCO_{3(aq)}^-/CO_{3(aq)}^{2-}$$

La combinaison de ces demi-équations fournit alors :

$$CH_3COOH_{(aq)} + CO_{3\ (aq)}^{2-} \rightarrow CH_3COO_{(aq)}^- + HCO_{3\ (aq)}^- \text{ (réponse } d\text{)}.$$

4 La mise en solution de l'acide chlorhydrique est décrite par :

$$HCl_{(gaz)} \xrightarrow{\text{eau}} H_3O^+ + Cl_{(aq)}^-$$

Cette équation montre d'une part que $HCl_{(aq)}$ n'existe pas (HCl est un composé gazeux à température et pression ordinaires) et d'autre part qu'une solution d'acide chlorhydrique contient H_3O^+, acide conjugué du couple $H_3O^+/H_2O_{(liq)}$ (réponse *a*).

QCM **2** **Réactions acido-basiques** *10 min.* | *p. 290*

a VRAI – Pour se convaincre qu'une équation décrit une réaction acido-basique, il suffit de trouver deux demi-équations mettant en jeu les couples acide/base :

$$C_6H_5COOH_{(aq)} = C_6H_5COO_{(aq)}^- + H^+ \quad \text{couple : } C_6H_5COOH_{(aq)}/C_6H_5COO_{(aq)}^-$$

$$NH_2OH_{(aq)} + H^+ = NH_3OH_{(aq)}^+ \quad\quad \text{couple : } NH_3OH_{(aq)}^+/NH_2OH_{(aq)}$$

b FAUX – L'équation : $Ag_{(aq)}^+ + Cl_{(aq)}^- \rightarrow AgCl_{(sol)}$ ne fait intervenir aucun transfert de proton H^+, caractéristique des réactions acido-basiques.

c VRAI – Il n'est par possible de définir deux couples acide/base conduisant à l'équation proposée. Par exemple, les « couples » $HCOOH_{(liq)}/HCO_2CH_{3\,(liq)}$ ou $HCOOH_{(liq)}/H_2O_{(liq)}$ ne constituent pas des couples acide/base car ils ne mettent pas en jeu un simple transfert de proton.

COURS

ÉNONCÉS

CORRIGÉS

$\boxed{\text{d}}$ FAUX – La dissolution de l'acide chlorhydrique dans l'eau est décrite par l'équation :

$$HCl_{(gaz)} \xrightarrow{\text{eau}} H_3O^+ + Cl^-_{(aq)}$$

qui montre que $HCl_{(aq)}$ ne peut pas exister.

$\boxed{\text{e}}$ FAUX – Il est possible de trouver deux demi-équations :

$$C_6H_8O_{6(aq)} = C_6H_7O_{6(aq)}^- + H^+$$

$$NH_{3(aq)}^+ + H^+ = NH_{4(aq)}^+$$

mettant en évidence les couples acide/base :

$$C_6H_8O_{2(aq)}/C_6H_7O_{6(aq)}^- \text{ et } NH_{4(aq)}^+/NH_{3(aq)}$$

qui interviennent dans l'équation-bilan :

$$C_6H_8O_2(aq) + NH_{3(aq)} \rightarrow C_6H_7O_{6(aq)}^- + NH_4^+$$

QCM 3 Oxydation et réduction

10 min. | p. 291

$\boxed{\text{a}}$ VRAI – Un oxydant est défini comme une espèce susceptible de capter un (ou des) électron(s) :

$$\text{oxydant} + \text{électron(s)} = \text{réducteur}$$

$\boxed{\text{b}}$ VRAI – Au cours d'une oxydation, une espèce perd un (ou des) électron(s) et se transforme en son oxydant conjugué :

$$\text{réducteur} \xrightarrow{\text{oxydation}} \text{oxydant} + \text{électron(s)}$$

$\boxed{\text{c}}$ VRAI – La demi-équation qui associe $CH_3COOH_{(aq)}$ et $CH_3CHO_{(aq)}$:

$$CH_3COOH_{(aq)} + 2\,H_{(aq)}^+ + 2\,e^- = CH_3CHO_{(aq)} + H_2O_{(liq)}$$

montre que ces deux espèces sont oxydant et réducteur conjugués ; la présence des électrons du même côté de l'équation que $CH_3COOH_{(aq)}$ confère à l'acide éthanoïque le rôle d'oxydant du couple $CH_3COOH_{(aq)}/CH_3CHO_{(aq)}$.

$\boxed{\text{d}}$ VRAI – L'écriture de la demi-équation (en milieu basique) :

$$2\,H_2O_{(liq)} + 2\,e^- = H_{2(gaz)} + 2\,HO_{(aq)}^-$$

révèle qu'un transfert d'électrons permet de passer de $H_2O_{(liq)}$ à $H_{2(gaz)}$; le couple $H_2O_{(liq)}/H_{2(gaz)}$ est un couple oxydant/réducteur dont $H_2O_{(liq)}$ est l'oxydant car du même côté de la demi-équation que les électrons.

$\boxed{\text{e}}$ FAUX – La demi-équation : $2\,H_{(aq)}^+ + 2\,e^- = H_{2(gaz)}$ est un couple oxydant/réducteur liés par un échange électronique.

$\boxed{\text{f}}$ VRAI – Les demi-équations :

$$2\,H_{(aq)}^+ + 2\,e^- = H_{2(gaz)}$$

$$Fe_{(sol)} = Fe_{(aq)}^{2+} + 2\,e^-$$

révèlent qu'au cours de la réaction d'équation-bilan :

$$2\,H^+_{(aq)} + Fe_{(sol)} \rightarrow H_{2\,(gaz)} + Fe^{2+}_{(aq)}$$

le fer $Fe_{(sol)}$ perd deux électrons ; par définition, il s'agit d'un réducteur.

g FAUX – La notation :

$$Cr_2O_7{}^{2-}_{(aq)} + 14\,H^+_{(aq)} + 9\,e^- = Cr^{3+}_{(aq)} + 7\,H_2O$$

ne peut être une demi-équation d'oxydo-réduction car elle n'assure pas la conservation de l'élément chrome. En revanche, la demi-équation associée au couple $Cr_2O_7{}^{2-}_{(aq)}/Cr^{3+}_{(aq)}$ s'écrit :

$$Cr_2O_7{}^{2-}_{(aq)} + 14\,H^+_{(aq)} + 6\,e^- = 2\,Cr^{3+}_{(aq)} + 7\,H_2O_{(liq)}$$

h VRAI – Le dichlore $Cl_{2\,(aq)}$ apparaît comme réducteur et comme oxydant dans les demi-équations :

$$
\begin{array}{rcl}
2\,ClO^-_{(aq)} + 4\,H^+_{(aq)} + 2\,e^- & = & Cl_{2\,(gaz)} + 2\,H_2O_{(liq)} \\
2\,Cl^-_{(aq)} & = & Cl_{2\,(gaz)} + 2\,e^- \\
\hline
2\,ClO^-_{(aq)} + 4\,H^+_{(aq)} + 2\,Cl^-_{(aq)} & = & 2\,Cl_{2\,(gaz)} + 2\,H_2O_{(liq)}
\end{array}
$$

à l'origine de l'équation d'oxydo-réduction simplifiée :

$$ClO^-_{(aq)} + 2\,H^+_{(aq)} + Cl^-_{(aq)} \rightarrow Cl_{2\,(gaz)} + H_2O_{(liq)}$$

4 | Couples acide/base ★■■■ 5 min. | p. 291

Lycée Carnot, Dijon

1 Dans le couple acide/base $Ca^{2+}_{(aq)}/CaOH^+_{(aq)}$, les ions $Ca^{2+}_{(aq)}$ sont acides, tandis que $CaOH^+_{(aq)}$ en est la base conjuguée. La demi-équation acido-basique associée à ce couple s'écrit par conséquent :

$$Ca^{2+}_{(aq)} + H_2O = CaOH^+_{(aq)} + H^+_{(aq)} \tag{20}$$

2 Les ions $Ca^{2+}_{(aq)}$ acides ne peuvent réagir qu'avec la base conjuguée du couple H_3O^+/H_2O, c'est-à-dire l'eau, dont la demi-équation s'écrit :

$$H_2O + H^+_{(aq)} = H_3O^+$$

Associée à l'équation (20), cette équation fournit :

$$
\begin{array}{l}
Ca^{2+}_{(aq)} + H_2O = CaOH^+_{(aq)} + H^+_{(aq)} \\
H_2O + H^+_{(aq)} = H_3O^+ \\
\hline
Ca^{2+}_{(aq)} + 2\,H_2O \rightarrow CaOH^+_{(aq)} + H_3O^+
\end{array}
$$

5 Dosages acido-basiques ★■■ *10 min.* | *p. 292*

Lycée Saint-Hilaire, Étampes

1 L'acide chlorhydrique a été obtenu par dissolution de HCl dans l'eau, selon le bilan :

$$HCl_{(gaz)} + H_2O \rightarrow H_3O^+ + Cl^-_{(aq)}$$
$$c_A \quad\quad\quad 0 \quad\quad 0$$
$$0 \quad\quad\quad c_A \quad\quad c_A$$

Il s'ensuit que la solution d'acide chlorhydrique contient $c_A = 0,1$ mol$\cdot$L^{-1} d'ions H$_3$O$^+$, de sorte que dans le volume $v_A = 10$ mL $= 10^{-2}$ L se trouve : $c_A \times V_A$ mole d'ions H$_3$O$^+$.

De même, la solution de soude provient de la dissolution de $c_B = 0,1$ mol$\cdot$L^{-1} d'hydroxyde de sodium, conformément au bilan :

$$NaOH_{(sol)} \rightarrow Na^+_{(aq)} + HO^-_{(aq)}$$
$$c_B \quad\quad 0 \quad\quad 0$$
$$0 \quad\quad c_B \quad\quad c_B$$

Par conséquent, un volume V_B de cette solution contient : $c_B \times V_B$ mole d'ions HO$^-_{(aq)}$.

Le mélange de ces deux échantillons de solutions permet la mise en contact des ions H$_3$O$^+$ et HO$^-_{(aq)}$ qui réagissent suivant le bilan :

$$H_3O^+ + HO^-_{(aq)} \rightarrow 2\,H_2O_{(liq)}$$
$$c_A \times V_A \quad c_B \times V_B$$

2 L'équivalence se produit lorsque la quantité d'ions HO$^-_{(aq)}$ introduits dans le milieu réactionnel réagit exactement avec la totalité des ions H$_3$O$^+$ déjà présents. Le bilan précédent montre que l'équivalence se produit lorsque V_B assure l'égalité suivante :

$$c_B \times V_B = c_A \times V_A \Rightarrow V_B = \frac{c_A \times V_A}{c_B} = \frac{0,1 \times 10}{0,1} = 10 \text{ mL}$$

6 Dosages acido-basiques ★■■ *10 min.* | *p. 292*

Lycée Champollion, Grenoble

1 La solution d'ammoniac, de volume $V_B = 300$ cm$^3 = 0,3$ L et de concentration c_B contient :

$$n_B = c_B \times V_B \text{ moles de } NH_{3\,(aq)}$$

Quant à la solution d'acide nitrique, de concentration $c_A = 0,5$ mol$\cdot$L^{-1}, elle est le siège de la dissociation de HNO$_{3\,(liq)}$:

$$HNO_{3\,(liq)} + H_2O_{(liq)} \rightarrow NO^-_{3\,(aq)} + H_3O^+$$
$$c_A \quad\quad\quad 0 \quad\quad 0$$
$$0 \quad\quad\quad c_A \quad\quad c_A$$

Cette solution contient donc des ions $NO_3^-{}_{(aq)}$ et H_3O^+ aux concentrations :

$$\left[NO_3^-\right] = c_A = 0,5 \ \text{mol} \cdot L^{-1} \ \text{et} \ \left[H_3O^+\right] = c_A = 0,5 \ \text{mol} \cdot L^{-1}$$

2 **(a)** Le mélange de la solution d'acide nitrique avec celle d'ammoniac réunit la base $NH_3{}_{(aq)}$ et l'acide H_3O^+, qui réagissent par tranfert de l'ion H^+ de l'acide vers la base, selon l'équation bilan :

$$NH_3{}_{(aq)} + H_3O^+ \ \rightarrow \ NH_4^+{}_{(aq)} + H_2O_{(liq)}$$

(b) Dans le volume $V_A = 20,4 \ \text{cm}^3 = 20,4.10^{-3}$ L de solution d'acide nitrique se trouve : $n_A = c_A \times V_A$ mole d'ions H_3O^+. Le bilan de la réaction acido-basique s'écrit par conséquent :

$$
\begin{array}{ccccccc}
NH_3{}_{(aq)} & + & H_3O^+ & \rightarrow & NH_4^+{}_{(aq)} & + & H_2O \\
n_B & & n_A & & 0 & & \\
0 & & 0 & & n_B & &
\end{array}
$$

L'équivalence est caractérisée par la disparition simultanée des espèces $NH_3{}_{(aq)}$ et H_3O^+, en vertu de quoi :

$$\underbrace{c_A \times V_A}_{n_A} = \underbrace{c_B \times V_B}_{n_B} \ \Rightarrow \ c_B = \frac{c_A \times V_A}{V_B} = \frac{0,5 \times 20,4.10^{-3}}{0,3}$$

$$\Rightarrow \ c_B = 0,034 \ \text{mol} \cdot L^{-1}$$

---

7 ## Dosages acido-basiques 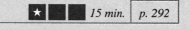 *15 min.* | *p. 292*

Lycée Saint-Sulpice, Paris

1 La solution $\mathcal{S}'$ contient de l'ammoniac NH_3 à la concentration $c' = 0,1 \ \text{mol} \cdot L^{-1}$. Aussi, un volume $V' = 20 \ \text{mL} = 20.10^{-3}$ L contient un nombre $n_{NH_3} = c' \times V'$ de moles d'ammoniac. Quant à la solution $\mathcal{S}$ d'acide chlorhydrique de concentration $c = 0,15 \ \text{mol} \cdot L^{-1}$ elle est le siège d'une dissociation totale des molécules HCl :

$$HCl \ \rightarrow \ H^+_{(aq)} + Cl^-_{(aq)}$$

Par suite, un volume v de cette solution contient, outre les ions $Cl^-_{(aq)}$, un nombre $n_{H^+} = c \times v$ de moles d'ions $H^+_{(aq)}$.

L'introduction des ions $H^+_{(aq)}$ dans la solution $\mathcal{S}'$ contenant de l'ammoniac permet la réalisation de la réaction acido-basique, d'équation bilan :

$$
\begin{array}{ccccc}
H^+_{(aq)} & + & NH_3{}_{(aq)} & \rightarrow & NH_4^+{}_{(aq)} \\
\underbrace{c \times v}_{n_{H^+}} & & \underbrace{c'V'}_{n_{NH_3}} & & 0
\end{array}
$$

2 Avant l'équivalence, l'ammoniac étant en excès, le milieu est basique. L'introduction d'un indicateur coloré, tel que l'hélianthine, donne alors à la solution la couleur de la forme basique de cet indicateur coloré (jaune pour l'hélianthine). En revanche, dès que l'équivalence est passée, des ions $H^+_{(aq)}$ demeurent en excès dans la solution, qui devient alors acide. Par suite, l'indicateur coloré confère la couleur de sa forme acide à la solution (rouge pour l'hélianthine). C'est pourquoi l'équivalence peut être repérée par le changement de couleur de la solution dans laquelle a été introduit préalablement un indicateur coloré.

3 Le bilan dressé dans la question 1. montre que l'équivalence est atteinte lorsque autant d'ions $H^+_{(aq)}$ que de molécules $NH_{3\,(aq)}$ sont présents dans la solution, c'est-à-dire :

$$n_{H^+} = n_{NH_3} \Rightarrow c\,v_{eq} = c'V' \Rightarrow c = \frac{c'V'}{v_{eq}} = \frac{0,1 \times 20}{14,7} = 0,14 \ \text{mol·L}^{-1}$$

8 Oxydo–réduction

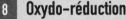 5 min. | p. 293

Lycée Saint-Exupéry, Conflans-Sainte-Honorine

La réaction chimique entre les ions cuivre II Cu^{2+} et le métal Zn peut s'interpréter par l'équation bilan :

$$Cu^{2+}_{(aq)} + Zn \ \rightarrow \ Cu + Zn^{2+}_{(aq)}$$

Au cours de cette réaction :

- L'ion $Cu^{2+}_{(aq)}$ capture deux électrons pour se transformer en métal cuivre Cu ; cette réaction de capture d'électrons s'appelle une réduction.

- L'ion $Cu^{2+}_{(aq)}$ est une espèce chimique susceptible de capter des électrons ; il s'agit d'un oxydant.

- Le métal Zn cède deux électrons pour se transformer en ions $Zn^{2+}_{(aq)}$; cette réaction de perte d'électrons s'appelle une oxydation.

- Le métal Zn étant une espèce chimique susceptible de céder des électrons, il s'agit d'un réducteur.

- Cette réaction chimique est une réaction de transfert d'électrons entre l'oxydant $Cu^{2+}_{(aq)}$ et le réducteur Zn (les deux électrons cédés par un atome de zinc sont récupérés par un ion $Cu^{2+}_{(aq)}$) ; c'est une réaction d'oxydoréduction.

9 Équation redox

5 min | p. 293

Lycée Louise Michel, Champagny-sur-Marne

1 Une équation bilan doit être équilibrée en atomes et en charges, d'où :

$$3\,Cr^{2+}_{(aq)} + 2\,Al_{(sol)} \ \rightarrow \ 3\,Cr_{(sol)} + 2\,Al^{3+}_{(aq)}$$

2 Au cours de cette réaction, Cr^{2+} se réduit en Cr ; d'où le couple redox :

$$Cr^{2+}_{(aq)}/Cr_{(sol)}$$

Al s'oxyde en ions aluminium Al^{3+}, impliquant alors le couple redox

$$Al^{3+}_{(aq)}/Al_{(sol)}$$

Les demi-équations électroniques correspondantes sont :

$$Cr^{2+}_{(aq)} + 2\,e^- \xrightarrow{\text{réd.}} Cr_{(sol)}$$
$$Al_{(sol)} \xrightarrow{\text{ox.}} Al^{3+}_{(aq)} + 3\,e^-$$

10 **Demi-équations redox** ★ ■ ■ *5 min.* | *p. 293*

Lycée Édouard Branly, Nogent-sur-Marne

Pour équilibrer des demi-équations d'oxydoréduction, il suffit d'appliquer l'algorithme rappelé dans le cours :

1 Première réaction : $IO_3^- \to I^-$

• Conservation de l'élément oxygène (avec H_2O) :

$$\underbrace{IO_3^-}_{3\,O} \to \underbrace{I^- + 3\,H_2O}_{3\,O}$$

• Conservation de l'élément hydrogène (avec H^+) :

$$\underbrace{IO_3^- + 6\,H^+}_{6\,H} \to \underbrace{I^- + 3\,H_2O}_{6\,H}$$

• Conservation des charges (avec e^-) :

$$\underbrace{IO_3^- + 6\,H^+ + 6\,e^-}_{1\ \text{charge}-} \to \underbrace{I^- + 3\,H_2O}_{1\ \text{charge}-}$$

• élimination de H^+, en milieu basique (en ajoutant, de part et d'autre de l'équation, autant d'ions HO^- qu'il se trouve d'ions H^+) :

$$IO_3^- + \underbrace{6\,H^+ + 6\,HO^-}_{6\,H_2O} + 6\,e^- \to I^- + 3\,H_2O + 6\,HO^-$$

Après simplification par $3\,H_2O$, la demi-équation devient :

$$IO_3^- + 3\,H_2O + 6\,e^- \to I^- + 6\,HO^-$$

2 Seconde réaction : $CH_3CH_2OH \to CH_3COO^-$

• Conservation de l'élément oxygène (avec H_2O) :

$$\underbrace{CH_3CH_2OH + H_2O}_{2\,O} \to \underbrace{CH_3COO^-}_{2\,O}$$

• Conservation de l'élément hydrogène (avec H^+) :

$$\underbrace{CH_3CH_2OH + H_2O}_{8\,H} \to \underbrace{CH_3COO^- + 5\,H^+}_{8\,H}$$

- Conservation de la charge (avec e^-) :

$$\underbrace{CH_3CH_2OH + H_2O}_{charge\ nulle} \rightarrow \underbrace{CH_3COO^- + 5\ H^+ + 4\ e^-}_{charge\ nulle}$$

- Neutralisation, en milieu basique, des ions H^+ (avec les ions HO^-) :

$$CH_3CH_2OH + H_2O + 5\ HO^- \rightarrow CH_3COO^- + \underbrace{5\ H^+ + 5\ HO^-}_{5\ H_2O} + 4\ e^-$$

soit, après simplification par H_2O :

$$CH_3CH_2OH + 5\ HO^- \rightarrow CH_3COO^- + 4\ H_2O + 4\ e^-$$

11 Demi-équations redox ★ ■ ■ ■ *10 min.* p. 293

Lycée Hector Berlioz, Vincennes

Pour équilibrer les demi-équations électroniques, il convient d'assurer la conservation de la matière et de la charge.

1 Couple IO_3^-/I_2 en milieu acide.

- Conservation de l'élément iode :

$$\underbrace{2\ IO_3^-}_{2\ I} = \underbrace{I_2}_{2\ I}$$

- Conservation de l'élément oxygène (avec H_2O) :

$$\underbrace{2\ IO_3^-}_{6\ O} = \underbrace{I_2 + 6\ H_2O}_{6\ O}$$

- Conservation de l'élément hydrogène (avec H^+) :

$$\underbrace{2\ IO_3^- + 12\ H^+}_{12\ H} = \underbrace{I_2 + 6\ H_2O}_{12\ H}$$

- Conservation de la charge (avec e^-) :

$$2\ IO_3^- + 12\ H^+ + 10\ e^- = I_2 + 6\ H_2O$$

2 Couple $S_2O_8^{2-}/SO_4^{2-}$ en milieu acide.

- Conservation de l'élément soufre :

$$\underbrace{S_2O_8^{2-}}_{2\ S} = \underbrace{2\ SO_4^{2-}}_{2\ S}$$

- Conservation de l'élément oxygène :

$$\underbrace{S_2O_8^{2-}}_{8\ O} = \underbrace{2\ SO_4^{2-}}_{8\ O}$$

- Conservation de la charge (avec e^-) :

$$S_2O_8^{2-} + 2\ e^- = 2\ SO_4^{2-}$$

3 Couple MnO_4^-/MnO_2 en milieu basique :

- Conservation de l'élément oxygène (avec H_2O) :

$$\underbrace{MnO_4^-}_{4\,O} = \underbrace{MnO_2 + 2\,H_2O}_{4\,O}$$

- Conservation de l'élément hydrogène (avec H^+) :

$$\underbrace{MnO_4^- + 4\,H^+}_{4\,H} = \underbrace{MnO_2 + 2\,H_2O}_{4\,H}$$

- Conservation de la charge (avec e^-) :

$$MnO_4^- + 4\,H^+ + 3\,e^- = MnO_2 + 2\,H_2O$$

- Neutralisation, en milieu basique, des ions H^+ (avec HO^-) :

$$MnO_4^- + \underbrace{4\,H^+ + 4\,HO^-}_{4\,H_2O} + 3\,e^- = MnO_2 + 2\,H_2O + 4\,HO^-$$

soit, après simplification par $2\,H_2O$:

$$MnO_4^- + 2\,H_2O + 3\,e^- = MnO_2 + 4\,HO^-$$

4 Couple MnO_4^-/Mn^{2+} en milieu acide

- Conservation de l'élément oxygène (avec H_2O) :

$$\underbrace{MnO_4^-}_{4\,O} = \underbrace{Mn^{2+} + 4\,H_2O}_{4\,O}$$

- Conservation de l'élément hydrogène (avec H^+) :

$$\underbrace{MnO_4^- + 8\,H^+}_{8\,H} = \underbrace{Mn^{2+} + 4\,H_2O}_{8\,H}$$

- Conservation de la charge (avec e^-) :

$$MnO_4^- + 8\,H^+ + 5\,e^- = Mn^{2+} + 4\,H_2O$$

---

12 | **Pouvoir réducteur des métaux** ★ ■ ■ *10 min.* | *p. 294*

Lycée Saint-Martin, Pontoise

1 En plongeant une lame de métal dans une solution d'acide chlorhydrique $(H_{(aq)}^+ + Cl_{(aq)}^-)$, s'il y a dégagement de dihydrogène, cela signifie que le métal M est capable de réduire l'ion $H_{(aq)}^+$ impliqué dans le couple redox $H_{(aq)}^+/H_{2\,(gaz)}$; M est donc plus réducteur que $H_{2\,(gaz)}$.

2 **(a)** D'après les expériences, on en déduit que les métaux étain Sn et zinc Zn sont plus réducteurs que le dihydrogène. On peut dire de façon équivalente qu'ils sont oxydés par les ions $H_{(aq)}^+$ ($Sn_{(aq)}^{2+}$ et $Zn_{(aq)}^{2+}$ sont donc moins oxydants que l'ion $H_{(aq)}^+$).

(b) Les demi-équations de l'attaque de l'étain sont :

$$Sn_{(sol)} \xrightarrow{ox.} Sn^{2+}_{(aq)} + 2\ e^-$$

$$2\ H^+_{(aq)} + 2\ e^- \xrightarrow{réd.} H_{2\,(gaz)}$$

d'où l'équation bilan :

$$Sn_{(sol)} + 2\ H^+_{(aq)} \rightarrow Sn^{2+}_{(aq)} + H_{2\,(gaz)}$$

Les demi-équations de l'attaque du zinc sont :

$$Zn_{(sol)} \xrightarrow{ox.} Zn^{2+}_{(aq)} + 2\ e^-$$

$$2\ H^+_{(aq)} + 2\ e^- \xrightarrow{réd.} H_{2\,(gaz)}$$

d'où l'équation bilan :

$$Zn_{(sol)} + 2\ H^+_{(aq)} \rightarrow Zn^{2+}_{(aq)} + H_{2\,(gaz)}$$

---

13 Couples acide/base ★ ■ ■ ■ 5 min. | p. 294

Lycée Lacroix, Maisons-Alfort

Le carbonate de calcium contient des ions CO_3^{2-} et des Ca^{2+}, où l'ion CO_3^{2-} est la base conjuguée de CO_2, H_2O. Aussi, cette base peut réagir avec les ions $H^+_{(aq)}$ apportés par l'acide chlorhydrique. La réaction bilan s'écrit alors :

$$CaCO_{3\,(sol)} + 2\ H^+_{(aq)} \rightarrow Ca^{2+}_{(aq)} + CO_{2\,(gaz)} + H_2O_{(liq)}$$

À l'issue de cette réaction, le gaz carbonique $CO_{2\,(gaz)}$ se dégage (il s'agit de l'effervescence observée), tandis qu'aucun produit ne demeure solide (le carbonate de calcium se dissout).

---

14 Couples redox ★ ■ ■ 5 min. | p. 294

Lycée Jacques Monod, Clamart

 Les équations bilan (équilibrées) s'écrivent :

$$Hg^{2+} + 2\ Ag \rightarrow Hg + 2\ Ag^+ \qquad (eq.\ 1)$$
$$Hg^{2+} + Cu \rightarrow Hg + Cu^{2+} \qquad (eq.\ 2)$$
$$2\ Ag^+ + Cu \rightarrow 2\ Ag + Cu^{2+} \qquad (eq.\ 3)$$

2 Les couples redox mis en jeu dans ces équations sont :

- pour (eq. 1) : Hg^{2+}/Hg et Ag^+/Ag.
  Puisque Hg^{2+} réagit avec Ag, cela signifie que Hg^{2+} est plus oxydant que Ag^+ (ou encore Ag est plus réducteur que Hg).

- pour (eq. 3) : Ag^+/Ag et Cu^{2+}/Cu.
  Pour les mêmes raisons, Ag^+ est plus oxydant que Cu^{2+} (ou encore Cu est plus réducteur que Ag).

Ces deux résultats peuvent être schématisés de la manière suivante :

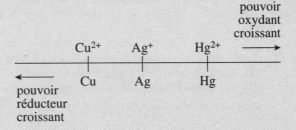

De ce diagramme, il ressort que Hg^{2+} est plus oxydant que Cu^{2+} (ou encore : Cu est plus réducteur que Ag), ce qui est confirmé par l'équation (eq. 2) :

$$Hg^{2+} + Cu \rightarrow Hg + Cu^{2+}$$

qui met en jeu les couples redox Hg^{2+}/Hg et Cu^{2+}/Cu.

---

15 **Dosages acido-basiques**  *15 min.* | *p. 295*

Lycée Le Corbusier, Poissy

1 Dans $V = 500$ mL $= 0,5$ L de solution de soude à $c_{NaOH} = 10^{-2}$ mol·L^{-1} se trouve la quantité n_{NaOH} (en moles) de soude telle que :

$$n_{NaOH} = c_{NaOH} \times V$$

Il s'agit donc de prélever un volume $V_{mère}$ de solution mère (à la concentration $c_{mère} = 0,2$ mol·L^{-1}) qui fournisse cette quantité, c'est-à-dire :

$$c_{mère} \times V_{mère} = n_{NaOH} \quad \Rightarrow \quad c_{mère} \times V_{mère} = c_{NaOH} \times V$$
$$\Rightarrow \quad V_{mère} = \frac{c_{NaOH} \times V}{c_{mère}} = \frac{10^{-2} \times 0,5}{0,2}$$
$$\Rightarrow \quad V_{mère} = 0,025 \text{ L} = 25 \text{ mL}$$

Pour obtenir une telle solution, il convient de prélever, à l'aide d'une pipette jaugée de 25 mL, la solution mère. Cet échantillon est ensuite introduit dans une fiole jaugée de 500 mL remplie préalablement à moitié d'eau. Une agitation du mélange en assure l'homogénéisation, puis on complète le volume avec de l'eau distillée jusqu'au trait de jauge.

2 **(a)** La solution de soude contient des ions $Na^{+}_{(aq)}$ et $HO^{-}_{(aq)}$ de concentration :

$$[Na^{+}] = [HO^{-}] = c_{NaOH} = 10^{-2} \text{ mol·L}^{-1}$$

L'introduction d'un volume v_{NaOH} de cette solution dans le lait procure $n_{NaOH} = c_{NaOH} \times v_{NaOH}$ moles d'ions $HO^{-}_{(aq)}$. Ceux-ci réagissent avec l'acide lactique dont la quantité n_a est liée à sa concentration c_a et au volume v_a : $n_a = c_a \times v_a$. L'équation bilan de la réaction du dosage s'écrit alors :

$$HO^- + CH_3\text{–}CHOH\text{–}COOH \rightarrow CH_3\text{–}CHOH\text{–}COO^- + H_2O$$

n_{NaOH}	n_a	0
$n_{NaOH} - x$	$n_a - x$	x

(b) L'équivalence est atteinte lorsque la quantité n_{NaOH} d'ions $HO^-_{(aq)}$ est juste suffisante pour réagir avec la totalité de l'acide lactique. En d'autres termes, les réactifs sont initialement introduits en quantités telles qu'ils disparaissent simultanément à l'issue de la réaction, ce qui impose :

$$\begin{cases} n_{NaOH} - x = 0 \\ n_a - x = 0 \end{cases} \Rightarrow \begin{cases} n_{NaOH} = x \\ n_a = x \end{cases} \Rightarrow n_a = n_{NaOH}$$

$$\Rightarrow c_a \times v_a = c_{NaOH} \times \underbrace{v_{NaOH}}_{v_E}$$

d'où :

$$c_a = \frac{c_{NaOH} \times v_E}{v_a} \qquad (21)$$

(c) Le volume d'équivalence v_E est compris entre $v_1 = 3,0$ cm^3 et $v_2 = 3,1$ cm^3. La relation (21) révèle qu'à ces valeurs sont associées deux valeurs de c_a :

$$\begin{cases} c_1 = \dfrac{c_{NaOH} \times v_1}{v_a} = \dfrac{10^{-2} \times 3}{20} = 1,50.10^{-3} \text{ mol} \cdot \text{L}^{-1} \\ c_2 = \dfrac{c_{NaOH} \times v_2}{v_a} = \dfrac{10^{-2} \times 3,1}{20} = 1,55.10^{-3} \text{ mol} \cdot \text{L}^{-1} \end{cases}$$

La concentration c_a vérifie par conséquent :

$$1,50.10^{-3} \text{ mol} \cdot \text{L}^{-1} \leqslant c_a \leqslant 1,55.10^{-3} \text{ mol} \cdot \text{L}^{-1}$$

L'écart relatif sur la mesure c_a vaut donc :

$$\varepsilon = \frac{c_2 - c_1}{c_2} = \frac{1,55 - 1,50}{1,55} = 0,032 = 3,2\,\%$$

16 Réactions d'oxydo-réduction ★ ■ ■ *10 min.* | p. 295

Lycée Fénelon, Paris

1 Pour passer de $HSO_3^-{}_{(aq)}$ à $HS^-_{(aq)}$, il faut équilibrer l'équation correspondante :

• Conservation de l'élément oxygène (avec H_2O) :

$$\underbrace{HSO_3^-{}_{(aq)}}_{3\,O} = \underbrace{HS^-_{(aq)} + 3\,H_2O}_{3\,O}$$

• Conservation de l'élément hydrogène (avec H^+) :

$$\underbrace{HSO_3^-{}_{(aq)} + 6\,H^+_{(aq)}}_{7\,H} = \underbrace{HS^-_{(aq)} + 3\,H_2O}_{7\,H}$$

- Conservation de la charge (avec e^-) :

$$\text{HSO}_3^-{}_{(aq)} + 6\,\text{H}^+_{(aq)} + 6\,e^- = \text{HS}^-_{(aq)} + 3\,\text{H}_2\text{O}$$

Le couple $\text{HSO}_3^-{}_{(aq)}/\text{HS}^-_{(aq)}$ est donc un couple redox dans lequel $\text{HSO}_3^-{}_{(aq)}$ est l'oxydant et $\text{HS}^-_{(aq)}$ le réducteur.

2 L'équation traduisant le passage de $\text{SO}_3^{2-}{}_{(aq)}$ à $\text{HSO}_3^-{}_{(aq)}$ peut être équilibrée en mettant en jeu un ion H^+ :

$$\text{SO}_3^{2-}{}_{(aq)} + \text{H}^+_{(aq)} = \text{HSO}_3^-{}_{(aq)}$$

Ne s'agissant pas d'un transfert d'électrons, cette demi-réaction ne peut en aucun cas être une réaction d'oxydoréduction. En revanche, le transfert de proton qu'elle suggère révèle qu'il s'agit plutôt d'une demi-réaction acido-basique caractéristique du couple $\text{HSO}_3^-{}_{(aq)}/\text{SO}_3^{2-}{}_{(aq)}$.

17 Réactions d'oxydo-réduction ★ ■ ■ ■ *10 min.* | p. 296

Lycée Marcelin Berthelot, Saint-Maur-des-Fossés

L'élément argent est présent, dans le sulfate d'argent Ag_2SO_4 sous forme d'ions Ag^+ (les ions sulfate étant SO_4^{2-}). Au cours de la réaction chimique, l'élément argent se transforme en argent métallique. Cet élément a donc subi une réduction :

$$\text{Ag}^+ + e^- = \text{Ag} \qquad \text{(réduction)}$$

En revanche, l'équation traduisant le passage de SO_4^{2-} en $\text{SO}_2 + \text{O}_2$ s'écrit :

$$\text{SO}_4^{2-} = \text{SO}_2 + \text{O}_2 + 2\,e^-$$

Il s'agit là d'une réaction d'oxydation de l'élément soufre.
La réaction globale :

$$\text{Ag}_2\text{SO}_4 \;\rightarrow\; 2\,\text{Ag} + \text{SO}_2 + \text{O}_2$$

traduit donc une réaction d'oxydoréduction.

18 Dosage redox ★ ■ ■ ■ *15 min.* | p. 296

Lycée Colbert, Paris

1 Les cristaux de thiosulfate de sodium $\text{Na}_2\text{S}_2\text{O}_3,\ 5\,\text{H}_2\text{O}$ ont pour masse molaire :

$$\begin{aligned}
M &= 2\,M_{\text{Na}} + 2\,M_{\text{S}} + 3\,M_{\text{O}} + 5 \times (2\,M_{\text{H}} + M_{\text{O}}) \\
&= 2 \times 23 + 2 \times 32 + 3 \times 16 + 5 \times (2 \times 1 + 16) = 248\ \text{g} \cdot \text{mol}^{-1}
\end{aligned}$$

Aussi, $V = 100\ \text{mL} = 0,1\ \text{L}$ d'une solution réductrice de concentration $C_r = 0,05\ \text{mol} \cdot \text{L}^{-1}$ contient :

$$n_r = C_r \times V = 5.10^{-3} \text{ mole de } \text{Na}_2\text{S}_2\text{O}_3,\ 5\,\text{H}_2\text{O}$$

ce qui représente une masse m de ce sel, telle que :

$$m = n_r \times M = 5.10^{-3} \times 248 = 1,24 \text{ g}$$

En outre, le bilan de la dissolution de ce sel dans l'eau :

$$
\begin{array}{ccccccc}
(Na_2S_2O_3, 5\,H_2O)_{(sol)} & \rightarrow & 2\,Na^+_{(aq)} & + & S_2O_3^{2-}{}_{(aq)} & + & 5\,H_2O \\
C_r & & 0 & & 0 & & \\
0 & & 2C_r & & C_r & &
\end{array}
$$

révèle qu'une telle solution contient des ions thiosulfate à la concentration :

$$\left[S_2O_3^{2-}\right] = C_r = 0,05 \ \text{mol} \cdot \text{L}^{-1}$$

2 Les demi-équations associées aux couples $I_{2(aq)}/I^-_{(aq)}$ et $S_4O_6^{2-}{}_{(aq)}/S_2O_3^{2-}{}_{(aq)}$:

$$I_{2(aq)} + 2\,e^- = 2\,I^-_{(aq)}$$
$$2\,S_2O_3^{2-}{}_{(aq)} = S_4O_6^{2-}{}_{(aq)} + 2\,e^-$$

fournissent l'équation bilan de la réaction du dosage :

$$I_{2(aq)} + 2\,S_2O_3^{2-}{}_{(aq)} \rightarrow 2\,I^-_{(aq)} + S_4O_6^{2-}{}_{(aq)}$$

La solution de diiode, de concentration C_{ox} et de volume $V_{ox} = 20$ mL contient :

$$n_{ox} = C_{ox} \times V_{ox} \text{ moles de } I_{2(aq)}$$

Quant à l'introduction d'un volume $V_r = 15,6$ mL de la solution de thiosulfate à la concentration $C_r = 0,05 \ \text{mol} \cdot \text{L}^{-1}$, elle vise à apporter :

$$n_r = C_r \times V_r \text{ moles d'ions } S_2O_3^{2-}{}_{(aq)}$$

Le bilan molaire de la réaction de dosage :

$$
\begin{array}{ccccccc}
I_{2(aq)} & + & 2\,S_2O_3^{2-}{}_{(aq)} & \rightarrow & 2\,I^-_{(aq)} & + & S_4O_6^{2-}{}_{(aq)} \\
n_{ox} & & n_r & & 0 & & 0 \\
n_{ox} - x & & n_r - 2x & & 2x & & x
\end{array}
$$

montre que l'équivalence est atteinte lorsque :

$$
\left\{
\begin{array}{l}
n_{ox} - x = 0 \\
n_r - 2x = 0
\end{array}
\right.
\Rightarrow
\left\{
\begin{array}{l}
x = n_{ox} \\
n_r = 2x
\end{array}
\right.
\Rightarrow n_r = 2 \times n_{ox}
$$

$$\Rightarrow \quad C_r \times V_r = 2 \times C_{ox} \times V_{ox}$$

$$\Rightarrow \quad C_{ox} = C_r \times \frac{V_r}{2 \times V_{ox}}$$

$$C_{ox} = 0,05 \times \frac{15,6}{2 \times 20} = 1,95.10^{-2} \ \text{mol} \cdot \text{L}^{-1}$$

Dosages acido-basiques ★ ★ ■ *15 min.* | *p. 296*

Lycée Saint-Exupéry, Mantes-la-Jolie

1 L'acide sulfurique H_2SO_4 se dissocie dans l'eau en ions $HSO_4^-{}_{(aq)}$ et H_3O^+, selon l'équation bilan :

$$H_2SO_4 \quad + \quad H_2O \quad \rightarrow \quad HSO_4^-{}_{(aq)} \quad + \quad H_3O^+$$
$$c_a \qquad\qquad\qquad\qquad\qquad\qquad 0 \qquad\qquad\qquad 0$$
$$0 \qquad\qquad\qquad\qquad\qquad\qquad c_a \qquad\qquad\qquad c_a$$

Quant à la solution $(\mathcal{B})$, elle provient de la dissolution dans l'eau de l'hydroxyde de sodium $NaOH$, conformément au bilan :

$$NaOH_{(sol)} \quad \rightarrow \quad Na^+_{(aq)} \quad + \quad HO^-_{(aq)}$$
$$c_b \qquad\qquad\qquad\qquad 0 \qquad\qquad\qquad 0$$
$$0 \qquad\qquad\qquad\qquad c_b \qquad\qquad\qquad c_b$$

Ces bilans procurent immédiatement la composition ionique des solutions $(\mathcal{A})$ et $(\mathcal{B})$:

$$(\mathcal{A}) : \begin{cases} \left[HSO_4^-\right] = c_a \ \text{mol} \cdot L^{-1} \\ \left[H_3O^+\right] = c_a \ \text{mol} \cdot L^{-1} \end{cases} \text{et } (\mathcal{B}) : \begin{cases} \left[Na^+\right] = c_b = 0,1 \ \text{mol} \cdot L^{-1} \\ \left[HO^-\right] = c_b = 0,1 \ \text{mol} \cdot L^{-1} \end{cases}$$

2 Dans le volume $V_a = 100 \ mL = 0,1 \ L$ de solution $(\mathcal{A})$ se trouvent :

$$\begin{cases} n_{HSO_4^-} = \underbrace{\left[HSO_4^-\right]}_{c_a} \times V_a = c_a \times V_a \text{ mole d'ions } HSO_4^-{}_{(aq)} \\ n_{H_3O^+} = \underbrace{\left[H_3O^+\right]}_{c_a} \times V_a = c_a \times V_a \text{ mole d'ions } H_3O^+ \end{cases}$$

tandis que l'introduction d'un volume V_b de soude dans le milieu réactionnel y libère : $n_{HO^-} = \left[Na^+\right] \times V_b = c_b \times V_b$ mole d'ions $HO^-_{(aq)}$.

Deux réactions de neutralisation ont lieu successivement :

• Neutralisation des ions H_3O^+
$$H_3O^+ \quad + \quad HO^-_{(aq)} \quad \rightarrow \quad 2 \ H_2O$$
$$c_a \times V_a \qquad\qquad c_b \times V_b$$
$$0 \qquad\qquad\qquad c_b V_b - c_a V_a$$

• Neutralisation des ions $HSO_4^-{}_{(aq)}$

$$HSO_4^-{}_{(aq)} \quad + \quad HO^-_{(aq)} \quad \rightarrow \quad SO_4^{2-}{}_{(aq)} \quad + \quad H_2O_{(liq)}$$
$$c_a V_a \qquad\qquad c_b V_b - c_a V_a \qquad\qquad 0$$
$$c_a V_a - x \qquad c_b V_b - c_a V_a - x \qquad\qquad x$$

L'équivalence est atteinte pour le volume $V_b = 20 \ mL = 0,02 \ L$ tel que la totalité des ions $HSO_4^-{}_{(aq)}$ a réagi, c'est-à-dire :

$$c_a V_a - x = 0 \Rightarrow x = c_a V_a$$

tandis qu'il ne reste pas d'ions $HO^-_{(aq)}$ en excès dans la solution :

$$c_b V_b - c_a V_a = c_a V_a \Rightarrow 2 \ c_a V_a = c_b V_b$$

soit encore :

$$c_a = \frac{c_b V_b}{2\,V_a} = \frac{0,1 \times 0,02}{2 \times 0,1} = 0,01 \ \text{mol} \cdot \text{L}^{-1}$$

20 Dosages acido-basiques

 ★ ★ ■ *20 min.* | *p. 297*

Lycée Blaise Pascal, Orsay

1 Dans un volume V (en litres) de solution $\mathcal{S}_2$ à $c_2 = 0,1 \ \text{mol} \cdot \text{L}^{-1}$ se trouvent : $n_a = c_2 \times V = 0,1$ moles de $HCOOH_{(aq)}$. En revanche, un volume $V_1 = 40 \ \text{cm}^3 = 0,04 \ \text{L}$ de solution $\mathcal{S}_1$ à la concentration $c_1 = 5.10^{-2} \ \text{mol} \cdot \text{L}^{-1}$ contient :

$$n_b = c_1 \times V_1 = 2.10^{-3} \text{ mole de NaOH}$$

La soude est, du reste, totalement dissociée dans l'eau, suivant le bilan :

$NaOH_{(sol)}$	$\rightarrow$	$Na^+_{(aq)}$	$+$	$HO^-_{(aq)}$
2.10^{-3} mole		0		0
0		2.10^{-3} mole		2.10^{-3} mole

Par conséquent, le mélange de 40 cm^3 de $\mathcal{S}_1$ avec V litres de $\mathcal{S}_2$ met en contact $n_b = 2.10^{-3}$ moles d'ions $HO^-_{(aq)}$ et $n_a = c_2 V$ moles de $HCOOH_{(aq)}$, susceptibles de réagir selon l'équation bilan :

$$HCOOH_{(aq)} + HO^-_{(aq)} \rightarrow HCOO^-_{(aq)} + H_2O_{(liq)}$$

En notant x l'avancement de cette réaction, son évolution peut être suivie grâce au bilan molaire :

$HCOOH_{(aq)}$	$+$	$HO^-_{(aq)}$	$\rightarrow$	$HCOO^-_{(aq)}$	$+$	H_2O
$c_2 V$		2.10^{-3}		0		
$c_2 V - x$		$2.10^{-3} - x$		x		

L'équivalence est atteinte lorsque $HCOOH_{(aq)}$ et $HO^-_{(aq)}$ ont totalement réagi, c'est-à-dire lorsque ces réactifs ont disparu du milieu réactionnel. Ceci se produit pour $V = V_e$ tel que :

$$\begin{cases} c_2 V_e - x = 0 \\ 2.10^{-3} - x = 0 \end{cases} \Rightarrow \begin{cases} c_2 V_e = x \\ 2.10^{-3} = x \end{cases} \Rightarrow c_2 V_e = 2.10^{-3}$$

ce qui conduit à :

$$V_e = \frac{2.10^{-3}}{c_2} = \frac{2.10^{-3}}{0,1} = 2.10^{-2} \text{ L} = 20 \text{ mL}$$

2 Le bilan précédent montre que les nombres de moles de $HCOOH_{(aq)}$ et de la base conjuguée $HCOO^-_{(aq)}$ valent respectivement :

$$n_{HCOOH} = c_2 V - x \text{ et } n_{HCOO^-} = x$$

En notant $V_{\text{mél}}$ le volume du mélange réactionnel, il vient :

$$[\text{HCOOH}] = \frac{n_{\text{HCOOH}}}{V_{\text{mél}}} = \frac{c_2 V - x}{V_{\text{mél}}} \text{ et } \left[\text{HCOO}^-\right] = \frac{n_{\text{HCOO}^-}}{V_{\text{mél}}} = \frac{x}{V_{\text{mél}}}$$

Aussi, la condition $[\text{HCOOH}] = \left[\text{HCOO}^-\right]$ se traduit-elle par l'identité :

$$c_2 \times V - x = x \Rightarrow 2x = c_2 V \Rightarrow x = \frac{c_2 V}{2}$$

Enfin, la présence de l'acide méthanoïque $\text{HCOOH}_{(aq)}$ dans le milieu réactionnel atteste que la soude a été introduite en défaut (sans quoi la totalité de l'acide se serait transformée en ions $\text{HCOO}^-_{(aq)}$). C'est pourquoi la réaction cesse dès que :

$$n_{\text{HO}^-} = 0 \Rightarrow 2.10^{-3} - x = 0 \Rightarrow x = 2.10^{-3} \Rightarrow \frac{c_2 V}{2} = 2.10^{-3}$$

soit encore :

$$V = \frac{2 \times 2.10^{-3}}{c_2} = \frac{2 \times 2.10^{-3}}{0,1} = 0,04 \text{ L} = 40 \text{ mL}$$

21 Bilan d'oxydo-réduction ★ ★ ■ *15 min.* | p. 297

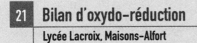

Lycée Lacroix, Maisons-Alfort

1 La masse molaire moléculaire du sulfate d'argent Ag_2SO_4 vaut :

$$M = 2 \times \underbrace{M_{\text{Ag}}}_{107,9} + \underbrace{M_{\text{S}}}_{32} + 4 \times \underbrace{M_{\text{O}}}_{16} = 311,8 \text{ g} \cdot \text{mol}^{-1}$$

Donc une masse $m = 6,24$ g de ce sel contient :

$$n = \frac{m}{M} = 0,02 \text{ mole de sel}$$

Introduite dans $V = 50$ mL $= 50.10^{-3}$ L d'eau, cette quantité correspond à la concentration :

$$c = \frac{n}{V} = \frac{0,02}{50.10^{-3}} = 0,4 \text{ mol} \cdot \text{L}^{-1}$$

La dissolution du sulfate d'argent suit donc le bilan :

$$\begin{array}{cccc}
\text{Ag}_2\text{SO}_{4(sol)} & \rightarrow & 2\,\text{Ag}^+{}_{(aq)} & + & \text{SO}_4^{2-}{}_{(aq)} \\
c & & 0 & & 0 \\
0 & & 2\,c & & c
\end{array}$$

à l'issue de cette dissociation :

$$\left[\text{Ag}^+\right]_0 = 2c = 0,8 \text{ mol} \cdot \text{L}^{-1}$$

ce qui correspond à un nombre de moles d'ions $\text{Ag}^+_{(aq)}$:

$$n_0 = \left[\text{Ag}^+\right]_0 \times V = 0,8 \times 50.10^{-3} = 0,04 \text{ mole}$$

2 Les ions $Ag^+_{(aq)}$ sont impliqués dans le couple redox $Ag^+_{(aq)}/Ag_{(sol)}$, tandis que le cuivre métallique est le réducteur du couple redox $Cu^{2+}_{(aq)}/Cu_{(sol)}$. Les demi-équations correspondantes :

$$Ag^+_{(aq)} + e^- = Ag_{(sol)}$$
$$Cu_{(sol)} = Cu^{2+}_{(aq)} + 2\,e^-$$

conduisent au bilan molaire suivant (x désignant l'avancement de la réaction) :

$$
\begin{array}{ccccccc}
2\,Ag^+_{(aq)} & + & Cu_{(sol)} & \rightarrow & 2\,Ag_{(sol)} & + & Cu^{2+}_{(aq)} \\
n_0 & & \text{excès} & & 0 & & 0 \\
n_0 - 2\,x & & \text{excès} & & 2\,x & & x
\end{array}
$$

La disparition des ions $Ag^+_{(aq)}$ impose :

$$n_0 - 2\,x = 0 \Rightarrow x = \frac{n_0}{2} = \frac{0,04}{2} = 0,02 \text{ mole}$$

Par suite, il s'est formé :

$$n_{Ag} = 2\,x = 0,04 \text{ mole d'argent métallique}$$

ce qui constitue une masse :

$$m_{Ag} = n_{Ag} \times M_{Ag} = 0,04 \times 107,9 = 4,31 \text{ g d'argent métallique}$$

3 Le bilan précédent révèle qu'il s'est formé, dans le même temps :

$$n_{Cu^{2+}} = x = 0,02 \text{ mole d'ions } Cu^{2+}_{(aq)}$$

soit une concentration :

$$\left[Cu^{2+}\right] = \frac{n_{Cu^{2+}}}{V} = \frac{0,02}{50.10^{-3}} = 0,4 \ \text{mol} \cdot L^{-1}$$

4 Pour transformer un ion Ag^+ en argent métallique Ag selon l'équation :

$$Ag^+_{(aq)} + e^- = Ag_{(sol)}$$

il faut apporter un électron. Or, d'après les calculs de la question 2., il s'est formé $2\,x = 0,04$ mole d'atomes d'argent, ce qui requiert la même quantité d'électrons :

$$n_{e^-} = 2\,x = 0,04 \text{ mole d'électrons}$$

Enfin, une mole d'électrons contenant $\mathcal{N} = 6,02.10^{23}$ électrons, il s'ensuit que :

$$n_{e^-} = 0,04 \times 6,02.10^{23} = 2,4.10^{22} \text{ électrons}$$

COURS

ÉNONCÉS

CORRIGÉS

22 **Dosage redox** ★ ★ ■ *20 min.* | *p. 298*

Lycée Fénelon, Paris

1 L'énoncé précise que les couples redox $I_{2(aq)}/I^-_{(aq)}$ et $SO_4^{2-}{}_{(aq)}/SO_{2(aq)}$ sont mis en jeu, et que $I_{2(aq)}$ est plus oxydant que $SO_4^{2-}{}_{(aq)}$. Il convient d'écrire les demi-équations relatives à ces couples.

- Couple $I_{2(aq)}/I^-_{(aq)}$:

$$I_{2(aq)} + 2\,e^- = 2\,I^-_{(aq)}$$

- Couple $SO_4^{2-}{}_{(aq)}/SO_{2(aq)}$

Dans l'équation : $SO_4^{2-}{}_{(aq)} = SO_{2(aq)}$, les lois de conservation sont transgressées ; il s'agit alors de les respecter :

- Conservation de l'élément oxygène (à l'aide de H_2O) :

$$SO_4^{2-}{}_{(aq)} = SO_{2(aq)} + 2\,H_2O$$

- Conservation de l'élément hydrogène (avec $H^+_{(aq)}$) :

$$SO_4^{2-}{}_{(aq)} + 4\,H^+_{(aq)} = SO_{2(aq)} + 2\,H_2O$$

- Conservation de la charge (à l'aide de e^-) :

$$SO_4^{2-} + 4\,H^+_{(aq)} + 2\,e^- = SO_{2(aq)} + 2\,H_2O$$

La combinaison des deux demi-équations précédentes conduit à l'équation bilan de la réaction du dosage :

$$I_{2(aq)} + 2\,e^- = 2\,I^-_{(aq)}$$
$$\underline{SO_{2(aq)} + 2\,H_2O = SO_4^{2-}{}_{(aq)} + 4\,H^+_{(aq)} + 2\,e^-}$$
$$SO_{2(aq)} + 2\,H_2O + I_{2(aq)} \rightarrow SO_4^{2-}{}_{(aq)} + 2\,I^-_{(aq)} + 4\,H^+_{(aq)}$$

2 - Avant l'équivalence, le dioxyde de soufre se trouve en excès, si bien que $I_{2(aq)}$ disparaît intégralement au cours de la réaction précédente. L'empois d'amidon est cependant inerte vis-à-vis des composés restant dans le milieu réactionnel ($SO_{2(aq)}$, H_2O, $I^-_{(aq)}$, $SO_4^{2-}{}_{(aq)}$ et $H^+_{(aq)}$) ; la solution demeure incolore.

- Après l'équivalence, le diiode est en excès, de sorte qu'il reste $I_{2(aq)}$ dans le milieu réactionnel à l'issue de la réaction de dosage. L'empois d'amidon peut alors s'associer avec $I_{2(aq)}$ pour donner la couleur bleue foncée caractéristique de la présence simultanée du diiode et de l'empois d'amidon.

L'empois d'amidon est par conséquent un indicateur coloré de fin de dosage ; la coloration bleue de la solution indique le passage de l'équivalence.

3 Soient :

- n_{SO_2} le nombre de moles de $SO_{2(aq)}$ contenues dans $v_{vin} = 25$ mL de vin introduit dans l'erlenmeyer ;

- n_0 le nombre de moles de diiode introduites dans l'erlenmeyer pour atteindre l'équivalence, c'est-à-dire contenues dans $V_0 = 13, 75$ mL de solution de $I_{2(aq)}$ à $C_0 = 5.10^{-3}$ mol $\cdot$ L^{-1} : $n_0 = C_0 \times V_0$.

Le bilan de la réaction de dosage s'écrit alors :

$$\underset{n_{SO_2}}{SO_{2(aq)}} + 2\,H_2O + \underset{n_0}{I_{2(aq)}} \rightarrow SO_4^{2-}{}_{(aq)} + 2\,I^-_{(aq)} + 4\,H^+_{(aq)}$$

L'équivalence se produit donc lorsque :

$$n_{SO_2} = n_0 = C_0 \times V_0 \text{ mole}$$

à cette quantité est associée une masse m_{SO_2} telle que :

$$m_{SO_2} = n_{SO_2} \times M_{SO_2} \Rightarrow m_{SO_2} = V_0 \times C_0 \times M_{SO_2}$$

Enfin, la concentration massique de SO_2 dans le vin est définie comme le rapport de la masse m_{SO_2} de dioxyde de soufre par le volume de vin v_{vin} contenant cette masse :

$$c_{SO_2} = \frac{m_{SO_2}}{v_{vin}} \Rightarrow c_{SO_2} = \frac{V_0}{v_{vin}} \times C_0 \times M_{SO_2}$$

$$c_{SO_2} = \frac{13, 75}{25} \times 5.10^{-3} \times 64, 1 \Rightarrow c_{SO_2} = 0, 176 \text{ g} \cdot \text{L}^{-1} = 176 \text{ mg} \cdot \text{L}^{-1}$$

Ce résultat indique que le vin étudié respecte la réglementation en vigueur concernant le taux de dioxyde de soufre introduit, car :

$$c_{SO_2} < c_{max} = 210 \text{ mg} \cdot \text{L}^{-1}$$

23 Dosages acido-basiques ★ ★ ★ 15 min. p. 298

Lycée Saint-Exupéry, Mantes-la-Jolie

1 L'acide éthanoïque CH_3COOH peut libérer le proton H^+ ensuite récupéré par l'ammoniac NH_3 (basique). Les couples acide/base sont impliqués dans les demi-équations suivantes :

$$\begin{aligned} CH_3COOH_{(aq)} &= CH_3COO^-{}_{(aq)} + H^+_{(aq)} \\ NH_{3(aq)} + H^+_{(aq)} &= NH_4^+{}_{(aq)} \end{aligned}$$

Par suite, l'équation bilan illustrant la réaction entre $CH_3COOH_{(aq)}$ et $NH_{3(aq)}$ s'écrit :

$$CH_3COOH_{(aq)} + NH_{3(aq)} \rightarrow CH_3COO^-{}_{(aq)} + NH_4^+{}_{(aq)}$$

2 L'équation bilan précédente montre que la solution contient des ions $CH_3COO^-{}_{(aq)}$ et $NH_4^+{}_{(aq)}$ à la même concentration :

$$\left[CH_3COO^-\right] = \left[NH_4^+\right]$$

C'est pour cette raison que la solution acquiert une conductivité σ vérifiant la loi :

$$\sigma = \lambda_{CH_3COO^-} \times \underbrace{[CH_3COO^-]}_{=[NH_4^+]} + \lambda_{NH_4^+} \times [NH_4^+]$$

$$= [NH_4^+] \times \left(\lambda_{CH_3COO^-} + \lambda_{NH_4^+}\right)$$

d'où :

$$[NH_4^+] = \frac{\sigma}{\lambda_{CH_3COO^-} + \lambda_{NH_4^+}} = \frac{228, 8.10^{-4}}{40, 9.10^{-4} + 73, 5.10^{-4}}$$

c'est-à-dire :

$$[NH_4^+] = 2 \text{ mol} \cdot m^{-3} = 2.10^{-3} \text{ mol} \cdot L^{-1} = [CH_3COO^-]$$

Du reste, ces ions étant présents dans la solution de volume $V = 100$ mL $= 0, 1$ L leur concentration est liée à leur quantité $x = [NH_4^+] \times V$:

$$x = 2.10^{-3} \times 0, 1 \Rightarrow x = 2.10^{-4} \text{ mole de } NH_{4\,(aq)}^+ \text{ et de } CH_3COO^-_{(aq)}$$

3 Dans $V = 0, 1$ L de solution $(\mathcal{S})$, l'acide éthanoïque est présent à la concentration c, ce qui représente une quantité $n = c \times 0, 1$ mole. Le bilan molaire de la réaction s'écrit par conséquent :

$CH_3COOH_{(aq)}$	$+$	$NH_{3\,(aq)}$	$\rightarrow$	$CH_3COO^-_{(aq)}$	$+$	$NH_{4\,(aq)}^+$
$0, 1 \times c$		5.10^{-4}		0		0
$0, 1 \times c - x$		$\underbrace{5.10^{-4} - x}_{=3.10^{-4}}$		$x = 2.10^{-4}$		$x = 2.10^{-4}$

Or, la réaction cesse lorsqu'un des réactifs a totalement réagi, et ce bilan montre qu'il reste de l'ammoniac en fin de réaction. Il s'ensuit que l'acide éthanoïque a été introduit en défaut, de sorte que la réaction cesse dès que :

$$0, 1 \times c - x = 0 \Rightarrow c = \frac{x}{0, 1} = \frac{2.10^{-4}}{0, 1} = 2.10^{-3} \text{ mol} \cdot L^{-1}$$

24 **Bilan d'oxydo-réduction** ★ ★ ★ *10 min.* p. 299

Lycée Jacques Monod, Clamart

1 Seuls les ions $Cu^{2+}_{(aq)}$ présents en solution sont susceptibles de former un dépôt métallique de cuivre $Cu_{(sol)}$ selon la demi-équation :

$$\underset{\text{bleu}}{Cu^{2+}_{(aq)}} + 2\,e^- \rightarrow Cu_{(sol)} \tag{22}$$

Les ions $Cu^{2+}_{(aq)}$ disparaissant au cours de cette réduction, la couleur bleue caractéristique de leur présence en solution disparaît également.

Quant à l'ajout de soude dans la solution, elle vise à y introduire des ions $HO^-_{(aq)}$ susceptibles de former un précipité (vert) d'hydroxyde de fer II :

$$2\ HO^-_{(aq)} + Fe^{2+}_{(aq)} \rightarrow Fe(OH)_{2\,(sol)}$$
$$\text{vert}$$

Cette réaction permet la mise en évidence des ions $Fe^{2+}_{(aq)}$ provenant inévitablement de l'oxydation du fer métallique :

$$Fe_{(sol)} \rightarrow Fe^{2+}_{(aq)} + 2\ e^- \qquad (23)$$

La réaction d'oxydoréduction provient, quant à elle, de l'action des ions $Cu^{2+}_{(aq)}$ sur le fer $Fe_{(sol)}$, dont le bilan résulte de la combinaison des demi-réactions (22) et (23) :

$$Cu^{2+}_{(aq)} + 2\ e^- \rightarrow Cu_{(sol)}$$
$$Fe_{(sol)} \rightarrow Fe^{2+}_{(aq)} + 2\ e^-$$
$$\overline{Fe_{(sol)} + Cu^{2+}_{(aq)} \rightarrow Fe^{2+}_{(aq)} + Cu_{(sol)}}$$

2 Le volume $V = 100\ \text{mL} = 0,1\ \text{L}$ de la solution de sulfate de cuivre, telle que $\left[Cu^{2+}\right] = 10^{-3}\ \text{mol} \cdot \text{L}^{-1}$, contient :

$$n^0_{Cu^{2+}} = V \times \left[Cu^{2+}\right] = 0,1 \times 10^{-3} = 10^{-4}\ \text{mole d'ions } Cu^{2+}_{(aq)}$$

Soit n^0_{Fe} le nombre de moles de fer solide introduit dans le milieu réactionnel où se produit la réaction d'oxydoréduction à l'issue de laquelle tous les ions $Cu^{2+}_{(aq)}$ disparaissent conformément au bilan :

$Fe_{(sol)}$	+	$Cu^{2+}_{(aq)}$	$\rightarrow$	$Fe^{2+}_{(aq)}$	+	$Cu_{(sol)}$
n^0_{Fe}		$n^0_{Cu^{2+}}$		0		0
$n^0_{Fe} - n^0_{Cu^{2+}}$		0		$n^0_{Cu^{2+}}$		$n^0_{Cu^{2+}}$

Ce bilan révèle que $\Delta n_{Fe} = n^0_{Cu^{2+}}$ moles de fer a disparu, ce qui correspond à une masse Δm_{Fe} vérifiant :

$$\Delta m_{Fe} = \Delta n_{Fe} \times M_{Fe} = n^0_{Cu^{2+}} \times M_{Fe} = 10^{-4} \times 56$$
$$= 5,6\ \text{mg de fer a été mis en solution.}$$

---

25 **Bilan d'oxydo-réduction** ★ ★ ★ *15 min.* p. 299

Lycée Lakanal, Sceaux

1 Une masse $m_{sel} = 5,15\ \text{g}$ de sulfate de cuivre, de masse molaire moléculaire $M_{sel} = 249,5\ \text{g} \cdot \text{mol}^{-1}$ contient un nombre de moles de sel : $n_{sel} = \dfrac{m_{sel}}{M_{sel}}$ à partir duquel est définie la concentration C de la solution de volume $V = 500\ \text{mL} = 0,5\ \text{L}$:

$$C = \frac{n_{sel}}{V} = \frac{m_{sel}}{V \times M_{sel}} = \frac{5,15}{0,5 \times 249,5} = 0,041\ \text{mol} \cdot \text{L}^{-1}$$

2 Dans un volume $V_1 = 50\ \text{cm}^3 = 0,05\ \text{L}$ de la solution précédente se trouve :

$$n_1 = C \times V_1 = 0,041 \times 0,05 = 2.10^{-3}\ \text{mole de sel CuSO}_4, 5\,\text{H}_2\text{O}$$

qui se dissocie selon le bilan :

$$\text{CuSO}_4, 5\,\text{H}_2\text{O}_{(sol)} \quad \rightarrow \quad \text{Cu}^{2+}_{(aq)} \quad + \quad \text{SO}_4^{2-}{}_{(aq)} \quad + \quad 5\,\text{H}_2\text{O}_{(liq)}$$

$$\underset{0}{n_1} \qquad\qquad \underset{n_1}{0} \qquad\qquad \underset{n_1}{0}$$

La solution contient alors $n_1 = 2.10^{-3}$ mole d'ions $\text{Cu}^{2+}_{(aq)}$.

(a) L'ion $\text{Cu}^{2+}_{(aq)}$ est l'oxydant du couple redox $\text{Cu}^{2+}{}_{(aq)}/\text{Cu}_{(sol)}$:

$$\text{Cu}^{2+}_{(aq)} + 2\,\text{e}^- = \text{Cu}_{(sol)}$$

tandis que le plomb métallique est le réducteur du couple redox $\text{Pb}^{2+}{}_{(aq)}/\text{Pb}_{(sol)}$:

$$\text{Pb}_{(sol)} = \text{Pb}^{2+}{}_{(aq)} + 2\,\text{e}^-$$

L'association de ces deux demi-réactions fournit comme équation bilan de l'oxydoréduction :

$$\text{Cu}^{2+}{}_{(aq)} + \text{Pb}_{(sol)} \rightarrow \text{Cu}_{(sol)} + \text{Pb}^{2+}{}_{(aq)}$$

(b) Soit n le nombre de moles d'atomes de plomb introduits avec la masse $m = 23,246$ g :

$$n = \frac{m}{M_{\text{Pb}}} = \frac{23,246}{207,2} \simeq 0,112\ \text{mole}$$

Le bilan molaire de la réaction d'oxydoréduction s'écrit :

$$\text{Cu}^{2+}{}_{(aq)} \quad + \quad \text{Pb}_{(sol)} \quad \rightarrow \quad \text{Cu}_{(sol)} \quad + \quad \text{Pb}^{2+}{}_{(aq)}$$

$$\underset{n_1}{\underbrace{2.10^{-3}}} \qquad \underset{n}{\underbrace{0,112}} \qquad\qquad 0 \qquad\qquad 0$$

$$\simeq 0 \qquad\qquad n - n_1 \qquad\qquad n_1 \qquad\qquad n_1$$

Cette réaction consomme donc : $n_{\text{Pb}} = n_1 = 2.10^{-3}$ mole de plomb, ce qui représente une masse :

$$m_{\text{Pb}} = n_1 \times M_{\text{Pb}} = 2.10^{-3} \times 207,2 = 0,414\ \text{g}$$

(c) Cette réaction produit $n_1 = 2.10^{-3}$ mole de cuivre métallique, soit :

$$m_{\text{Cu}} = M_{\text{Cu}} \times n_1 = 63,5 \times 2.10^{-3} = 0,127\ \text{g de Cu}_{(sol)}$$

(d) La lame présentait initialement une masse $m = 23,246$ g, dont $m_{\text{Pb}} = 0,414$ g s'est transformée en ions $\text{Pb}^{2+}{}_{(aq)}$. À cette masse s'est également ajoutée la masse m_{Cu} de cuivre formé ; la masse finale de la lame vaut par conséquent :

$$m_{\text{fin}} = m - m_{\text{Pb}} + m_{\text{Cu}} = 23,246 - 0,414 + 0,127 = 22,959\ \text{g}$$

26 Bilan d'oxydo-réduction ★ ★ ★ *15 min.* | *p. 300*
Lycée Fénelon, Paris

1 Une solution d'acide chlorhydrique contient, outre des ions $Cl^-_{(aq)}$, des ions $H^+_{(aq)}$ impliqués dans une demi-équation justifiant la formation du dihydrogène :

$$2\,H^+_{(aq)} + 2\,e^- = H_{2\,(gaz)}$$

Quant au zinc métallique, son oxydation libère des ions $Zn^{2+}_{(aq)}$ en solution :

$$Zn_{(sol)} = Zn^{2+}_{(aq)} + 2\,e^-$$

Des deux demi-équations précédentes découle l'équation bilan de la réaction d'oxydoréduction qui se produit :

$$2\,H^+_{(aq)} + Zn_{(sol)} \rightarrow H_{2\,(gaz)} + Zn^{2+}_{(aq)}$$

2 Soit $n^0_{H^+}$ le nombre de moles d'ions $H^+_{(aq)}$ contenus dans 20 mL de la solution d'acide chlorhydrique, et soit n^0_{Zn} le nombre de moles d'atomes de zinc présents dans $m^0_{Zn} = 0,1$ g de zinc :

$$m^0_{Zn} = n^0_{Zn} \times M_{Zn} \qquad (24)$$

En désignant par x l'avancement de la réaction d'oxydoréduction, celle-ci présente pour bilan molaire :

$$
\begin{array}{cccccc}
2\,H^+_{(aq)} & + & Zn_{(sol)} & \rightarrow & H_{2\,(gaz)} & + & Zn^{2+}_{(aq)} \\
n^0_{H^+} & & n^0_{Zn} & & 0 & & 0 \\
n^0_{H^+} - 2x & & n^0_{Zn} - x & & x & & x
\end{array}
$$

Il se forme alors x moles de dihydrogène occupant un volume $V = 11,4.10^{-3}$ L. Aussi, le volume molaire V_m est défini par :

$$V_m = \frac{V}{x} \Rightarrow x = \frac{V}{V_m} = \frac{11,4.10^{-3}}{22,4} = 5.10^{-4} \text{ mole}$$

En outre, il reste dans le milieu réactionnel :

$$n_{Zn} = n^0_{Zn} - x \text{ mole de zinc métallique}$$

ce qui représente une masse :

$$m_{Zn} = M_{Zn} \times n_{Zn} = M_{Zn} \times n^0_{Zn} - M_{Zn} \times x$$

soit, compte tenu de l'identité (24) :

$$m_{Zn} = m^0_{Zn} - M_{Zn} \times x = 0,1 - 65 \times 5.10^{-4} = 0,0675 \text{ g}$$

27 **Bilan d'oxydo-réduction** ★ ★ ★ *20 min.* *p. 300*
Lycée Claude Monet, Paris

1 La décoloration de la solution révèle la disparition des ions $Cu^{2+}_{(aq)}$ conformément à la demi-équation :

$$\underbrace{Cu^{2+}_{(aq)}}_{\text{bleu}} + 2\,e^- = \underbrace{Cu_{(sol)}}_{\text{dépôt}}$$

Tandis que le cuivre est réduit, l'étain $Sn_{(sol)}$ (du couple redox $Sn^{2+}_{(aq)}/Sn_{(sol)}$) s'oxyde en ions $Sn^{2+}_{(aq)}$:

$$Sn_{(sol)} = Sn^{2+}_{(aq)} + 2\,e^-$$

L'équation bilan rendant compte de l'oxydoréduction s'écrit alors :

$$Cu^{2+}_{(aq)} + Sn_{(sol)} \rightarrow Cu_{(sol)} + Sn^{2+}_{(aq)}$$

En notant n^0 les nombres initiaux de moles, et m^0 les masses associées, le bilan molaire de la réaction devient :

$$\begin{array}{ccccccc}
Cu^{2+}_{(aq)} & + & Sn_{(sol)} & \rightarrow & Cu_{(sol)} & + & Sn^{2+}_{(aq)} \\
n^0_{Cu} & & n^0_{Sn} & & 0 & & 0 \\
n^0_{Cu} - x & & n^0_{Sn} - x & & x & & x
\end{array}$$

La masse initiale d'étain était $m^0_{Sn} = M_{Sn} \times n^0_{Sn}$, tandis qu'elle vaut, à l'issue de la réaction :

$$m_{Sn} = (n^0_{Sn} - x) \times M_{Sn} \Rightarrow m_{Sn} = n^0_{Sn} \times M_{Sn} - x \times M_{Sn} \Rightarrow m_{Sn} = m^0_{Sn} - x \times M_{Sn}$$

Dans le même temps, il s'est formé x moles de cuivre métallique, c'est-à-dire une masse :

$$m_{Cu} = x \times M_{Cu} \text{ grammes de } Cu_{(sol)}$$

qui s'est déposé sur la plaque.

$$m = m_{Sn} + m_{Cu} = m^0_{Sn} - x \times (M_{Sn} - M_{Cu})$$

Finalement, la masse de la plaque vaut :

$$m = m^0_{Sn} - \Delta m \Rightarrow \Delta m = x \times (M_{Sn} - M_{Cu})$$

soit :

$$x = \frac{\Delta m}{M_{Sn} - M_{Cu}} = \frac{55.10^{-3}}{118,7 - 63,5} \simeq 10^{-3} \text{ mole}$$

Cette quantité représente aussi le nombre de moles de cuivre métallique formé, puis déposé sur la plaque.

2 La réaction cesse lorsque la totalité des ions $Cu^{2+}_{(aq)}$ a disparu (la décoloration de la solution en atteste) c'est-à-dire lorsque : $n^0_{Cu} - x = 0 \Rightarrow n^0_{Cu} = x$. Or, les ions $Cu^{2+}_{(aq)}$ provenaient de la dissolution de $CuCl_{2(sol)}$:

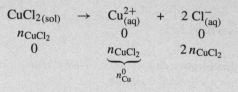

en conséquence de quoi : $n_{CuCl_2} = n_{Cu}^0 = x$. Aussi, la concentration initiale en chlorure de cuivre II, dans la solution de volume $V = 500\,cm^3 = 0,5\,L$ vaut :

$$c = \frac{n_{CuCl_2}}{V} = \frac{x}{V} \Rightarrow c = \frac{10^{-3}}{0,5} = 2.10^{-3}\ mol \cdot L^{-1}$$

Les hydrocarbures

Exercice type

On considère un alcène de masse molaire moléculaire $M = 70,0 \text{ g} \cdot \text{mol}^{-1}$.

1 Donner la formule brute générale des alcènes.

2 Exprimer la masse molaire moléculaire en fonction de n (nombre d'atomes de carbone) et des masses molaires atomiques M_H de l'hydrogène et M_C du carbone.

3 En déduire la valeur de n et la formule brute de l'alcène.

4 Nommer et représenter tous les alcènes ayant cette formule brute (on ne tiendra pas compte de l'isomérie Z, E).

Données : masses molaires : $M_H = 1 \text{ g} \cdot \text{mol}^{-1}$ et $M_C = 12 \text{ g} \cdot \text{mol}^{-1}$.

Voir corrigé page 337

1 Chaînes carbonées

1.1 Le carbone

Dans sa configuration la plus stable, l'atome de carbone peut former 4 liaisons covalentes ; c'est la *tétravalence* du carbone. Ces 4 liaisons se répartissent de diverses manières :

formule de Lewis	exemples	formule de Lewis	exemples
$-\overset{\vert}{\underset{\vert}{C}}-$	$H-\overset{\overset{H}{\vert}}{\underset{\underset{H}{\vert}}{C}}-H$ méthane	$-C\equiv$	$H-C\equiv N$ acide cyanhydrique
$\diagdown C=$	$\overset{H}{\underset{H}{>}}C=O$ méthanal	$=C=$	$O=C=O$ dioxyde de carbone

La liaison simple permet une rotation des atomes autour de l'axe de la liaison, tandis qu'une liaison double interdit cette libre rotation.

Une *formule développée* fait apparaître toutes les liaisons covalentes de la molécule, tandis qu'une *formule semi-développée* occulte les liaisons entre le carbone et l'hydrogène. Quant à la *formule brute*, elle indique la composition d'une molécule, sans en révéler les liaisons covalentes. Par exemple :

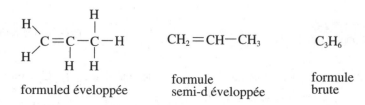

| formuled éveloppée | formule semi-d éveloppée | formule brute |

Les formules semi-développées occultent parfois également les atomes de carbone ; seules les liaisons C–C sont représentées. Par exemple :

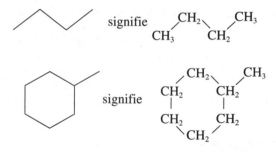

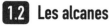 Les alcanes

1.2.1 Généralités

Les alcanes non cycliques (*aliphatiques*) ont pour formule générale :

$$C_nH_{2n+2} \text{ avec } n \geqslant 1$$

Le nom est constitué d'une racine grecque, suivie du suffixe **-ane** :

n	racine grecque	formule brute	formule semi-développée	nom
1	*méth-*	CH_4	CH_4	méth**ane**
2	*éth-*	C_2H_6	$CH_3–CH_3$	éth**ane**
3	*prop-*	C_3H_8	$CH_3–CH_2–CH_3$	prop**ane**
4	*but-*	C_4H_{10}	$CH_3–CH_2–CH_2–CH_3$	but**ane**
5	*pent-*	C_5H_{12}	$CH_3–CH_2–CH_2–CH_2–CH_3$	pent**ane**
6	*hex-*	C_6H_{14}	$CH_3–CH_2–CH_2–CH_2–CH_2–CH_3$	hex**ane**

Les alcanes cycliques ont, quant à eux, pour formule brute :

$$C_nH_{2n} \text{ avec } n \geqslant 5$$

Par exemple :

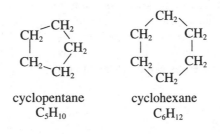

cyclopentane
C_5H_{10}

cyclohexane
C_6H_{12}

Les atomes d'hydrogène peuvent être remplacés par des groupes *alkyle* dont le nom est formé par la racine grecque (qui indique le nombre d'atomes de carbone), suivie du suffixe *-yle* :

formule	nom
CH_3-	méthyle
CH_3-CH_2-	éthyle
$CH_3-CH_2-CH_2-$	propyle

Par exemple, un atome d'hydrogène peut être substitué par un groupe méthyle :

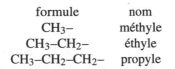

→ À retenir :

La tétravalence du carbone impose un nombre restreint de groupes hydrocarbonés que l'on peut rencontrer dans les hydrocarbures :

$$-\overset{|}{\underset{|}{C}}- \qquad -\overset{|}{CH}- \qquad -CH_2- \qquad =CH_2 \qquad -CH_3$$

Lorsqu'un atome d'hydrogène est substitué par un *groupe alkyle*, l'alcane est *ramifié*. On distingue alors, dans l'alcane, la *chaîne principale* (possédant le plus grand nombre d'atomes de carbone), des substituants (entourés dans l'exemple ci-dessous) :

$$CH_3-CH-CH-CH-CH_2-CH_2-CH_3$$

$$\underset{CH_3}{} \quad \underset{CH_3}{} \quad \underset{CH_2-CH_3}{} \longleftarrow \text{ substituants}$$

! Attention :

La présentation des formules peut vous induire en erreur : la chaîne principale n'est pas né-cessairement celle qui est présentée linéaire-ment. Par exemple, dans la molécule ci-contre, la chaîne principale possède 5 atomes de car-bone.

$$CH_3-CH-CH-CH_3$$

avec CH_3 en haut et CH_2-CH_3 en bas

1.2.2 Nomenclature

Pour un alcane à chaîne ramifiée, tel que :

$$CH_3-CH-CH_2-CH_2-CH_3$$
$$\quad\quad\ |$$
$$\quad\quad CH_3$$

on procède de la manière suivante :

- Repérage de la chaîne principale sur laquelle les atomes de carbone sont nu-mérotés (deux numérotations sont *a priori* possibles, selon l'extrémité où elles commencent) :

$$\overset{1}{C}H_3-\overset{2}{C}H-\overset{3}{C}H_2-\overset{4}{C}H_2-\overset{5}{C}H_3$$
$$\underset{5}{}\quad\underset{4}{}|\quad\underset{3}{}\quad\underset{2}{}\quad\underset{1}{}$$
$$\quad\quad CH_3$$

Cette chaîne principale représente un alcane que l'on nomme ; par exemple le pentane.

- Le substituant (ici méthyle) se trouve sur un atome de carbone repéré à l'aide de la numérotation précédemment selectionnée (2 ou 4 dans l'exemple). On choisit alors le numéro le plus faible (ici 2) pour nommer l'alcane :

Par exemple :   numéro-*alkyl*alcane

                                          2-méthylpentane

Lorsque l'alcane possède plusieurs substituants :

$$CH_3-\overset{\overset{CH_3}{|}}{\underset{\underset{CH_3}{|}}{C}}-CH_2-\overset{\overset{CH_3}{|}}{CH}-CH_3$$

on procède de la même manière :

- Repérage de la chaîne principale et numérotation des atomes de carbone :

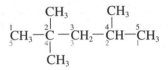

- Reconnaissance des substituants alkyle (ici 3 groupes méthyle) et classement, par ordre croissant, des numéros des atomes de carbone liés à ces substituants : 2,2,4 ou 2,4,4 ; on ne conserve que la séquence de chiffres représentant le plus petit nombre (ici 224 < 244 conduit à conserver la séquence 2,2,4).

- Dénomination de l'alcane :
  - les groupes alkyle sont nommés par *ordre alphabétique*, et précédés des numéros des atomes de carbone auxquels ils sont rattachés. Plusieurs groupes alkyle identiques fixés sur la chaîne principale sont précédés des préfixes *di-* (pour 2 groupes), *tri-* (3 groupes), *tétra-* (4 groupes), *penta-* (5 groupes),...
  - l'alcane de la chaîne principale est nommé en dernier.

  Par exemple :

  2,2,4-triméthylpentane

1.3 Les alcènes

La présence d'une double liaison entre deux atomes de carbone donne aux alcènes la formule générique :

$$C_nH_{2n} \text{ avec } n \geqslant 2$$

Par exemple :

$$CH_3\text{–}CH = CH\text{–}CH_3 \text{ avec } n = 4 : C_4H_8$$

1.3.1 Nomenclature

- On repère la chaîne hydrocarbonée la plus longue contenant la double liaison (ou encore *liaison éthylénique*) ; c'est la chaîne principale. Par exemple :

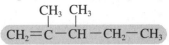

comporte 5 atomes de carbone sur la chaîne principale.
Un tel alcène est nommé par la racine grecque des alcanes (*méth-, éth-, prop-, but-, pent-, hex-*) à laquelle on ajoute le suffixe *-ène* :

racine grecque-ène

L'alcène représenté ci-dessus est ainsi un pent**ène**.

- Les atomes de carbone composant la chaîne principale sont numérotés :

$$\overset{CH_3}{\underset{4}{C}}\overset{CH_3}{\underset{3}{CH}}$$

$$\overset{1}{\underset{5}{CH_2}}=\overset{2}{\underset{4}{C}}-\overset{3}{\underset{3}{CH}}-\overset{4}{\underset{2}{CH_2}}-\overset{5}{\underset{1}{CH_3}}$$

Le *premier* atome porteur de la double liaison (1 ou 4, selon le sens de numérotation) est repéré, et seule la numérotation qui confère le numéro le plus petit est retenue :

$$\overset{1}{CH_2}=\overset{2}{C}-\overset{3}{CH}-\overset{4}{CH_2}-\overset{5}{CH_3}$$
(avec CH_3 sur C2 et CH_3 sur C3)

Ce numéro est indiqué entre la racine grecque et le suffixe *-ène* :

pent-1-ène

- Cette numérotation montre que deux groupes méthyle sont placés sur les atomes 2 et 3, d'où il s'ensuit que l'alcène est nommé :

2,3-diméthylpent-1-ène

Par exemple, la chaîne principale de l'alcène comporte 5 atomes de carbone, en conséquence de quoi il s'agit d'un pentène. En outre, la numérotation de cette chaîne indique que la double liaison est portée par l'atome de carbone 2 (l'autre numérotation donnerait $3 > 2$) ; c'est un pent-2-ène, qui porte 2 groupes méthyle sur les atomes de carbone 2 et 3.

Cet alcène s'appelle donc : le 2,3-diméthylpent-2-ène.

1.3.2 Mise en évidence des alcènes

Une solution aqueuse de dibrome $Br_{2(aq)}$ présente une couleur brune caractéristique. L'action du dibrome sur un alcène conduit à un composé dibromé (par addition de Br_2 sur la double liaison) incolore :

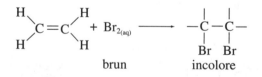

Ainsi, la décoloration de la solution aqueuse de dibrome ajoutée à un hydrocarbure montre que ce dernier est un alcène (ce test n'est cependant pas spécifique, puisque $Br_{2(aq)}$ peut également réagir avec des composés contenant des triples liaisons).

Remarque : Pour $n = 1$ il n'existe pas d'alcène C_nH_{2n} (car un carbone seul ne peut pas établir de double liaison avec l'hydrogène).
Pour $n = 2$, l'alcène C_2H_4 porte deux noms, le second étant d'ailleurs plus courant :

éthène = éthylène (plus courant)

1.4 **Isomérie**

Deux molécules sont isomères lorsqu'elles possèdent la même formule brute, en restant toutefois différentes. On distingue plusieurs types d'isoméries :

- *L'isomérie de chaîne* qui se produit lorsque deux molécules possèdent des chaînes hydrocarbonées principales différentes, avec la même formule brute. Par exemple, la formule C_5H_{12} convient aux deux isomères de chaîne :

$$CH_3-CH_2-CH_2-CH_2-CH_3 \quad \text{et} \quad CH_3-\underset{\underset{CH_3}{|}}{\overset{\overset{CH_3}{|}}{C}}-CH_3$$

- *L'isomérie de position* qui apparaît lorsqu'une fonction (par exemple double liaison) ou un substituant alkyle peut occuper plusieurs positions sur la chaîne principale. Par exemple :

$$CH_3-CH_2-CH_2-\underset{\underset{CH_3}{|}}{CH}-CH_3 \quad \text{et} \quad CH_3-CH_2-\underset{\underset{CH_3}{|}}{CH}-CH_2-CH_3 \quad \text{pour } C_6H_{14}$$

ou encore :

$$CH_3-CH_2-CH=CH_2 \quad \text{et} \quad CH_3-CH=CH-CH_3 \quad \text{pour } C_4H_8$$

- *L'isomérie de fonction* caractéristique de deux molécules de même formule brute mais de nature chimique différente. Par exemple, la formule C_6H_{12} convient aussi bien au cyclohexane (alcane) qu'à l'hexène (alcène) :

$$\begin{array}{c} \overset{\displaystyle CH_2}{\diagup \quad \diagdown} \\ CH_2 \qquad CH_2 \\ | \qquad\qquad | \\ CH_2 \qquad CH_2 \\ \diagdown \quad \diagup \\ CH_2 \end{array} \qquad CH_3-CH_2-CH_2-CH_2-CH=CH_2$$

cyclohexane   hexane

- *L'isomérie éthylénique* (ou encore *isomérie (Z,E)*) qui a lieu lorsque les atomes de carbone d'une liaison éthylénique possèdent chacun *un seul atome* d'hydrogène. On distingue :

  - L'isomère (Z) (pour *zusammen* qui signifie « ensemble » en allemand) dans lequel les deux atomes d'hydrogène sont placés du même côté de la double liaison :

isomère (Z)

  - L'isomère (E) (pour *entgegen* qui signifie « opposé » en allemand) dans lequel les deux atomes d'hydrogène se trouvent de part et d'autre de la double liaison :

$$\underset{H}{\overset{A}{\diagdown}} C = C \underset{B}{\overset{H}{\diagup}}$$

isomère(E)

2 Modification du squelette carboné

Parmi les réactions réalisables avec les alcanes et les alcènes, il faut retenir :

2.1 La combustion

Cette réaction consiste à faire réagir du dioxygène avec l'hydrocarbure afin d'obtenir du dioxyde de carbone et de l'eau. Les équations bilan sont :

• avec les alcanes :

$$C_nH_{2n+2} + \frac{3n + 1}{2} O_2 \rightarrow n\, CO_2 + (n + 1)\, H_2O$$

• avec les alcènes :

$$C_nH_{2n} + \frac{3n}{2} O_2 \rightarrow n\, CO_2 + n\, H_2O$$

2.2 Le réformage

Cette réaction consiste à modifier les chaînes hydrocarbonées sans modifier le nombre d'atomes de carbone de la molécule. On distingue :

• *l'isomérisation* au cours de laquelle l'hydrocarbure se transforme en l'un de ses isomères. Par exemple :

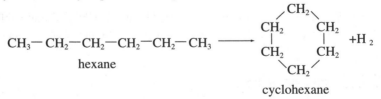

• *la cyclisation* à l'issue de laquelle un hydrocarbure aliphatique se transforme en hydrocarbure cyclique. Par exemple :

$$CH_3 - CH_2 - CH_2 - CH_2 - CH_2 - CH_3 \longrightarrow$$

hexane

$$\begin{array}{c} CH_2 \\ CH_2 \quad CH_2 \\ | \qquad \\ CH_2 \quad CH_2 \\ CH_2 \end{array} + H_2$$

cyclohexane

2.3 Le craquage

Il consiste à raccourcir la chaîne hydrocarbonée, en obtenant également un alcène. Cette réaction peut s'écrire :

alcane $\rightarrow$ alcane plus léger + alcène

Une liaison covalente entre deux atomes de carbone est rompue lors du processus, tandis qu'une double liaison se forme, éjectant un atome d'hydrogène qui vient prendre place sur l'alcane plus léger produit :

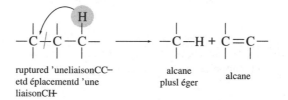

ruptured 'uneliaisonCC–
etd éplacementd 'une
liaisonCH–

alcane
plusl éger

alcane

Par exemple, le craquage du propane produit du méthane et de l'éthylène, selon l'équation bilan suivante :

$$CH_3–CH_2–CH_3 \rightarrow CH_4 + CH_2 = CH_2$$

On parle de *vapocraquage* lorsque le craquage est effectué en présence de vapeur d'eau (la réaction admet le même bilan).

Exemple : Le vapocraquage du butane produit de l'éthylène et du dihydrogène. Expliquer ce phénomène et écrire l'équation bilan correspondante.

Le butane conduit, par vapocraquage, à un seul alcène, ce qui signifie que la rupture de la liaison C–C doit faire naître deux molécules identiques (le butane est donc symétrique par rapport à cette liaison) :

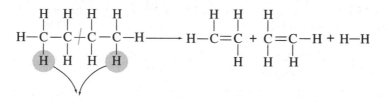

Le processus décrit par le schéma ci-dessus amène à proposer pour équation bilan :

$$CH_3–CH_2–CH_2–CH_3 \rightarrow 2 CH_2 = CH_2 + H_2$$

2.4 L'allongement de chaîne

2.4.1 Polyaddition (ou polymérisation)

Elle consiste à faire réagir *n* molécules d'alcène afin d'obtenir une molécule beaucoup plus grande, dans laquelle les *n* molécules de départ se sont liées. Cette liaison est rendue possible par la rupture de la double liaison de chaque molécule d'alcène. L'équation bilan d'une polyaddition s'écrit :

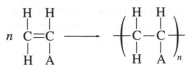

La molécule $\underset{\substack{| \\ H}}{\overset{\substack{H \\ |}}{C}} = \underset{\substack{| \\ A}}{\overset{\substack{H \\ |}}{C}}$ st appelée *monomère*, tandis que le motif $-\underset{\substack{| \\ H}}{\overset{\substack{H \\ |}}{C}} - \underset{\substack{| \\ A}}{\overset{\substack{H \\ |}}{C}}-$ épété

n fois est le *motif élémentaire* et *n* est *l'indice de polymérisation*. Le *polymère* ob-

tenu : $\left(\underset{\substack{| \\ H}}{\overset{\substack{H \\ |}}{C}} - \underset{\substack{| \\ A}}{\overset{\substack{H \\ |}}{C}} \right)_n$ st une matière plastique dont les propriétés sont étroitement

liées à la nature du substituant *A*. Par exemple :

A	monomère	polymère	matièreplastique
$-H$	$CH_2 = CH_2$ éthylène	$-(CH_2 - CH_2)_n$	polyéthylène
$-CH_3$	$CH_2 = CH - CH_3$ propène	$-(CH_2 - \underset{\substack{| \\ CH_3}}{CH})_n$	polypropylène
$-Cl$	$CH_2 = CH - Cl$ chlorure devinyle	$-(CH_2 - \underset{\substack{| \\ Cl}}{CH})_n$	polychlorure devinyle (PVC)
$-C_6H_5$	$CH_2 = CH - C_6H_5$ styrène	$-(CH_2 - \underset{\substack{| \\ C_6H_5}}{CH})_n$	polystyrène

2.4.2 Alkylation

Cette réaction réalise l'inverse du craquage : l'action d'un alcane sur un alcène produit un alcane plus lourd :

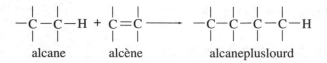

2.5 La déshydrogénation

Cette réaction (qui requiert un chauffage et l'emploi d'un catalyseur) permet de soustraire deux atomes d'hydrogène vicinaux (voisins) à un alcane afin d'obtenir un alcène :

$$-\overset{|}{\underset{\underset{H}{|}}{C}}-\overset{|}{\underset{\underset{H}{|}}{C}}- \quad \xrightarrow[\text{chal.}]{[\text{cat.}]} \quad -\overset{|}{C}=\overset{|}{C}- \; + H_2$$

Solution de l'exercice type

1 Les alcènes non cycliques ont pour formule brute : C_nH_{2n}.

2 La masse molaire d'un tel alcène vaut :
$$M = n \times M_C + 2n \times M_H = n \times 12 + 2n \times 1 \Rightarrow M = 14n$$

3 Connaissant la valeur de $M = 70 \; \text{g} \cdot \text{mol}^{-1}$, on en déduit que :
$$n = \frac{M}{14} = \frac{70}{14} \Rightarrow n = 5$$

4 Les alcènes qui possèdent cette formule brute peuvent présenter :

- 5 atomes de carbone sur leur chaîne principale ; ils sont linéaires et isomères de position :

$$\overset{(1)}{CH_2}=\overset{(2)}{CH}-\overset{(3)}{CH_2}-\overset{(4)}{CH_2}-\overset{(5)}{CH_3} \qquad \overset{(1)}{CH_3}-\overset{(2)}{CH}=\overset{(3)}{CH}-\overset{(4)}{CH_2}-\overset{(5)}{CH_3}$$
$$\text{pent-1-ène} \qquad\qquad\qquad \text{pent-2-ène}$$

- 4 atomes de carbone sur leur chaîne principale ; ces isomères se distinguent par la position de la double liaison et du substituant méthyle :

$$\underset{(1)}{CH_2}=\underset{(2)}{CH}-\underset{(3)}{\overset{\overset{CH_3}{|}}{CH}}-\underset{(4)}{CH_3} \quad \underset{(1)}{CH_2}=\underset{(2)}{\overset{\overset{CH_3}{|}}{C}}-\underset{(3)}{CH_2}-\underset{(4)}{CH_3} \quad \underset{(4)}{CH_3}-\underset{(3)}{CH}=\underset{(2)}{\overset{\overset{CH_3}{|}}{C}}-\underset{(1)}{CH_3}$$
$$\text{3-méthylbut-1-ène} \qquad \text{2-méthylbut-1-ène} \qquad \text{2-méthylbut-2-ène}$$

Remarque : Il n'existe pas d'alcène de formule C_5H_{10} dont la chaîne principale ne contiendrait que 3 atomes de carbone.

QCM 1 — Hydrogénation d'un alcène

20 min. | p. 343

L'hydrogénation catalytique de 2, 8 g d'un alcène X non cyclique nécessite 1, 2 L de dihydrogène.

Dans les conditions de température et de pression de l'expérience, le volume molaire est $V_m = 24 \, \text{L} \cdot \text{mol}^{-1}$.

Parmi les propositions suivantes, choisissez celles qui vous semblent correctes.

1 La formule générale d'un alcène non cyclique est :

[a] C_nH_{2n+2} [b] C_nH_{2n} [c] C_nH_{2n-2}

2 La réaction d'hydrogénation de l'alcène a pour équation :

[a] $C_nH_{2n+2} + \dfrac{3n+1}{2} O_2 \rightarrow n \, CO_2 + (n+1) \, H_2O$

[b] $C_nH_{2n} + \dfrac{3n}{2} O_2 \rightarrow n \, CO_2 + n \, H_2O$

[c] $C_nH_{2n} + H_2 \rightarrow C_nH_{2n+2}$

3 La quantité de X consommée au cours de la réaction vaut :

[a] $n_X = 0,025$ mol [b] $n_X = 0,1$ mol [c] $n_X = 0,05$ mol

4 Sa formule brute s'écrit :

[a] C_2H_4 [b] C_4H_8 [c] C_8H_{14}

5 Sachant que cet alcène possède deux isomères Z et E, sa formule semi-développée est :

[a] $CH_3–CH = CH–CH_3$ [b] $CH_2 = CH_2$ [c] $CH_2 = CH–CH_2–CH_3$

6 Quel est le nom de cet alcène ?

[a] le but-1-ène [b] l'éthylène [c] le but-2-ène

On donne les masses molaires de l'hydrogène et du carbone :

$$M_H = 1 \, \text{g} \cdot \text{mol}^{-1} \qquad M_C = 12 \, \text{g} \cdot \text{mol}^{-1}$$

QCM 2 — Réactivité des alcènes

5 min. | p. 344

1 L'addition de dihydrogène sur une molécule A conduit à la molécule B de formule :

$$CH_3–CH_2–CH_3$$

La molécule A est donc une molécule de :

[a] but-1-ène [b] propène [c] but-2-ène

2 L'addition d'une molécule M sur du propène produit du 1,2-dibromopropane. La molécule M est donc du :

[a] propane [b] 2-bromopropane [c] dibrome

3 **alcanes et alcènes** *10 min.* | *p. 344*

Parmi les propositions suivantes, choisir celles qui sont exactes.

[a] Alcanes et alcènes sont des hydrocarbures.

[b] Le butane a pour formule semi-développée : $CH_3–CH_2–CH_3$.

[c] La formule topologique du pent-3-ène s'écrit :

[d] La molécule dont la formule représentée ci-dessous est le diméthyl-propane :

[e] Le 3,4-diméthylpent-2-ène a pour formule brute : C_7H_{14}.

[f] La formule brute C_5H_{10} ne peut pas correspondre à celle d'un alcane.

[g] Le (Z)-propène est un alcène.

[h] Le but-2-ène présente une isomérie (Z, E).

[i] La réaction d'équation : $C_6H_{14} \rightarrow C_3H_6 + C_3H_8$ décrit le reformage de l'hexène.

[j] Le craquage du propane ne peut produire que du méthane et de l'éthylène.

4 **Nomenclature** ★ ■ ■ *5 min.* | *p. 346*

Lycée Saint-Exupéry, Lyon

Quel est le nom de la molécule suivante ?

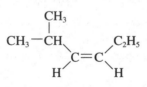

5 Formules chimiques

★ ■ ■   *5 min.* | *p. 347* |

Lycée Corneille, La Celle Saint-Cloud

Écrire les formules semi-développées du :

1 2-méthylbut-1-ène

2 2,2,3-triméthylbutane

3 (Z)-pent-2-ène

6 Formule chimique

★ ■ ■   *5 min.* | *p. 348* |

Lycée Hoche, Versailles

Dans la formule de l'alcane décrite ci-dessous, il existe quatre fautes graves :

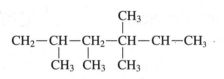

1 Rétablissez la formule correcte.

2 Donner le nom de l'alcane.

7 Nomenclature

★ ■ ■   *5 min.* | *p. 349* |

Lycée Corneille, La Celle Saint-Cloud

Donner les noms des trois composés suivants :

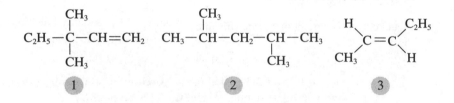

8 Craquage d'un alcane ★■■ 5 min. p. 350

Lycée Saint-Exupéry, Mantes-la-Jolie

Donner la formule et le nom de tous les hydrocarbures obtenus par craquage du butane.

9 Polymérisation ★■■ 5 min. p. 351

Lycée Turgot, Paris

Le polyéthylène, obtenu par polymérisation de l'éthylène, a pour masse molaire moyenne 50 kg · mol^{-1}.

1 Écrire les formules du monomère et du polymère.

2 Calculer le degré de polymérisation du polyéthylène.

Données : masses molaires atomiques : $M_H = 1$ g · mol^{-1} et $M_C = 12$ g · mol^{-1}.

10 Hydrogénation d'un alcène ★■■ 10 min. p. 351

Lycée Gay-Lussac, Limoges

Par hydrogénation (addition de dihydrogène), on peut passer d'un alcène à un alcane. Par exemple :

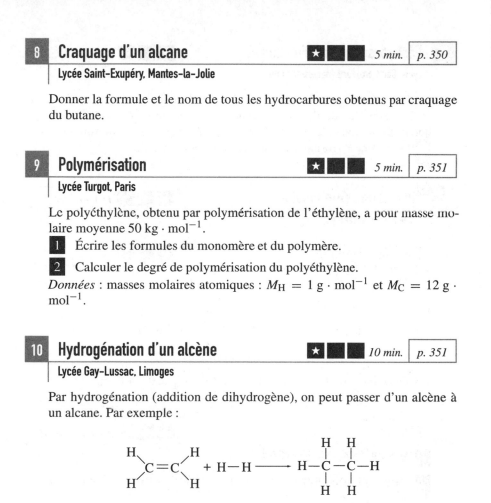

Trois alcènes isomères donnent par hydrogénation le 2-méthylbutane.

1 Écrire la formule semi-développée de cet alcane.

2 En déduire la formule et le nom des trois alcènes considérés.

11 Déshydrogénation d'un alcane ★■■ 10 p. 352

Lycée Saint-Exupéry, Mantes-la-Jolie

Par déshydrogénation, un alcane A peut conduire au 2,3-diméthylbut-2-ène.

1 Donner la formule semi-développée du 2,3-diméthylbut-2-ène.

2 En déduire la formule et le nom de A.

3 Quel isomère (B) du 2,3-diméthylbut-2-ène aurait pu fournir la déshydrogénation de A (on donnera la formule et le nom de B).

12 Déshydrogénation d'un alcane ★ ■ ■ *15 min.* | *p. 354*
Lycée Saint-Exupéry, Mantes-la-Jolie

La déshydrogénation du butane conduit à la formation de deux alcènes A et B, isomères l'un de l'autre. L'alcène A présente une isomérie (Z,E), tandis que la bromation (addition de dibrome) de B fournit le 1,2-dibromobutane. Identifier A et B (formules semi-développées et noms).

13 Étude d'une combustion ★ ★ ■ *15 min.* | *p. 355*
Lycée Hoche, Versailles

1 Écrire l'équation bilan de la combustion du pentane.

2 Quel est le volume d'air nécessaire pour réaliser la combustion de 200 g de pentane ?

Données :
- masses molaires atomiques : $M_H = 1\ \text{g} \cdot \text{mol}^{-1}$ et $M_C = 12\ \text{g} \cdot \text{mol}^{-1}$
- l'air contient $\dfrac{1}{5}$ de son volume de dioxygène.
- volume molaire des gaz dans les *C.N.T.P.* : $V_m = 22,4\ \text{L} \cdot \text{mol}^{-1}$.

14 Alcanes ★ ★ ■ *15 min.* | *p. 356*
Lycée Blaise Pascal, Clermont-Ferrand

Un alcane gazeux contient (en masse) 82,75 % de carbone. Quelle est sa formule ?
Données : masses molaires atomiques : $M_C = 12\ \text{g·mol}^{-1}$ et $M_H = 1\ \text{g} \cdot \text{mol}^{-1}$.

15 Combustion d'un alcane ★ ★ ★ *15 min.* | *p. 357*
Lycée Hoche, Versailles

La combustion d'un alcane dans du dioxygène en excès a produit 6,0 g de dioxyde de carbone et 3,3 g d'eau.

1 Calculer les masses de carbone et d'hydrogène contenues dans l'alcane qui a brûlé.
Quelle est la masse de l'alcane entré en combustion ?

2 Déterminer la formule de cet alcane.

Données : masses molaires atomiques :

$$M_H = 1\ \text{g} \cdot \text{mol}^{-1} \qquad M_C = 12\ \text{g} \cdot \text{mol}^{-1} \qquad M_O = 16\ \text{g} \cdot \text{mol}^{-1}$$

QCM **1** **Hydrogénation d'un alcène** *20 min.* | *p. 338*

1 La formule générale d'un alcène non cyclique est : C_nH_{2n} (réponse *b*).

2 L'hydrogénation d'un alcène consiste en sa réaction avec le dihydrogène et produit un alcane, conformément à l'équation-bilan :

$$C_nH_{2n} + H_2 \rightarrow C_nH_{2n+2} \text{ (réponse } c\text{)}$$

3 Le volume $V_{H_2} = 1,2$ L de dihydrogène consommé au cours de la réaction contient :

$$n_{H_2} = \frac{V_{H_2}}{V_m} = \frac{1,2}{24} = 0,05 \text{ mol de } H_{2\,(gaz)}$$

Le tableau d'avancement de la réaction :

C_nH_{2n}	+	H_2	$\rightarrow$	C_nH_{2n+2}	avancement
n_X		$0,05$		0	$x = 0$
$n_X - x$		$0,05 - x$		x	$x \neq 0$
0		0		x_f	x_f

montre que la réaction cesse lorsque l'avancement x prend la valeur x_f telle que :

$$0,05 - x_f = 0 \Rightarrow x_f = 0,05 \text{ mol}$$

et que $n_X - x_f = 0 \Rightarrow n_X = x_f$ ce qui signifie également que la réaction consomme $n_X = 0,05$ mol de X (réponse *c*).

4 La masse $m_X = 2,8$ g d'alcène X contient $n_X = 0,05$ mol de molécules de X, dont la masse molaire M_X vérifie :

$$m_X = n_X \times M_X \Rightarrow M_X = \frac{m_X}{n_X} = \frac{2,8}{0,05} = 56 \text{ g} \cdot \text{mol}^{-1}$$

La masse molaire d'un alcène X de formule C_nH_{2n} vaut :

$$M_X = n\,M_C + 2n\,M_H = n \times 12 + 2 \times 1 = 14\,n$$
$$\Rightarrow n = \frac{M_X}{14} = \frac{56}{14} = 4$$

C'est pourquoi l'alcène a pour formule : C_4H_8 (réponse *b*).

5 L'alcène de formuule C_4H_8 présente deux isomères :

$$CH_3\text{–}CH = CH\text{–}CH_3 \text{ et } CH_2 = CH\text{–}CH_2\text{–}CH_3$$

Seul le premier peut présenter une isomérie Z et E car chacun des atomes de la double liaison forme une seule liaison C–H. L'alcène X a donc pour formule semi-développée : $CH_3\text{–}CH = CH\text{–}CH_3$ (réponse *a*).

6 Le nom de l'alcène associé à cette formule est le but-2-ène (réponse *c*).

1 L'addition de dihydrogène sur une double liaison C = C positionne deux atomes d'hydrogène (entourés sur le schéma ci-dessous) sur des atomes de carbone voisins :

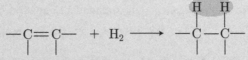

Aussi, la présence d'une telle paire d'atome d'hydrogène (voisins) suggère la position initiale de la double liaison C = C :

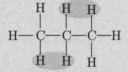

Dans cette molécule, quelle que soit la position de la double liaison :

$$CH_2 = CH\text{–}CH_3 \text{ ou } CH_3\text{–}CH = CH_2$$

il s'agit du même alcène : le propène (réponse *b*).

2 L'addition d'une molécule A–B sur le propène permet de fixer les atomes A et B sur les atomes de carbone de la double liaison C = C :

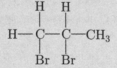

Notamment, la molécule de dibromopropane :

$$H\text{—}\underset{Br}{\overset{H}{C}}\text{—}\underset{Br}{\overset{H}{C}}\text{—}CH_3$$

provient de l'addition, sur le propène, du dibrome (réponse *c*).

a VRAI – Alcanes et alcènes contiennent l'élément carbone et l'élément hydrogène à l'exclusion de tout autre élément ; à ce titre ce sont des hydrocarbures.

b FAUX – Le butane est un alcane qui contient 4 atomes de carbone ; sa formule semi-développée s'écrit :

$$CH_3\text{–}CH_2\text{–}CH_2\text{–}CH_3$$

c FAUX – La formule topologique proposée correspond à la formule semi-développée :

$$\overset{(1)}{CH_3}\!-\!\overset{(2)}{CH_2}\!-\!\overset{(3)}{CH}\!=\!\overset{(4)}{CH}\!-\!\overset{(5)}{CH_3}$$

Or, la nomenclature de cet alcène impose de commencer la numérotation par l'extrémité la plus proche de la double liaison, ce qui impose le nom : *pent-2-ène*.

d VRAI – La chaîne principale de la molécule contient 3 atomes de carbone ; l'alcane est un propane, avec deux substituants méthyle qui ne peuvent se trouver que sur l'atomes de carbone $C_{(2)}$ (on ne précise alors pas leur position).

e VRAI – Le pent-2-ène a pour chaîne carbonée principale :

$$\overset{(5)}{C}-\overset{(4)}{C}-\overset{(3)}{C} = \overset{(2)}{C}-\overset{(1)}{C}$$

où deux substituants méthyle (–CH_3) sont liés aux atomes de carbone $C_{(3)}$ et $C_{(4)}$:

$$CH_3\!-\!\underset{\underset{CH_3}{|}}{CH}\!-\!\underset{\underset{CH_3}{|}}{C}\!=\!CH\!-\!CH_3$$

Le 3,4-diméthylpent-2-ène a donc pour formule brute : C_7H_{14}.

f FAUX – La formule brute C_5H_{10} peut être associée au cyclohexane :

g FAUX – Le propène a pour formule semi-développée :

$$CH_2 = CH–CH_3$$

La présence de deux liaisons C — H sur l'un des atomes de carbone de la double liaison interdit cependant toute isomérie (Z, E) ; la molécule de (Z)-propène n'existe pas !

h VRAI – Le but-2-ène présente une isomérie (Z, E) puisque chaque atome de la double liaison n'est lié qu'à un seul atome de carbone :

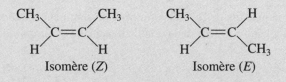

Isomère (Z)   Isomère (E)

i FAUX – Au cours du reformage, un hydrocarbure conserve tous ses atomes de carbone.

j VRAI – Le craquage du propane se traduit par la formation d'un alcane et d'un alcène :

$$CH_3–CH_2–CH_3 \rightarrow CH_4 + CH_2 = CH_2$$
propane

Il ne peut donc produire que du méthane (CH_4) et de l'éthylène ($CH_2 = CH_2$).

4 Nomenclature

★ ■ ■   5 min.   p. 339

Lycée Saint-Exupéry, Lyon
Méthode

> Pour nommer une molécule, il convient de repérer préalablement la chaîne hydrocarbonée la plus longue qui contient la fonction organique (liaison double,...) – éventuellement, vous pouvez l'entourer sur votre brouillon. Ensuite, numérotez les atomes de carbone de cette chaîne, en commençant par une extrémité, puis par l'autre extrémité ; les substituants seront ainsi repérés de deux manières différentes dont on ne retiendra que celle qui présente le nombre le plus petit.

La chaîne hydrocarbonée la plus longue comporte 6 atomes de carbone :

La double liaison indique qu'il s'agit alors d'un hexène. De plus, quel que soit l'ordre de numérotation, cette liaison éthylénique est portée par le troisième atome de carbone ; cette molécule est un hex-3-ène. Quant au substituant méthyle, il est fixé à l'atome de carbone 2 ou 5, selon la numérotation adoptée.

Par convention la numérotation adoptée est celle qui correspond à la plus petite de ces valeurs, d'où vient le nom de la molécule :

2-méthylhex-3-ène

Enfin, les deux atomes d'hydrogène portés par les atomes de carbone 3 et 4 se trouvent du même côté de la liaison éthylénique ; la molécule représente un isomère (Z), de nom :

(Z)-2-méthylhex-3-ène

5 Formules chimiques ★ ■ ■ ■ 5 min. | p. 340

Lycée Corneille, La Celle Saint-Cloud

1 Un but-1-ène est un alcène à 4 atomes de carbone, portant une double liaison sur l'atome numéroté 1 : $\overset{1}{C}=\overset{2}{C}-\overset{3}{C}-\overset{4}{C}$. Quant au groupe méthyle $-CH_3$, il est porté par l'atome 2 :

$$\overset{1}{C}=\overset{2}{\underset{\underset{CH_3}{|}}{C}}-\overset{3}{C}-\overset{4}{C}$$

Enfin, des atomes d'hydrogène viennent assurer la tétravalence des différents atomes de carbone (CH_3-, $-CH_2-$ et $CH_2 =$) :

$$H_2C = \underset{\underset{CH_3}{|}}{C} - CH_2 - CH_3$$

2 Le butane présente 4 atomes de carbone simplement liés : $\overset{1}{C}-\overset{2}{C}-\overset{3}{C}-\overset{4}{C}$,

auxquels viennent se fixer des groupes méthyle $-CH_3$ (deux sur l'atome 2 et un sur l'atome 3) :

$$\overset{1}{C}-\overset{2}{\underset{\underset{CH_3}{|}}{\overset{\overset{CH_3}{|}}{C}}}-\overset{3}{\overset{\overset{CH_3}{|}}{C}}-\overset{4}{C}$$

Enfin, des atomes d'hydrogène viennent compléter la tétravalence des atomes de carbone :

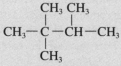

$$CH_3- \underset{\underset{CH_3}{|}}{\overset{\overset{CH_3}{|}}{C}} -\overset{\overset{CH_3}{|}}{CH} - CH_3$$

3 Le pent-2-ène possède 5 atomes de carbone, avec une double liaison

portée par l'atome 2 : $\overset{1}{C}-\overset{2}{C}=\overset{3}{C}-\overset{4}{C}-\overset{5}{C}$.

La tétravalence des atomes de carbone est assurée par des atomes d'hydrogène :

$$CH_3-CH=CH-CH_2-CH_3$$

Enfin, la configuration (Z) indique que les deux atomes d'hydrogène de la liaison éthylénique se trouvent du même côté de cette liaison :

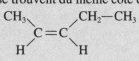

---

6   Formule chimique   ★ ■ ■ ■   *5 min.* | *p. 340* |

Lycée Hoche, Versailles

1 La tétravalence du carbone impose l'existence exclusive des substituants :

$$CH_3- \quad ; \quad -CH_2- \quad ; \quad -CH- \quad et \quad -\overset{|}{\underset{|}{C}}-$$

Tout autre substituant formant des liaisons simples est donc erroné, ce qui permet de distinguer quatre fautes dans la formule proposée :

La formule correcte est donc :

2 La chaîne hydrocarbonée la plus longue contient 6 atomes de carbone, auquel cas l'alcane est un hexane. En outre, quatre substituants –CH$_3$ (méthyle) viennent se fixer à cette chaîne qui porte alors le nom de :

tétraméthylhexane

Quant à la position des substituants, elle s'obtient en numérotant les atomes de carbone de la chaîne principale (deux numérotations sont possibles). La première numérotation fixe pour positions des substituants : 2,3,4,4 tandis que la seconde fournit la séquence : 3,3,4,5.

$$\overset{1}{\underset{6}{C}}H_3-\overset{2}{\underset{5}{C}}H-\overset{3}{\underset{4}{C}}H-\overset{4}{\underset{3}{C}}-\overset{5}{\underset{2}{C}}H_2-\overset{6}{\underset{1}{C}}H_3$$

avec les substituants CH$_3$ en haut et CH$_3$, CH$_3$, CH$_3$ en bas.

La première séquence fournissant un nombre plus petit que la seconde (2344 < 3345), c'est elle qui est retenue pour la nomenclature finale de l'alcane :

2,3,4,4-tétraméthylhexane

7   Nomenclature   ★ ■ ■   5 min.   p. 340

Lycée Corneille, La Celle Saint-Cloud

1 La formule semi-développée de la molécule montre que la chaîne principale de l'alcène possède 5 atomes de carbone (il s'agit d'un pentène) et la double liaison est portée par l'atome 1 (cette numérotation attribue la plus petite valeur à l'atome porteur de cette liaison multiple) ; c'est un dérivé du pent-1-ène.

En outre, 2 groupes méthyle étant rattachés à la molécule sur l'atome de carbone 3, cette formule correspond au :

3,3-diméthylpent-1-ène

$$\overset{5}{C}H_3 - \overset{4}{C}H_2 - \overset{3}{C} - \overset{2}{C}H = \overset{1}{C}H_2$$

avec CH_3 en haut et CH_3 en bas sur le carbone 3.

2 Quel que soit l'ordre de la numérotation :

$$\overset{1}{\underset{5}{C}H_3} - \overset{2}{\underset{4}{C}H} - \overset{3}{\underset{3}{C}H_2} - \overset{4}{\underset{2}{C}H} - \overset{5}{\underset{1}{C}H_3}$$

avec CH_3 au-dessus du carbone 2 et CH_3 au-dessous du carbone 4.

le pentane (la chaîne principale possède 5 atomes de carbone) présente 2 groupes méthyle sur les atomes de carbone 2 et 4 ; il s'agit du :

2,4-diméthylpentane

3 La formule semi-développée de la molécule montre que la chaîne hydrocarbonée principale possède 5 atomes de carbone (c'est un pentène) et la double liaison est portée par l'atome de carbone 2 (l'autre numérotation indiquerait l'atome 3, c'est-à-dire un numéro plus important) ; il s'agit du pent-2-ène.

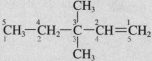

En outre, les deux atomes d'hydrogène se trouvant de part et d'autre de la double liaison, l'isomère (E) est alors représenté. La molécule s'appelle le :

(E)-pent-2-ène

Lycée Saint-Exupéry, Mantes-la-Jolie

Le butane C_4H_{10} a pour formule semi-développée :

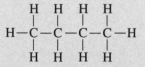

Le craquage consiste à rompre une liaison C–C pour former une liaison C = C (le transfert d'un atome d'hydrogène est alors nécessaire). Plusieurs ruptures sont ainsi envisageables :

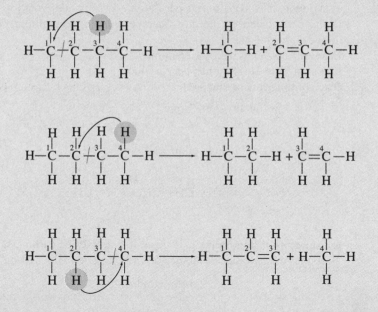

Méthode

Le plus difficile, ici, consiste à concevoir une méthode systématique qui traite la totalité des réactions chimiques envisageables ; il s'agit de prendre son temps et ne faire qu'une chose à la fois. Dans un premier temps, on recense les réactions possibles, puis seulement après, on élimine les réactions qui se ressemblent (comme c'est le cas de la première et de la troisième réaction).

De cette étude, il ressort que quatre molécules différentes peuvent être produites au cours du craquage :

le méthane : CH_4 le propène : $CH_2 = CH–CH_3$

l'éthane : $CH_3–CH_3$ l'éthylène : $CH_2 = CH_2$

9   Polymérisation   ★ ■ ■   *5 min.*   *p. 341*

Lycée Turgot, Paris

1 L'éthylène a pour formule C_2H_4 :

$$\underset{H}{\overset{H}{\diagup}}C = C\underset{H}{\overset{H}{\diagdown}}$$

Sa polymérisation fournit alors le polyéthylène :

$$-\left(\underset{\underset{H}{|}}{\overset{\overset{H}{|}}{C}}-\underset{\underset{H}{|}}{\overset{\overset{H}{|}}{C}}\right)_n- \quad \text{ou} \quad -(CH_2-CH_2)_n-$$

2 Une mole de polyéthylène $(-CH_2-CH_2-)_n$ est constituée de n moles de motifs $-CH_2-CH_2-$, de masse molaire :

$$M_{\text{motif}} = 2\,M_C + 4\,M_H = 2 \times 12 + 4 \times 1 = 28\ \text{g} \cdot \text{mol}^{-1}$$

Aussi, la masse molaire moléculaire $M = 50\ \text{kg} \cdot \text{mol}^{-1} = 50.10^3\ \text{g} \cdot \text{mol}^{-1}$ du polymère vérifie :

$$M = n \times M_{\text{motif}} \Rightarrow n = \frac{M}{M_{\text{motif}}} = \frac{50.10^3}{28} \simeq 1800$$

10   Hydrogénation d'un alcène   ★ ■ ■   *10 min.*   *p. 341*

Lycée Gay–Lussac, Limoges

1 Le butane possède 4 atomes de carbone dans sa chaîne principale :

$$\overset{1}{C}-\overset{2}{C}-\overset{3}{C}-\overset{4}{C}$$

Un groupe méthyle est rattaché à l'atome de carbone 2 :

$$\overset{1}{C}-\overset{\overset{\displaystyle CH_3}{|}}{\underset{}{\overset{2}{C}}}-\overset{3}{C}-\overset{4}{C}$$

et des atomes d'hydrogène viennent compléter la tétravalence des atomes de carbone :

$$CH_3-\overset{\overset{\displaystyle CH_3}{|}}{CH}-CH_2-CH_3$$

2 La double liaison qui a subi l'hydrogénation a permis à deux atomes de carbone voisins de fixer chacun un atome d'hydrogène :

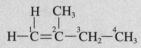

Aussi, la présence simultanée de deux de ces atomes est repérée en indice, suggérant la position initiale de la double liaison.

La formule développée révèle trois paires d'atomes d'hydrogène ayant pu provenir d'une telle hydrogénation :

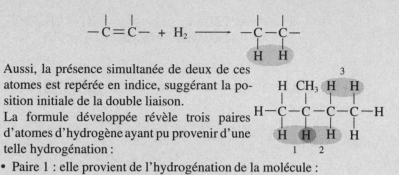

• Paire 1 : elle provient de l'hydrogénation de la molécule :

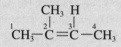

qui est un but-1-ène (alcène à 4 atomes de carbone sur la chaîne principale), dont l'atome 2 est lié à un groupe méthyle ; il s'agit du :

2-méthylbut-1-ène

• Paire 2 : elle provient de l'hydrogénation de la molécule :

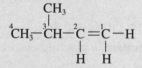

Le but-2-ène correspondant porte un groupe méthyle associé à l'atome de carbone 2 ; la molécule s'appelle le :

2-méthylbut-2-ène

• Paire 3 : elle provient de l'hydrogénation de :

$$\overset{4}{CH_3}-\overset{3}{CH}-\overset{2}{C}=\overset{1}{C}-H$$
avec CH₃ sur le carbone 3 et H, H sous les carbones 2 et 1

Ce but-1-ène porte un substituant méthyle sur l'atome de carbone 3, en conséquence de quoi il s'agit du :

3-méthylbut-1-ène

---

11 Déshydrogénation d'un alcane ★ ■ ■   *10* p. 341

Lycée Saint-Exupéry, Mantes-la-Jolie

1 Le but-2-ène est un alcène dont la chaîne principale possède 4 atomes de carbone et une double liaison sur l'atome de carbone 2 : $\overset{1}{C}-\overset{2}{C}=\overset{3}{C}-\overset{4}{C}$

.

En outre, 2 groupes méthyle (sur les atomes de carbone 2 et 3) sont rattachés à cette chaîne hydrocarbonée :

Enfin, des atomes d'hydrogène assurent la tétravalence des atomes de carbone :

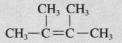

2 La double liaison précédente provient de la déshydrogénation d'un alcane A : le départ de deux atomes d'hydrogène a conduit à la formation de la liaison éthylénique :

$$\text{alcane } A \; \rightarrow \; \text{alcène} + H_2$$

> **Méthode**
>
> Pour trouver la molécule qui a pu générer l'alcène dont on connaît la formule, il y a lieu de faire apparaître tous les atomes et liaisons susceptibles d'avoir été modifiés (dans ce cas, les formules développées sont préférables aux formules semi-développées).

Dans l'alcane A, ces deux atomes d'hydrogène sont par conséquent portés par les atomes de carbone amenés à former la double liaison :

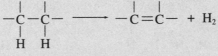

Par suite, l'alcane A a pour formule :

$$CH_3-CH-CH-CH_3$$

et il s'agit du 2,3-diméthylbutane.

3 La déshydrogénation de A pourrait également affecter (dans une moindre mesure) les atomes de carbone 1 et 2 :

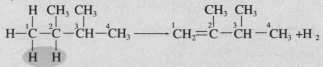

La molécule B ainsi obtenue a pour formule :

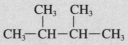

La chaîne principale de cet alcène possède 4 atomes de carbone (c'est un butène), dont l'atome 1 est porteur de la double liaison ; il s'agit du but-1-ène, sur lequel 2 groupes méthyle sont liés aux atomes de carbone 2 et 3. La molécule B s'appelle par conséquent : le 2,3-diméthylbut-1-ène.

Remarque :

La déshydrogénation des atomes 3 et 4 aurait également fourni le 2,3-diméthylbut-1-ène.

12 Déshydrogénation d'un alcane ★ ■ ■ ■ *15 min.* | *p. 342*
Lycée Saint-Exupéry, Mantes-la-Jolie

La déshydrogénation d'un alcane conduit à la formation d'un alcène :

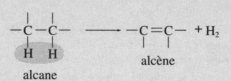

Dans le cas du butane, cette déshydrogénation peut évoluer vers deux alcènes différents :

- Premier cas :

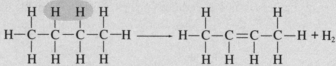

L'alcène obtenu présente une isomérie (Z,E) :

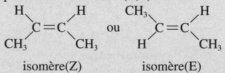

      isomère(Z)   isomère(E)

Il s'agit donc de la molécule A qui est :

      le but-2-ène : CH_3–CH = CH–CH_3

- Second cas :

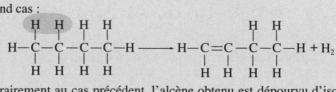

Contrairement au cas précédent, l'alcène obtenu est dépourvu d'isomérie (Z,E), mais sa bromation :

COURS

ÉNONCÉS

CORRIGÉS

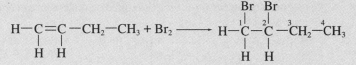

procure le 1,2-dibromobutane. Par conséquent, l'alcène B est le :

$$\text{but-1-ène : } CH_2 = CH\text{–}CH_2\text{–}CH_3$$

13 | Étude d'une combustion   ★ ★ ■ 15 min. | p. 342

Lycée Hoche, Versailles

1 Le pentane, de formule brute C_5H_{12}, brûle dans le dioxygène en formant du dioxyde de carbone et de l'eau :

$$C_5H_{12} + O_2 \rightarrow CO_2 + H_2O$$

Il s'agit maintenant d'équilibrer cette équation en respectant les règles de conservation des éléments chimiques.

• Conservation des éléments carbone et hydrogène :

$$\underbrace{C_5H_{12} + O_2}_{\text{5 C et 12 H}} \rightarrow \underbrace{5\,CO_2 + 6\,H_2O}_{\text{5 C et 12 H}}$$

• Conservation de l'élément oxygène : le membre de droite contient :

$$5 \times 2 + 6 = 16 \text{ atomes d'oxygène}$$

qu'il faut retrouver sous forme de molécules O_2 dans le membre de gauche :

$$C_5H_{12} + 8\,O_2 \rightarrow 5\,CO_2 + 6\,H_2O$$

2 Une masse $m_{\text{pent}} = 200$ g de pentane contient n_{pent} moles de molécules C_5H_{12}, telles que :

$$m_{\text{pent}} = n_{\text{pent}} \times M_{\text{pent}} \Rightarrow n_{\text{pent}} = \frac{m_{\text{pent}}}{M_{\text{pent}}}$$

où M_{pent} est la masse molaire moléculaire de C_5H_{12} :

$$M_{\text{pent}} = 5 \times \underbrace{M_C}_{12} + 12 \times \underbrace{M_H}_{1} = 72 \text{ g} \cdot \text{mol}^{-1}$$

$$\Rightarrow n_{\text{pent}} = \frac{200}{72} = 2,78 \text{ moles de } C_5H_{12}$$

Pour assurer la combustion de cette quantité de pentane, il faut apporter n_{O_2} moles de dioxygène participant à la réaction de bilan :

$$\begin{array}{ccccccc}
C_2H_{12\,(gaz)} & + & 8\,O_{2\,(gaz)} & \rightarrow & 5\,CO_{2\,(gaz)} & + & 6\,H_2O_{(gaz)} \\
n_{\text{pent}} & & n_{O_2} & & & & \\
n_{\text{pent}} - x & & n_{O_2} - 8\,x & & & &
\end{array}$$

Cette combustion sera complète lorsqu'il ne restera aucun réactif, ce qui signifie aussi :

$$\begin{cases} n_{\text{pent}} - x = 0 \\ n_{O_2} - 8\,x = 0 \end{cases} \Rightarrow \begin{cases} n_{\text{pent}} = x \\ n_{O_2} = 8\,x \end{cases} \Rightarrow n_{O_2} = 8 \times n_{\text{pent}}$$

$$\Rightarrow n_{O_2} = 8 \times 2,78 = 22,24 \text{ moles}$$

Le volume V_{O_2} de dioxygène correspondant à cette quantité est lié au volume molaire V_m des gaz :

$$V_{O_2} = n_{O_2} \times V_m = 22,24 \times 22,4 = 498 \text{ L}$$

Enfin, le volume de dioxygène représente $\dfrac{1}{5}$ du volume V_{air} :

$$V_{O_2} = \frac{1}{5} \times V_{\text{air}} \Rightarrow V_{\text{air}} = 5 \times V_{O_2} = 5 \times 498 = 2490 \text{ L}$$

14 Alcanes ★ ★ ▮ 15 min. | p. 342

Lycée Blaise Pascal, Clermont-Ferrand

Méthode

Avant de concevoir les raisonnements qui vous apporteront la réponse, commencez par interpréter (sous forme mathématique) les informations importantes fournies par l'énoncé :

- il s'agit d'un alcane, donc de formule C_nH_{2n+2} ;
- le composé contient (en masse) 82,75 % de carbone :

$$0,8275 = \frac{m_C}{M}$$

si m_C désigne la masse de carbone contenue dans une mole d'alcane et M la masse molaire de cet alcane.

La masse molaire moléculaire de l'alcane C_nH_{2n+2} vaut :

$$M = n \times M_C + (2n+2) \times M_H = n \times 12 + (2n+2) \times 1 = 14 \times n + 2$$

Une mole de cet alcane contient n moles de carbone, de masse :

$$m_C = n \times M_C = 12 \times n$$

L'énoncé précise enfin que 82,75 % de la masse de cet alcane représente la masse du carbone, c'est-à-dire :

$$m_C = \frac{82,75}{100} \times M = \varepsilon \times M \text{ en posant } \varepsilon = 0,8275$$

Il s'ensuit que :

$$12\,n = \varepsilon \times (14\,n + 2) \Rightarrow 12 \times n = 14\,\varepsilon \times n + 2\,\varepsilon \Rightarrow n \times (12 - 14\,\varepsilon) = 2\,\varepsilon$$

ce qui conduit à :

$$n = \frac{2\,\varepsilon}{12 - 14\,\varepsilon} = \frac{\varepsilon}{6 - 7\,\varepsilon} = \frac{0,8275}{6 - 7 \times 0,8275} \simeq 4$$

Finalement, la formule de cet alcane est : C_4H_{10}.

 15 ## Combustion d'un alcane 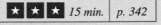 ★ ★ ★ *15 min.* | *p. 342*

Lycée Hoche, Versailles

1 La combustion de l'alcane a produit :

• n_{CO_2} moles de dioxyde de carbone, de masse molaire moléculaire :

$$M_{CO_2} = M_C + 2\,M_O = 12 + 2 \times 16 = 44 \text{ g} \cdot \text{mol}^{-1}$$

Donc, dans $m_{CO_2} = 6,0$ g de CO_2 se trouvent :

$$n_{CO_2} = \frac{m_{CO_2}}{M_{CO_2}} \text{ moles de } CO_2$$

Or, chaque molécule de CO_2 comporte un atome de carbone, de sorte que n_{CO_2} moles de CO_2 renferment n_{CO_2} moles d'atomes de carbone, ce qui représente une masse de carbone :

$$m_C = n_{CO_2} \times M_C = \frac{m_{CO_2}}{M_{CO_2}} \times M_C = \frac{6}{44} \times 12 = 1,636 \text{ g de C}$$

• n_{H_2O} moles de molécules H_2O, de masse molaire moléculaire :

$$M_{H_2O} = 2\,M_H + M_O = 2 \times 1 + 16 = 18 \text{ g.mol}^{-1}$$

La masse $m_{H_2O} = 3,3$ g d'eau renferme alors $n_{H_2O} = \dfrac{m_{H_2O}}{M_{H_2O}}$ moles de molécules d'eau, c'est-à-dire :

$$n_H = \frac{2 \times m_{H_2O}}{M_{H_2O}} \text{ moles d'atomes d'hydrogène}$$

de masse $m_H = n_H \times M_H$.

$$m_H = \frac{2\,m_{H_2O}}{M_{H_2O}} \times M_H = \frac{2 \times 3,3}{18} \times 1 = 0,367 \text{ g de H}$$

Au cours de la réaction, les éléments carbone et hydrogène se sont conservés et proviennent exclusivement de l'alcane, dont la masse valait par conséquent :

$$m_{\text{alcane}} = m_C + m_H = 1,636 + 0,367 = 2,003 \text{ g}$$

2 Considérons que x moles de l'alcane C_nH_{2n+2} aient été brûlées. Une telle quantité d'alcane contenait alors :

$n_C = x \times n$ moles de carbone et $n_H = x \times (2n + 2)$ moles d'hydrogène

c'est-à-dire des masses :

$$\begin{cases} m_C = x \times n \times M_C \text{ grammes d'élément carbone} \\ m_H = 2x \times (n + 1) \times M_H \text{ grammes d'élément hydrogène} \end{cases}$$

Il s'ensuit que :

$$x = \frac{m_C}{n \times M_C} \quad \Rightarrow \quad m_H = \frac{2\,m_C}{n \times M_C} \times (n+1) \times M_H$$

$$\Rightarrow \quad \frac{m_H}{m_C} = \frac{2\,M_H}{M_C} \times \frac{n+1}{n} \Rightarrow \frac{0,367}{1,636} = \frac{2}{12} \times \frac{n+1}{n}$$

$$\Rightarrow \quad 0,224 = \frac{1}{6} \times \frac{n+1}{n} \Rightarrow 1,344 \times n = n+1$$

$$\Rightarrow \quad 0,344 \times n = 1$$

soit encore : $n = \dfrac{1}{0,344} = 2,9 \simeq 3$. Par conséquent, cet alcane a pour formule :

$$C_3H_8 \text{ (propane)}$$

Chapitre

13

Groupes caractéristiques et réactivité en chimie organique

Plan du chapitre

Exercice type

Lycée De Marcillac, Paris

1 On fait réagir un alcool avec de l'acide chlorhydrique concentré. Après distillation, on isole une unique espèce chimique organique de formule C_4H_9Cl. À quelle famille cette espèce appartient-elle ?

2 Comment peut-on la caractériser ?

3 Combien d'isomères possède-t-elle ? Donner une écriture topologique de chacun de ces isomères.

4 Sachant que le squelette de l'alcool initialement utilisé n'est pas ramifié et que, par oxydation, il conduit à une espèce chimique donnant un test positif à la liqueur de Fehling, donner le nom du dérivé chloré formé.

5 Écrire l'équation de la réaction envisagée à la question **1.**

Voir corrigé page 372

1 Groupes caractéristiques

1.1 Composés halogénés

Ce sont des composés dans lesquels un atome d'halogène X (fluor F, chlore Cl, brome Br ou iode I) est lié à un atome de carbone. Par exemple : $CH_3–CH_2–CH_2–Cl$.

La nomenclature respecte les règles suivantes :

- Nommer l'hydrocarbure obtenu en remplaçant l'halogène par un atome d'hydrogène : $CH_3–CH_2–CH_3$ (propane)

- Numéroter la chaîne principale, en commençant par l'extrémité la plus proche de l'halogène : $\overset{3}{CH_3}-\overset{2}{CH_2}-\overset{1}{CH_2}-Cl$ Le chlore est ici fixé sur l'atome de carbone 1.

- Nommer l'alcane en faisant précéder le nom du préfixe *halogéno* (*fluoro*, *chloro*, *bromo*, *iodo*) ; le numéro de l'atome de carbone lié à l'halogène précède ce préfixe :

1-chloropropane

1.2 Les alcools

Ils portent une fonction –OH et leur classe dépend du nombre d'atomes de carbone liés à l'atome porteur de cette fonction (alcool primaire pour 1 atome de carbone, alcool secondaire pour 2 atomes de carbone, alcool tertiaire pour 3 atomes de carbone) :

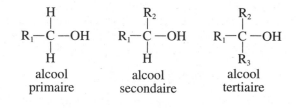

Par exemple $CH_3-\underset{\underset{OH}{|}}{\overset{\overset{CH_3}{|}}{CH}}-CH-CH_3$ st un alcool secondaire.

Nomenclature

- Nommer l'hydrocarbure obtenu en remplaçant –OH par –H et en commençant la numérotation de la chaîne principale à l'extrémité la plus proche du groupe –OH :

$\overset{4}{CH_3}-\overset{\overset{CH_3}{|}}{\overset{3}{CH}}-\overset{\overset{2}{|}}{\underset{\underset{H}{|}}{CH}}-\overset{1}{CH_3}$ 3-méthylbutane

- Repérer l'atome de carbone portant le groupe –OH (ici le carbone 2) et faire suivre le nom de l'hydrocarbure (privé du -*e* final) du numéro de cet atome, suivi du suffixe -*ol* :

3-méthylbutan-2-ol

1.3 Les amines

En notant R_1, R_2, R_3 des chaînes carbonées, les amines sont des molécules qui portent les fonctions :

$$
\begin{array}{ccccc}
R_1-N-H & \text{ou} & R_1-N-R_2 & \text{ou} & R_1-N-R_2 \\
\quad | & & \quad | & & \quad | \\
\quad H & & \quad H & & \quad R_3 \\
\text{amine} & & \text{amine} & & \text{amine} \\
\text{primaire} & & \text{secondaire} & & \text{tertiaire}
\end{array}
$$

Nomenclature

- Si le groupe $-NH_2$ est la seule fonction portée par la molécule ; par exemple :

$$CH_3–CH_2–CH_2–CH_2–NH_2$$

on nomme le groupe alkyle (ici le groupe butyle pour une chaîne carbonée à 4 atomes de carbone) que l'on fait suivre du suffixe *amine* :

butylamine

- Si la molécule comporte un autre groupe fonctionnel (par exemple un groupe $-OH$ dans la molécule ci-dessous) :

$$\overset{3}{C}H_3-\overset{2}{C}H-\overset{1}{C}H_2-OH$$
$$\qquad\quad |$$
$$\qquad\quad NH_2$$

on nomme la molécule que l'on obtiendrait en remplaçant $-NH_2$ par $-H$ (ici, le propan-1-ol). Ce nom est ensuite précédé du préfixe *amino* et du numéro de l'atome de carbone porteur de la fonction amine (ici 2) :

2-aminopropan-1-ol

1.4 Les aldéhydes

Ils sont caractérisés par la fonction $-CH = O$ ou encore $-CHO$.

Nomenclature

- La chaîne principale contenant le groupe $-CHO$ est numérotée, en commençant par l'atome de carbone du groupe
$-CHO$.

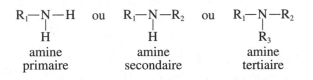

$$\overset{4}{C}H_3-\overset{3}{C}H_2-\overset{2}{C}H-\overset{1}{C}\overset{\displaystyle O}{\underset{\displaystyle H}{\big/}}$$
$$\qquad\qquad\quad |$$
$$\qquad\qquad\quad CH_3$$

- L'alcane qui possèderait cette chaîne s'appellerait le :

2-méthylbutane

- La lettre -*e* terminant ce nom est remplacée par le suffixe *al*. La molécule précédente est ainsi appelée :

le 2-méthylbutanal

1.5 Les cétones

Ces molécules portent le groupe $-\overset{\|}{\underset{O}{C}}-$ ou encore $-CO-$.

Nomenclature

- La chaîne carbonée principale portant la fonction $-CO-$ est numérotée, en commençant par l'extrémité la plus proche de $-CO-$:

$$\overset{4}{C}H_3-\overset{3}{C}H_2-\overset{2}{\underset{O}{\overset{\|}{C}}}-\overset{1}{C}H_3$$

- L'alcane obtenu en remplaçant $-CO-$ par $-CH_2-$:

$$CH_3-CH_2-CH_2-CH_3$$

    s'appelle le butane.

- Après élision du *e* terminal, le numéro de l'atome de carbone de $-CO-$ est indiqué, puis le suffixe *-one* est rajouté. Ainsi, la molécule précédente s'appelle :

    la butan-2-one

1.6 Les acides carboxyliques

Ils sont caractérisés par le groupe fonctionnel $-C\overset{\displaystyle O}{\underset{\displaystyle OH}{\big\langle}}$ u encore $-COOH$.

! Attention :

Veillez à ne pas confondre un groupe $-C\overset{\displaystyle O}{\underset{\displaystyle OH}{\big\langle}}$ vec le groupe $-\overset{\|}{\underset{O}{C}}-$ des cétones ou $-OH$ des alcools.

Par exemple, la molécule : $CH_3-CH_2-\underset{\underset{\displaystyle CH_3}{|}}{CH}-CH_2-C\overset{\displaystyle O}{\underset{\displaystyle OH}{\big\langle}}$ est un acide carboxylique.

Nomenclature

- Numéroter les atomes de carbone constituant la chaîne principale, en commençant par l'atome du groupe $-COOH$:

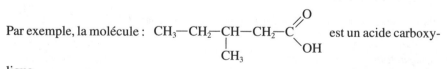

$$\overset{5}{C}H_3-\overset{4}{C}H_2-\underset{\underset{\displaystyle CH_3}{|}}{\overset{3}{C}H}-\overset{2}{C}H_2-\overset{1}{C}\overset{\displaystyle O}{\underset{\displaystyle OH}{\big\langle}}$$

- L'alcane que l'on obtiendrait en remplaçant la fonction –COOH par –CH$_3$ serait le 3-méthylpentane.

$$\overset{5}{CH_3}-\overset{4}{CH_2}-\overset{3}{CH}-\overset{2}{CH_2}-\overset{1}{CH_3}$$
$$|$$
$$CH_3$$

- Remplacer la lettre *e* finissant ce mot, par le suffixe *oïque* et faire précéder ce terme du mot *acide*. De cette manière, la molécule est appelée :

l'acide 3-méthylpentanoïque

1.7 Résumé

	fonctions			exemples
Composés halogénés	$\begin{array}{c} H \\ | \\ -C-X \\ | \\ H \end{array}$ ou	$\begin{array}{c} X \\ | \\ -C-X \\ | \\ H \end{array}$ ou	$\begin{array}{c} X \\ | \\ -C-X \\ | \\ X \end{array}$	$CH_3-CH_2-CH_2-Cl$ 1-chloropropane
Alcools	$\begin{array}{c} H \\ | \\ R_1-C-OH \\ | \\ H \end{array}$ ou	$\begin{array}{c} R_2 \\ | \\ R_1-C-OH \\ | \\ H \end{array}$ ou	$\begin{array}{c} R_2 \\ | \\ R_1-C-OH \\ | \\ R_3 \end{array}$	$CH_3-CH-CH-CH_3$ avec CH_3 et OH 3-méthylbutan-2-ol
Amines	$\begin{array}{c} R_1-N-H \\ | \\ H \end{array}$	$\begin{array}{c} R_1-N-R_2 \\ | \\ H \end{array}$	$\begin{array}{c} R_1-N-R_2 \\ | \\ R_3 \end{array}$	$CH_3-CH-CH_2-OH$ NH_2 2-aminopropan-1-ol
Aldéhydes	$\begin{array}{c} R-C-H \\ || \\ O \end{array}$	$R-C\overset{O}{\underset{H}{<}}$	$R-CHO$	$CH_3-CH_2-CH-C\overset{O}{\underset{H}{<}}$ avec CH_3 2-méthylbutanal
Cétones	$\begin{array}{c} R_1-C-R_2 \\ || \\ O \end{array}$	$R_1-C\overset{O}{\underset{R_2}{<}}$	R_1-CO-R_2	$CH_3-CH_2-C-CH_3$ $||$ O butan-2-one
Acides carboxyliques	$\begin{array}{c} R-C-OH \\ || \\ O \end{array}$	$R-C\overset{O}{\underset{OH}{<}}$	$R-COOH$	$C_2H_5-CH-CH_2-COOH$ CH_3 acide 3-méthylpentanoïque

2 Mise en évidence des fonctions

2.1 Composés halogénés

Une solution alcoolique de nitrate d'argent forme un précipité d'halogénure d'argent en présence d'un composé halogéné R–X :

$$R–X \xrightarrow[\text{alcool}]{\text{AgNO}_3} AgX_{(sol)}$$

2.2 Aldéhydes et cétones

2.2.1 Test à la DNPH

La 2,4-dinitrophénylhydrazine (DNPH) réagit avec la fonction –CO– des aldéhydes et des cétones en formant un précipité jaune-orangé :

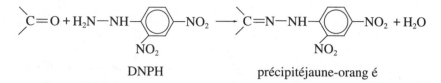

$$DNPH \qquad\qquad \text{précipité jaune-orang é}$$

Ce test permet de mettre en évidence aussi bien les aldéhydes que les cétones, mais ne permet pas de les distinguer. Il est alors associé à d'autres tests.

2.2.2 Test à la liqueur de Fehling

La liqueur de Fehling contient des ions $Cu^{2+}_{(aq)}$ (complexés en milieu basique par les ions tartrate) qui forment l'oxydant du couple redox :

$$Cu^{2+}_{(aq)}/Cu_2O_{(sol)} : 2\,Cu^{2+}_{(aq)} + 2\,OH^- + 2\,e^- = Cu_2O_{(sol)} + H_2O$$

L'oxyde de cuivre (I) Cu_2O est un précipité rouge brique.
Quant aux aldéhydes R–CHO, ils forment le réducteur du couple redox :

$$R–COO^-/R–CHO : R–CHO + 3\,HO^- = R–COO^- + 2\,e^- + 2\,H_2O$$

où $R–COO^-$ est la base conjuguée de l'acide carboxylique R–COOH.
La liqueur de Fehling réagit donc avec les aldéhydes, en formant un précipité rouge brique :

$$\underset{\text{aldéhyde}}{R–CHO} + 2\,Cu^{2+}_{(aq)} + 5\,HO^- \rightarrow R–COO^- + \underset{\text{rouge}}{Cu_2O_{(sol)}} + 3\,H_2O$$

tandis que les cétones ne sont pas oxydables par les ions $Cu^{2+}_{(aq)}$: le test à la liqueur de Fehling demeure négatif.

2.2.3 Réactif de Tollens

Il s'agit d'une solution ammoniacale de nitrate d'argent, c'est-à-dire contenant des ions $Ag^+_{(aq)}$ (complexés pour en empêcher la précipitation) en milieu basique. Ces ions sont l'oxydant du couple $Ag^+_{(aq)}/Ag_{(sol)}$, de demi-équation :

$$Ag^+_{(aq)} + e^- = Ag_{(sol)}$$

Les aldéhydes sont oxydables par les ions $Ag^+_{(aq)}$, mettant en jeu le couple :

$$R\text{–}COO^-/R\text{–}CHO : R\text{–}CHO + 3\ HO^- = R\text{–}COO^- + 2\ e^- + 2\ H_2O$$

L'équation bilan de la réaction d'oxydoréduction s'écrit :

$$2\ \underset{\text{aldéhyde}}{Ag^+_{(aq)} + R\text{–}CHO} + 3\ HO^- \rightarrow 2\ \underset{\text{dépôt}}{Ag_{(sol)}} + R\text{–}COO^- + 2\ H_2O$$

À l'issue de cette réaction, un dépôt d'argent métallique se forme sur les parois du récipient, évoquant un miroir ; cette réaction est aussi connue comme « test du miroir d'argent ».

Quant aux cétones, elles ne peuvent pas être oxydées, si bien qu'elles donnent un résultat négatif au test par le réactif de Tollens.

Le tableau suivant résume les résultats des différents tests des aldéhydes et des cétones.

	DNPH	liqueur de Fehling	réactif de Tollens
aldéhydes	précipité jaune	précipité rouge	miroir d'argent
cétones	précipité jaune	rien	rien

2.3 Amines et acides carboxyliques

2.3.1 Test au papier–pH

- Une amine $R\text{–}NH_2$ est la base conjuguée du couple acide/base :

$$R\text{–}NH^+_{3\ (aq)}/R\text{–}NH_{2(aq)} : R\text{–}NH^+_{3\ (aq)} = R\text{–}NH_{2(aq)} + H^+_{(aq)}$$

Elle réagit donc, en solution aqueuse, avec l'acide conjugué du couple :

$$H_2O/HO^-_{(aq)} : H_2O = H^+_{(aq)} + HO^-_{(aq)}$$

L'équation bilan de cette réaction acido-basique s'écrit :

$$R\text{–}NH_{2(aq)} + H_2O \rightarrow R\text{–}NH^+_{3\ (aq)} + HO^-_{(aq)}$$

La libération concomitante d'ions $HO^-_{(aq)}$ rend le milieu basique, que l'on met en évidence avec le papier-pH qui adopte la teinte basique (bleue).

- Un acide carboxylique $R\text{–}COOH$ est l'acide conjugué du couple :

$$R\text{–}COOH_{(aq)}/R\text{–}COO^-_{(aq)} : R\text{–}COOH_{(aq)} = R\text{–}COO^-_{(aq)} + H^+_{(aq)}$$

Il peut réagir spontanément avec l'eau, base conjuguée du couple :

$$H_3O^+/H_2O : H_3O^+ = H_2O + H^+_{(aq)}$$

L'équation bilan de la réaction acido-basique :

$$R\text{–}COOH_{(aq)} + H_2O \rightarrow R\text{–}COO^-_{(aq)} + H_3O^+$$

révèle la présence d'ions H_3O^+, mis en évidence par le papier-pH qui adopte la teinte acide (rouge).

2.3.2 Test aux ions cuivre II

Une solution aqueuse contenant des ions $Cu^{2+}_{(aq)}$ (sulfate de cuivre) donne, avec une amine, un ion complexe facilement reconnaissable par sa couleur bleu-violet.

2.4 Les alcools

2.4.1 Introduction

Leur mise en évidence fait appel à des ions oxydants tels que les ions permanganate $MnO_4^-{}_{(aq)}$ ou dichromate $Cr_2O_7^{2-}{}_{(aq)}$, dont les demi-équations électroniques s'écrivent respectivement :

$$MnO_4^-{}_{(aq)} + 8\,H^+_{(aq)} + 5\,e^- = Mn^{2+}_{(aq)} + 4\,H_2O$$
et
$$Cr_2O_7^{2-}{}_{(aq)} + 14\,H^+_{(aq)} + 6\,e^- = 2\,Cr^{3+}_{(aq)} + 7\,H_2O$$

L'oxydation ménagée d'un alcool évolue vers des produits qui dépendent de la classe de l'alcool considéré.

2.4.2 Les alcools primaires

Un alcool primaire $R–CH_2–OH$ est le réducteur du couple :

$$R–CHO/R–CH_2–OH : R–CH_2–OH = R–CHO + 2\,H^+ + 2\,e^-$$

Une oxydation ménagée par les ions permanganate (en milieu sulfurique) produit un aldéhyde $R–CHO$, selon l'équation bilan :

$$2\,\underset{\text{violet}}{MnO_4^-} + \underbrace{6\,H^+ + 5\,R–CH_2–OH}_{\text{incolore}} \rightarrow \underbrace{2\,Mn^{2+} + 8\,H_2O + 5\,R–CHO}_{\text{incolore}}$$

La décoloration de la solution de permanganate de potassium met en évidence l'alcool primaire, et l'aldéhyde formé peut être identifié grâce aux tests conjoints à la DNPH et à la liqueur de Fehling (positifs tous les deux).

Un excès d'ions permanganate peut également oxyder l'aldéhyde formé en première étape ; un acide carboxylique $R–COOH$ est alors formé. Les couples redox mis en jeu au cours de la réaction d'oxydoréduction :

$$MnO_4^-/Mn^{2+} : MnO_4^- + 8\,H^+ + 5\,e^- = Mn^{2+} + 4\,H_2O$$
$$R–COOH/R–CHO : R–CHO + H_2O = R–COOH + 2\,H^+ + 2\,e^-$$

conduisent à l'équation bilan de l'oxydation de l'aldéhyde :

$$5\,R–CHO + 2\,MnO_4^- + 6\,H^+ \rightarrow 5\,R–COOH + 2\,Mn^{2+} + 3\,H_2O$$

Un test au papier-pH n'est cependant pas utilisable pour mettre en évidence l'acide carboxylique formé, car l'oxydation s'est opérée en milieu acide (solution acide de permanganate de potassium).

2.4.3 Les alcools secondaires

Les ions permanganate en solution acide peuvent oxyder un alcool secondaire mis en jeu :

$$MnO_4^-/Mn^{2+} : MnO_4^- + 8\ H^+ + 5\ e^- = Mn^{2+} + 4\ H_2O$$
$$R_1-CO-R_2/R_1-CHOH-R_2 : R_1-CHOH-R_2 = R_1-CO-R_2 + 2\ H^+ + 2\ e^-$$

fournissent l'équation bilan d'une telle oxydation :

$$\underbrace{2\ MnO_4^-}_{\text{violet}} + \underbrace{6\ H^+ + 5\ R_1-CHOH-R_2}_{\text{incolore}} \rightarrow \underbrace{2\ Mn^{2+} + 8\ H_2O + 5\ R_1-CO-R_2}_{\text{incolore}}$$

La décoloration de la solution acide de permanganate de potassium indique que l'alcool a été oxydé. De plus, la cétone issue de cette oxydation peut être mise en évidence à l'aide des tests avec la DNPH (précipité jaune) et la liqueur de Fehling (résultat négatif).

2.4.4 Les alcools tertiaires

Ils ne sont pas oxydables par les ions permanganate ou dichromate, de sorte que l'absence de décoloration de ces réactifs avec un alcool révèle que ce dernier est tertiaire.

2.4.5 Conclusion

L'oxydation de l'alcool peut être aussi réalisée à l'aide d'une solution acide de dichromate de potassium. La demi-équation du couple $Cr_2O_7^{2-}/Cr^{3+}$:

$$\underbrace{Cr_2O_7^{2-}}_{\text{orange}} + 14\ H^+ + 6\ e^- = \underbrace{2\ Cr^{3+}}_{\text{vert}} + 7\ H_2O$$

indique que le réactif vire de l'orange au vert. Du reste, ce test est encore abondamment utilisé : l'alcootest contient du dichromate de potassium dont le virage de l'orange au vert dénonce une consommation d'éthanol : CH_3-CH_2-OH.

Le schéma synoptique suivant résume les divers tests de mise en évidence des composés organiques.

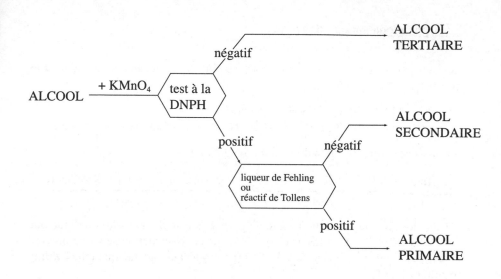

3 Modification du groupe fonctionnel

3.1 Les alcènes

3.1.1 Passage aux dihalogénoalcanes

L'addition d'un halogène (avec Br_2 et Cl_2 la réaction est facile, tandis que l'emploi d'un catalyseur est requis pour I_2) sur une liaison éthylénique conduit à un dihalogénoalcane :

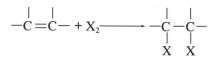

3.1.2 Passage aux monohalogénoalcanes

L'addition d'un acide HX (réactions spontanées avec HCl, HBr et HI) pourrait conduire, théoriquement, à deux halogénoalcanes isomères :

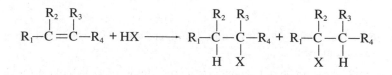

Cependant, l'évolution de cette addition respecte généralement la règle suivante :

> *On obtient majoritairement l'halogénoalcane dans lequel le groupe X– s'est fixé à l'atome de carbone le plus substitué (formant le plus grand nombre de liaisons C–C).*

Par exemple, l'addition de HBr sur la double liaison du 2-méthylbut-2-ène peut évoluer vers deux composés bromés isomères :

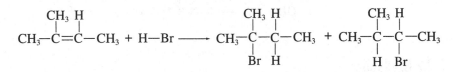

Cependant, la règle précédemment évoquée stipule que le premier halogénoalcane est obtenu majoritairement car le brome est lié à l'atome de carbone le plus substitué (formant le plus grand nombre de liaisons C–C).
On obtient alors majoritairement le 2-bromo-2-méthylbutane.

$$CH_3-\overset{\overset{\displaystyle CH_3}{|}}{\underset{\underset{\displaystyle Br}{|}}{C}}-CH_2-CH_3$$

3.1.3 Passage aux alcools

L'addition d'eau (en présence d'acide sulfurique comme catalyseur) sur une liaison éthylénique produit un alcool :

$$-\overset{|}{C}=\overset{|}{C}- \ + \ H-OH \ \xrightarrow{\text{H}_2\text{SO}_4} \ -\overset{|}{\underset{\underset{\displaystyle H}{|}}{C}}-\overset{|}{\underset{\underset{\displaystyle OH}{|}}{C}}-$$

Comme dans le cas des additions de HX, cette addition respecte généralement la règle suivante :

> *Lorsque deux alcools peuvent se former par hydratation d'un alcène, c'est celui de plus grande classe (secondaire ou tertiaire) qui est obtenu majoritairement.*

Par exemple, l'addition d'eau sur la double liaison du propène (CH_3–CH $=$ CH_2) peut conduire à deux alcools :

$$CH_3-CH=CH_2 + H-OH \longrightarrow \underset{\text{propan-2-ol}}{CH_3-\overset{}{\underset{\underset{\displaystyle OH}{|}}{CH}}-\overset{}{\underset{\underset{\displaystyle H}{|}}{CH_2}}} + \underset{\text{propan-1-ol}}{CH_3-\overset{}{\underset{\underset{\displaystyle H}{|}}{CH}}-\overset{}{\underset{\underset{\displaystyle OH}{|}}{CH_2}}}$$

Le propan-2-ol est un alcool secondaire tandis que le propan-1-ol est un alcool primaire, en conséquence de quoi :

le propan-2-ol est produit majoritairement

3.2 Les alcools

3.2.1 Réactions de substitution

L'action d'un acide HX (HCl, HBr, HI) permet de transformer un alcool en dérivé halogéné :

$$R\text{–}OH + HX \ \rightarrow \ R\text{–}X + H_2O$$

3.2.2 Oxydations

3.2.2.1 Combustions

Au cours d'une combustion d'un alcool $C_nH_{2n+2}O$, les liaisons C–C, C–H sont rompues sous l'action du dioxygène. Du dioxyde de carbone et de l'eau sont alors formés :

$$C_nH_{2n+2}O + \frac{3n}{2} \ O_2 \ \rightarrow \ n \ CO_2 + (n+1) \ H_2O$$

3.2.2.2 Oxydations ménagées

Au cours de ces oxydations, la chaîne carbonée n'est pas altérée.

- Oxydation par les ions permanganate
  La classe de l'alcool oriente la réaction :
  - un alcool primaire R–CH$_2$–OH évolue vers un aldéhyde :

    $$2 \ MnO_4^- + 6 \ H^+ + 5 \ R\text{–}CH_2\text{–}OH \ \rightarrow \ 2 \ Mn^{2+} + 8 \ H_2O + 5 \ R\text{–}CHO$$

  - un alcool secondaire R$_1$–CHOH–R$_2$ se transforme en cétone :

    $$2 \ MnO_4^- + 6 \ H^+ + 5 \ R_1\text{–}CHOH\text{–}R_2 \ \rightarrow \ 2 \ Mn^{2+} + 8 \ H_2O + 5 \ R_1\text{–}CO\text{–}R_2$$

  - un alcool tertiaire n'est pas oxydable.

- Oxydation par les ions dichromate
  Une solution de dichromate de potassium (acidifiée par l'acide sulfurique) peut oxyder les alcools, dont la classe détermine les produits d'oxydation :
  - un alcool primaire produit un aldéhyde :

    $$3 \ R\text{–}CH_2OH + Cr_2O_7^{2-} + 8 \ H^+ \ \rightarrow \ 3 \ R\text{–}CHO + 2 \ Cr^{3+} + 7 \ H_2O$$

  - un alcool secondaire fournit une cétone :

    $$3 \ R_1\text{–}CHOH\text{–}R_2 + Cr_2O_7^{2-} + 8 \ H^+ \ \rightarrow \ 3 \ R_1\text{–}CO\text{–}R_2 + 2 \ Cr^{3+} + 7 \ H_2O$$

  - un alcool tertiaire n'est pas oxydable.

- Déshydrogénation
  Cette réaction se produit sur un catalyseur de cuivre à une température voisine

de 300°C. Elle consiste à retirer deux atomes d'hydrogène pour produire un groupe –CO– et du dihydrogène H_2 :

$$-\overset{\overset{\displaystyle H}{|}}{\underset{|}{C}}-OH \xrightarrow[300°C]{Cu} \diagdown C{=}O + H_2$$

Les alcools primaires produisent ainsi des aldéhydes :

$$R-\overset{\overset{\displaystyle H}{|}}{\underset{\underset{\displaystyle H}{|}}{C}}-OH \xrightarrow[300°C]{Cu} R-\overset{}{\underset{\underset{\displaystyle O}{\|}}{C}}-H + H_2$$

tandis que les alcools secondaires produisent des cétones :

$$R_1-\overset{\overset{\displaystyle H}{|}}{\underset{\underset{\displaystyle R_2}{|}}{C}}-OH \xrightarrow[300°C]{Cu} R_1-\overset{}{\underset{\underset{\displaystyle O}{\|}}{C}}-R_2 + H_2$$

En revanche, les alcools tertiaires ne réagissent pas.

- Oxygénation (expérience de la lampe sans flamme)

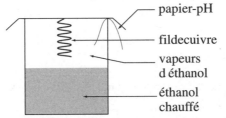

L'éthanol peut réagir avec l'oxygène de l'air en présence de cuivre préalablement porté à incandescence.

L'incandescence du cuivre est maintenue par l'oxydation de l'éthanol. Les couples redox mis en jeu sont :

$O_2/H_2O : O_2 + 4\,H^+ + 4\,e^- = 2\,H_2O$

$CH_3\text{–}CHO/CH_3\text{–}CH_2\text{–}OH : CH_3\text{–}CH_2\text{–}OH = CH_3\text{–}CHO + 2\,H^+ + 2\,e^-$

et interviennent dans l'équation bilan :

$$O_{2\,(gaz)} + 2\,CH_3\text{–}CH_2\text{–}OH_{(gaz)} \xrightarrow{Cu} 2\,CH_3\text{–}CHO_{(gaz)} + 2\,H_2O_{(gaz)}$$

L'aldéhyde formé peut, à son tour, être oxydé par l'oxygène dans les mêmes conditions expérimentales :

$$2\,CH_3\text{–}CHO + O_{2\,(gaz)} \xrightarrow{Cu} 2\,CH_3\text{–}COOH_{(gaz)}$$

3.3 Les aldéhydes

3.3.1 Oxydation par les ions permanganate

Les aldéhydes R–CHO se transforment aisément en acides carboxyliques R–COOH par oxydation ménagée.

3.3.2 Oxydation par les ions permanganate

Les ions MnO_4^- du couple MnO_4^-/Mn^{2+} :

$$MnO_4^- + 8\,H^+ + 5\,e^- = Mn^{2+} + 4\,H_2O$$

peuvent oxyder, en milieu acide, l'aldéhyde du couple R–COOH/R–CHO. L'équation bilan de cette oxydoréduction s'écrit :

$$5\,R\text{–}CHO + 2\,MnO_4^- + 6\,H^+ \rightarrow 2\,Mn^{2+} + 3\,H_2O + 5\,R\text{–}COOH$$

3.3.3 Liqueur de Fehling et réactif de Tollens

Les ions Cu^{2+} et Ag^+, contenus respectivement dans la liqueur de Fehling et le réactif de Tollens, oxydent les aldéhydes (en milieu basique) qui produisent ainsi la base conjuguée R–COO$^-$ du couple acide/base R–COOH/R–COO$^-$. Les produits solides formés $Cu_2O_{(sol)}$ et $Ag_{(sol)}$ sont caractéristiques de l'action de ces tests sur les aldéhydes, dont on rappelle les équations bilan :

liq. de Fehling : $R\text{–}CHO + 2\,Cu^{2+} + 5\,HO^- \rightarrow R\text{–}COO^- + 3\,H_2O + Cu_2O$
réac. de Tollens : $R\text{–}CHO + 2\,Ag^+ + 3\,HO^- \rightarrow R\text{–}COO^- + 2\,H_2O + 2\,Ag$

3.4 Les amines

Une amine R–NH$_2$ peut être produite par action d'un excès d'ammoniac NH$_3$ sur un dérivé halogéné R–X :

$$\underset{\text{excès}}{R\text{–}X + 2\,NH_3} \rightarrow R\text{–}NH_2 + NH_4^+ + X^-$$

Solution de l'exercice type

1 Le composé de formule C_4H_9Cl est un dérivé chloré (ou chloroalcane).

2 Comme tout dérivé chloré, ce composé peut être mis en évidence à l'aide d'une solution de nitrate d'argent qui forme alors un précipité blanc.

3 Parmi les 4 isomères correspondant à la formule brute C_4H_9Cl, deux ont des chaînes principales à 4 atomes de carbone (squelettes non ramifiés) :

1-chlorobutane : $CH_3\text{—}CH_2\text{—}CH_2\text{—}CH_2\text{—}Cl$ ou

2-chlorobutane : $CH_3\text{—}CH_2\text{—}\underset{\underset{Cl}{|}}{CH}\text{—}CH_3$ ou

Solution de l'exercice type (suite)

Quant aux deux autres isomères leur chaîne principale (ramifiée) ne comporte que trois atomes de carbone :

$$\text{2-méthyl-1-chloropropane : } CH_3\!-\!\underset{\underset{CH_3}{|}}{CH}\!-\!CH_2\!-\!Cl \quad \text{ou}$$

$$\text{2-méthyl-2-chloropropane : } CH_3\!-\!\underset{\underset{Cl}{|}}{\overset{\overset{CH_3}{|}}{C}}\!-\!CH_3 \quad \text{ou}$$

4 Deux alcools non ramifiés ont pu conduire au 1-chlorobutane et au 2 chlorobutane : le butan-1-ol (CH_3–CH_2–CH_2–CH_2–OH) et le butan-2-ol (CH_3–CH_2–CHOH–CH_3). Par oxydation, ces alcools (respectivement primaire et secondaire) conduisent à un aldéhyde et à une cétone :

$$CH_3\text{–}CH_2\text{–}CH_2\text{–}CH_2\text{–}OH \xrightarrow{\text{oxydation}} CH_3\text{–}CH_2\text{–}CH_2\text{–}CHO$$

$$CH_3\text{–}CH_2\text{–}CH_2OH\text{–}CH_3 \xrightarrow{\text{oxydation}} CH_3\text{–}CH_2\text{–}CO\text{–}CH_3$$

De ces deux produits d'oxydation, seul l'aldéhyde donne une réaction positive au test à la liqueur de Fehling. On en déduit que l'alcool est primaire et fournit le dérivé chloré : 1-chlorobutane.

5 La réaction évoquée à la question **1.** est une réaction de substitution :

$$CH_3\text{–}CH_2\text{–}CH_2\text{–}CH_2\text{–}OH + H^+ + Cl^-$$
$$\rightarrow CH_3\text{–}CH_2\text{–}CH_2\text{–}CH_2\text{–}Cl + H_2O$$

1 **Alcools**

Un alcool *A* contient 64, 8% de carbone (pourcentage en masse).

Parmi les propositions suivantes trouvez celles qui vous semblent exactes.

1 La formule de l'alcool est :

$\boxed{a}$ $C_4H_{10}O$ $\quad$ $\boxed{b}$ C_3H_6O

$\boxed{c}$ C_2H_6O $\quad$ $\boxed{d}$ C_3H_8O

2 Quelles sont les formules semi-développées des différents alcools correspondant à cette formule ?

$$-\overset{|}{C}=\overset{|}{C}- + H-OH \xrightarrow{H_2SO_4} -\overset{|}{\underset{H}{C}}-\overset{|}{\underset{OH}{C}}-$$

3 Donner les noms des différents alcools correspondant à cette formule brute.

$\boxed{a}$ propan-2-ol $\quad$ $\boxed{b}$ éthanol $\quad$ $\boxed{c}$ 2-méthylbutan-1-ol

$\boxed{d}$ méthanol $\quad$ $\boxed{e}$ butan-1-ol $\quad$ $\boxed{f}$ 2-méthylpropan-2-ol

$\boxed{g}$ butan-2-ol $\quad$ $\boxed{h}$ propan-1-ol $\quad$ $\boxed{i}$ 3-méthylbutan-1-ol

4 Pour déterminer la classe de l'alcool *A*, on lui fait subir une oxydation ménagée par une solution acidifiée de permanganate de potassium en excès. Le produit obtenu est testé par la D.N.P.H.. Aucun précipité n'est obtenu.

Le pH de la solution est mesuré ; la valeur obtenue est inférieure à 7. Donner le nom de l'alcool.

$\boxed{a}$ propan-2-ol $\quad$ $\boxed{b}$ éthanol $\quad$ $\boxed{c}$ 2-méthylbutan-1-ol

$\boxed{d}$ méthanol $\quad$ $\boxed{e}$ butan-1-ol $\quad$ $\boxed{f}$ 2-méthylpropan-2-ol

$\boxed{g}$ butan-2-ol $\quad$ $\boxed{h}$ propan-1-ol $\quad$ $\boxed{i}$ 3-méthylbutan-1-ol

5 Dans le cas où l'alcool est oxydé en acide, les couples oxydant/réducteur sont :

$\boxed{a}$ CH_3COOH/C_2H_6O et MnO_4^-/Mn^{2+}

$\boxed{b}$ C_2H_5COOH/C_3H_8O et $Cr_2O_7^{2-}/Cr^{3+}$

$\boxed{c}$ $C_3H_7COOH/C_4H_{10}O$ et MnO_4^-/Mn^{2+}

$\boxed{d}$ C_2H_5COOH/C_3H_6O et Cr_2O_7/Cr^{3+}

6 En déduire l'équation-bilan de la réaction d'oxydo-réduction.

$\boxed{a}$ $4\,Cr_2O_7^{2-} + 32\,H^+ + 3\,C_3H_8O \rightarrow 8\,Cr^{3+} + 22\,H_2O + 6\,C_2H_5COOH$

$\boxed{b}$ $4\,MnO_4^- + 12\,H^+ + 5\,C_2H_6O \rightarrow 4\,Mn^{2+} + 11\,H_2O + 5\,CH_3COOH$

$\boxed{c}$ $Cr_2O_7^{2-} + 8\,H^+ + 3\,C_3H_6O \rightarrow 2\,Cr^{3+} + 4\,H_2O + 3\,C_2H_5COOH$

$\boxed{d}$ $4\,MnO_4^- + 12\,H^+ + 5\,C_4H_{10}O \rightarrow 4\,Mn^{2+} + 11\,H_2O + 5\,C_3H_7COOH$

Données : masses molaires de l'hydrogène, du carbone et de l'oxygène :

$$M_H = 1\ g \cdot mol^{-1} \qquad M_C = 12\ g \cdot mol^{-1} \qquad M_O = 16\ g \cdot mol^{-1}$$

QCM

2 **Composés organiques** *5 min.* $\boxed{p.\ 383}$

Choisir, parmi les propositions suivantes, celles qui semblent exactes.

$\boxed{a}$ Le groupe caractéristique d'un alcool est appelé carbonyle.

$\boxed{b}$ Le composé de formule $CH_3\text{–}NH_2$ s'appelle la méthylamine.

$\boxed{c}$ Le formol (HCHO) est un aldéhyde.

$\boxed{d}$ Le 2,3-diméthylbutanal a pour formule brute $C_6H_{12}O$.

$\boxed{e}$ Le test à la D.N.P.H. permet la mise en évidence des alcools secondaires.

$\boxed{f}$ Une solution de nitrate d'argent permet de mettre en évidence les composés halogénés.

$\boxed{g}$ La liqueur de Fehling contient des ions argent (I) susceptibles de former un miroir d'argent en présence d'un aldéhyde.

$\boxed{h}$ Un aldéhyde contient le groupement –COOH.

$\boxed{i}$ Le test à la phénolphtaléine permet de distinguer les acides carboxyliques des amines.

$\boxed{j}$ Le composé : 2-méthylpropan-2-ol est un alcool secondaire.

$\boxed{k}$ On peut obtenir un alcool par hydratation d'un alcène.

$\boxed{l}$ Le 2-méthylpropanal et la butan-2-one sont isomères de fonction.

$\boxed{m}$ Il faut deux réactifs pour caractériser une cétone.

3 **Formules semi-développées**  ★ ■ ■ *10 min.* | *p. 385* |

Lycée Jacques Monod, Clamart

Donner les formules semi-développées des composés suivants :

1 2,2-diméthylpentan-3-one

2 2,2,3-triméthylhexanal

3 Acide 2,4-diméthylpentanoïque

4 **Nomenclature** ★ ■ ■ *10 min.* | *p. 387* |

Lycée Voltaire

Nommer les composés suivants :

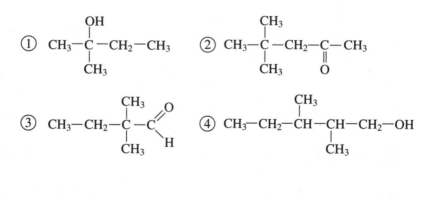

5 **Nomnclature** ★ ■ ■ *10 min.* | *p. 387* |

Lycée Amyot, Melun

Nommer les composés suivants :

① $CH_3-CH_2-CH_2-CH_2-OH$

② $CH_3-CH-CH_3$
    |
   $CHOH$
    |
   CH_3

③ $CH_3-CO-C_2H_5$

④ $(CH_3)_2CH-CHO$

⑤ $C_2H_5-CH-COOH$
    |
   C_2H_5

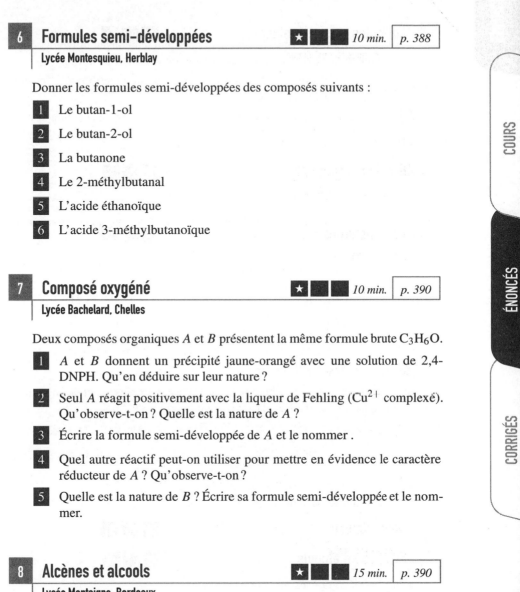

6 **Formules semi-développées** ★■■■ *10 min.* | *p. 388*

Lycée Montesquieu, Herblay

Donner les formules semi-développées des composés suivants :

1 Le butan-1-ol

2 Le butan-2-ol

3 La butanone

4 Le 2-méthylbutanal

5 L'acide éthanoïque

6 L'acide 3-méthylbutanoïque

COURS

7 **Composé oxygéné** ★■■■ *10 min.* | *p. 390*

Lycée Bachelard, Chelles

Deux composés organiques A et B présentent la même formule brute C_3H_6O.

1 A et B donnent un précipité jaune-orangé avec une solution de 2,4-DNPH. Qu'en déduire sur leur nature ?

2 Seul A réagit positivement avec la liqueur de Fehling (Cu^{2+} complexé). Qu'observe-t-on ? Quelle est la nature de A ?

3 Écrire la formule semi-développée de A et le nommer .

4 Quel autre réactif peut-on utiliser pour mettre en évidence le caractère réducteur de A ? Qu'observe-t-on ?

5 Quelle est la nature de B ? Écrire sa formule semi-développée et le nommer.

ÉNONCÉS

CORRIGÉS

8 **Alcènes et alcools** ★■■■ *15 min.* | *p. 390*

Lycée Montaigne, Bordeaux

1 L'hydratation d'un alcène A (addition d'une molécule d'eau à une molécule A), en présence d'acide sulfurique à 120°C, conduit à un corps B, de formule $C_4H_{10}O$.

   (a) Quelle est la fonction chimique de B ?

   (b) Donner les formules semi-développées et les noms des différents isomères de B.

2 Pour savoir lequel de ces isomères de B s'est effectivement formé, on fait réagir B avec une solution de dichromate de potassium en milieu

acide. Le produit obtenu donne un précipité jaune avec la DNPH, mais ne réagit pas avec la liqueur de Fehling ou le réactif de Tollens.

(a) Montrer que ces expériences permettent de déterminer la formule semi-développée de B.

(b) Donner une formule semi-développée possible de A et son nom.

9 Fonction organique ★■■ 20 min. | p. 392

Lycée Montesquieu, Herblay

On dispose de quatre flacons contenant chacun un des quatre composés dont les formules sont données ci-après :

A: $CH_3-CH_2-CO-CH_3$ C: $CH_3-CHOH-C_2H_5$

B: CH_3-CH_2-CHO D: $CH_3-\underset{\underset{CH_3}{|}}{COH}-CH_3$

1 Dénommer chaque corps.

2 On effectue sur les quatre flacons des tests qui réagissent (+) ou qui ne réagissent pas (-). Les flacons sont numérotés de 1 à 4.

	1	2	3	4
dichromate	+	-	+	-
DNPH	+	+	-	-
liq. de Fehling	+	-	-	-

Identifier le contenu de chaque flacon.

10 Synthèse d'alcools ★■■ 20 min. | p. 393

Lycée Vieljeux, La Rochelle

1 Quels alcènes peut-on utiliser pour fabriquer, par addition d'eau, les alcools suivants, dont on écrira au préalable la formule semi-développée ?

(a) éthanol

(b) propan-2-ol

(c) 2-méthylpropan-2-ol

(d) 4-méthylpentan-2-ol

2 Préciser la classe de chacun des alcools précédents.

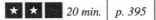

11 Alcènes et alcools ★ ★ ▮ *20 min.* | *p. 395*

Institut Notre Dame, Saint-Germain-en-Laye

On dispose d'un alcène de formule C_4H_8 dont on veut déterminer la formule développée par des tests expérimentaux.

1. Chercher les formules semi-développées des isomères de ce composé. Les nommer et préciser une éventuelle isomérie Z et E.

On réalise l'hydratation de cet alcène. Elle donne deux composés A et B.

2. À l'aide des formules brutes, écrire l'équation bilan correspondante et préciser le groupement fonctionnel des produits formés.

3. Le composé A ne subit aucune oxydation à froid.

   (a) Quelle est la formule semi-développée et le nom du composé A obtenu ?

   (b) Quelle est la seule formule semi-développée possible pour l'alcène dont A est issu ?

4. Le composé B, oxydé par le permanganate de potassium en milieu acide, donne un composé C qui réagit positivement au test de la DNPH et au réactif de Schiff.

   (a) Donner les formules semi-développées et les noms de C puis de B.

   (b) Si on ajoute un excès de la solution de permanganate de potassium, quelle nouvelle espèce chimique est susceptible d'apparaître (nom et formule semi-développée) ?

12 Déshydratation d'un alcool ★ ★ ▮ *20 min.* | *p. 397*

Lycée Jeanne d'Albret, Saint-Germain-en-Laye

La déshydratation d'un alcool A conduit à un hydrocarbure non cyclique de masse molaire $42 \text{ g} \cdot \text{mol}^{-1}$.

1. Écrire l'équation chimique qui modélise cette transformation si la formule brute de l'alcool est $C_nH_{2n+2}O$.

2. Trouver la formule brute de l'hydrocarbure obtenu et sa formule développée.

3. Déduire la formule brute de l'alcool A qui a été deshydraté.

4. Trouver tous les alcools isomères ayant cette formule brute. Préciser leur nom.

5. Quel est l'alcool A sachant que son oxydation ménagée conduit à un aldéhyde ?

On donne les masses molaires atomiques :

$$M_C = 12 \text{ g} \cdot \text{mol}^{-1} \text{ et } M_H = 1 \text{ g} \cdot \text{mol}^{-1}$$

Lycée Marie Curie, Sceaux ★ ★ ■ *25 min.* | *p. 398* |

Détermination de formules semi-développées

On possède cinq flacons contenant les corps notés *A*, *B*, *C*, *D* et *E*, tous différents. On sait que :

- chaque corps est un corps pur et que sa molécule ne contient que trois atomes de carbone, des atomes d'hydrogène, un ou deux atomes d'oxygène.

- la chaîne carbonée ne comporte pas de liaison multiple.

- parmi ces cinq corps, il y a deux alcools.

1 On réalise une oxydation ménagée des corps *A* et *B* par le dichromate de potassium en milieu acide et on obtient les résultats suivants : *A* conduit à *C* ou a *D* alors que *B* conduit uniquement à *E*.
Cette expérience est-elle suffisante pour reconnaître les cinq corps *A*, *B*, *C*, *D* et *E* ? justifier la réponse.

2 Pour préciser les résultats précédents, on utilise le réactif de Tollens (nitrate d'argent ammoniacal). On constate que *C* est oxydé.
Donner le nom et la formule des cinq corps.

3 Pour la réaction d'oxydoréduction par le dichromate de potassium en milieu acide qui fait passer du corps *A* au corps *C*, écrire pour chaque couple redox la demi-équation électronique puis l'équation bilan de la réaction.

Hydratation d'alcènes ★ ★ ■ *25 min.* | *p. 399* |

Lycée Victor Hugo, Caen

Lors de l'addition d'eau sur un alcène, s'il peut se former plusieurs alcools, c'est l'alcool de la classe la plus élevée qui est obtenu majoritairement.

1 Le 3-méthylpentan-3-ol peut être préparé, par hydratation, à partir de deux alcènes isomères. Écrire la formule semi-développée de chacun de ces alcènes, en justifiant. Les nommer, puis préciser quel autre alcool est simultanément obtenu lors de l'hydratation de chacun d'eux.

2 Le 3-méthylpentan-2-ol ne peut être obtenu de façon majoritaire, par hydratation, qu'à partir d'un seul alcène. Lequel ?

3 Le 3-méthylpentan-1-ol ne peut pas être obtenu avec un bon rendement par hydratation. Pourquoi ?

15 Hydratation d'un alcène ★ ★ ▪ *25 min.* | *p. 401*

Lycée Sainte-Marie, Antony

1 Quels alcools sont susceptibles de se former par hydratation du propène ? on donnera leur formule semi-développée, leur nom, leur classe. En présence de quel catalyseur se fait, dans la plupart des cas, une telle oxydation ?

2 En fait, il ne se forme pratiquement qu'un seul alcool *A* lors de l'hydratation du propène ; on soumet cet alcool *A* à une oxydation ménagée par l'ion dichromate $Cr_2O_7^{2-}$ en milieu acide. On obtient un composé *B* qui réagit avec la 2,4-dinitrophénylhydrazine (DNPH) mais est sans action sur la liqueur de Fehling.

    (a) • Dans quel but utilise-t-on la DNPH lors de l'étude du composé ?

        • Qu'observe-t-on pratiquement lorsque le test est positif ?

        • Mêmes questions pour la liqueur de Fehling.

        • Pourquoi doit-on utiliser successivement ces deux réactifs ?

        • Que peut-on affirmer dans le cas du composé *B* ?

    (b) Quelle est la formule semi-développée de l'alcool *A* ?

3 On a écrit, en répondant à la première question, la formule d'un autre alcool (qui ne se forme qu'à l'état de traces lors de l'hydratation du propène).

    Quels produits peut-on successivement obtenir par oxydation ménagée de ce deuxième alcool par l'ion dichromate en milieu acide ?

1 Un alcool a pour formule brute $C_nH_{2n+2}O$ et donc pour masse molaire :

$$M = n \times M_C + (2n+2) \times M_H + M_O = n \times 12 + (2n+2) \times 1 + 16 = 14\,n + 18$$

Donc, une mole de cet alcool possède une masse M et contient n atomes de carbone de masse :

$$m_C = n \times M_C = n \times 12$$

Or, le pourcentage en masse de carbone représente :

$$\frac{m_C}{M} = 64,8\% \quad \Rightarrow \quad \frac{12\,n}{14\,n + 18} = 0,648$$

$$\Rightarrow \quad 12\,n = 0,648 \times (14\,n + 18) = 9,072\,n + 11,66$$

$$\Rightarrow \quad 2,928\,n = 11,66$$

$$\Rightarrow \quad n = \frac{11,66}{2,928} \simeq 3,98 \simeq 4$$

C'est pourquoi cet alcool a pour formule brute : $C_4H_{10}O$ (réponse *a*).

2 Parmi les formules semi-développées proposées, les seules qui correspondent à la formule brute $C_4H_{10}O$ sont :

$$CH_3-CH_2-CH_2-CH_2-OH \qquad CH_3-CH_2-\underset{\underset{OH}{|}}{CH}-CH_3 \qquad CH_3-\underset{\underset{OH}{|}}{\overset{\overset{CH_3}{|}}{C}}-CH_3$$

(réponse *c*)   (réponse *f*)   (réponse *e*)

3 Deux des formules précédentes sont des alcools dont la chaîne principale comporte 4 atomes de carbone (ce sont des butanol) et sur laquelle les groupes –OH sont liés aux atomes de carbone $C_{(1)}$ et $C_{(2)}$.

Quant à la troisième molécule, il s'agit d'un propanol (la chaîne principale contient 3 atomes de carbone) dont l'atome de carbone $C_{(2)}$ est lié au substituant méthyle (–CH_3). C'est pourquoi ces composés s'appellent :

     butan-1-ol   (réponse *e*)
     2-méthylpropan-2-ol   (réponse *f*)
     butan-2-ol   (réponse *g*)

4 Soit B le produit obtenu par oxydation ménagée de l'alcool A :

$$A \xrightarrow{\text{oxydation}} B \qquad \overset{\text{DNPH}}{\diagup} \text{test négatif}$$
$$\underset{\diagdown}{\qquad} \text{pH} < 7$$

Le test négatif de B avec la D.N.P.H. montre que B ne peut être un aldéhyde ou une cétone. Il s'agit alors :

- soit de A qui n'a pas été oxydé, mais dans ce cas l'alcool A ne posséderait par de propriétés acides ;

- soit d'un acide carboxylique, ce qui est confirmé par la valeur de pH < 7.

Par conséquent, *A* est le seul alcool primaire parmi les trois alcools mentionnés ci-dessus, c'est-à-dire le butan-1-ol (réponse *e*).

5 Le butan-1-ol $C_4H_{10}O$ est le réducteur du couple $C_3H_7COOH/C_4H_{10}O$ tandis que la solution acidifiée de permanganate de potassium contient des ions MnO_4^-. C'est pourquoi les couples oxydant/réducteur mis en jeu dans la question précédente sont :

$$C_3H_7COOH/C_4H_{10}O \text{ et } MnO_4^-/Mn^{2+} \text{ (réponse } c\text{)}.$$

6 La demi-équation relative au couple $C_3H_7COOH/C_4H_{10}O$ doit assurer :

- la conservation de l'élément carbone : $\underbrace{C_3H_7COOH}_{4C} = \underbrace{C_4H_{10}O}_{4C}$.

- la conservation de l'élément oxygène (avec H_2O) :

$$\underbrace{C_3H_7COOH}_{2O} = \underbrace{C_4H_{10}O + H_2O}_{2O}$$

- la conservation de l'élément hydrogène (avec H^+) :

$$\underbrace{C_3H_7COOH + 4H^+}_{12H} = \underbrace{C_4H_{10}O + H_2O}_{12H}$$

- la conservation de la charge (avec e^-) :

$$C_3H_7COOH + 4H^+ + 4e^- = C_4H_{10}O + H_2O$$

Cette demi-équation peut être associée à celle du couple MnO_4^-/Mn^{2+} :

$$MnO_4^- + 8H^+ + 5e^- = Mn^{2+} + 4H_2O$$

de manière à faire apparaître autant d'électrons de part et d'autre des demi-équations :

$$4MnO_4^- + 32H^+ + 20e^- = 4Mn^{2+} + 16H_2O$$
$$5C_4H_{10}O + 5H_2O = 5C_3H_7COOH + 20H^+ + 20e^-$$

Après simplification de $20e^-$, de $20H^+$ et de $5H_2O$, on obtient finalement l'équation de la réaction d'oxydo-réduction (réponse *d*) :

$$4MnO_4^- + 12H^+ + 5C_4H_{10}O \rightarrow 4Mn^{2+} + 11H_2O + 5C_3H_7COOH$$

2 Composés organiques   *5 min.* | *p. 375*

a FAUX – Le groupe caractéristique d'un alcool (–OH) est appelé hydroxyle.

b VRAI – En remplaçant le groupe $-NH_2$ par $-H$, la molécule est le méthane : CH_3-H. C'est pourquoi l'amine correspondante s'appelle la méthylamine.

c VRAI – Le formol (H–CHO) possède la fonction caractéristique des aldéhydes (–CHO).

d VRAI – La formule semi-développée du 2,3-diméthylbutanal :

$$CH_3—\underset{\underset{CH_3}{|}}{CH}—\underset{\underset{CH_3}{|}}{CH}—CHO$$

montre que cet aldéhyde a pour formule brute : $C_6H_{12}O$.

e FAUX – La D.N.P.H. ne permet de mettre en évidence que les aldéhydes et les cétones, avec lesquels elle forme un précipité jaune.

f VRAI – Un composé halogéné R–X peut réagir avec les ions Ag^+ pour former un précipité d'halogénure d'argent AgX.

g FAUX – La liqueur de Fehling contient des ions cuivre (II) qui peuvent oxyder un aldéhyde ; il se forme alors un précipité rouge d'oxyde de cuivre (I) : Cu_2O.

h FAUX – Le groupement spécifique d'un aldéhyde est –CHO, tandis que –COOH est le groupement caractéristique des acides carboxyliques.

i VRAI – En milieu acide (acide carboxylique) la phénolphtaléine demeure incolore, mais elle vire au rose fuchsia en milieu basique (amine).

j FAUX – La formule semi-développée du 2-méthylpropan-2-ol :

montre qu'il s'agit d'un alcool tertiaire.

k VRAI – L'hydratation (c'est-à-dire l'addition d'eau) d'un alcène peut produire un alcool :

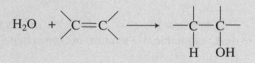

COURS

ÉNONCÉS

CORRIGÉS

$\boxed{\text{l}}$ VRAI – Les formules semi-développées du 2-méthylpropanal et de la butan-2-one :

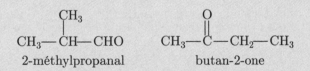

montrent que ces composés ont la même formule brute : C_4H_8O mais des natures différentes (un aldéhyde et une cétone) ; ce sont des isomères de fonction.

$\boxed{\text{m}}$ VRAI – Une cétone doit être caractérisée par :

- un test positif à la D.N.P.H., qui donne un précipité jaune ;

- un test négatif à la liqueur de Fehling et au réactif de Tollens.

---

3 **Formules semi-développées** ★■■■ *10 min.* | *p. 376*

Lycée Jacques Monod, Clamart

Méthode

Pour représenter une formule semi-développée, vous devez établir un ordre de priorité parmi les groupes que vous allez positionner (il serait hasardeux de chercher simultanément les fonctions et ramifications). Pour ma part, je respecte l'algorithme suivant :

- tracer la chaîne carbonée depuis le groupe fonctionnel ;

- numéroter les atomes depuis le groupe fonctionnel ;

- placer les substituants (qui constituent des ramifications) sur les atomes de carbone numérotés ;

- ajouter les atomes d'hydrogène assurant la tétravalence des atomes de carbone.

1 La pentan-3-one contient, dans sa chaîne carbonée principale, cinq atomes de carbone, dont le troisième porte la fonction cétone :

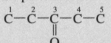

La 2,2-diméthylpentan-3-one porte de surcroît deux substituants méthyle (–CH_3) sur l'atome 2 :

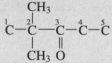

L'ajout d'atomes d'hydrogène vise à respecter la tétravalence du carbone :

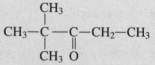

2 L'hexanal contient six atomes de carbone dont l'un porte la fonction aldéhyde (il s'agit nécessairement d'un atome situé en extrémité de chaîne carbonée) :

$$\overset{6}{C}-\overset{5}{C}-\overset{4}{C}-\overset{3}{C}-\overset{2}{C}-\overset{1}{C}-H$$
$$\underset{O}{\|}$$

Dans la molécule de 2,2,3-triméthylhexanal, deux substituants méthyle sont situés sur l'atome 2 et un est lié à l'atome 3 :

$$\overset{6}{C}-\overset{5}{C}-\overset{4}{C}-\overset{3}{C}-\overset{2}{C}-\overset{1}{C}-H$$

Enfin, on ajoute des atomes d'hydrogène en respectant la tétravalence du carbone :

$$CH_3-CH_2-CH_2-CH-C-C-H$$

3 L'acide pentanoïque contient cinq atomes de carbone, dont le premier porte la fonction acide carboxylique :

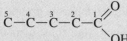

Deux substituants méthyle sont situés sur les atomes de carbone 2 et 4 dans la molécule d'acide 2,4-diméthylpentanoïque :

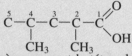

et des atomes d'hydrogène assurent la tétravalence des atomes de carbone :

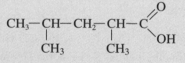

4 Nomenclature ★ ■ ■ ■ *10 min.* p. 376

Lycée Voltaire

1 La molécule est un alcool à 4 atomes de carbone (la numérotation commence à l'extrémité de la chaîne principale la plus proche du groupe –OH).

Il s'agit donc d'un butan-2-ol, portant un groupe méthyle sur l'atome de carbone 2. Par conséquent, c'est le 2-méthylbutan-2-ol.

2 La molécule est une cétone à 5 atomes de carbone (c'est une pentanone) .

En commençant la numérotation de la chaîne principale au plus près de la fonction cétone (–CO–), il apparaît que celle-ci est portée par l'atome de carbone 2 ; il s'agit donc d'une pentan-2-one, portant de surcroît 2 groupes méthyle sur l'atome de carbone 4. Par suite, la molécule s'appelle le 4,4-diméthylpentan-2-one.

3 La molécule est un aldéhyde (par la présence de la fonction –CO–H) à 4 atomes de carbone ; c'est un butanal.

La fonction aldéhyde étant portée par le premier atome de la chaîne principale, 2 substituants méthyle apparaissent sur le carbone 2. Cette molécule est nommée le 2,2-diméthylbutanal

4 L'alcool présente 5 atomes de carbone sur sa chaîne principale (c'est du pentanol).
La fonction alcool (–OH) étant du reste portée par le premier atome de cette chaîne, c'est un pentan-1-ol. Quant à la présence de 2 groupes méthyle sur les atomes 2 et 3, elle confère à la molécule son nom définitif : 2,3-diméthylpentan-1-ol

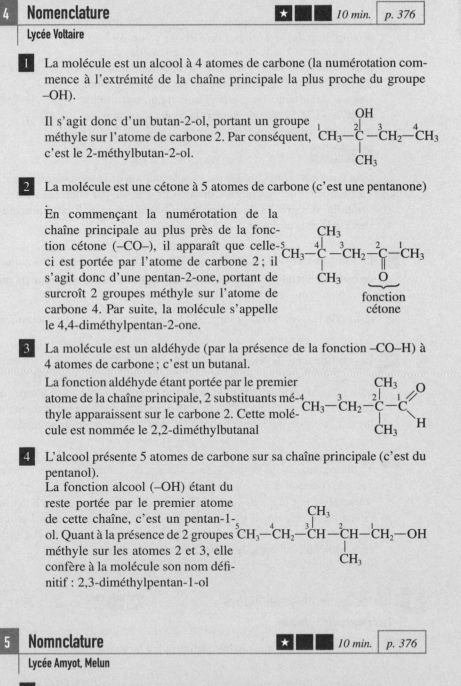

5 Nomnclature ★ ■ ■ ■ *10 min.* p. 376

Lycée Amyot, Melun

1 La molécule $CH_3–CH_2–CH_2–CH_2–OH$ est un alcool possédant 4 atomes de carbone (c'est donc un butanol), présentant le groupe –OH sur le premier atome de cette chaîne principale. Il s'agit donc du butan-1-ol.

2 La formule semi-développée correspond à celle d'un alcool dont la chaîne principale possède 4 atomes de carbone (c'est un butanol).

En commençant la numérotation de ces atomes au plus près de la fonction −OH, cette dernière apparaît portée par l'atome 2 ; la molécule est un butan-2-ol, dont l'atome de carbone 3 possède également un substituant méthyle –CH$_3$. Par conséquent, la molécule s'appelle le 3-méthylbutan-2-ol.

$$\overset{4}{C}H_3-\overset{3}{C}H-CH_3$$
$$\overset{2}{|}$$
$$CH-OH$$
$$|$$
$$CH_3$$

> **Attention**
>
> Ne vous laissez pas abuser par la présentation de la molécule qui vise à tromper votre jugement. Commencer d'abord par chercher l'extrémité la plus proche du groupe fonctionnel ainsi que l'extrémité qui en est la plus éloignée.

3 La formule CH$_3$–CO–C$_2$H$_5$ est caractéristique d'une cétone à 4 atomes de carbone :

$$CH_3-\underset{\underset{O}{\|}}{C}-CH_2-CH_3$$

. Il s'agit donc de la butanone (la précision de la position du groupe −CO− est superflue car elle est unique).

4 La formule semi-développée de la molécule :

$$\overset{3}{C}H_3-\overset{2}{\underset{\underset{CH_3}{|}}{C}}H-\overset{1}{C}\overset{O}{\underset{H}{\diagdown}}$$

montre qu'il s'agit d'un aldéhyde dont la chaîne principale présente 3 atomes de carbone (c'est un propanal), et dont le deuxième porte un substituant méthyle. C'est pourquoi cette molécule s'appelle le 2-méthylpropanal.

5 La molécule :

$$\overset{4}{C}H_3-\overset{3}{C}H_2-\overset{2}{\underset{\underset{C_2H_5}{|}}{C}}H-\overset{1}{C}\overset{O}{\underset{OH}{\diagdown}}$$

est un acide carboxylique (caractérisé par le groupe –COOH) possédant 4 atomes de carbone sur sa chaîne principale ; il s'agit donc de l'acide butanoïque, dont l'atome de carbone 2 porte de surcroît un substituant éthyle (–C$_2$H$_5$). Par suite, cette molécule est appelée acide 2-éthylbutanoïque.

---

6 **Formules semi-développées** ★ ■ ■ *10 min.* | *p. 377* |

Lycée Montesquieu, Herblay

1 Le butane possède une chaîne carbonée à 4 atomes de carbone :

$$\overset{4}{C}-\overset{3}{C}-\overset{2}{C}-\overset{1}{C}$$

Le butan-1-ol présente de surcroît une fonction alcool –OH liée à l'atome de carbone 1 :

$$\overset{4}{C}-\overset{3}{C}-\overset{2}{C}-\overset{1}{C}-OH$$

. Enfin, les atomes d'hydrogène complètent la tétravalence des atomes de carbone :

$$CH_3-CH_2-CH_2-CH_2-OH$$

2 En vertu de ce qui précède, le butan-2-ol présente un groupe –OH sur le

deuxième atome de carbone de la chaîne principale : 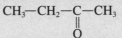 et

des atomes d'hydrogène assurent la tétravalence des atomes de carbone :
$$CH_3-CH_2-CH-CH_3$$
$$|$$
$$OH$$

3 La butanone est une cétone (possédant par conséquent la séquence C–CO–C).
Par suite, avec une chaîne carbonée de 4 atomes, elle s'écrit :
$$CH_3-CH_2-C-CH_3$$
$$\|$$
$$O$$

4 Le butanal (aldéhyde possédant 4 atomes de carbone sur sa chaîne principale et la fonction –CO–H) présente pour formule développée :

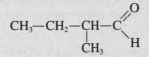

En outre, le 2-méthylbutanal comporte un groupe méthyle –CH$_3$ se substituant à un atome d'hydrogène de l'atome de carbone 2 :

5 L'acide éthanoïque est un acide carboxylique (porteur du groupe –COOH) possédant 2 atomes de carbone sur sa chaîne principale (comme l'éthane) :

$$CH_3-C\begin{smallmatrix} O \\ \\ OH \end{smallmatrix}$$

6 L'acide butanoïque est également un acide carboxylique (caractérisé par le groupe –COOH) dont la chaîne principale est composée de 4 atomes de carbone :

$${}^4C-{}^3C-{}^2C-{}^1C\begin{smallmatrix} O \\ \\ OH \end{smallmatrix}$$

L'acide 3-méthylbutanoïque comporte de surcroît
un groupe méthyle sur l'atome de carbone 3.
La tétravalence des atomes de carbone est enfin assurée par les atomes d'hydrogène :

$${}^4C-{}^3C-{}^2C-{}^1C\begin{smallmatrix} O \\ \\ OH \end{smallmatrix}$$
$$|$$
$$CH_3$$

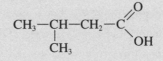

7 Composé oxygéné

★ ■ ■ ■ *10 min.* | *p. 377*

Lycée Bachelard, Chelles

1 Seul le groupe $-\overset{\scriptstyle\parallel}{\underset{\scriptstyle O}{C}}-$ peut réagir positivement avec la 2,4-DNPH. Par suite, A et B sont une cétone ou un aldéhyde.

2 De la cétone et l'aldéhyde, seul ce dernier est oxydable par la liqueur de Fehling. Donc A est un aldéhyde. L'oxydation de l'aldéhyde est produite par les ions Cu^{2+} complexés qui se transforment en précipité rouge brique d'oxyde de cuivre (I) : $Cu_2O_{(sol)}$.

3 D'après ce qui précède, A est un aldéhyde dont la chaîne principale est composée de 3 atomes de carbone (C_3H_6O). La seule formule semi-développée qui convienne est donc :

$$CH_3-CH_2-C\overset{\displaystyle O}{\underset{\displaystyle H}{\big<}} \quad \text{(propanal)}$$

4 Un aldéhyde (et A en particulier) est oxydable par les ions Ag^+ en milieu ammoniacal (réactif de Tollens). L'oxydation de l'aldéhyde en acide carboxylique est accompagnée de la réduction des ions Ag^+ en argent Ag métallique. La formation d'un dépôt d'argent métallique sur les parois du récipient évoque un miroir, c'est pourquoi ce test est aussi appelé « test du miroir d'argent ».

5 B est une cétone composée de 3 atomes de carbone (C_3H_6O). Une seule molécule correspond à une telle description :

$$\text{lapropanone:} \quad CH_3-\overset{\scriptstyle\parallel}{\underset{\scriptstyle O}{C}}-CH_3$$

8 Alcènes et alcools

★ ■ ■ ■ *15 min.* | *p. 377*

Lycée Montaigne, Bordeaux

1 **(a)** L'addition d'une molécule d'eau sur une liaison éthylénique, en présence d'acide sulfurique produit un alcool :

$$-\overset{\scriptstyle|}{C}=\overset{\scriptstyle|}{C}- + H-OH \xrightarrow{H_2SO_4} -\overset{\scriptstyle|}{\underset{\scriptstyle H}{C}}-\overset{\scriptstyle|}{\underset{\scriptstyle OH}{C}}-$$

(b) L'alcool de formule brute $C_4H_{10}O$ possède deux isomères :

- le butan-1-ol : $CH_3-CH_2-CH_2-CH_2-OH$

- le butan-2-ol :

$$CH_3-CH_2-\underset{\underset{OH}{|}}{CH}-CH_3$$

 (a) Le dichromate de potassium (en milieu acide) permet d'oxyder :

- les alcools primaires en aldéhydes :

$$CH_3-CH_2-CH_2-CH_2-OH \xrightarrow{\text{ox.}} CH_3-CH_2-CH_2-C\overset{\displaystyle O}{\underset{\displaystyle H}{\diagup}}$$

L'aldéhyde ainsi produit réagit non seulement avec la DNPH (par la présence du groupe $-\underset{\underset{O}{\|}}{C}-$), mais est également oxydable par la liqueur de Fehling ou le réactif de Tollens (l'aldéhyde se transforme alors en acide carboxylique).

- les alcools secondaires en cétones :

$$CH_3-CH_2-\underset{\underset{OH}{|}}{CH}-CH_3 \xrightarrow{\text{ox.}} CH_3-CH_2-\underset{\underset{O}{\|}}{C}-CH_3$$

qui précipitent en présence de DNPH (à cause d'un groupe $-\underset{\underset{O}{\|}}{C}-$)

mais qui ne sont pas oxydables par le réactif de Tollens ou par la liqueur de Fehling.

Les résultats de l'expérience sont compatibles avec ceux attendus d'un alcool secondaire, auquel cas :

B est le butan-2-ol: $\quad CH_3-CH_2-\underset{\underset{OH}{|}}{CH}-CH_3$

(b) Le butan-2-ol issu de l'alcène A est le produit d'une addition de –H et de –OH sur une double liaison :

$$CH_3-\underset{\underset{H}{|}}{CH}-\underset{\underset{OH}{|}}{CH}-CH_3 \quad \text{ou:} \quad CH_3-CH_2-\underset{\underset{OH}{|}}{CH}-\underset{\underset{H}{|}}{CH_2}$$

Deux alcènes A ont ainsi pu permettre une telle addition :

le but-2-ène : $CH_3-CH = CH-CH_3$ ou le but-1-ène : $CH_3-CH_2-CH = CH_2$

Cependant, l'hydratation du but-1-ène peut aussi produire (en très faibles proportions toutefois) du butan-1-ol :

$$CH_3-CH_2-CH{=}CH_2 \xrightarrow{H_2O} \quad + \quad \begin{array}{l} CH_3-CH_2-CHOH-CH_3 \\ \text{butan-2-ol} \\[4pt] CH_3-CH_2-CH_2-CH_2OH \\ \text{butan-1-ol} \end{array}$$

tandis que l'hydratation du but-2-ène ne peut produire que du butan-2-ol :

$$CH_3-CH = CH-CH_3 \xrightarrow{+ H_2O} CH_3-CH_2-CHOH-CH_3 \ (100\,\%)$$

Aussi, il est vraisemblable que l'alcène A soit le but-2-ène.

9 Fonction organique

★ ■ ■   *20 min.* $\boxed{p.\ 378}$

Lycée Montesquieu, Herblay

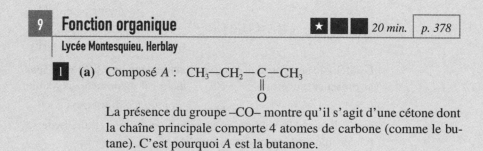

1 **(a)** Composé A : $CH_3-CH_2-\overset{\|\ \ }{\underset{O}{C}}-CH_3$

La présence du groupe $-CO-$ montre qu'il s'agit d'une cétone dont la chaîne principale comporte 4 atomes de carbone (comme le butane). C'est pourquoi A est la butanone.

(b) Composé B : $CH_3-CH_2-\overset{\displaystyle O}{\underset{\displaystyle H}{C}}$

Le groupe $-CO-H$ est caractéristique d'un aldéhyde dont la chaîne principale est constituée de 3 atomes de carbone (comme le propane). Par conséquent B est le propanal.

(c) Composé C : $\overset{1}{CH_3}-\overset{2}{\underset{OH}{CH}}-\overset{3}{CH_2}-\overset{4}{CH_3}$

La fonction alcool $-OH$ est liée au deuxième atome de carbone d'une chaîne carbonée possédant 4 atomes (comme le butane). Il s'ensuit que C est le butan-2-ol.

(d) Composé D : $\overset{1}{CH_3}-\overset{2}{\underset{\underset{CH_3}{|}}{\overset{\overset{OH}{|}}{C}}}-\overset{3}{CH_3}$ La chaîne principale de la molécule

possède 3 atomes de carbone, dont le deuxième est non seulement lié à la fonction alcool $-OH$ (c'est du propanol) mais également au substituant méthyle, d'où son nom : le méthylpropan-2-ol.

Remarque : Ce composé pourrait aussi s'appeler simplement :

le 2-méthylpropan-2-ol

L'omission de la position du groupe méthyle est cependant justifiée par l'unicité d'une telle molécule. En effet, si le groupe était lié à un autre atome de carbone :

$$\overset{3}{CH_2}-\overset{2}{\underset{}{\overset{\overset{OH}{|}}{CH}}}-\overset{1}{CH_3}$$
$$\underset{\overset{|}{\overset{4}{CH_3}}}{}$$

la molécule s'appellerait le butan-2-ol (la chaîne principale contenant alors 4 atomes de carbone.)

2 • Les ions dichromate $Cr_2O_7^{2-}$ sont susceptibles d'oxyder :

- les aldéhydes (comme B) qui se transforment en acides carboxyliques ;

- les alcools secondaires (comme C) qui se transforment en cétones.

• La DNPH met en évidence la fonction –CO– des aldéhydes et des cétones (A et B).

• La liqueur de Fehling peut oxyder les aldéhydes (comme B) en acides carboxyliques.

Les molécules A, B, C et D doivent ainsi donner les résultats suivants :

	A	B	C	D
dichromate	-	+	+	-
DNPH	+	+	-	-
liq. de Fehling	-	+	-	-

La comparaison avec les résultats des tests effectués sur les quatre flacons :

	1	2	3	4
dichromate	+	-	+	-
DNPH	+	+	-	-
liq. de Fehling	+	-	-	-

conduit à conclure que :

le flacon 1 contient B
le flacon 2 contient A
le flacon 3 contient C
le flacon 4 contient D

10 Synthèse d'alcools ★ ■ ■ ■ 20 min. | p. 378

Lycée Vieljeux, La Rochelle

1 L'addition d'eau sur un alcène produit un (ou plusieurs) alcool :

$$-\overset{|}{C}=\overset{|}{C}- + H-OH \longrightarrow -\overset{|}{\underset{H}{C}}-\overset{|}{\underset{OH}{C}}-$$

Aussi, la présence des groupes –H et –OH vicinaux indiquent où la double liaison se trouvait avant addition d'eau.

(a) l'éthanol : $\overset{|}{\underset{OH}{CH_2}}-\overset{|}{\underset{H}{CH_2}}$ provient de l'éthylène : $CH_2 = CH_2$.

(b) Le propan-2-ol : $CH_3—CH—CH_2$ provient du propène : $CH_3–CH = CH_2$.
                              $\quad\quad\quad\quad\ \ \underset{OH\ \ H}{|\ \ \ |}$

(c) Le 2-méthylpropan-2-ol : $CH_3—\overset{\overset{CH_3}{|}}{\underset{\underset{OH\ \ H}{|\ \ \ |}}{C}}—CH_2$ provient du :

2-méthylpropène : $CH_3—\overset{\overset{CH_3}{|}}{C}=CH_2$

(d) Le 4-méthylpentan-2-ol : $CH_3—\underset{\underset{1}{\underset{CH_3}{|}}}{CH}—\underset{H}{\underset{|}{CH}}—\underset{\underset{2}{\underset{OH}{|}}}{CH}—\underset{H}{\underset{|}{CH_2}}$ peut être

obtenu à partir de deux alcènes :

- L'addition des groupes –H et –OH repérés par le numéro 1 s'est réalisée sur le :

    4m éthylpent-2-ène : $CH_3—\underset{\underset{CH_3}{|}}{CH}—CH=CH—CH_3$

- L'addition des groupes –H et –OH repérés par le numéro 2 s'est opérée, quant à elle, sur le :

    4-méthylpent-1-ène : $CH_3—\underset{\underset{CH_3}{|}}{CH}—CH_2—CH=CH_2$

2 Rappelons que la classe d'un alcool est déterminée par le nombre d'atomes de carbone lié à l'atome porteur du groupe –OH :

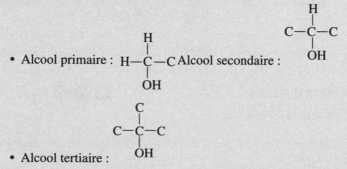

- Alcool primaire : $H—\underset{\underset{OH}{|}}{\overset{\overset{H}{|}}{C}}—C$ Alcool secondaire : $C—\underset{\underset{OH}{|}}{\overset{\overset{H}{|}}{C}}—C$

- Alcool tertiaire : $C—\underset{\underset{OH}{|}}{\overset{\overset{C}{|}}{C}}—C$

Ce rappel, associé aux formules semi-développées des différents alcools conduit aux résultats suivants :

éthanol	alcool primaire
propan-2-ol	alcool secondaire
2-méthylpropan-2-ol	alcool tertiaire
4-méthylpentan-2-ol	alcool secondaire

11 Alcènes et alcools ★ ★ ■ *20 min.* | *p. 379*

Institut Notre Dame, Saint-Germain-en-Laye

1 Le recensement de tous les alcènes à quatre atomes de carbone doit se mener méthodiquement, selon le nombre d'atomes de carbone composant la chaîne principale :

• Chaîne principale à quatre atomes de carbone :

$$\overset{4}{C}-\overset{3}{C}-\overset{2}{C}=\overset{1}{C} \quad \text{ou} \quad \overset{4}{C}-\overset{3}{C}=\overset{2}{C}-\overset{1}{C}$$

L'ajout d'atomes d'hydrogène vise ensuite à respecter la tétravalence du carbone :

$$CH_3-CH_2-CH=CH_2 \quad \text{ou} \quad CH_3-CH=CH-CH_3$$
$$\text{but-1-ène} \qquad\qquad\qquad \text{but-2-ène}$$

De ces molécules, seule la deuxième présente une isomérie Z et E (car chacun des atomes de carbone de la double liaison n'est lié qu'à un seul atome d'hydrogène) :

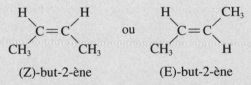

(Z)-but-2-ène (E)-but-2-ène

• Chaîne à trois atomes de carbone : $\overset{3}{C}-\overset{2}{C}=\overset{1}{C}$. Le quatrième atome de carbone est présent sous forme de substituant méthyle (–CH_3) et peut *a priori* occuper trois positions. Cependant, si cet atome est lié aux atomes 1 et 3, les molécules sont les mêmes que celles étudiées précédemment. C'est pourquoi seul l'atome de carbone 2 peut accueillir le substituant méthyle pour former : $\overset{3}{C}-\overset{2}{C}=\overset{1}{C}$. L'ajout d'atomes
$$\qquad\qquad\qquad | \\ CH_3$$
d'hydrogène conduit au :

$$\text{méthylpropène:} \quad CH_3-C=CH_2 \\ \qquad\qquad\qquad\quad | \\ \qquad\qquad\qquad CH_3$$

2 L'hydrogénation d'un alcène conduit à un alcool, conformément à l'équation bilan :

$$C_4H_8 + H_2O \longrightarrow C_4H_{10}O$$

Ainsi, les trois alcènes rencontrés précédemment peuvent évoluer vers des alcools de classes variées :

$$CH_3-CH_2-CH=CH_2 \xrightarrow{+H_2O} \quad et \quad CH_3-CH_2-CH_2-CH_2-OH \qquad alcool\ primaire$$

$$CH_3-CH_2-\underset{\underset{OH}{|}}{CH}-CH_3 \quad alcool\ secondaire$$

$$CH_3-CH=CH-CH_3 \xrightarrow{+H_2O} CH_3-CH_2-\underset{\underset{OH}{|}}{CH}-CH_3 \quad alcool\ secondaire$$

$$CH_3-\underset{\underset{CH_3}{|}}{C}=CH_2 \xrightarrow{+H_2O} CH_3-\underset{\underset{CH_3}{|}}{\overset{\overset{OH}{|}}{C}}-CH_3 \quad et \quad CH_3-\underset{\underset{CH_3}{|}}{CH}-CH_2-OH$$

$$alcool\ tertiaire \qquad alcool\ primaire$$

3 **(a)** Si l'alcool *A* ne subit aucune oxydation à froid, c'est qu'il s'agit d'un alcool tertiaire, et parmi tous les alcools consignés ci-dessus, un seul appartient à cette classe :

$$A\ est\ le\ 2\text{-m\'ethylpropan-2-ol}: \quad CH_3-\underset{\underset{CH_3}{|}}{\overset{\overset{OH}{|}}{C}}-CH_3$$

(b) Cet alcool ne peut provenir que de l'hydratation du :

$$m\acute{e}thylprop\grave{e}ne: \quad CH_3-\underset{\underset{CH_3}{|}}{C}=CH_2$$

4 **(a)** La question 2 montre que le méthylpropène peut également produire, par hydratation, un alcool primaire :

$$B\ est\ le\ 2\text{-m\'ethylpropan-1-ol}: \quad CH_3-\underset{\underset{CH_3}{|}}{CH}-CH_2-OH$$

L'oxydation ménagée de cet alcool fournit, dans un premier temps, un aldéhyde :

$$C\ est\ le\ 2\text{-m\'ethylpropanal}: \quad CH_3-\underset{\underset{CH_3}{|}}{CH}-\underset{\underset{O}{\|}}{C}-H$$

d'où les réactions positives aux tests à la DNPH et au réactif de Schiff.

(b) Un excès d'oxydant (permanganate de potassium) est aussi susceptible d'oxyder l'aldéhyde qui évolue vers un acide carboxylique :

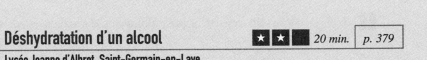

lacide2-m éthylpropanoïque: CH_3—CH—$COOH$
$\qquad\qquad\qquad\qquad\quad$ |
$\qquad\qquad\qquad\qquad\quad CH_3$

12 Déshydratation d'un alcool ★ ★ ☐ *20 min.* | *p. 379*
Lycée Jeanne d'Albret, Saint-Germain-en-Laye

1 La déshydratation de l'alcool A : $C_nH_{2n+2}O$ consiste à lui retirer une molécule d'eau :

$$C_nH_{2n+2}O \longrightarrow C_nH_{2n} + H_2O$$

2 L'hydrocarbure non cyclique obtenu : C_nH_{2n} a pour masse molaire :

$$M = n \times M_C + 2n \times M_H = n \times 12 + 2n \times 1 = 14n$$

ce qui fournit :

$$n = \frac{M}{14} = \frac{42}{14} = 3 \qquad C_3H_6 \text{ a été produit.}$$

3 La valeur trouvée : $n = 3$ confère à l'alcool A la formule brute : C_3H_8O. Deux alcools isomères présentent cette même formule :

lepropan-2-ol: CH_3—CH—CH_3 etlepropan-1-ol: CH_3—CH_2—CH_2—OH
$\qquad\qquad\qquad\qquad\quad$ |
$\qquad\qquad\qquad\qquad OH$

4 Les deux alcools précédents appartiennent à des classes différentes qui évoluent, par oxydation ménagée, vers des produits également différents :

• le propan-2-ol est un alcool secondaire, qu'une oxydation transforme en cétone :

$\qquad\qquad\qquad CH_3$—C—CH_3 (propanone)
$\qquad\qquad\qquad\qquad$ ‖
$\qquad\qquad\qquad\qquad$ O

• le propan-1-ol, comme tout alcool primaire, s'oxyde en aldéhyde :

$\qquad\qquad CH_3$—CH_2—$C\overset{\displaystyle O}{\underset{\displaystyle H}{<}}$ (propanal)

Sachant que A est oxydé en aldéhyde, on en déduit que A est le propan-1-ol.

1 Seuls deux alcools possèdent trois atomes de carbone sur leur chaîne principale :

$$CH_3—CH_2—CH_2—OH \quad \text{et} \quad CH_3—\underset{\underset{OH}{|}}{CH}—CH_3$$

L'oxydation ménagée d'un alcool primaire peut conduire à un aldéhyde puis à un acide carboxylique :

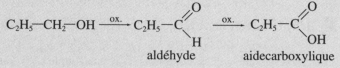

tandis que l'oxydation ménagée d'un alcool secondaire ne peut produire qu'une cétone :

$$CH_3—\underset{\underset{OH}{|}}{CH}—CH_3 \xrightarrow{\text{ox.}} CH_3—\underset{\overset{\|}{O}}{C}—CH_3$$

En outre, les indications de l'énoncé relatent les expériences suivantes :

$$A \xrightarrow{\text{ox.}} C \text{ ou } D \qquad B \xrightarrow{\text{ox.}} E$$

Par identification, on en déduit la nature de trois corps :

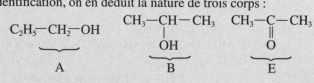

En revanche, la nature exacte des composés C et D demeure inconnue, puisqu'il peut s'agir de :

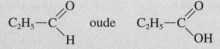

2 Le réactif de Tollens est capable d'oxyder les aldéhydes et non les acides carboxyliques. Constatant que C est oxydé, on en déduit que C est l'aldéhyde et D l'acide carboxylique. Les cinq corps sont dorénavant identifiés :

A: $CH_3-CH_2-CH_2-OH$ (propan-1-ol)

B: $CH_3-CH-CH_3$ (propan-2-ol)
                 |
                OH

C: $CH_3-CH_2-C\underset{H}{\overset{O}{\big\langle}}$ (propanal)

D: $CH_3-CH_2-C\underset{OH}{\overset{O}{\big\langle}}$ (acidepropano ïque)

E: $CH_3-\underset{O}{\overset{\|}{C}}-CH_3$ (propanone)

3 La demi-équation relative au couple $Cr_2O_7^{2-}/Cr^{3+}$ a déjà été établie au cours du chapitre concernant l'oxydoréduction :

$$Cr_2O_7^{2-} + 14\,H^+ + 6\,e^- = 2\,Cr^{3+} + 7\,H_2O \qquad (25)$$

En revanche, la demi-équation relative au couple C/A, ou encore :

$$C_2H_5\text{–}CHO/C_2H_5\text{–}CH_2OH$$

doit être établie en respectant les règles de conservation de la matière et de la charge :

• conservation de l'élément hydrogène (avec H^+) :

$$\underbrace{C_2H_5\text{–}CH_2OH}_{8\,H} = \underbrace{C_2H_5\text{–}CHO + 2\,H^+}_{8\,H}$$

• conservation de la charge (avec e^-) :

$$C_2H_5\text{–}CH_2OH = C_2H_5\text{–}CHO + 2\,H^+ + 2\,e^- \qquad (26)$$

La combinaison des demi-équations (25) et (26) conduit à l'équation bilan de la réaction :

$$Cr_2O_7^{2-} + 14\,H^+ + 6\,e^- = 2\,Cr^{3+} + 7\,H_2O \quad (\times 1)$$
$$\underline{C_2H_5\text{–}CH_2OH = C_2H_5\text{–}CHO + 2\,H^+ + 2\,e^- \quad (\times 3)}$$
$$Cr_2O_7^{2-} + 14\,H^+ + 6\,e^- + 3\,C_2H_5\text{–}CH_2OH$$
$$\rightarrow\ 2\,Cr^{3+} + 7\,H_2O + 3\,C_2H_5\text{–}CHO + 6\,H^+ + 6\,e^-$$

soit, après simplification par $6\,e^-$ et $6\,H^+$:

$$Cr_2O_7^{2-} + 8\,H^+ + 3\,C_2H_5\text{–}CH_2OH\ \rightarrow\ 2\,Cr^{3+} + 7\,H_2O + 3\,C_2H_5\text{–}CHO$$

14 **Hydratation d'alcènes**   ★ ★ ■ *25 min.* | *p. 380* |

Lycée Victor Hugo, Caen

1 L'hydratation d'un alcène provoque la rupture de la liaison éthylénique et la formation de liaisons C–H et C–OH :

$$-\overset{|}{C}=\overset{|}{C}- \ + \ H-OH \longrightarrow -\overset{|}{C}-\overset{|}{C}-$$
$$\underset{H\ \ OH}{}$$

Aussi, la présence de deux liaisons C–H et C–OH voisines suggère qu'une hydratation a pu se produire. Dans le cas du 3-méthylpentan-3-ol :

$$CH_3-\overset{\underset{|}{H}}{CH}-\overset{\overset{\displaystyle CH_2-CH_3}{|}}{C}-\overset{\underset{|}{H}}{CH_2}$$
$$\underset{(1)\quad(2)}{H\ \ OH\ H}$$

ce phénomène a pu se produire de deux manières différentes :

• l'hydratation a porté sur le 3-méthylpent-2-ène :

$$\overset{1}{CH_3}-\overset{2}{CH}=\overset{\overset{\displaystyle \overset{4}{CH_2}-\overset{5}{CH_3}}{|}}{\overset{3}{C}}-CH_3$$

• l'hydratation a affecté le 2-éthylbut-1-ène :

$$\overset{4}{CH_3}-\overset{3}{CH_2}-\overset{\overset{\displaystyle CH_2-CH_3}{|}}{\overset{2}{C}}=\overset{1}{CH_2}$$

L'hydratation des deux alcènes précédents a produit, outre le 3-méthylpentan-3-ol, d'autres alcools, de façon minoritaire :

• à partir du 3-méthylpent-2-ène :

$$CH_3-CH=\overset{\overset{\displaystyle CH_2-CH_3}{|}}{C}-CH_3 \ + \ H-OH \longrightarrow \overset{1}{CH_3}-\overset{2}{\underset{\underset{OH}{|}}{CH}}-\overset{\overset{\displaystyle \overset{4}{CH_2}-\overset{5}{CH_3}}{|}}{\underset{\underset{H}{|}}{\overset{3}{C}}}-CH_3$$

L'alcool ainsi obtenu est le 3-méthylpentan-2-ol.

• à partir du 2-éthylbut-1-ène :

$$CH_3-CH_2-\overset{\overset{\displaystyle CH_2-CH_3}{|}}{C}=CH_2 \ + \ H-OH \longrightarrow \overset{4}{CH_3}-\overset{3}{CH_2}-\overset{\overset{\displaystyle CH_2-CH_3}{|}}{\underset{\underset{H}{|}}{\overset{2}{C}}}-\overset{1}{\underset{\underset{OH}{|}}{CH_2}}$$

on obtient le 2-éthylbutan-1-ol.

2 Le 3-méthylpentan-2-ol :

$$CH_2-CH-\overset{\overset{\displaystyle CH_2-CH_3}{|}}{C}-CH_3$$
$$H\ \ OH\ H$$

peut provenir de l'hydratation de deux alcènes :

$$CH_2-CH_3$$

- le 3-méthylpent-2-ène : $CH_3-CH=\overset{|}{C}-CH_3$ dont on a déjà montré que l'hydratation évoluait majoritairement vers le 3-méthylpentan-3-ol.

- le 3-méthylpent-1-ène :

$$\overset{1}{CH_2}=\overset{2}{CH}-\overset{3}{\underset{\overset{|}{\overset{4}{CH_2}}-\overset{5}{CH_3}}{CH}}-CH_3$$

dont l'hydratation fournit deux alcools, le secondaire étant produit majoritairement :

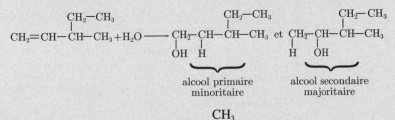

3 Le 3-méthylpentan-1-ol : $CH_2-\underset{OH}{\underset{|}{CH}}-\underset{H}{\underset{|}{CH}}-CH_2-CH_3$ e peut provenir

avec CH_3 au-dessus du deuxième carbone,

que de l'hydratation du 3-méthylpent-1-ène dont on a vu, dans la question précédente, qu'il évoluait majoritairement vers le 3-méthylpentan-2-ol. Par conséquent, le 3-méthylpentan-1-ol ne peut pas être obtenu avec un bon rendement par hydratation d'un alcène.

15 Hydratation d'un alcène
★ ★ ▇ 25 min. | p. 381

Lycée Sainte-Marie, Antony

1 L'hydratation du propène $CH_3-CH=CH_2$ vise à fixer les groupes –H et –OH sur les atomes de carbone formant la double liaison. Cependant, cette fixation peut se réaliser de deux manières :

$$CH_3-CH=CH_2 + H-OH \longrightarrow CH_3-\underset{OH}{\underset{|}{CH}}-\underset{H}{\underset{|}{CH_2}} \text{ et } CH_3-\underset{H}{\underset{|}{CH}}-\underset{OH}{\underset{|}{CH_2}}$$

propan-2-ol   propan-1-ol

On obtient ainsi un alcool primaire : $CH_3-CH_2-CH_2-OH$ (propan-1-ol)

et un alcool secondaire (le propan-2-ol) : $\underset{OH}{\underset{|}{CH_3-CH-CH_3}}$ L'hydrata-

tion d'un alcool est généralement catalysée par l'acide sulfurique.

2 **(a)** • La DNPH est un réactif permettant la mise en évidence des aldéhydes et des cétones (à cause de la présence du groupe –CO–).

• Lorsque le test à la DNPH est positif, un précipité jaune-orangé se forme.

• La liqueur de Fehling permet, quant à elle, la mise en évidence des aldéhydes (oxydation de la fonction –CO–H) et un précipité rouge brique apparaît lorsque le test est positif.

• Ces deux tests doivent être utilisés successivement, car ils permettent de distinguer la classe d'un alcool :

  • L'oxydation d'un alcool primaire conduit à un aldéhyde qui réagit positivement aux deux tests.

  • L'oxydation d'un alcool secondaire produit une cétone qui ne réagit positivement qu'au test à la DNPH.

  • l'oxydation d'un alcool tertiaire est impossible, de sorte que l'alcool restant réagit négativement aux deux tests.

• Le composé B réagissant avec la DNPH mais pas avec la liqueur de Fehling, il s'agit d'une cétone.

(b) D'après l'étude précédente, la cétone B est produite par oxydation d'un alcool secondaire A. Aussi, du propan-1-ol CH_3–CH_2–CH_2–OH ou du propan-2-ol CH_3–$CHOH$–CH_3, seul ce dernier répond à cette description. C'est pourquoi :

A est le propan-2-ol :
$$CH_3 \!-\! \underset{\underset{\displaystyle OH}{|}}{CH} \!-\! CH_3$$

3 L'autre alcool (le propan-1-ol), primaire, mentionné à la première question peut être successivement oxydé en aldéhyde puis en acide carboxylique :

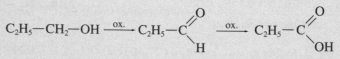

L'énergie au quotidien

Exercice type

Lycée Saint–Esprit, Beauvais

On étudie la chaleur de réaction associée à la déshydratation d'une mole d'éthanol (C_2H_5OH) en éthylène.

1 Donner les formules développées planes de l'éthanol et de l'éthylène.

2 Déterminer la chaleur Q_r reçue par le milieu réactionnel, lorsque tous les corps participants à la réaction sont à l'état gazeux.

Données : énergies de liaison en $kJ \cdot mol^{-1}$:

Liaisons	Énergies
C–H	$D_{C-H} = 412$
C–O	$D_{C-O} = 360$
C = C	$D_{C=C} = 612$
O–H	$D_{O-H} = 463$
C–C	$D_{C-C} = 348$

Voir corrigé page 407

1 Cohésion de la matière

Une molécule est un assemblage d'atomes associés les uns aux autres par des liaisons covalentes, représentées par des traits. La longueur ℓ d'une liaison $A - B$ entre deux atomes A et B est de l'ordre de quelques dizaines de picomètres (10^{-12} m). Par exemple :

$$\ell_{H-H} = 74 \text{ pm} \qquad \ell_{C-H} = 109 \text{ pm} \qquad \ell_{O-H} = 96 \text{ pm}$$

Pour rompre une liaison covalente, il faut apporter de l'énergie à la molécule. On appelle « énergie de liaison » D_{A-B} l'énergie qu'il faut fournir à une mole de molécules A–B à l'état gazeux afin d'obtenir une mole d'atomes $A_{(gaz)}$ et une mole d'atomes $B_{(gaz)}$:

$$(A–B)_{(gaz)} \xrightarrow{D_{A-B}} A_{(gaz)} + B_{(gaz)}$$

On note D_{A-B} cette énergie, exprimée en $J \cdot mol^{-1}$. Dans la plupart des cas, cette énergie sera plutôt donnée en $kJ \cdot mol^{-1}$ ($= 10^3 \, J \cdot mol^{-1}$). Les énergies moyennes des liaisons les plus fréquemment rencontrées valent :

liaison	D (en kJ $\cdot$ mol^{-1})	liaison	D (en kJ $\cdot$ mol^{-1})
O–H	$D_{O-H} = 464$	C–H	$D_{C-H} = 414$
O–O	$D_{O-O} = 492$	C–Cl	$D_{C-Cl} = 331$
C–O	$D_{C-O} = 351$	C–N	$D_{C-N} = 293$
C $=$ O	$D_{C=O} = 730$	N–H	$D_{N-H} = 390$
C–C	$D_{C-C} = 347$	H–H	$D_{H-H} = 435$
C $=$ C	$D_{C=C} = 615$	O $=$ O	$D_{O=O} = 502$

On appelle « énergie de cohésion d'une molécule » l'énergie qu'il faut fournir à une mole de molécules pour y rompre toutes les liaisons covalentes, à l'état gazeux.

Exemple :

L'énergie de cohésion de la molécule d'eau est l'énergie E qu'il faut fournir à une mole d'eau (à l'état gazeux) pour dissocier toutes les liaisons covalentes, conformément au bilan suivant :

$$H_2O_{(gaz)} \xrightarrow{E} 2\,H_{(gaz)} + O_{(gaz)}$$

ou encore :

$$(H{-}O{-}H)_{(gaz)} \xrightarrow{E} 2\,H_{(gaz)} + O_{(gaz)}$$

Cette dernière représentation révèle qu'une mole de molécules H_2O comporte deux moles de liaisons O–H, d'énergie D_{O-H}. C'est pourquoi :

$$E = 2 \times D_{O-H}$$

! Attention :

L'emploi des énergies de liaison requiert le recours systématique aux formules développées. Ainsi, l'énergie de cohésion de C_2H_4 est l'énergie à fournir à une mole de molécules C_2H_4 pour réaliser la réaction suivante (en phase gazeuse) :

$$\begin{array}{c} H \\ H \end{array}\!\!C{=}C\!\!\begin{array}{c} H \\ H \end{array} \xrightarrow{E} 2C{+}4H$$

auquel cas : $E = D_{C=C} + 4\,D_{C-H}$ tandis que la formule brute C_2H_4 indiquerait plutôt, et de manière erronée, que : $E = D_{C-C} + 4\,D_{C-H}$!

2 Changement d'état

Dans les solides ou les liquides, les molécules M (ou atomes) sont associées par des liaisons destructibles par un apport d'énergie ; un gaz est alors obtenu et les transformations correspondantes sont :

- *la sublimation*, qui consiste à transformer un solide en un gaz :

$$M_{(sol)} \xrightarrow{E_{sub}} M_{(gaz)}$$

L'énergie de cohésion du solide (E_{sub} en $J \cdot mol^{-1}$) est l'énergie que doit recevoir une mole de $M_{(sol)}$ pour être sublimée.

- *la vaporisation*, au cours de laquelle un liquide est transformé en gaz :

$$M_{(liq)} \xrightarrow{E_{vap}} M_{(gaz)}$$

L'énergie de cohésion du liquide (E_{vap} en $J \cdot mol^{-1}$) est l'énergie fournie à une mole de $M_{(liq)}$ pour obtenir une mole de $M_{(gaz)}$.

3 Effets thermiques des transformations

Une réaction chimique consiste à réarranger les liaisons entre les atomes (voire en former de nouvelles ou en détruire certaines). On appelle « chaleur de réaction » Q_r (ou plus généralement « énergie de la réaction ») l'énergie qu'il faut fournir aux réactifs pour que se produise une réaction chimique.

➔ À retenir :

Selon cette définition, Q_r est positif lorsque le milieu réactionnel absorbe de l'énergie. En revanche, lorsque la réaction produit de la chaleur, Q_r est négatif.
On distingue ainsi :

- les réactions **endothermiques**, qui absorbent de la chaleur ($Q_r > 0$)
- les réactions **exothermiques**, qui produisent de la chaleur ($Q_r < 0$)
- les réactions **athermiques**, qui ne produisent ni absorbent de la chaleur ($Q_r = 0$).

Remarque :

Si une réaction :

$$A \xrightarrow{Q_r} B$$

présente une chaleur de réaction Q_r, alors la réaction inverse :

$$B \xrightarrow{Q'_r} A$$

présente une chaleur de réaction $Q'_r = -Q_r$.

Les chaleurs de réaction peuvent être évaluées à partir des énergies de liaison relatives aux composés participant à cette réaction. Illustrons ce propos sur l'exemple de la réaction :

$$CH_{4(gaz)} + 2\,O_{2(gaz)} \xrightarrow{Q_r} CO_{2(gaz)} + 2\,H_2O_{(gaz)}$$

dont on veut déterminer la chaleur Q_r en fonction des énergies de liaison :

$$D_{C-H} = 414\,kJ \cdot mol^{-1} \quad D_{O=O} = 502\,kJ \cdot mol^{-1}$$
$$D_{C=O} = 730\,kJ \cdot mol^{-1} \quad D_{O-H} = 464\,kJ \cdot mol^{-1}$$

Deux méthodes sont alors applicables :

Première méthode

- On écrit, dans un premier temps, les réactions de dissociation des liaisons relatives aux composés intervenant dans l'équation bilan ; les énergies correspondantes sont Q_1, Q_2, $\cdots$

  - Le méthane : $CH_{4(gaz)} \xrightarrow{Q_1} C_{(gaz)} + 4\,H_{(gaz)}$, ou encore :

$$\begin{array}{c} H \\ | \\ H-C-H \\ | \\ H \end{array} \xrightarrow{Q_1} C + 4H$$

  avec $Q_1 = 4\,D_{C-H}$.

  - Le dioxygène : $(O = O)_{(gaz)} \xrightarrow{Q_2} 2\,O_{(gaz)}$, avec : $Q_2 = D_{O=O}$

  - Le dioxyde de carbone : $(O = C = O)_{(gaz)} \xrightarrow{Q_3} C_{(gaz)} + 2\,O_{(gaz)}$, avec :
$$Q_3 = 2\,D_{C=O}$$

  - L'eau : $(H-O-H)_{(gaz)} \xrightarrow{Q_4} 2\,H_{(gaz)} + O_{(gaz)}$, avec : $Q_4 = 2\,D_{O-H}$

On représente un cycle de transformations où les destructions, réarrangements et formations de liaisons permettent de passer des réactifs aux produits (les énergies Q_1, Q_2, $\cdots$ figurent également sur ce diagramme) :

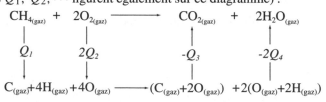

- La chaleur de réaction s'identifie alors à la somme de toutes les chaleurs rencontrées dans ce diagramme :

$$Q_r = Q_1 + 2 \times Q_2 - Q_3 - 2 \times Q_4$$

c'est-à-dire :

$$Q_r = 4\,D_{C-H} + 2\,D_{O=O} - 2\,D_{C=O} - 4\,D_{O-H} \tag{27}$$

$$Q_r = 4 \times 414 + 2 \times 502 - 2 \times 730 - 4 \times 464 = -656 \, \text{kJ} \cdot \text{mol}^{-1}$$

Le signe négatif de Q_r signifie que la réaction est exothermique (ce qui ne doit pas surprendre : la combustion du méthane dégage de la chaleur !)

Seconde méthode

- On représente la réaction mettant en jeu les formules développées des molécules et en distinguant les liaisons qui se rompent et celles qui se forment au cours de la réaction :

| rupture | rupture | formation | formation |
| de 4 C-H | de 2 O=O | de 2 C=O | de 4 O-H |

- Soit $Q_{\text{dissociation}}$ l'énergie qui doit être fournie pour dissocier les liaisons repérées précédemment :

$$Q_{\text{dissociation}} = 4\,D_{\text{C–H}} + 2\,D_{\text{O=O}}$$

et $Q_{\text{formation}}$ l'énergie des liaisons formées :

$$Q_{\text{formation}} = -\,[2\,D_{\text{C=O}} + 4\,D_{\text{O–H}}]$$

La chaleur Q_r vérifie alors :

$$Q_r = Q_{\text{dissociation}} + Q_{\text{formation}}$$

soit encore :

$$Q_r = 4\,D_{\text{C–H}} + 2\,D_{\text{O=O}} - 2\,D_{\text{C=O}} - 4\,D_{\text{O–H}}$$

On remarquera que cette seconde méthode fournit (heureusement) le même résultat (27) que la première méthode.

Solution de l'exercice type

1 L'éthanol et l'éthylène ont pour formules développées :

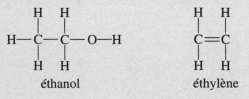

éthanol   éthylène

2 L'équation de la réaction de déshydratation de l'éthanol :

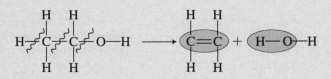

montre que ce processus requiert la rupture des liaisons C–H, C–C, C–O et la formation des liaisons C = C, O–H. La chaleur de réaction associée vaut alors :

$$
\begin{aligned}
E_r &= D_{C\text{–}H} + D_{C\text{–}C} + D_{C\text{–}O} - D_{C=C} - D_{O\text{–}H}\\
&= 412 + 348 + 360 - 612 - 463 = 45\ \text{kJ} \cdot \text{mol}^{-1}
\end{aligned}
$$

Par conséquent, pour réaliser la déshydratation de $n_0 = 1$ mol d'éthanol, il faut apporter au milieu réactionnel la quantité de chaleur :

$$
Q_r = n_0 \times E_r = 1 \times 45 = 45\ \text{kJ}
$$

QCM **1** **Transferts thermiques** *5 min.* p. 415

Parmi les affirmations suivantes, quelles sont celles qui vous paraissent exactes ?

a L'énergie d'une liaison A–B est l'énergie qu'il faut fournir à une mole de $(A–B)_{(gaz)}$ pour rompre toutes les liaisons covalentes.

b L'énergie de cohésion de la molécule C_2H_2 vaut :

$$E_r = 2\,D_{C–C} + 2\,D_{C–H}$$

où $D_{A–B}$ désigne l'énergie de liaison A–B.

c L'énergie de liaison associée à la déshydratation de l'éthanol a pour valeur $E_r = 45\,kJ \cdot mol^{-1}$; cela signifie que la déshydratation d'une mole d'éthanol libère une quantité de chaleur $Q_{\text{libérée}} = -45\,kJ \cdot mol^{-1}$.

d L'énergie de liaison d'un processus, au cours duquel des liaisons sont formées et d'autres sont formées, vaut :

$$E_r = \sum (D_{A–B})_{\text{formées}} - \sum (D_{A–B})_{\text{rompues}}$$

e La transformation associée au changement d'état : $H_2O_{(liq)} \rightarrow H_2O_{(gaz)}$ est appelée évaporation.

f La chaleur latente molaire de sublimation du diiode représente la chaleur à fournir à une mole de diiode pour réaliser la transformation :

$$I_{2(sol)} \rightarrow I_{2(gaz)}$$

QCM **2** **Transferts thermiques** *20 min.* p. 415

Associer, aux propositions suivantes, les réponses qui vous semblent correctes.

1 L'énergie de liaison $D_{A–B}$ est l'énergie qu'il faut fournir à une mole de molécules A–B pour réaliser la transformation :

a $(A–B)_{(liq)} \rightarrow A_{(liq)} + B_{(liq)}$

b $(A–B)_{(liq)} \rightarrow A_{(gaz)} + B_{(gaz)}$

c $(A–B)_{(gaz)} \rightarrow A_{(gaz)} + B_{(gaz)}$

d $(A–B)_{(gaz)} \rightarrow A_{(liq)} + B_{(liq)}$

2 L'énergie de cohésion de C_2H_4 s'exprime en fonction des énergies de liaison :

[a] $E_{C_2H_4} = 2\,D_{C-C} + 4\,D_{C-H}$

[b] $E_{C_2H_4} = D_{C-C} + 4\,D_{C-H}$

[c] $E_{C_2H_4} = 2\,D_{C=C} + 4\,D_{C-H}$

[d] $E_{C_2H_4} = D_{C=C} + 4\,D_{C-H}$

3 La chaleur de combustion du méthane valant $E_r = -656\,\text{kJ} \cdot \text{mol}^{-1}$, la combustion de 2 moles de méthane :

[a] absorbe la quantité de chaleur $Q = 1312\,\text{kJ}$

[b] libère la quantité de chaleur $Q = 328\,\text{kJ}$

[c] absorbe la quantité de chaleur $Q = 328\,\text{kJ}$

[d] libère la quantité de chaleur $Q = 1312\,\text{kJ}$

4 À partir des énergies de liaison suivantes :

liaisons	D (en kJ $\cdot$ mol^{-1})	liaisons	D (en kJ $\cdot$ mol^{-1})
O–O	$D_{O-O} = 492$	C–C	$D_{C-O} = 351$
C = O	$D_{C=O} = 730$	O = O	$D_{O=O} = 502$

calculer la chaleur de réaction associée à la combustion du carbone :

$$C + O_2 \ \rightarrow \ CO_2$$

[a] $E_r = D_{O=O} - 2\,D_{C=O} = -958\,\text{kJ} \cdot \text{mol}^{-1}$

[b] $E_r = D_{O-O} - 2\,D_{C=O} = -958\,\text{kJ} \cdot \text{mol}^{-1}$

[c] $E_r = D_{O=O} - 2\,D_{C-O} = -200\,\text{kJ} \cdot \text{mol}^{-1}$

[d] $E_r = D_{O=O} - 2\,D_{C=O} = -228\,\text{kJ} \cdot \text{mol}^{-1}$

5 La chaleur latente molaire de vaporisation de l'eau vaut $\ell_{vap} = 44\,\text{kJ} \cdot \text{mol}^{-1}$. La liquéfaction de deux moles d'eau : $H_2O_{(gaz)} \ \rightarrow \ H_2O_{(liq)}$:

[a] absorbe une quantité de chaleur $Q = 88\,\text{kJ}$

[b] libère une quantité de chaleur $Q = 88\,\text{kJ}$

[c] absorbe une quantité de chaleur $Q = 44\,\text{kJ}$

[d] libère une quantité de chaleur $Q = -44\,\text{kJ}$

3 **Vaporisation de l'eau** ★ ■ ■ *5 min.* p. 416

| Lycée Saint-Exupéry, Mantes-la-Jolie

On considère 50 g d'eau liquide à 100°C, auxquels on fournit une quantité de chaleur $Q = 5,4$ kJ. Quelle est la masse de vapeur d'eau obtenue ?
Données :

- énergie de cohésion de l'eau liquide : $E_{vap} = 40,6$ kJ $\cdot$ mol^{-1}

- masse molaire moléculaire de l'eau : $M = 18$ g $\cdot$ mol^{-1}

4 **Chaleur de combustion** ★ ■ ■ *5 min.* p. 417

| Lycée Blanche de Castille, Nantes

La combustion de 1, 56 g d'éthanol libère une quantité de chaleur $Q = 41,8$ kJ.

1 Écrire l'équation bilan de la combustion correspondante.

2 Calculer la chaleur de combustion molaire Q_{mol} de l'éthanol.

Données : masses molaires atomiques :

$$M_H = 1\,\text{g} \cdot \text{mol}^{-1} \qquad M_C = 12\,\text{g} \cdot \text{mol}^{-1} \qquad M_O = 16\,\text{g} \cdot \text{mol}^{-1}$$

5 **Chaleur de combustion** ★ ■ ■ *10 min.* p. 417

| Lycée Camille Jullian, Bordeaux

Soit la réaction de combustion complète de l'éthane C_2H_6. L'eau obtenue est à l'état gazeux.

1 Écrire l'équation bilan de la réaction relative à une mole d'éthane, en précisant l'état physique des réactifs et des produits sous la pression atmosphérique normale et à 25°C.

2 Donner les formules développées des différents composés présents. Déterminer la chaleur de combustion de l'éthane.

Données : énergies de liaison :

$$D_{C-C} = 348\,\text{kJ} \cdot \text{mol}^{-1}$$
$$D_{C-H} = 414\,\text{kJ} \cdot \text{mol}^{-1}$$
$$D_{O=O} = 498\,\text{kJ} \cdot \text{mol}^{-1}$$
$$D_{O-H} = 463\,\text{kJ} \cdot \text{mol}^{-1}$$
$$D_{C=O} = 804\,\text{kJ} \cdot \text{mol}^{-1}$$

6 Énergie de liaison

★ ■ ■ *10 min.* | *p. 418*

Lycée Français, Le Caire

Soit l'équation bilan de la réaction de synthèse de l'ammoniac :

$$N_{2(gaz)} + 3\,H_{2(gaz)} \rightarrow 2\,NH_{3(gaz)}$$

dont la chaleur de réaction est $Q_r = -92\,kJ \cdot mol^{-1}$. Déterminer l'énergie de la liaison N–H, D_{N-H}, connaissant $D_{N\equiv N} = 940\,kJ \cdot mol^{-1}$ et $D_{H-H} = 432\,kJ \cdot mol^{-1}$.

7 Chaleur de combustion

★ ★ ■ *5 min.* | *p. 419*

Lycée Felix Faure, Beauvais

La combustion de 1 kg de méthanol liquide dégage $19937\,kJ \cdot kg^{-1}$ (les produits de combustion sont obtenus à l'état gazeux). La vaporisation de 1 kg de méthanol consomme 1100 kJ.
Calculer (en $kJ \cdot mol^{-1}$) la chaleur de combustion du méthanol gazeux.
Données : masses molaires atomiques :

$$M_C = 12\,g \cdot mol^{-1} \qquad M_O = 16\,g \cdot mol^{-1} \qquad M_H = 1\,g \cdot mol^{-1}$$

8 Chaleur d'une réaction

★ ★ ■ *10 min.* | *p. 420*

Lycée Sainte-Marie, Antony

On considère un mélange M_1 constitué de 2 moles d'éthanol gazeux (C_2H_5OH) et de 2 moles de dioxygène.

1 Par quelle réaction ce mélange peut-il se transformer en un mélange M_2 constitué de 2 moles d'éthanal gazeux (CH_3–CHO) + 2 moles de vapeur d'eau + 1 mole de dioxygène ?

2 Calculer la chaleur dégagée lors du passage de M_1 à M_2.

Données :

• énergies de liaison :

liaisons	C–H	C–O	C = O	O–H	O = O
D (en $kJ \cdot mol^{-1}$)	410	356	708	460	494

• formules semi-développées de l'éthanol et de l'éthanal :

$$CH_3-CH_2-OH \qquad CH_3-C\overset{\displaystyle O}{\underset{\displaystyle H}{\lessgtr}}$$

éthanol éthanal

9 ## Chaleur d'une réaction ★ ★ ■ *10 min.* | *p. 421*

Lycée Montesquieu, Herblay

Le dinitrate de glycile, de formule semi-développée : $O_2N-O-CH_2-CH_2-O-NO_2$ est un explosif préparé par l'action de l'acide nitrique sur l'éthanediol.

1 Donner l'équation bilan de la décomposition explosive du dinitrate de glycile, sachant qu'il n'apparaît pas de dioxygène libre et que l'azote se trouve à l'état de diazote.

2 Donner une estimation de la chaleur de réaction qui accompagnerait la décomposition du dinitrate de glycile à l'état gazeux.

Données : énergies de liaison :

$$D_{N-O} = 201 \text{ kJ} \cdot \text{mol}^{-1}$$
$$D'_{N-O} = 469 \text{ kJ} \cdot \text{mol}^{-1} \text{ dans le groupe NO}_2$$
$$D_{C-O} = 360 \text{ kJ} \cdot \text{mol}^{-1}$$
$$D_{C-H} = 412 \text{ kJ} \cdot \text{mol}^{-1}$$
$$D_{O-H} = 463 \text{ kJ} \cdot \text{mol}^{-1}$$
$$D_{C=O} = 804 \text{ kJ} \cdot \text{mol}^{-1}$$
$$D_{N\equiv N} = 944 \text{ kJ} \cdot \text{mol}^{-1}$$
$$D_{C-C} = 348 \text{ kJ} \cdot \text{mol}^{-1}$$

10 ## Chaleur d'une combustion ★ ★ ■ *15 min.* | *p. 423*

Lycée Amyot, Meulun

On considère la réaction d'équation bilan :

$$C_{(sol)} + O_{2(gaz)} \rightarrow CO_{2(gaz)}$$

d'énergie de réaction : $Q_r = -393,5 \text{ kJ} \cdot \text{mol}^{-1}$ à 25°C.

1 Cette réaction est-elle endothermique, athermique ou exothermique ?

2 Quelle quantité de chaleur libère la synthèse de 12 L de CO_2 ?

3 Quelle quantité de chaleur libère une réaction où réagissent 3 moles de $C_{(sol)}$ et 2 moles de $O_{2(gaz)}$?

Données :

- volume molaire des gaz : $24 \text{ L} \cdot \text{mol}^{-1}$

- masse molaire atomique du carbone : $M = 12 \text{ g} \cdot \text{mol}^{-1}$

11 Chaleur de combustion   *15 min.* | *p. 423* |

Lycée du Canada, Évreux

Le propène (gazeux) C_3H_6 a pour formule semi-développée : $H_2C = CH–CH_3$. Sa combustion complète produit du dioxyde de carbone et de l'eau.

 Écrire l'équation bilan de sa combustion complète.

2 Sachant que l'eau produite est à l'état de gaz, calculer la chaleur de combustion du propène.

3 Si l'eau est produite à l'état liquide, calculer la chaleur de combustion du propène.

Données :

- énergies de liaison :

liaison	$C = C$	$C–C$	$C–H$	$O–H$	$O = O$	$C = O$
D (en $kJ \cdot mol^{-1}$)	615	344	415	463	498	803

- énergie de cohésion de l'eau liquide : $E_{vap} = 41 \ kJ \cdot mol^{-1}$

12 Chaleurs de réactions 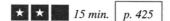 *15 min.* | *p. 425* |

Lycée Marie Curie, Sceaux

1 Écrire la réaction de déshydratation du propanol ($CH_3–CH_2–CH_2–OH$) en propène, en phase gazeuse.

2 Soient les énergies de liaison et les énergies de cohésion des liquides (dans les conditions de l'expérience) :

- énergies de liaison :

$$D_{C–H} = 412 \ kJ \cdot mol^{-1}$$
$$D_{C–C} = 348 \ kJ \cdot mol^{-1}$$
$$D_{C–O} = 360 \ kJ \cdot mol^{-1}$$
$$D_{C=C} = 612 \ kJ \cdot mol^{-1}$$
$$D_{O–H} = 463 \ kJ \cdot mol^{-1}$$

- énergies de cohésion des liquides :

$$E_{vap}(H_2O) = 44 \ kJ \cdot mol^{-1}$$
$$E_{vap}(C_3H_8O) = 56 \ kJ \cdot mol^{-1}$$

(a) Déterminer la chaleur de réaction lorsque réactifs et produits sont à l'état gazeux.

(b) Déterminer la chaleur de réaction lorsque le propanol et l'eau sont à l'état liquide.

QCM 1 Transferts thermiques *5 min.* | *p. 409*

a VRAI – L'énergie de liaison de A–B est l'énergie à fournir à une mole de molécules $(A-B)_{(gaz)}$ pour rompre toutes les liaisons covalentes :

$$(A-B)_{(gaz)} \rightarrow A_{(gaz)} + B_{(gaz)}$$

b FAUX – Pour réaliser la transformation :

$$(H-C \equiv C-H)_{(gaz)} \rightarrow 2\,H_{(gaz)} + 2\,C_{(gaz)}$$

il faut rompre une liaison $C \equiv C$ et deux liaisons C–H. L'énergie de cohésion de C_2H_2 vaut donc :

$$E_r = D_{C \equiv C} + 2\,D_{C-H}$$

c VRAI – L'énergie de réaction E_r associée à une transformation équivaut à la chaleur reçue par le milieu réactionnel lorsque l'avancement varie de $\Delta x = 1$ mol : $Q_{reçue} = E_r$. Donc, au cours de la déshydratation d'une mole d'éthanol, le milieu libère la quantité de chaleur :

$$Q_{libérée} = -Q_{reçue} = -E_r$$

d FAUX – Lors d'un processus au cours duquel des liaisons se forment ou se rompent, l'énergie de réaction vaut :

$$E_r = \sum (D_{A-B})_{rompues} - \sum (D_{A-B})_{formées}$$

e FAUX – La transformation faisant passer un corps pur de l'état liquide à l'état gazeux est toujours appelée vaporisation.

f VRAI – La quantité de chaleur reçue par une mole de $I_{2(sol)}$ au cours du changement d'état :

$$I_{2(sol)} \rightarrow I_{2(gaz)}$$

est la chaleur latente molaire de sublimation.

QCM 2 Transferts thermiques *20 min.* | *p. 409*

1 L'énergie de liaison est définie à partir des réactifs et produits à l'état gazeux :

$$(A-B)_{(gaz)} \rightarrow A_{(gaz)} + B_{(gaz)} \text{ (réponse } c).$$

2 Pour réaliser la transformation :

il faut rompre 4 liaisons C–H et une liaison C = C. Par définition des énergies de liaison, l'énergie de cohésion de C_2H_4 vaut donc :

$$E_{C_2H_4} = D_{C=C} + 4\,D_{C-H} \text{ (réponse } d).$$

3 Au cours de la combustion de 2 moles de méthane :

CH$_4$	+	2 O$_2$	→	CO$_2$	+	2 H$_2$O	avancement
2		excès		0		0	$x_i = 0$
$2-x$		excès		x		$2x$	$x \neq 0$
0		excès		2		4	$x_f = 2$

l'avancement de la réaction varie de $\Delta x = x_f - x_i = 2$ mol, ce qui signifie que cette réaction reçoit la quantité de chaleur :

$$Q_{\text{reçue}} = \Delta x \times E_r = -2 \times 656 = -1312\,\text{kJ}$$

La chaleur qu'elle libère vaut alors : $Q = -Q_{\text{reçue}}$, ce qui signifie que cette réaction libère la quantité de chaleur $Q = 1312\,\text{kJ}$ (réponse d).

4 Le recensement des liaisons qui se rompent ou qui se forment au cours de la réaction :

donne accès à la chaleur de réaction :

$$E_r = D_{\text{O}=\text{O}} - 2\,D_{\text{C}=\text{O}} = 502 - 2 \times 730 = -958\,\text{kJ} \cdot \text{mol}^{-1} \text{ (réponse } a\text{)}.$$

5 La liquéfaction de l'eau : $\text{H}_2\text{O}_{(\text{gaz})} \xrightarrow{E_{\text{liq}}} \text{H}_2\text{O}_{(\text{liq})}$ est le processus inverse de la vaporisation : $\text{H}_2\text{O}_{(\text{liq})} \xrightarrow{\ell_{\text{vap}}} \text{H}_2\text{O}_{(\text{gaz})}$, auquel cas elle est caractérisée par une chaleur molaire : :

$$E_{\text{liq}} = -\ell_{\text{vap}} = -44\,\text{kJ} \cdot \text{mol}^{-1}$$

Or, la liquéfaction de 2 moles d'eau :

H$_2$O$_{(\text{gaz})}$	$\xrightarrow{E_{\text{liq}}}$	H$_2$O$_{\text{liq}}$	avancement
2		0	$x_i = 0$
$2-x$		x	$x \neq 0$
0		2	$x_f = 2$

s'accompagne d'une variation d'avancement $\Delta x = x_f - x_i = 2$ mol. Elle absorbe donc la quantité de chaleur :

$$Q_{\text{reçu}} = \Delta x \times E_{\text{liq}} = -2 \times 44 = -88\,\text{kJ}$$

ce qui signifie aussi qu'elle libère la quantité de chaleur $Q = 88\,\text{kJ}$ (réponse b).

3 Vaporisation de l'eau ★ ■ ■ ■ *5 min.* | *p. 411*
Lycée Saint-Exupéry, Mantes-la-Jolie

Pour vaporiser n moles d'eau selon l'équation : $\text{H}_2\text{O}_{(\text{liq})} \xrightarrow{Q} \text{H}_2\text{O}_{(\text{gaz})}$, il faut apporter une chaleur : $Q = n \times E_{\text{vap}} \Rightarrow n = \dfrac{Q}{E_{\text{vap}}}$. Cette quantité de

COURS

vapeur d'eau formée présente une masse m_{vap} liée à la masse molaire moléculaire de l'eau :

$$m_{\text{vap}} = n \times M \Rightarrow m_{\text{vap}} = M \times \frac{Q}{E_{\text{vap}}} = 18 \times \frac{5,4}{40,6} = 2,4 \text{ g}$$

4 Chaleur de combustion

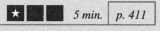 5 min. | p. 411

Lycée Blanche de Castille, Nantes

1 La combustion de l'éthanol C_2H_5OH gazeux consiste en une réaction avec le dioxygène et produit du dioxyde de carbone et de l'eau, conformément à l'équation bilan :

$$C_2H_5OH_{(\text{gaz})} + 3\,O_{2(\text{gaz})} \rightarrow 2\,CO_{2(\text{gaz})} + 3\,H_2O_{(\text{gaz})} \qquad (28)$$

2 La masse molaire moléculaire de l'éthanol C_2H_5OH :

$$M = 2\,M_C + 6\,M_H + M_O = 2 \times 12 + 6 \times 1 + 16 = 46\,\text{g}\cdot\text{mol}^{-1}$$

permet de connaître le nombre n de moles de molécules d'éthanol contenues dans une masse $m = 1,56$ g du réactif :

$$m = n \times M \Rightarrow n = \frac{m}{M} = \frac{1,56}{46} = 0,034 \text{ mole}$$

La chaleur $Q_{\text{comb}} = -41,8$ kJ absorbée par $n = 0,034$ mole d'éthanol est alors liée à la chaleur molaire Q_{mol} de la réaction (28) : $Q_{\text{comb}} = n \times Q_{\text{mol}}$:

$$Q_{\text{mol}} = \frac{Q_{\text{comb}}}{n} = \frac{-41,8}{0,034} = -1229\,\text{kJ}\cdot\text{mol}^{-1}$$

5 Chaleur de combustion

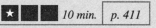 10 min. | p. 411

Lycée Camille Jullian, Bordeaux

1 La combustion de l'éthane se réalise en présence de dioxygène et produit de l'eau ainsi que du dioxyde de carbone. Tous les composés étant à l'état gazeux, l'équation bilan de cette réaction s'écrit :

$$C_2H_{6(\text{gaz})} + \frac{7}{2}\,O_{2(\text{gaz})} \rightarrow 2\,CO_{2(\text{gaz})} + 3\,H_2O_{(\text{gaz})}$$

2 Les composés intervenant dans cette réaction possèdent les formules développées suivantes :

C_2H_6	O_2	CO_2	H_2O
H H $\mid$ $\mid$ H—C—C—H $\mid$ $\mid$ H H	O=O	O=C=O	H—O—H

ÉNONCÉS

CORRIGÉS

Les formules développées précédentes permettent une détermination des énergies de dissociation des molécules :

- Dissociation de C_2H_6 :

$$H\text{—}\underset{\underset{H}{|}}{\overset{\overset{H}{|}}{C}}\text{—}\underset{\underset{H}{|}}{\overset{\overset{H}{|}}{C}}\text{—}H \xrightarrow{Q_1} 2C+6H$$

avec : $Q_1 = D_{C-C} + 6\,D_{C-H}$.

- Dissociation de O_2 : $O = O \xrightarrow{Q_2} 2\,O$, avec : $Q_2 = D_{O=O}$

- Dissociation de CO_2 : $O = C = O \xrightarrow{Q_3} C + 2\,O$, avec : $Q_3 = 2\,D_{C=O}$.

- Dissociation de H_2O : $H\text{—}O\text{—}H \xrightarrow{Q_4} O + 2\,H$, avec : $Q_4 = 2\,D_{O-H}$.

La combustion de l'éthane peut être conçue formellement, comme des dissociations de liaisons C–C, C–H, O = O et des formations de liaisons C = O et O–H :

$$
\begin{array}{ccccccc}
C_2H_{6(g)} & + & \dfrac{7}{2}\,O_{2(g)} & \xrightarrow{\;Q_{comb}\;} & 2CO_{2(g)} & + & 3H_2O_{(g)} \\
\Big\downarrow{}_{Q_1} & & \Big\downarrow{}_{\frac{7}{2}Q_2} & & \Big\uparrow{}_{-2Q_3} & & \Big\uparrow{}_{-3Q_4} \\
2C_{(g)} +6H_{(g)} +7O_{(g)} & & & \longrightarrow & 2(C_{(g)}+2O_{(g)}) & + & 3(O_{(g)}+2H_{(g)})
\end{array}
$$

Un tel diagramme fournit finalement la chaleur Q_r de combustion de l'éthane :

$$
\begin{aligned}
Q_r &= Q_1 + \frac{7}{2} \times Q_2 - 2 \times Q_3 - 3 \times Q_4 \\
&= (D_{C-C} + 6\,D_{C-H}) + \frac{7}{2} \times D_{O=O} - 2 \times (2\,D_{C=O}) - 3 \times (2\,D_{O-H}) \\
&= 348 + 6 \times 414 + \frac{7}{2} \times 498 - 4 \times 804 - 6 \times 463 = -1419\,\text{kJ} \cdot \text{mol}^{-1}
\end{aligned}
$$

Le signe négatif de Q_r montre que cette combustion absorbe une chaleur négative, ce qui signifie plus communément qu'elle fournit de l'énergie ; la combustion est exothermique.

6 Énergie de liaison

★ ■ ■ 10 min. | p. 412

Lycée Français, Le Caire

Les réactions de dissociation des molécules N_2, H_2 et NH_3 s'écrivent :

- pour N_2 : $(N \equiv N)_{(gaz)} \xrightarrow{Q_1} 2\,N_{(gaz)}$, avec : $Q_1 = D_{N\equiv N}$

- pour H_2 : $(H\text{–}H)_{(gaz)} \xrightarrow{Q_2} 2\,H_{(gaz)}$, avec $Q_2 = D_{H-H}$.

- pour NH_3 : 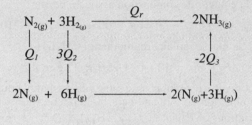 avec : $Q_3 = 3\,D_{N-H}$.

La synthèse de l'ammoniac peut être considérée comme une succession de ruptures puis de formations de liaisons :

d'où il ressort que :

$$
\begin{aligned}
Q_r &= Q_1 + 3 \times Q_2 - 2 \times Q_3 \\
&= D_{N\equiv N} + 3\,D_{H-H} - 2 \times 3\,D_{N-H} \\
\Rightarrow\quad & 6\,D_{N-H} = D_{N\equiv N} + 3\,D_{H-H} - Q_r \\
\Rightarrow\quad & D_{N-H} = \frac{D_{N\equiv N} + 3\,D_{H-H} - Q_r}{6}
\end{aligned}
$$

$$
D_{N-H} = \frac{940 + 3 \times 432 + 92}{6} = 388 \text{ kJ} \cdot \text{mol}^{-1}
$$

---

7 **Chaleur de combustion** ★ ★ ■ *5 min.* | *p. 412*

Lycée Felix Faure, Beauvais

La réaction :

$$
CH_3OH_{(liq)} + \frac{3}{2}\,O_{2\,(gaz)} \xrightarrow{Q_1} CO_{2\,(gaz)} + 2\,H_2O_{(gaz)}
$$

dégage une chaleur de $19937\text{ kJ}\cdot\text{kg}^{-1}$, c'est-à-dire consomme une chaleur :

$$
Q_1 = -19937\text{ kJ}\cdot\text{kg}^{-1}
$$

Quant à la vaporisation de 1 kg de méthanol :

$$
CH_3OH_{(liq)} \xrightarrow{Q_{vap}} CH_3OH_{(gaz)}
$$

elle consomme la chaleur $Q_{vap} = 1100\text{ kJ}\cdot\text{kg}^{-1}$.
La combustion du méthanol gazeux peut être envisagée de deux manières différentes, représentées dans le diagramme ci-dessous :

$$\text{CH}_3\text{OH}_{(g)} + \frac{3}{2}\,\text{O}_{2(g)} \xrightarrow{Q_{\text{comb}}} \text{CO}_{2(g)} + 2\text{H}_2\text{O}_{(g)}$$

$$-Q_{\text{vap}} \qquad\qquad\qquad Q_1$$

$$\text{CH}_3\text{OH}_{(\text{liq})} + \frac{3}{2}\,\text{O}_{2(g)}$$

auquel cas la chaleur de combustion associée vérifie :

$$Q_{\text{comb}} = -Q_{\text{vap}} + Q_1 = -1100 - 19937 = -21037\,\text{kJ}\cdot\text{kg}^{-1}$$

Par ailleurs, la masse molaire du méthanol CH_3OH :

$$M = M_\text{C} + 4\,M_\text{H} + M_\text{O} = 12 + 4\times 1 + 16 = 32\,\text{g}\cdot\text{mol}^{-1} = 32.10^{-3}\,\text{kg}\cdot\text{mol}^{-1}$$

permet de connaître le nombre n de moles de méthanol contenues dans $m = 1$ kg :

$$m = n \times M \Rightarrow n = \frac{m}{M} = \frac{1}{32.10^{-3}} = 31,25\,\text{moles}$$

de sorte que la chaleur Q_0 de combustion d'une mole de méthanol gazeux suit la loi : $Q_{\text{comb}} = n \times Q_0$.

$$Q_0 = \frac{Q_{\text{comb}}}{n} = \frac{-21037}{31,25} = -673,18\,\text{kJ}\cdot\text{mol}^{-1}$$

8 | Chaleur d'une réaction ★ ★ ■ 10 min. | p. 412

Lycée Sainte-Marie, Antony

1 La réaction proposée suggère que l'action de O_2 sur $\text{C}_2\text{H}_5\text{OH}$ se traduise par la production de H_2O et de $\text{CH}_3\text{–CHO}$. L'équation bilan d'une telle réaction s'écrit alors :

$$\text{C}_2\text{H}_5\text{OH}_{(\text{gaz})} + \frac{1}{2}\,\text{O}_{2\,(\text{gaz})} \to \text{CH}_3\text{–CHO}_{(\text{gaz})} + \text{H}_2\text{O}_{(\text{gaz})} \qquad (29)$$

Partant de 2 moles d'éthanol et de 2 moles de dioxygène (mélange M_1), le bilan molaire de cette réaction conduit à :

$\text{C}_2\text{H}_5\text{OH}$	+	$\frac{1}{2}\,\text{O}_2$	$\to$	$\text{CH}_3\text{–CHO}$	+	H_2O
2 moles		2 moles		0		0
0		1 mole		2 moles		2 moles

c'est-à-dire au mélange M_2.

2 La dissociation des liaisons covalentes peut affecter les diverses molécules, à condition d'apporter les énergies Q correspondantes :

• Éthanol : $\xrightarrow{Q_1}$ $2\text{C} + 6\text{H} + \text{O}$

COURS

ÉNONCÉS

CORRIGÉS

avec : $Q_1 = D_{C-C} + 5\,D_{C-H} + D_{C-O} + D_{O-H}$, où D_{C-C} représente l'énergie de la liaison C–C.

- Dioxygène : $O = O \xrightarrow{Q_2} 2\,O$, avec : $Q_2 = D_{O=O}$.

- Éthanal :

$$H{-}\underset{\underset{H}{\mid}}{\overset{\overset{H}{\mid}}{C}}{-}C\overset{O}{\underset{H}{\diagup}} \xrightarrow{Q_3} 2\,C + 4\,H + O$$

avec : $Q_3 = D_{C-C} + 4\,D_{C-H} + D_{C=O}$

- Eau : $H{-}O{-}H \xrightarrow{Q_4} 2\,H + O$, avec : $Q_4 = 2\,D_{O-H}$

En outre, la réaction décrite par l'équation 29 peut être comprise en termes de dissociation et de formation de liaisons covalentes :

$$C_2H_5OH_{(g)} + \frac{1}{2}\,O_{2(g)} \xrightarrow{Q_r} CH_3\text{-}CHO_{(g)} + H_2O_{(g)}$$

$$\downarrow Q_1 \qquad \frac{1}{2}Q_2 \qquad\qquad -Q_3 \qquad -Q_4$$

$$2C_{(g)} + 6H_{(g)} + O_{(g)} + O_{(g)} \longrightarrow (2C_{(g)} + 4H_{(g)} + O_{(g)}) + (O_{(g)} + 2H_{(g)})$$

si bien que cette réaction absorbe la chaleur :

$$
\begin{aligned}
Q_r &= Q_1 + \frac{1}{2} \times Q_2 - Q_3 - Q_4 \\
&= D_{C-C} + 5\,D_{C-H} + D_{C-O} + D_{O-H} + \frac{1}{2}\,D_{O=O} \\
&\quad - (D_{C-C} + 4\,D_{C-H} + D_{C=O}) - 2\,D_{O-H} \\
&= D_{C-H} + D_{C-O} - D_{O-H} + \frac{1}{2}\,D_{O=O} - D_{C=O} \\
&= 410 + 356 - 460 + 0,5 \times 494 - 708 \\
\Rightarrow Q_r &= -155\,\text{kJ} \cdot \text{mol}^{-1}
\end{aligned}
$$

Quant à la réaction assurant le passage du mélange M_1 au mélange M_2, elle produit 2 moles d'éthanal et 2 moles d'eau, en conséquence de quoi elle requiert la chaleur :

$$Q_{M_1 \to M_2} = 2 \times Q_r = -310\,\text{kJ}$$

ce qui signifie aussi que cette réaction dégage la chaleur :

$$Q_{\text{dég}} = -Q_{M_1 \to M_2} = 310\,\text{kJ}$$

9 Chaleur d'une réaction ★ ★ ■ 10 min. | p. 413

Lycée Montesquieu, Herblay

1 Le dinitrate de glycile $C_2H_4O_6N_2$ se décompose en donnant du diazote N_2 et des composés contenant l'oxygène qui ne peut apparaître sous forme de dioxygène ; il s'agit alors de l'eau et du dioxyde de carbone. Ces informations conduisent à proposer, pour cette décomposition, l'équation bilan suivante :

$$C_2H_4O_6N_2 \rightarrow N_2 + 2\,CO_2 + 2\,H_2O \qquad (30)$$

2 La décomposition décrite par l'équation bilan précédente peut être conçue comme une suite de dissociations et de recompositions de liaisons covalentes.

• Le dinitrate de glycile :

$$O_2N-O-\overset{\displaystyle H}{\underset{\displaystyle H}{C}}-\overset{\displaystyle H}{\underset{\displaystyle H}{C}}-O-NO_2 \xrightarrow{Q_1} 2C+4H+6O+2N$$

avec :

$$
\begin{aligned}
Q_1 &= 4\,D'_{N-O} + 2\,D_{N-O} + 2\,D_{C-O} + D_{C-C} + 4\,D_{C-H} \\
&= 4 \times 469 + 2 \times 201 + 2 \times 360 + 348 + 4 \times 412 \\
&= 4994 \,\text{kJ} \cdot \text{mol}^{-1}
\end{aligned}
$$

• Le diazote : $(N \equiv N)_{(gaz)} \xrightarrow{Q_2} 2\,N_{(gaz)}$, avec :

$$Q_2 = D_{N\equiv N} = 944 \,\text{kJ} \cdot \text{mol}^{-1}$$

• Le dioxyde de carbone : $(O = C = O)_{(gaz)} \xrightarrow{Q_3} C_{(gaz)} + 2\,O_{(gaz)}$, avec :

$$Q_3 = 2\,D_{C=O} = 2 \times 804 = 1608 \,\text{kJ} \cdot \text{mol}^{-1}$$

• L'eau : $(H-O-H)_{(gaz)} \xrightarrow{Q_4} 2\,H_{(gaz)} + O_{(gaz)}$, avec :

$$Q_4 = 2\,D_{O-H} = 2 \times 463 = 926 \,\text{kJ} \cdot \text{mol}^{-1}$$

Finalement, la décomposition de l'explosif :

$$
\begin{array}{ccccc}
C_2H_4O_6N_{2(g)} & \xrightarrow{\quad Q \quad} & N_{2(g)} & + \ 2CO_{2(g)} & + \ 2H_2O_{(g)} \\
\Big\downarrow Q_1 & & \Big\uparrow -Q_2 & \Big\uparrow -2Q_3 & \Big\uparrow -2Q_4 \\
2C_{(g)} + 4H_{(g)} + 6O_{(g)} + 2N_{(g)} & \longrightarrow & 2N_{(g)} & +2(C_{(g)}+2O_{(g)}) & + 2(O_{(g)}+2H_{(g)})
\end{array}
$$

absorbe une chaleur :

$$
\begin{aligned}
Q &= Q_1 - Q_2 - 2 \times Q_3 - 2 \times Q_4 \\
&= 4994 - 944 - 2 \times 1608 - 2 \times 926 \\
&= -1018 \,\text{kJ} \cdot \text{mol}^{-1} \text{ c'est-à-dire libère :}
\end{aligned}
$$

$$Q_{\text{décomp}} = -Q = 1018 \,\text{kJ} \cdot \text{mol}^{-1}$$

10 **Chaleur d'une combustion** ★ ★ ▉ *15 min.* | *p. 413* |

Lycée Amyot, Meulun

 La réaction absorbe une énergie ($Q_r = -393, 5 \text{ kJ} \cdot \text{mol}^{-1}$) négative, ce qui signifie qu'elle libère de l'énergie ; elle est exothermique.

2 Dans le volume $V_{CO_2} = 12$ L se trouvent n_{CO_2} moles de CO_2, telles que :

$$V_{CO_2} = n_{CO_2} \times V_m \Rightarrow n_{CO_2} = \frac{V_{CO_2}}{V_m} = \frac{12}{24} = 0, 5 \text{ mole}$$

La synthèse d'une telle quantité de CO_2 absorbe une énergie :

$$Q = n_{CO_2} \times Q_r = 0, 5 \times (-393, 5) = -196, 75 \text{ kJ}$$

c'est-à-dire qu'elle libère l'énergie : $Q_{\text{lib}} = -Q = 196, 75$ kJ.

3 Soit x l'avancement de la réaction de synthèse de CO_2 :

$$
\begin{array}{cccc}
& C_{(gaz)} & + \quad O_{2(gaz)} & \rightarrow \quad CO_{2(gaz)} \\
(\text{moles}) & 3 & 2 & 0 \\
& 3-x & 2-x & x
\end{array}
$$

La réaction cesse lorsque le dioxygène a disparu du milieu réactionnel (c'est le réactif introduit en défaut), c'est-à-dire lorsque $x = 2$. Le bilan de l'équation :

$$
\begin{array}{cccc}
& C_{(sol)} & + \quad O_{2(gaz)} & \rightarrow \quad CO_{2(gaz)} \\
& 3 & 2 & 0 \\
& 1 & 0 & 2
\end{array}
$$

montre que $x = 2$ moles de CO_2 se sont formées, absorbant consécutivement la chaleur :

$$Q' = x \times Q_r = 2 \times (-393, 5) = -787 \text{ kJ}$$

Donc cette réaction libère l'énergie : $Q'_{\text{lib}} = -Q' = 787$ kJ

11 **Chaleur de combustion** ★ ★ ▉ *15 min.* | *p. 414* |

Lycée du Canada, Évreux

 La combustion complète du propène, dans le dioxygène, produit du dioxyde de carbone et de l'eau :

$$C_3H_{6(gaz)} + \frac{9}{2} O_{2(gaz)} \rightarrow 3 CO_{2(gaz)} + 3 H_2O$$

2 Si l'eau est à l'état gazeux, les énergies Q_i fournies pour dissocier les liaisons covalentes sont relatives aux réactions suivantes :

- Pour le propène :

$$H_2C=CH-CH_3 \xrightarrow{Q_1} 3C+6H \quad \text{vec :}$$

$$
\begin{aligned}
Q_1 &= D_{C=C} + D_{C-C} + 6\,D_{C-H} \\
&= 615 + 344 + 6 \times 415 = 3449\,\text{kJ} \cdot \text{mol}^{-1}
\end{aligned}
$$

- Pour le dioxygène : $(O = O)_{(gaz)} \xrightarrow{Q_2} 2\,O_{(gaz)}$, avec :

$$Q_2 = D_{O=O} = 498\,\text{kJ} \cdot \text{mol}^{-1}$$

- Pour le dioxyde de carbone : $(O = C = O)_{(gaz)} \xrightarrow{Q_3} C_{(gaz)} + 2\,O_{(gaz)}$, avec :

$$Q_3 = 2\,D_{C=O} = 2 \times 803 \Rightarrow Q_3 = 1606\,\text{kJ} \cdot \text{mol}^{-1}$$

- Pour l'eau : $(H{-}O{-}H)_{(gaz)} \xrightarrow{Q_4} 2\,H_{(gaz)} + O_{(gaz)}$, avec :

$$Q_4 = 2\,D_{O-H} = 2 \times 463 = 926\,\text{kJ} \cdot \text{mol}^{-1}$$

La réaction de combustion du propène peut, du reste, être conçue comme une succession de dissociations et de formations de liaisons covalentes :

$$
\begin{array}{ccccccc}
C_3H_{6(g)} & + & \frac{9}{2}\,O_{2(g)} & \xrightarrow{Q_{comb}} & 3CO_{2(g)} & + & 3H_2O_{(g)} \\
\downarrow Q_1 & & \downarrow \frac{9}{2}Q_2 & & \uparrow -3Q_3 & & \uparrow -3Q_4 \\
3C_{(g)} & +6H_{(g)} & +9O_{(g)} & \longrightarrow & 3(C_{(g)}+2O_{(g)}) & + & 3(O_{(g)}+2H_{(g)})
\end{array}
$$

La chaleur de combustion vaut par conséquent :

$$
\begin{aligned}
Q_{comb} &= Q_1 + \frac{9}{2} \times Q_2 - 3 \times Q_3 - 3 \times Q_4 \\
&= 3449 + \frac{9}{2} \times 498 - 3 \times 1606 - 3 \times 926 \\
&= -1906\,\text{kJ} \cdot \text{mol}^{-1}
\end{aligned}
$$

3 Si l'eau est produite à l'état liquide, la réaction de combustion admet pour équation bilan :

$$C_3H_{6(gaz)} + \frac{9}{2}\,O_{2(gaz)} \xrightarrow{Q'_{comb}} 3\,CO_{2(gaz)} + 3\,H_2O_{(liq)} \qquad (31)$$

Pour parvenir à ces produits, on peut envisager une réaction intermédiaire produisant de l'eau à l'état gazeux, puis la transformation de l'eau de l'état gazeux à l'état liquide :

$$
\begin{array}{ccccccc}
C_3H_{6(g)} & + & \frac{9}{2}\,O_{2(g)} & \xrightarrow{Q'_{comb}} & 3CO_{2(g)} & + & 3H_2O_{(l)} \\
 & \searrow Q_{comb} & & & & \nearrow Q_5 & \\
 & & 3CO_{2(g)} & + & 3H_2O_{(g)} & &
\end{array}
$$

d'où il s'ensuit que :

$$Q'_{\text{comb}} = Q_{\text{comb}} + Q_5$$

Enfin, l'énergie de cohésion de l'eau est définie pour la transformation :

$$H_2O_{(liq)} \xrightarrow{E_{vap}} H_2O_{(gaz)}$$

auquel cas : $Q_5 = -3\,E_{vap}$ conduit à l'énergie de la réaction de combustion figurée par l'équation bilan 31 :

$$Q'_{\text{comb}} = Q_{\text{comb}} - 3\,E_{vap} = -1906 - 3 \times 41 = -2029 \text{ kJ.mol}^{-1}$$

12 Chaleurs de réactions   ★ ★ ■ *15 min.* p. 414
Lycée Marie Curie, Sceaux

1 La déshydratation du propanol est une réaction qui consiste à soustraire, à la molécule, les liaisons –H et –OH afin d'obtenir un alcène et de l'eau :

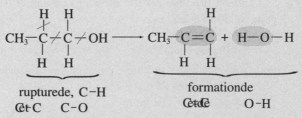

propanol   propène

Cette réaction peut aussi s'écrire :

$$C_3H_8O_{(gaz)} \rightarrow C_3H_{6(gaz)} + H_2O_{(gaz)}$$

2 **(a)** Lorsque les réactifs et produits sont tous à l'état gazeux, la chaleur Q_r de la réaction :

$$C_3H_8O_{(gaz)} \xrightarrow{Q_r} C_3H_{6(gaz)} + H_2O_{(gaz)} \qquad (32)$$

s'obtient en repérant les liaisons qui sont rompues ou formées au cours de la réaction :

$$CH_3-C \nmid C \nmid OH \longrightarrow CH_3-C=C + H-O-H$$

rupture de, C–H
et C   C–O

formation de
C et C   O–H

La rupture des liaisons C–H, C–C et C–O consomme une énergie :

$$Q_{\text{liaisons rompues}} = D_{C-H} + D_{C-C} + D_{C-O}$$

tandis que la formation des liaisons C = C et O–H consomme une énergie :

$$Q_{\text{liaisons formées}} = -[D_{C=C} + D_{O-H}]$$

L'énergie de la réaction vaut donc :

$$Q_r = Q_{\text{liaisons rompues}} + Q_{\text{liaisons formées}}$$
$$= D_{\text{C–H}} + D_{\text{C–C}} + D_{\text{C–O}} - D_{\text{C=C}} - D_{\text{O–H}}$$

soit :

$$Q_r = 412 + 348 + 360 - 612 - 463 = 45 \text{ kJ} \cdot \text{mol}^{-1}$$

Le signe positif de cette chaleur révèle que la déshydration d'un alcool est endothermique.

(b) Lorsque le propanol et l'eau sont à l'état liquide, l'équation bilan de la réaction s'écrit :

$$C_3H_8O_{(\text{liq})} \xrightarrow{Q'_r} C_3H_{6(\text{gaz})} + H_2O_{(\text{liq})}$$

que l'on peut exprimer en fonction de la réaction (32) et des énergies de cohésion du propanol liquide et de l'eau liquide :

$$H_2O_{(\text{liq})} \xrightarrow{E_{\text{vap}}^{(1)}} H_2O_{(\text{gaz})} \text{ avec } E_{\text{vap}}^{(1)} = E_{\text{vap}}(H_2O)$$

$$C_3H_8O_{(\text{liq})} \xrightarrow{E_{\text{vap}}^{(2)}} C_3H_8O \text{ avec } E_{\text{vap}}^{(2)} = E_{\text{vap}}(C_3H_8O)$$

On obtient ainsi le diagramme suivant :

$$
\begin{array}{ccc}
C_3H_8O_{(l)} & \xrightarrow{\;Q'_r\;} & C_3H_{6(g)} + H_2O_{(l)} \\
\Big\downarrow E_{\text{vap}}^{(2)} & & \Big\uparrow -E_{\text{vap}}^{(1)} \\
C_3H_8O_{(g)} & \xrightarrow{\;Q_r\;} & C_3H_{6(g)} + H_2O_{(g)}
\end{array}
$$

Par conséquent :

$$Q'_r = E_{\text{vap}}^{(2)} + Q_r - E_{\text{vap}}^{(1)} = 56 + 45 - 44 = 57 \text{ kJ} \cdot \text{mol}^{-1}$$